rh

MARK BURNELL

LA TROISIÈME FEMME

roman

traduit de l'anglais par Michèle Garène

ROBERT LAFFONT

Titre original : THE THIRD WOMAN
© Mark Burnell, 2005
Traduction française : Éditions Robert Laffont, S.A., Paris, 2007

ISBN 978-2-221-10504-7
(édition originale : ISBN 978-0-00-715267-4 HarperCollins *Publishers*, Londres)

À Greta, avec toute mon affection

« La vraie religion de l'Amérique a toujours
été l'Amérique. »

Norman MAILER

« La plupart des gens ne sont pas eux-mêmes.
Leurs pensées sont les opinions des autres, leur
vie, une imitation, leurs passions, une citation.

Oscar WILDE

Début octobre

Il adorait ce rituel. Faire une dernière promenade autour de la propriété avant d'aller se coucher, avec un bon cigare à terminer et les braises d'un excellent cognac au fond de l'estomac était essentiel à sa jouissance de la campagne, tout comme l'était la sensation d'espace et d'air sain. Son seul regret était de ne pas venir en ces lieux plus souvent. Otto Heilmann sortit de sa datcha et foula une herbe cassante ; cinq degrés en dessous de zéro, estima-t-il, voire dix.

Ses invités avaient pris congé pour la nuit. Leurs voitures étaient garées près du hangar à bateaux ; un 4 × 4 Mercedes noir aux vitres teintées et une Audi A8 blindée équipée d'un moteur auxiliaire. Les deux pare-brise disparaissaient sous une couche de givre.

Heilmann s'approcha de la rive du lac, suivi par les nuages de son haleine et de fumée de cigare qui enveloppaient sa tête d'un halo. La lueur argentée d'une lune presque pleine se reflétait sur la glace. Des points jaunes perçaient l'obscurité de la rive d'en face ; deux datchas, l'une appartenant à un procureur de Saint-Pétersbourg, l'autre à un architecte finlandais.

Le ciel était dégagé et le vent se réduisait à un murmure. Heilmann fuma un moment. Sous l'identité de Bruno Manz, consultant en voyages suisse basé à Saint-Pétersbourg, il se sentait très loin de la sinistre époque de la République démocratique allemande. Très loin d'Erich Mielke, son patron à la Stasi pendant toutes ces années et très loin du Wolfasep, le détergent industriel omniprésent qui, pour des millions d'Allemands de l'Est, était l'odeur caractéristique du régime Honecker. Une fois sentie, jamais oubliée, une cicatrice de la mémoire.

Il jeta son mégot humide sur la glace et poursuivit son circuit. Longer la rive, passer devant la jetée grinçante, remonter vers la remise à bois.

— Bonsoir, Otto.

Une voix de femme. Il crut la reconnaître. Sauf qu'elle était censée se trouver à Copenhague. Mais ce fut bien elle qui jaillit du bois de bouleaux.

Heilmann serra son manteau contre lui.

— J'espère que vous savez comment réagir si je fais une crise cardiaque.

Krista Jaspersen le regarda droit dans les yeux et sourit.

— Ne vous inquiétez pas, Otto. Je saurai exactement quoi faire.

Cela ne le rassura guère.

Elle portait de grosses bottes en feutre, un grand pardessus et le chapeau sable qu'il lui avait offert deux soirs avant au restaurant Landskrona au sommet de l'hôtel Nevski à Saint-Pétersbourg.

Il tenta de retrouver une respiration normale.

— Qu'est-ce que vous fichez ici, Krista ?

— Je vous attendais.

— Ici ?

— Je me rappelais votre rituel.

Un semblant de réponse, soit, mais pas vraiment appropriée.

— Vous auriez pu téléphoner pour prévenir de votre venue. Comme les gens normaux. Il jeta un coup d'œil derrière elle. Comment êtes-vous venue jusqu'ici ?

— En voiture.

— Je veux dire ici même.

— Les hommes au portail m'ont laissée passer.

— Comme ça ?

— Comme ça.

Elle semblait inchangée − longs cheveux blonds, yeux vert foncé, bouche appétissante − mais il émanait d'elle quelque chose de différent sans qu'il puisse mettre le doigt dessus.

— Il fait trop froid. Rentrons.

— Vous avez des invités.

— Ils dorment.

— Je ne reste pas, Otto.

— Le plus mystérieux, c'est que vous soyez ici. Vous devriez être à Copenhague.

Krista sortit une arme de son manteau. Un SIG-Sauer P226. Le silencieux luisait sous la lune.

Pas la moindre indignation. Cela la surprit : Heilmann était connu pour son caractère fragile. Il digéra cette nouvelle donne en silence, puis se contenta de hocher la tête d'un air morose.

— Laissez-moi deviner : vous n'êtes même pas danoise.

Elle secoua la tête.

— Pas vraiment, non.

— Qui êtes-vous ?

Les secondes s'étirèrent pendant qu'ils se dévisageaient, les yeux larmoyants à cause du froid, prêts à détourner le regard ni l'un ni l'autre.

— Le plus idiot, c'est que je le savais, murmura-t-il. Intellectuellement je le savais. Mais j'ai laissé mon cœur prendre le pas et...

— Plus vraisemblablement une autre partie de votre anatomie.

— Vous étiez trop belle pour être vraie. Voilà quelle a été ma première réaction.

— On m'a accusée de bien des choses, mais ça jamais.

Il respira profondément.

— Alors... de quoi s'agit-il ?

— Vous ne devinerez jamais.

— Les fantômes du passé ?

— Cela reste encore très vague, non. Surtout après votre éblouissante carrière à la Stasi. Mais non, ce n'est pas ça.

Sa surprise parut réelle. Il envisagea une autre option.

— Les S-75 ?

Krista sourit.

— Je savais que vous diriez ça.

Le missile de défense aérienne S-75 était une relique de l'ère soviétique qui avait dominé les conflits du Vietnam aux Balkans. Des centaines d'entre eux avaient été transportés des nations du pacte de Varsovie en Ukraine pour y être mis hors service et démontés. Beaucoup s'étaient évanouis dans la nature, sans laisser de trace, un exploit rendu possible par l'extraordinaire souplesse des pratiques comptables du ministère ukrainien de la Défense.

— Bons pour la ferraille.

— Peut-être. Mais vous savez ce qu'on dit, ça salit peut-être les mains mais ça rapporte. Combien de temps avez-vous passé à Kiev au cours de la dernière décennie ?

— Je ne sais pas. Pas mal de temps. Où voulez-vous en venir, Krista ?

— Otto Heilmann, directeur de l'hypermarché Ukraine, fourguant les vestiges esquintés de l'arsenal soviétique à des psychopathes du tiers monde. Une activité lucrative à en juger par votre train de vie, Otto. Et c'est mieux que d'arracher des ongles à des vieilles dames dans les caves humides de Leipzig, j'imagine. Le trou dans l'inventaire militaire de l'ère soviétique, à combien se monte-t-il à votre avis maintenant ?

— Pas la moindre idée.

— Le chiffre qui revient le plus souvent est cent quatre-vingts milliards de dollars. Mais j'ai entendu plus élevé. L'année dernière le budget de l'Ukraine était de dix milliards de dollars. En termes d'environnement commercial, je dirais que cela laissait pas mal de champ de manœuvre. Qu'en pensez-vous ?

— C'est ça le sujet ? Les missiles manquants ?

— Ils sont au nombre de deux cents.

— Ce sont des pièces de musée.

— L'antiquité a de la valeur, Otto. Même la vôtre, dit Krista avec un sourire glacial. En fait, ce n'est pas le but de ma visite. Mais je suis assez contente de ne pas m'être trompée à votre sujet. Non, c'est une affaire privée.

— Entre vous et moi ?

— Entre vous et votre banque.

— Ma banque ?

— Vous êtes allé trop loin, Otto.

— C'est pour cela que vous êtes ici ? Armée ?

— C'est exact.

— C'est débile. Je suis en rapport avec plusieurs banques. Laquelle ?

— Guderian Maier.

Heilmann eut l'air incrédule.

— Vous travaillez pour eux ? Je ne vous crois pas.

— Vous avez commis une erreur à Zurich.

14

— Et vous en commettez une ici.

— Votre argent ne vaut plus rien.

— Qu'est-ce que vous racontez ?

— La plupart des directeurs de banque préviennent par lettre. La vôtre m'a dépêchée.

Heilmann eut un ricanement méprisant.

— Très drôle. Mais les banques ne descendent pas les gens. Alors on arrête ce petit jeu, d'accord ? Dites-moi. Pourquoi êtes-vous ici ?

Krista Jaspersen leva le Sig-Sauer P226.

— Je suis venue clore votre compte, Otto. Définitivement.

Premier jour

En ouvrant les yeux, elle fut surprise par le visage à côté d'elle. Elle s'attendait à être seule dans la chambre de son appartement miteux à deux pas du boulevard Anspach. Elle se retrouvait dans une chambre munie de rideaux et non de volets, donnant sur l'avenue Louise et non sur la rue Saint-Géry.

Bruxelles, sept heures moins vingt, par un matin de janvier glacial. Un tramway passa en grondant sous les fenêtres. Elle avait toujours aimé le bruit des trams. Près d'elle, Roland dormait encore, la tête à moitié enfouie dans les sables mouvants d'un oreiller. Stephanie lui emprunta sa robe de chambre en soie bleue trop grande pour elle et en retroussa les manches. Dans la cuisine, elle remplit la bouilloire et la brancha.

Progressivement, la journée de la veille qui avait commencé en Asie lui revint en mémoire. Elle avait téléphoné à Roland de l'aéroport de Francfort en attendant sa correspondance pour Bruxelles et avait recommencé après l'atterrissage à Zaventem. Plus tôt, à Turkmenbachy, puis dans le vol Lufthansa qui la ramenait d'Achkhabad, elle avait été envahie par cette sensation familière de souillure qui suivait toujours la décharge d'adrénaline. Elle avait eu besoin de Roland parce qu'elle se sentait incapable d'affronter la solitude.

Elle entra dans la salle de bains. Digne d'un hôtel ; sol en marbre chauffé, lavabo en marbre, porte-serviettes chromé chauffant, porte-savon rempli d'échantillons Molton Brown. Typique. Il avait reconstitué chez lui le cadre auquel il était habitué pendant ses voyages à l'étranger. Bah ! un manque d'imagination chez un homme n'était pas forcément un inconvénient.

Elle se doucha pendant cinq minutes. Dans le miroir, Stephanie vit le reflet de Petra Reuter. Son autre moi, les différences entre elles ne comptant pour rien en cet instant, bien que le corps qu'elles partageaient à présent appartînt davantage à Petra qu'à Stephanie. À cet égard, c'était un baromètre d'identité. Là où Petra préférait les muscles, Stephanie se laissait joyeusement aller aux rondeurs.

Elle caressa d'une main son ventre musclé et regarda droit dans des yeux bruns et durs. Seule sa bouche paraissait chaude et appétissante ; elle ne pouvait rien faire contre ces lèvres généreuses. Tout le reste avait l'air froid et mauvais. Quand elle était dans cet état d'esprit, même la légère bosse sur son nez – résultat de deux fractures – paraissait immense et laide. Mais le pire était encore la blessure par balle artificielle sur son épaule gauche. Dans quarante-huit heures, sous le soleil de l'océan Indien, Stephanie savait qu'elle la mépriserait ; le signe distinctif de Petra lui rappelait la vie à laquelle elle ne pouvait échapper.

Elle enfila les vêtements fripés qu'elle récupéra par terre dans le salon de Roland ; un treillis gris anthracite avec une bande rose fluo sur chaque jambe, deux T-shirts sous un pull Donna Karan et une paire de bottes Caterpillar.

Tout en frictionnant ses longs cheveux bruns avec une serviette, elle alla dans la cuisine, prépara du café, emporta deux tasses dans la chambre, en posa une sur la table de nuit de Roland. Il bougea. Elle ouvrit les rideaux. Sur l'avenue Louise, des phares fendaient la bruine, premiers indices de l'heure de pointe.

Un murmure étouffé s'éleva derrière elle.

— Marianne.

Stephanie se retourna.

— Tu as l'air un peu... *fripé*.

Roland sourit, ravi de la description, puis se redressant sur un coude, tapota le matelas.

— Reviens ici.

— Il faut que j'y aille.

— Moi aussi. Reviens te coucher.

— Dans quelle banque d'affaires travailles-tu exactement ?

— Le genre qui comprend qu'un bon banquier est un banquier heureux.

La bougie de la tentation vacilla brièvement. En général, plus l'homme était séduisant, plus Stephanie se montrait prudente. D'après son expérience, les beaux mecs avaient tendance à être des amants paresseux. Mais pas Roland.

— La nuit dernière, dit-il en prenant sa tasse, c'était vraiment quelque chose.

Si tu savais.

Une opération chirurgicale pour chasser la tension. Voilà ce que cela avait été. Par terre dans l'entrée, la tendresse évacuée avec aussi peu de ménagement que leurs fringues. Vers neuf heures, ils étaient allés dîner au Mont-Liban, un restaurant libanais de la rue Blanche, à quelques minutes à pied de là. Le temps qu'ils regagnent l'appartement, son désir était revenu, moins frénétique mais tout aussi pressant.

Étrange d'y songer maintenant, comme une expérience désincarnée. Roland la fixait à travers la vapeur qui s'élevait de sa tasse de café, sans cacher sa déception.

— À quoi tu penses ?

— Que je me suis couché avec une femme pour me réveiller avec une autre.

— Je connais ça, dit Stephanie.

Il ne pleut plus quand je sors dans l'avenue Louise. L'hiver ride les flaques et arrache des brindilles aux platanes nus. Les enseignes Nikon et Maxell fixées sur les toits se détachent sur une charge de cavalerie de nuages noirs.

Bruxelles : glaciale, grise, humide. Parfaite.

Cette ville au cœur de l'Union européenne est le foyer idéal pour moi. Une ville de bureaucrates. En d'autres termes, une ville de gens de passage qui fuient les projecteurs et ne sont jamais obligés de justifier leurs actes. Mes semblables.

À certains égards, cette ville est un aéroport. Quand je suis ici, j'ai toujours la sensation d'être entre deux correspondances. Une anonyme en transit, même dans mon propre lit.

J'ai eu une maison digne de ce nom jadis. Elle ne m'appartenait pas – elle appartenait à l'homme que j'aimais – mais c'était tout de même la mienne. Le seul endroit où j'ai pu être moi-même. Et pourtant cet homme n'a jamais su ni mon nom, ni ce que je faisais.

Avec le recul, ma vie civile — la vie professionnelle de Petra fonctionnant en parallèle avec la vie privée de Stephanie — a été une expérience ratée. J'ai pris toutes les précautions possibles pour séparer les deux, les protéger l'une de l'autre. Mais la vérité à propos des mensonges, c'est qu'on commence par un petit, puis on a besoin d'un plus gros pour le dissimuler. À la fin, ils vous submergent. Ce qui est exactement ce qui s'est passé. Une vie a infecté l'autre et a fini par être elle-même contaminée. Les conséquences étaient prévisibles : j'ai blessé ceux que j'aimais le plus.

Maintenant je ne me berce plus d'illusions. Voilà pourquoi je vis à Bruxelles tout en y passant si peu de temps. Voilà pourquoi j'étais au Turkménistan avant-hier et pourquoi les journaux publient la notice nécrologique d'Eddie Sullivan aujourd'hui. Voilà pourquoi j'entretiens ce genre de rapports avec Roland et qu'il m'appelle Marianne.

Il est devenu mon amant de la même manière que Bruxelles est devenue mon port d'attache ; par hasard et par commodité. Nous nous sommes rencontrés dans un train, ce qui semble approprié ; bouleversement des sens à trois cents kilomètres à l'heure. Tout cela est très contemporain, très efficace. Il n'y a pas l'ombre d'une chance que je lui livre un jour un aperçu de mon âme. Pour l'instant toutefois, comme la ville elle-même, il satisfait un besoin transitoire.

Rue Saint-Géry, les façades maculées de graffitis, les trottoirs, constellés de crottes de chien. Un immeuble d'angle, de cinq étages, avec des portes-fenêtres pourries ouvrant sur des balcons envahis de mauvaises herbes. L'ampoule du hall d'entrée avait disparu. Dans sa boîte à lettres, Stephanie récupéra une facture d'électricité et un mailing imprimé en arabe. L'odeur d'oignons frits imprégnait la tapisserie en lambeaux de l'escalier.

Son appartement se trouvait au troisième étage ; une chambre et une salle de bains minuscules donnant sur la cour avec une grande pièce sur rue, dont un quart était cloisonné pour former une kitchenette. Il restait des vestiges de l'élégance initiale des lieux — hauts plafonds, moulures en plâtre, lambris — le tout en piteux état, faute d'entretien.

Son sac en cuir gisait là où elle l'avait lâché la veille en fin d'après-midi, au centre du tapis usé jusqu'à la corde posé sur un plancher inégal et taché. L'étiquette à bagages entourait toujours la poignée. C'était souvent les petits détails qui vous trahissaient. Par le passé, elle avait été soutenue par une infrastructure qui s'assurait qu'il n'y avait aucune négligence, aussi infime fût-elle. Maintenant qu'elle travaillait en indépendante, personne n'était là pour y veiller.

Par terre près de la cheminée, une stéréo bon marché était posée à côté d'un panier en osier contenant les rares CD qu'elle avait achetés en dix mois. Les seuls objets personnels de l'appartement. Elle en glissa un dans l'appareil. *Foreign Affairs* de Tom Waits ; mieux que tout album de photos, cela shootait et provoquait un trip de la mémoire.

Les premiers disques qu'elle avait écoutés étaient ceux qu'elle empruntait à son frère : Bob Dylan, *Bringing It All Back Home* ; David Bowie, *Heroes* ; The Smiths, *The World Won't Listen*. Elle se rappelait qu'un garçon qui voulait sortir avec elle lui avait offert un truc de Van Morrison. Pas un bon choix. Elle détestait à l'époque et cela n'avait pas changé.

« Saturday Night » d'Elton John était la chanson que jouait la radio la première fois qu'elle s'était vendue à l'arrière de la voiture d'un inconnu. Chaque fois qu'elle l'entendait à présent, elle sentait la main épaisse l'agripper par le cou pour lui écraser le visage contre la portière. Les ongles qui lui avaient égratigné les fesses. Par la suite, elle avait régulièrement été brutalisée et humiliée mais rien n'avait jamais égalé l'impact émotionnel de cette initiation. Elle avait eu le sentiment d'être un morceau de viande. Et que la musique sortant de l'autoradio bas de gamme à l'avant avait été en quelque sorte un complice.

Parfois se faire un trip de souvenirs était aussi risqué que de se shooter vraiment ; on n'obtenait pas forcément le flash qu'on espérait. Elle remplaça donc le CD par *Absolute Torch & Twang*, un album de k.d.lang qu'elle avait découvert sous l'identité de Petra.

Et avec Petra, il n'y avait pas de mauvais souvenirs. En fait, pas de souvenirs du tout.

Elle vida le sac en cuir. Du linge sale, une liasse de dollars, une trousse de toilette contenant du catgut renforcé dans une boîte en plastique de fil dentaire, un passeport australien au nom de Michelle Davis, un exemplaire corné d'un roman d'Iain Pears et un guide du Turkménistan proposant des plans périmés d'Achkhabad et de Turkmenbachy.

Dans la salle de bains, elle prit la cuvette en aluminium cabossée qu'elle rangeait sous le lavabo. Elle y plaça le passeport, l'étiquette à bagages, les reçus et les talons des billets déchirés en menus morceaux, sortit le tout sur le balcon, versa de l'essence pour briquet dessus et craqua une allumette. Un petit bûcher funéraire pour une autre version d'elle-même.

Quatre messages l'attendaient sur sa messagerie dont un du Tourisme Albert sur le boulevard Anspach. *Vos billets sont prêts. Doit-on vous les faire porter ou préférez-vous venir les chercher à notre agence ?* Elle consulta sa montre. Dans trente-six heures, elle serait partie ; deux semaines à l'île Maurice, pour faire tampon entre le Turkménistan et la prochaine destination. Une fois de plus, une femme en transit.

Dans sa chambre, elle tira le lit une place de côté, roula le tapis, souleva deux planches et récupéra un petit portable Sony dans un sac en plastique scellé.

De retour dans le living, elle alluma l'ordinateur et ouvrit les mails de Petra. Répartie entre six adresses AOL et Hotmail, Petra se cachait derrière quatre hommes et deux femmes. Elle ouvrit le mail de Marianne Bernard chez AOL ; un nouveau message. Roland, comme prévu. « Reconnaissance pour la meilleure nuit de l'année. » Pas génial comme compliment au début du mois de janvier.

Elle envoya un nouveau message. À Stern, son fournisseur de renseignements qui lui servait également d'agent et de confident. Cela ne devait pas être un hasard si pratiquement la seule personne en qui elle eût confiance soit quelqu'un qu'elle n'avait jamais rencontré. Elle ignorait même si Stern était un homme ou une femme, bien qu'elle l'appelât Oscar.

>Rentrée du passé soviétique. Affectueusement, P.

Elle laissa l'ordinateur branché, puis emporta son linge sale à la laverie de la place Saint-Géry. Elle acheta du lait et un carton de jus de pomme au supermarché d'en face, puis rentra chez elle où deux messages l'attendaient. L'un était de Stern. Il la dirigeait vers un endroit électroniquement discret et demandait :

>Comment c'était ?
>Le Turkménistan ou Sullivan ?
>Les deux.

>Déprimant, sale et arriéré. Mais le Turkménistan, ça
allait.

Eddie Sullivan était un ancien Green Jacket qui avait créé une société baptisée ProActive Solutions. Marchand d'armes avec une réputation florissante, il se trouvait au Turkménistan pour négocier la vente d'un lot d'armes au MIO, le mouvement islamique d'Ouzbékistan. L'équipement, volé à l'armée britannique pendant la dernière ligne droite avant l'invasion de l'Irak, était déjà en Azerbaïdjan, attendant d'être transporté de Bakou sur la mer Caspienne à la ville côtière de Turkmenbashi.

Le contrat de Petra avait été payé par Vyukneft, une compagnie pétrolière russe avec des intérêts en Azerbaïdjan. Mais Stern lui avait dit que la décision de faire appel à elle avait été politique. Prise à Moscou. Engager Petra voulait dire absence d'empreintes embarrassantes. Ce n'était pas la première fois qu'elle travaillait par procuration pour le gouvernement russe.

L'ultime négociation entre Sullivan et le mouvement islamique ouzbeck devait avoir lieu à l'hôtel Turkmenbashi, un monstrueux vestige de l'ère soviétique. Hideux à l'extérieur, pas mieux à l'intérieur. Elle avait éliminé Sullivan dans sa chambre pendant que les Ouzbecks qui devaient être les bénéficiaires au final se rassemblaient deux étages plus bas. Se faisant passer pour une employée de l'hôtel, elle avait remis le message avec un air aussi peu amène que possible.

Distrait par le marché imminent, Sullivan ne s'était pas méfié. Il ne lui avait pas accordé un seul regard, même lorsqu'elle s'était attardée sur le pas de la porte dans l'attente d'un pourboire. Quand il lui avait tourné le dos pour chercher de la monnaie, elle avait sorti le Ruger équipé d'un silencieux et avait refermé la porte derrière elle d'un coup de talon. Mêlés, le coup de feu et le claquement du battant avaient produit un bon gros bruit sourd. Deux minutes plus tard elle filait sur la route d'Achkhabad vers le vol Lufthansa pour Francfort.

>Vous êtes disponible ?
>Pas jusqu'à nouvel ordre.
>On prend des vacances ?
>Un truc dans le genre. Quelque chose sur le radar ?
>Seulement de la part de clients qui n'ont pas les moyens
de vous payer.

>Alors votre commission doit être plus importante que je ne le pensais.
>Petra ! Enfin ! Ne soyez pas cruelle.

Le second message, à l'une des adresses Hotmail, fut une vraie surprise. Pas de nom, juste une phrase.

>Je vois que vous avez choisi de ne pas suivre le conseil que je vous ai donné à Munich.

Munich !

On était fin septembre, mais déjà l'hiver faisait sentir sa présence ; deux jours plus tôt, la ville avait eu droit à des rafales de neige. Petra Reuter sirotait un cappuccino à une table proche de l'entrée au Café Roma dans Maximilianstrasse.

L'homme qui se leva de la table où elle était assise était Otto Heilmann. Petit, pas plus d'un mètre soixante-dix, avec d'étroites épaules tombantes, il portait une veste de chasse en loden avec des boutons en onyx sur un polo fauve.

— Nous nous reverrons, *Fräulein* Jaspersen ?

— Je l'espère, si vous le souhaitez.

— Peut-être envisageriez-vous de venir à Saint-Pétersbourg ?

Petra se demanda d'où venait cette courtoisie pleine de raideur. Probablement pas de deux décennies passées dans la Stasi. Ni des quinze dernières années de trafic d'armes. Le genre de politesse de Heilmann ne devait pas être très utile à Tbilissi ou à Kiev. Ni même à Saint-Pétersbourg. Et pourtant voilà qu'habillé comme un oncle bavarois bienveillant, il la draguait avec une invitation presque aussi officielle qu'un carton orné de lettres en relief.

Elle lui adressa son plus beau sourire.

— J'y songerai, *Herr* Heilmann.

— Otto, s'il vous plaît.

— Seulement si vous me promettez de m'appeler Krista.

Une légère inclinaison de la tête fut suivie d'un sourire en retour qui révéla une denture parfaite.

— Cela pourrait être le début de quelque chose de très bon pour nous, Krista.

Elle le regarda partir avec son pardessus en cachemire bleu marine plié sur son bras droit. À l'extérieur, une Mercedes attendait, carrosserie noire, vitres noires, homme en costume noir pour lui ouvrir la portière. Peut-être était-ce la raison pour laquelle il avait choisi le Café Roma ; tout y était noir, tables en bois, banquettes, chaises. Seuls tranchaient les murs cramoisis. La couleur du sang. Une raison plus vraisemblable du choix de Heilmann. Elle suivit la voiture des yeux jusqu'à ce qu'elle disparaisse.

Des heures à tuer s'étendaient devant elle. Rien à faire sinon attendre l'appel. La vie de Petra se composait surtout de plages d'attente. Comme un acteur de cinéma ; de longues périodes d'inactivité ponctuées de courtes poussées d'activité.

— Nom de nom, je n'y crois pas. Petra, Petra, Petra...

Elle leva la tête et eut besoin d'un moment pour mettre un nom sur ce visage. Non qu'elle ne le reconnût pas, mais il était hors contexte.

Il interpréta mal son silence.

— Ou ne sommes-nous pas Petra, aujourd'hui ?

John Peltor. Un ancien marine américain. Qui se tenait tellement droit qu'il ne perdait pas un millimètre de son mètre quatre-vingt-quatorze.

— Je tombe mal ?

— Cela dépend.

Il regarda autour de lui.

— Je vous dérange ?

— Non.

Ce n'était visiblement pas la réponse qu'il attendait.

— Vous êtes seule ?

— Ne le sommes-nous pas tous ?

— Toujours le mot pour rire, Petra.

— Toujours.

— J'ai eu un doute au début. Les cheveux.

Elle ne les avait jamais portés aussi longs. Jusqu'à la taille et blond foncé.

— Ça vous va plutôt bien.

— Vraiment ?

Elle n'aimait pas, bien que ce fût assorti à ses yeux qui étaient à présent verts. Elle n'était pas sûre que Peltor ait remarqué ce changement.

Il désigna sa tasse, aux deux tiers vide.

— Vous en voulez un autre ?

— Il faut que j'y aille, mentit-elle.

— Vous êtes sûre ? Cela ne m'aurait pas déplu qu'on refasse le point. Nous aurions tellement de choses à nous dire.

Paradoxalement, c'était vrai. Les rencontres dans leur métier solitaire étaient rares ; pourtant ce n'était pas la première fois qu'ils tombaient nez à nez par hasard. Peltor n'était pas son genre, mais cela ne comptait guère. Combien d'êtres comme eux y avait-il dans le monde ? Non pas le genre objets bon marché fonctionnant sur piles, mais ces rares instruments de précision faits main ? Moins d'une centaine ? Quelles que soient leurs origines respectives, ils étaient liés par la qualité de leur métal et ils le savaient tous les deux.

— Combien de temps restez-vous à Munich ?

— Je pars demain, vers midi. Pourquoi pas ce soir ?

— Je suis prise.

Un autre mensonge.

— Vous pouvez vous libérer pour le petit déjeuner ? À mon hôtel. Disons neuf heures.

Petra inclina la tête de côté et s'autorisa un sourire.

— Vous ne le partagerez pas avec une petite veinarde ?

Peltor feignit d'être blessé dans son orgueil.

— Pas si vous acceptez.

Petra arriva au Mandarin Oriental dans Neuturmstrasse à neuf heures. Lorsqu'elle s'enquit de Peltor à la réception – *Herr Stonehouse, bitte* – on lui donna des instructions précises : comme il était un peu en retard, il fallait qu'elle prenne l'ascenseur jusqu'au sixième étage, puis l'escalier jusqu'au septième, et elle le trouverait sur le toit.

C'était une matinée glaciale sans le moindre nuage en vue. Le soleil étincelait telle l'étoile du millénaire sur une terrasse qui offrait une vue imprenable de Munich.

— Pas mal, hein ? C'est pour ça que je descends toujours ici quand je suis en ville.

Peltor flottait à une extrémité d'une piscine miniature. À peine plus grande qu'une baignoire.

— J'espère que l'eau est chauffée.

— Un petit peu trop à mon goût.

— Toujours le marine, hein ?

Petra regarda le panneau près de la piscine. À côté de la date figurait la température prise à sept heures et demie. Un degré Celsius.

— J'adore commencer ma journée par un peu de natation.

— Je croyais que vous autres préfériez l'odeur du napalm le matin.

— Pas en ce moment. Cela fait combien de temps, Petra ?

— Je ne sais pas. Dix-huit mois ?

— Plutôt deux ans. Voire plus.

— Le salon British Airways à JFK ? Vous m'avez dit que vous alliez à Bratislava. Deux semaines plus tard, coincée à l'aéroport d'Oslo, je feuilletais le *Herald Tribune* quand je suis tombée dessus. Le prince Mustafa, le seigneur de la guerre de Mogadiscio, touché en plein cœur par un sniper. Avec un Snako...

— Un TRG-S, précisa Peltor. Je ne me sers de rien d'autre...

— Un 338 Lapua Mag d'une distance de dix-sept cents mètres, c'est ça ?

— Dix-sept cent cinquante. Qu'est-ce que vous faisiez à Oslo ?

— Rien. Je vous l'ai dit. J'attendais un avion.

— Malin, Petra. Vraiment malin.

Peltor sortit de la piscine. Ses épaules massives descendaient en pointe vers une taille si mince qu'elle en était presque féminine, un trait qui lui rappela Salmat Rifat, le négociant d'armes turc. Mais si le physique extraordinaire de Rifat était dû à des stéroïdes, celui de Peltor était naturel. Il exsudait la puissance de manière aussi tangible que la vapeur qui s'élevait de sa peau.

Indifférent au froid, il se sécha devant elle, sans que ni l'un ni l'autre n'ouvre la bouche. Un spectacle extravagant. Un paon musclé, pensa Petra, quand il prit son peignoir. Était-il vraiment en retard ou avait-il délibérément orchestré cette exhibition ?

Sa suite se trouvait au septième étage. Il sortit de la salle de bains en costume bleu marine sans cravate. Stephanie perçut une trace de santal dans son eau de Cologne. Peltor arborait un bouc taillé de la même épaisseur que ses cheveux coupés en brosse. Il enfila des mocassins Sebago noirs et ils descendirent au Mark, le restaurant de l'hôtel.

Le jus d'orange et le café arrivèrent. Peltor commanda des œufs brouillés et du bacon, Petra s'en tint aux fruits et aux croissants, et dit :

— Que vous soyez tombé sur moi hier au Café Roma...

Il prit son temps, sirotant son café, jouant avec la cuiller posée sur la soucoupe.

— Ouais, je sais.

— Et ?

Il chercha une réponse, puis parut presque s'excuser.

— J'ai vécu toute ma vie d'adulte le doigt sur la détente, Petra. D'abord pour mon pays, ensuite pour alimenter mon compte en banque. À cette époque, j'étais le meilleur. Nous l'avons été tous les deux. Spécialités différentes, même environnement. Mais personne ne sait ce que nous faisons. Il faut que nous mentions à tout le monde. Impossible de lever le pied. Ce jour-là à JFK, nous n'étions rien qu'un couple de collègues papotant dans un salon d'aéroport. Quelques anecdotes, quelques verres. C'était bien. Je ne pensais pas que j'aurais l'occasion de recommencer. Et hier, vous étiez là.

— Une coïncidence ?

— Je l'espère.

— Quelqu'un que je connaissais dans le temps disait qu'une coïncidence était le fruit d'une négligence.

Il se cala contre son dossier et ouvrit les mains.

— Merde, ça arrive, non ? Vous êtes dans une rue quelque part — à Osaka, à Toronto ou à Berlin — et un type crie votre nom. Quand vous vous retournez, vous découvrez un visage que vous n'avez pas vu depuis l'école primaire à Austin.

— C'est là que vous avez grandi ?

— Vous ne baissez jamais la garde, hein ?

— Jamais.

Peltor leva les bras en l'air, en une parodie de capitulation.

— Écoutez, je vous ai vue au Café Roma. J'aurais pu passer mon chemin, mais je n'en ai rien fait. Cela s'arrête là. J'ai simplement pensé que nous pourrions bavarder de nouveau comme à New York. Histoire de faire une coupure. Si cela vous met mal à l'aise, j'imagine que vous allez partir.

Elle n'en fit rien. Peut-être parce que l'épisode JFK lui avait plu à elle aussi. Faire une pause, parler boutique. Se détendre.

On servit les œufs et le bacon de Peltor. La serveuse remplit la tasse de café de Petra. Le restaurant était pratiquement vide, les hommes d'affaires partis depuis longtemps, rien que quatre tables occupées, aucune trop proche.

Progressivement la conversation s'engagea. Rien de personnel, pas au début. Ils évoquèrent Juha Suomalainen, un tireur d'élite finlandais que Peltor avait toujours considéré davantage comme un rival que comme un confrère. Petra demanda s'il travaillait toujours.

— J'en doute. Il est mort depuis six mois.

— Qui l'a eu ?

— Husqvarna.

— Ce nom ne me dit rien. Il a une consonance nordique.

— Husqvarna fabrique des tronçonneuses.

— Je ne vous suis pas.

— Juha était chez lui à Espoo. Au sommet d'une échelle, en train de couper les branches d'un arbre. Dieu sait comment il est tombé, mais la tronçonneuse l'a eu. Avant que vous ne posiez la question, ce jour-là, j'étais à Hawaï avec un verre à la main.

Petra prit un morceau de croissant.

— Statistiquement, c'est un domaine risqué. On ne s'attend pas à ce que l'un de nous finisse ainsi.

— Exact. Comme Vincent Soares. Cancer. Il n'avait même pas quarante-cinq ans.

Quand Peltor parla de son temps chez les marines, Petra fut surprise d'apprendre qu'il n'avait rien du patriote enragé comme elle l'aurait cru, bien qu'il admît que l'esprit de camaraderie lui manquait. Mais pas trop.

— Ça, c'est beaucoup mieux. Comme d'avoir sa propre entreprise, voyez ce que je veux dire ? On travaille dur mais on n'a pas de patron sur le dos.

Pour Peltor, elle avait toujours été Petra Reuter, l'anarchiste ayant viré assassin. Pourtant, à l'origine, Petra avait été créée par une organisation. Et contrôlée par cette organisation. Petra était une identité qu'on avait remise à Stephanie. Une coquille à habiter. Et à l'époque, il y avait eu un patron. Un homme qui avait réglé tous les aspects de sa vie. Mais le temps passant, l'habit avait fait le moine et Stephanie était devenue Petra. Ou était-ce l'inverse ? Quoi qu'il en fût, Petra avait dépassé son soi fabriqué. À présent, l'organisation et le patron appartenaient au passé alors que Petra Reuter était plus réelle que jamais.

Peltor mangea un bout de petit pain couvert de beurre et de marmelade. Petra attendit la réaction prévisible : la grimace. Il souleva le petit pot de confiture.

— Non mais vous avez vu ça ! Regardez cette couleur. Bien trop claire. On dirait de l'eau sale. Trop de sucre, pas assez d'orange. Et aucune amertume. La marmelade est immangeable sans une pointe d'amertume.

Quand il ne tuait pas des gens, Peltor aimait faire de la marmelade. Lorsqu'elle l'avait appris, elle avait ri aux éclats. Plus tard, avec le recul, cela n'avait fait que confirmer une vérité : on ne connaît jamais vraiment personne.

— Vous prenez toujours autant votre pied ?

Lors de leur dernière rencontre, Peltor avait expliqué ce qui le faisait avancer : la quête de la perfection. *Tout se résume au coup de feu, Petra. Le dernier contrat que j'ai accepté a duré neuf mois du début à la fin. Tout cela condensé en une demi-seconde.*

Il n'y avait plus aucune trace de cet enthousiasme.

— Pour être honnête, je ne suis pas sûr d'accepter un autre contrat.

— Ça me surprend.

— Je suis en train de me lancer dans quelque chose de nouveau. (Il tira sur le revers de sa veste.) Le monde... de l'entreprise.

— Ça me surprend davantage.

— Ça ne devrait pas. Vous savez comment ça marche. J'ai fait mon temps. Et si vous me le permettez, vous aussi.

— Et si vous me le permettez, je dirais que vous avez dix ans de plus que moi.

C'était plutôt de l'ordre de quinze ans, mais techniquement Petra était plus âgée que Stephanie.

— Ce n'est pas une question d'âge. C'est le temps qu'on a servi.

Elle manifesta son indifférence par un haussement d'épaules.

— Votre intérêt me touche.

— Ne vous éternisez pas, Petra. La plupart des connards dans le circuit − j'en ai rien à foutre s'ils se font buter. Mais je vous aime bien. Vous avez de la classe. Ne devenez pas le champion qui ne sait pas quand raccrocher.

— Le jour venu, je saurai.

— Conneries. Ceux qui le prétendent ne le savent jamais. Vous savez pourquoi ? Parce qu'à la seconde où ils en prennent conscience, ils se retrouvent avec leur cervelle sur les genoux.

— Je tâcherai de m'en souvenir.

— Faites-le. Retirez-vous. Ou changez d'orientation comme moi.

— Dans quel secteur œuvrez-vous alors ?

— Le conseil, je dirais. Voyages en première classe, tous frais payés, des endroits comme ici. Je vous jure qu'il y a des sociétés – les plus grands noms – qui sont prêtes à verser des fortunes pour ce que nous avons là-dedans. (Il se tapota la tempe.) Vous annoncez votre prix. Ils vous paient dans des sociétés *off shore*, en vous donnant des actions, comme vous voulez.

— J'aurai tout entendu.

— Vous n'êtes pas trop jeune pour y songer, Petra.

— Ce n'est pas ça.

— Non ?

— Non.

— C'est quoi alors ?

— Vous le savez pertinemment. Cela vous est manifestement déjà arrivé. Mais pas à moi. Pas encore.

— De quoi parlez-vous ?

— De l'instant.

Cela coupa le sifflet au Peltor devenu prosélyte et elle sut qu'elle avait raison.

— L'instant de l'illumination. Mais avant cet instant... eh bien, on n'abandonne pas cette existence, John. Vous le savez aussi bien que moi. C'est elle qui vous abandonne. Parfois après une seule mission.

— Vous avez foutrement raison, Petra. Foutrement raison, dit-il avec semble-t-il une pointe de regret dans la voix.

Stephanie songeait encore au mail de Peltor et à la rencontre de septembre qui l'avait suscité quand son taxi s'arrêta devant l'église Notre-Dame-du-Sablon. Quand Albert Eichner lui avait dit qu'il venait à Bruxelles pour l'inviter à déjeuner, elle avait été légèrement amusée par son choix du restaurant. L'extérieur de L'Écailler du Palais-Royal était l'essence même de la discrétion ; un endroit facile à rater, avec la petite plaque gravée de son nom et ses voilages destinés à protéger des regards inquisiteurs des passants. En tant que président de la banque Guderian Maier à Zurich, c'étaient là des qualités qui comptaient plus que tout pour Eichner.

Assis à une table au fond du restaurant, c'était un homme massif avec un physique qui avait fini par pousser son tailleur à baisser les bras. À leur première rencontre, sa tignasse était gris métallisé. À présent elle était presque aussi blanche que sa chemise de coton impeccable. Des boutons de manchette, épais, ovales et en or. À son poignet gauche, une montre IWC sobre avec un bracelet en cuir.

Stephanie portait la seule tenue élégante qu'elle possédât à présent, un tailleur Joseph noir avec un simple chemisier de soie crème. Chic et classique, exactement l'image qu'Eichner devait avoir d'elle. Il se leva pour l'accueillir.

— Stephanie, toujours aussi belle.

Eichner était l'un des rares hommes à qui elle avait confié son véritable prénom. Quant au nom qu'il connaissait – Schneider – c'était celui de sa mère.

Un serveur en tunique bleue lui servit du champagne.

— Combien de temps restez-vous à Bruxelles, Albert ?

— Un de mes amis m'a prêté son Bombardier. Je suis arrivé de Zurich ce matin. Il faut que je rentre ce soir pour une obligation familiale.

— Je suis flattée.

— Il n'y a pas de quoi l'être. Vous l'avez bien mérité. (Il leva son verre.) À vous, Stephanie. Avec notre gratitude la plus sincère.

Trois mois s'étaient écoulés depuis la mort d'Otto Heilmann. Elle sourit sans rien dire. Eichner avait raison d'être reconnaissant. Par le passé, elle l'avait sauvé d'un déshonneur personnel et en retour il avait consenti à devenir son banquier. Cette fois, en revanche, c'était l'institution tout entière qui avait été menacée. Pendant la première semaine de septembre, Eichner l'avait suppliée de venir à Zurich. Pour une urgence. Une urgence qui menaçait Guderian Maier. Il lui avait laissé le soin de remplir les blancs.

Une urgence qui menace notre arrangement avec vous.

Otto Heilmann. L'un des rares à avoir fait fortune à l'époque de la RDA. Les liens de Heilmann avec Guderian Maier remontaient aux années 1970. Quand Stephanie l'avait interrogé sur la nature de ces liens, Eichner avait rougi.

— À l'époque, mon oncle dirigeait cette banque. Avec les mêmes méthodes que lorsqu'il en avait pris les rênes dans les années 1940. (Il s'était interrompu pour lui laisser le temps d'y réfléchir, la gravité de sa voix suggérant le message sous-jacent.) Nous procédons différemment à présent. Heilmann ne le comprend pas. Il estime qu'une banque comme la nôtre va accepter l'argent de n'importe qui à condition qu'il y en ait assez.

— Je présume que vous lui avez expliqué que ce n'est pas le cas.

— Avec toute la politesse et la fermeté possible.

— Mais cela ne l'a pas dissuadé ?

— Malheureusement, non.

— Déprimant.

— Il est hors de question que nous soyons associés à un trafiquant d'armes. (Voyant que Stephanie haussait un sourcil, Eichner avait précisé.) Pas du type de Heilmann. C'est hors de question. Vous connaissez le genre de nos clients. L'idée seule est tout simplement... *épouvantable.*

— J'aurais cru que votre position aurait joué en votre faveur.

— Dans une certaine mesure, c'est possible. Mais il y a autre chose. Quand la Stasi s'est désagrégée, Heilmann est parti pour la Russie en emportant ce dont il avait besoin. Des renseignements pour sa propre protection, des renseignements à vendre.

— Laissez-moi deviner. Vous l'avez dédaigné et il va trouver un moyen d'incriminer la banque, en la liant aux crimes de la Stasi.

— Il ne trouvera pas un moyen. Il *a* un moyen.

— Les péchés du passé...

Le bruit de la circulation dans Bahnhofstrasse et le tic-tac de la pendulette posée sur la cheminée en marbre avaient fourni la bande sonore d'un instant de vérité gênante.

Eichner avait fini par reprendre :

— Comme je vous l'ai déjà expliqué, Stephanie, nous ne nous comportons plus de cette façon.

— Pourtant vous m'avez comme cliente.

Il eut un sourire peu convaincant.

— En fait, ma génération et la suivante se sont donné beaucoup de mal pour redorer un peu le blason d'un très noble héritage. Malgré cela, s'il le fallait, nous serions préparés à faire face à l'humiliation potentielle dont il nous menace. Mais c'est allé au-delà à présent.

Il avait poussé une photo vers elle. Stephanie avait reconnu Eichner au cœur du groupe, sa femme assise à sa droite. Un portrait de famille, les visages de leurs sept petits-enfants rayés par une pointe effilée.

— Livrée à ce bureau la semaine dernière. Six personnes de la banque ont reçu des envois semblables. Dont ma secrétaire.

Elle lui avait dit de ne pas s'en faire. Et lorsqu'il avait soulevé le sujet de ses honoraires, elle avait refusé d'en discuter. *Considérez que c'est un cadeau. Entre deux amis.*

Maintenant, quatre mois après cette conversation, Eichner avait rajeuni de cinq ans.

— Et si nous prenions une bonne bouteille ? Les fruits de mer ici sont fantastiques mais j'espère que vous ne serez pas choquée si nous buvons du vin rouge. Si je me souviens bien, ils ont un excellent Figeac 1993 mais je crois que nous allons prendre un peu mieux.

Il commanda pour eux deux du caviar iranien avec une autre coupe de champagne, suivi d'un turbot grillé et une bouteille de Cheval Blanc 1988.

— Cet endroit où vous viviez, reprit-il lorsqu'ils furent de nouveau seuls, cette ferme dans le sud de la France — rappelez-moi où c'était.

Son cœur eut un raté.

— Entre Entrecasteaux et Salernes ?

— Saviez-vous qu'elle était en vente ?

Combien d'années s'étaient-elles écoulées depuis qu'elle habitait là-bas ? Quatre, peut-être. Cela paraissait plus long. Elle la louait. Le propriétaire était un banquier d'affaires allemand en poste à Tokyo. Un endroit magnifique, un peu décrépit, avec des terrasses derrière la maison, des oliviers, des citronniers, une vigne descendant vers la vallée, la maison elle-même flottant sur des nuages de lavande. Elle l'avait choisie pour se cacher du monde et n'avait jamais voulu en partir.

— Les directeurs et moi en avons discuté et — avec votre

permission, bien entendu – nous avons décidé d'acheter la propriété.

Stephanie fronça les sourcils.

— Je ne comprends pas.

— Pour vous. En témoignage de notre gratitude.

— Je vous ai dit à Zurich que je me chargerais gratuitement de Heilmann.

— Exactement. Et nous aimerions que vous preniez ce geste dans le même esprit. Considérez que c'est un cadeau. Entre deux amis.

Elle lui prit la main.

— Merci, Albert. C'est si gentil de votre part. Mais il faut que j'y réfléchisse.

— Petra ?

Onze heures moins dix. Quand le téléphone avait sonné, elle triait les factures de Marianne assise par terre dans le salon en écoutant en boucle un titre de Laurie Anderson.

Roland ne me connaît pas sous le nom de Petra. Ce fut sa première pensée, vite suivie d'une autre : *ce n'est pas sa voix.*

— Qui est à l'appareil ?

— Jacob Furst.

Sorti de nulle part. Ou, plus exactement, du passé.

Furst interpréta mal son silence.

— Vous ne vous souvenez pas de moi ?

— Bien sûr que je me souviens de vous.

Furst était un vieil homme – frisant les quatre-vingt-dix ans à présent – chaque année gravée dans le timbre de sa voix. Pas surprenant, sachant l'existence qu'il avait menée. Et elle reconnaissait maintenant le son étrangement distinct de cette voix, haut perchée et tremblotante, presque féminine.

— Pardonnez-moi de vous appeler ainsi mais il faut que je vous voie. C'est urgent.

Elle se fit une autre réflexion ; elle répondait sur le portable de Marianne. Comment Furst avait-il obtenu le numéro ? Stephanie sentit Petra prendre le relais, l'inquiétude laisser place au pragmatisme.

— Où êtes-vous ?

— À Paris.

Où habitait Furst.

— Je pars demain mais je serai de retour...

— Et vous, où êtes-vous ?

Son portable avait un numéro allemand. Furst s'imaginait-il qu'elle était en Allemagne ou savait-il qu'elle se trouvait en Belgique ?

— Je suis... là, reprit Petra.

Il parut comprendre.

— Vous pourriez venir à Paris demain ?

— Je pourrais être pratiquement n'importe où demain.

— Je ne vous aurais jamais appelée si j'avais songé à une alternative mais... (D'après les souvenirs qu'elle avait de Furst, ça au moins c'était vrai.) Je ne peux pas parler, murmura-t-il. Pas au téléphone.

— Cela peut-il attendre ?

Le silence démentit le mensonge qui suivit.

— Deux ou trois jours peut-être.

Stephanie revit Furst en esprit ; un petit homme courbé avec des mains carrément immenses. Miriam, sa femme, était plus grande et plus grosse.

— Dites-moi : est-ce la même chose que la dernière fois ?

Sa réponse fut à peine audible.

— Presque.

Presque ?

— Je ne peux rien vous promettre.

— Vous voulez bien essayer ?

Non. Instinctivement, voilà ce qu'elle avait envie de répondre. Petra détestait les situations de ce genre. Non sollicitées, non préparées. Mais il lui serait difficile d'y échapper en l'occurrence. Il y avait un obstacle fait d'obligation et de sentimentalité.

— Une heure. Si je ne suis pas là à la demie, c'est que je ne viens pas. Chez vous ?

— Non.

— Où ?

— L'endroit de notre première rencontre. Vous vous rappelez ?

Deuxième jour

Dans le Thalys qui m'emmène de Bruxelles à la gare du Nord, mon wagon est presque vide. La campagne belge défile à grande vitesse devant ma fenêtre, plate et brune sous un ciel gris, des champs labourés parsemés de petits bois et de taillis. Des nuages bas avalent le sommet des pylônes électriques.

Une femme en uniforme rouge foncé remplit ma tasse de café. Dans une heure, je serai à Paris. Dans quatre, je foncerai dans cette même campagne, en sens inverse. Dans douze heures, je serai à trente-cinq mille pieds d'altitude, en route pour l'océan Indien.

Je ne sais pas trop ce que je réussirai à faire quand je serai avec Jacob Furst, mais je trouverai quelque chose. Furst est un homme doté d'un sens de l'honneur farouche ; le genre d'homme qu'une obligation met au supplice. Et il va se sentir obligé à mon égard, même si je m'efforce de le convaincre du contraire. En vérité, ma dette envers lui est plus grande.

Pendant près de soixante ans, Furst a été un des maîtres faussaires en documents. Peintre doué dès l'enfance, il fabriquait des chefs-d'œuvre pour des clients riches à l'âge de vingt ans. Quand la Seconde Guerre mondiale a éclaté, il a utilisé ses talents à des fins plus pratiques, fabriquant des faux papiers pour aider des juifs à fuir la persécution nazie. Plus tard, il a rejoint la Résistance, créant des documents pour des agents parachutés en France entre 1942 et 1943 avant de se faire prendre. Il a survécu deux ans à Auschwitz. Après la guerre, il s'est lancé dans la contrefaçon de documents pour vivre, protégé par l'écran légitime de l'entreprise de vêtements familiale.

Il a abandonné son art — parce que, pour lui, c'est un art — en 1995 quand ses doigts arthritiques ont commencé à affecter la qualité de son travail. Au cours des années, Furst a initié une poignée d'apprentis à son savoir-faire. L'un d'eux était un Irlandais étudiant les Beaux-Arts à Paris pendant les années 1960. Il s'appelait Cyril Bradfield.

Cyril a créé des identités pour moi tant que j'ai été Petra Reuter. Dans ce sens, il me connaît mieux que quiconque au monde. À la manière perverse dont la logique fonctionne dans mon univers, il est presque un parent pour moi ; après tout, il a enfanté tant de mes personnalités.

Cyril a pour Jacob les sentiments que je nourris à son égard. Ce qui explique pourquoi la seule fois où il m'ait jamais demandé mon aide, c'était pour Furst. Il ne s'agissait pas d'une situation compliquée, seulement indigne, un vieillard et sa femme menacés par un propriétaire véreux et sa troupe de voyous néanderthaliens.

Cela se passait il y a quatre ans et cela a été ma seule rencontre avec Jacob et Miriam Furst. Mais nous avons tissé des liens. Des liens aussi solides maintenant qu'alors. Il n'est pas exagéré de dire la chose suivante : sans Furst, il n'y aurait pas eu de Cyril Bradfield pour moi et, sans certains de ses papiers, je serais probablement morte. Mais si je vais à Paris, c'est parce que j'aime bien Furst. Si je considère Cyril comme un père de substitution, Jacob et Miriam sont mes grands-parents de substitution. Avec certaines personnes, on n'a pas besoin de temps pour se sentir proches ; cela se produit, c'est tout. Souvent quand on s'y attend le moins.

Midi cinquante, boulevard de Sébastopol dans le Sentier, Stephanie plaça quelques euros dans la paume du chauffeur et descendit du taxi. Malgré la pluie qui tombait dru, elle voulait parcourir les derniers mètres à pied. De la rue Réaumur, elle enfila la rue Saint-Denis qu'elle retrouva telle que dans son souvenir : des grossistes de vêtements sur chaque trottoir, la rue elle-même une artère étroite encombrée de camionnettes garées en double file, hayons ouverts, chargées de rouleaux de tissu prêts à être livrés. Et une véritable cacophonie : klaxons, musique, tambourinement de la pluie, hurlements en une demi-douzaine de langues différentes. Au carrefour avec la rue du Caire, une dizaine de porteurs indiens et bangladais traînaient avec leurs diables, attendant qu'on fasse appel à eux. Dans les embrasures de porte et les ruelles, les putains faisaient le pied de grue ; indifférentes au temps, la quarantaine bien sonnée, leurs seins pendants et leur maquillage outrancier mis à mal par la lumière glauque.

Stephanie pénétra dans le passage du Caire, un dédale de couloirs dominé par une verrière crasseuse, et arriva à l'endroit où se dressait jadis l'entreprise familiale des Furst. Une partie de l'enseigne pendait encore au-dessus de la porte, les lettres rouges en plastique ayant viré au rose sale. Des mannequins – des femmes beiges sans bras ni tête – s'entassaient dans la devanture. Une feuille de papier collée à la vitrine offrait une réduction de cinquante pour cent pour les commandes en gros.

À quatre portes de là se trouvait La Béatrice, le café casher où Cyril Bradfield l'avait présentée à Jacob Furst. Sept tables en Formica crème, un choix d'en-cas dans une vitrine, des néons scotchés à des panneaux de plafonds affaissés, l'un d'eux carrément détaché. Sur le mur près du percolateur trônait une grande photo encadrée de George Clooney à côté d'un cadre plus petit contenant un certificat où il était écrit « Shin Beth de Paris ».

Il y avait une demi-douzaine de clients à l'intérieur. La plupart du passage, à vue de nez ; aucun n'était trempé. Stephanie reconnut Béatrice, une femme à l'air hautain avec des cheveux teints en noir. Elle commanda un cappuccino qu'elle porta à une table vide voisine du petit escalier en colimaçon menant à l'étage. Béatrice tripota le transistor sur le comptoir jusqu'à ce qu'elle tombe sur Liane Foly chantant « Doucement ». Dans la chaleur humide du café, Stephanie huma un parfum de cannelle.

Une heure sonna et passa. Les clients de Beatrice partirent. Stephanie remarqua un homme qui lui parut vaguement familier ; mince, grand, bien vêtu, la cinquantaine avec les cheveux du même blond foncé qu'elle avait choisi pour Krista Jaspersen. Il était assis à une table près de l'escalier. Sans pouvoir mettre un nom sur son visage, elle se demanda si elle ne l'avait pas vu à la télé.

À une heure et quart, son portable sonna.

— Petra ?

— Jacob ?

— Où êtes-vous ?

La voix haut perchée tremblotait encore plus que d'habitude.

— Là où vous devriez être. À moins que je ne perde la mémoire.

Il ne répondit pas tout de suite et elle regretta son sarcasme.

— Je vous demande pardon, Petra.

— Mais où êtes-vous ? Je ne dispose pas de beaucoup de temps, Jacob.

— Quinze minutes, ça va ?

— Ça va.

— Vous attendrez ?

— Bien sûr.

— Parfait. Dans deux minutes, alors...

Il raccrocha et Stephanie passa un moment à essayer de se rappeler quelque chose. Une question qu'elle avait eu l'intention de lui poser. Elle y avait songé dans le train.

Le téléphone. Le numéro. Comment Furst avait-il obtenu le numéro de Marianne ? Et maintenant qu'elle y songeait, autre chose la turlupinait. C'était quinze minutes ? Ou deux ?

Elle se surprit à chercher de la monnaie dans la poche de son manteau ; comme d'habitude, Petra avait une longueur d'avance sur Stephanie, guidée par son instinct. Il ne lui restait pas une seule pièce. Elle avait donné la dernière au chauffeur de taxi. Elle glissa un billet de dix euros sous la soucoupe et se leva.

Dans le passage, elle regarda à droite et à gauche. Rien. Elle décida d'attendre son appel dans le coin. Lorsqu'en arrivant, il découvrirait qu'elle était partie, il retéléphonerait. Elle en était sûre.

Elle se tourna vers l'entrée de la rue Saint-Denis.

Et fut projetée en l'air.

L'onde de choc se confondit avec le bruit, Dieu sait comment. Un éclair. De la lumière, de la chaleur, pas d'air dans ses poumons. Elle fut portée par un ouragan de décombres. Puis la gravité la rattrapa et elle alla s'écraser contre... quoi, exactement ?

L'obscurité suivit. Perte de connaissance ? Ou simplement l'obscurité ?

Les cris retentirent. Pénétrant le bourdonnement sous son crâne. Lorsqu'elle ouvrit les yeux, elle ne vit rien. Un nuage de poussière l'enveloppait, aussi impénétrable que le brouillard dans les Highlands. Abasourdie, elle ne savait pas si elle était blessée. Mais elle était consciente d'une sensation d'humidité dans son dos. Et de poussière dans sa bouche. Il y avait une odeur aussi ; écœurante. Du plastique en train de brûler ?

Elle avait un pied coincé entre deux formes solides

Elle ferma les yeux. Dodo.

Non.

Petra se contorsionna pour voir son pied droit. Un meuble-classeur gris était couché dessus, privé de deux de ses trois tiroirs. En dessous gisait une moitié de mannequin beige. Elle repoussa le classeur du pied gauche pour libérer le droit et roula loin de son matelas de mannequins brisés.

Des gouttelettes d'eau lui éclaboussèrent le visage. Un tuyau percé. Ou la pluie. Elle leva les yeux mais ne vit que fumée et poussière.

Sa cheville droite était sensible. Elle se remit debout tant bien que mal. La nausée lui monta dans la gorge. Un pas, puis un autre. Pour l'instant, cela suffisait. L'adrénaline, sa servante la plus fidèle, l'aiderait à s'en sortir.

Dans les vestiges du passage, des incendies perçaient l'obscurité de lueurs orange foncé et dorées. Un câble sectionné crachait des étincelles brûlantes sur un rouleau détrempé de tissu au motif floral. Sauf qu'il ne s'agissait pas d'un rouleau. Mais d'un corps dans une robe. Petra distingua un bras, noir de suie, une main en bouillie.

Une pelouse de verre brisé recouvrait le passage. Provenant non seulement des vitrines de magasins mais aussi de la verrière ; des mètres et des mètres réduits à des éclats.

La Béatrice n'était plus que décombres en flammes. Combien de gens restait-il à l'intérieur ? Une demi-douzaine ? Peut-être. L'étage s'était effondré. Elle ignorait s'il y avait eu quelqu'un là-haut. Des bouts de corps calcinés pendaient de l'escalier tordu. Au pied des marches, la tête et le torse de Béatrice brûlaient. Petra ne voyait pas le reste du cadavre mais elle sentit l'odeur des cheveux en flammes. Plus près de l'entrée, une botte et un tibia dépassaient d'une plaque de béton. Moins d'un mètre plus loin, du sang coulait d'une brique cassée.

On entendait de la musique. Faible, assourdie, s'élevant des gravats ; le transistor de Béatrice qui fonctionnait toujours Dieu sait comment. Petra regarda vers la droite. La rue Saint-Denis avait disparu, masquée par un rideau de fumée.

Elle se mit à tousser, ce qui eut pour effet de tapisser de poussière ses narines et sa bouche. Hébétée, ayant tout oublié de la formation qu'elle avait reçue, elle s'éloigna en titubant, chaque enjambée aussi incertaine que la précédente. Quelques mètres plus loin, une jolie femme blonde en cardigan lilas et en jupe de tweed marron se contractait convulsivement par terre, blessée par du verre.

Au milieu des hurlements, elle distingua des cris dans le lointain : des gens qui se frayaient un chemin vers le carnage. Des bottes écrasaient des briques ; des jurons étouffés suivaient des chutes.

À sa gauche, un grand incendie faisait rage, le verre claquant sous l'effet de la chaleur. Elle arriva à une bifurcation dans le passage. Un orchestre d'alarmes perça le bourdonnement dans sa tête. Elle tourna à droite, puis s'arrêta.

— ... prudence, d'accord ?

Des bribes de conversation venant dans sa direction. Puis une autre voix :

— Vérifiez partout.

— ... attention aux effondrements...

Des formes dans l'obscurité.

— ... par ici... continuez à chercher.

— ... extrêmement dangereux... une arme...

Deux silhouettes, peut-être trois.

— ... pas prendre de risques.

Petra toussa de nouveau, crachant une salive brune.

La première silhouette émergea de la poussière, un imperméable gris clair se gonflant autour d'elle. La suivante portait un uniforme. Un policier armé avec une grosse moustache. Suivi de renforts.

Le premier homme la vit, s'immobilisa brusquement, puis la désigna du doigt.

— *Merde !* C'est elle ! La voilà !

La voilà qui ?

Qui regardait-il ? Pourquoi la montrait-il du doigt ?

Une troisième silhouette arrivait, un autre policier armé en uniforme, puis un quatrième homme vêtu d'un manteau de cuir beige.

— Descendez-la.

Une erreur, visiblement. Sauf que Petra savait qu'il n'en était rien.

Le premier policier armé hésita.

— C'est elle, aboya l'homme à l'imperméable gris. Je vous dis que c'est elle.

— Je ne vois pas le...

— Elle est *armée* ! Descendez-la !

L'homme au manteau en cuir levait déjà la main. Le deuxième policier bousculait le premier. Et Petra avançait, s'enfilant dans le passage face à elle, à peine consciente du fait qu'il était trop rectiligne. Dans quelques secondes, avant qu'elle ne puisse se fondre dans la fumée, ils auraient une vue imprenable sur son dos.

Derrière elle à présent, la même voix de nouveau :

— Henri ! Fais gaffe ! Elle vient vers toi ! Elle a une arme...

Quelle arme ?

Des mouvements dans la pénombre devant elle. Petra entra dans les vestiges fumants d'une boutique ; des T-shirts punk, des mini-jupes en cuir clouté, des shorts moulants écossais effilochés, une main coupée avec une chevalière en argent. Elle repoussa un bout de cloison qui bouchait une porte à l'arrière.

— *Merde* – Didi, pauvre con ! J'ai failli te descendre ! Où est-elle ?

Nouvelle quinte de toux.

— Je ne sais pas. Peut-être que tu es passé à côté sans la voir...

— Là-dedans ! cria une troisième voix. Regardez.

Une détonation retentit à l'instant où Petra plongeait dans une obscurité encore plus épaisse. Elle sentit le souffle d'une balle venant se ficher dans un panneau de stratifié à sa gauche. Elle arriva dans un couloir étroit avec un escalier à sa droite. Premier étage, un débarras encombré, le plafond à moins de trente centimètres du sommet de son crâne. L'explosion avait réduit en miettes la vitre de la fenêtre intérieure donnant sur le passage. On s'engueulait en dessous.

Pas d'arme. Pas d'issue.

À part la fenêtre. Elle s'approcha prudemment du trou. Au-dessus de sa tête, un entrelacs d'entretoises en fer, de tuyaux et des câbles en caoutchouc, tous datant de Mathusalem. À travers le voile de poussière, elle observa les quatre hommes en dessous. Ils contemplaient la coquille noircie de la boutique, en criant des instructions à ceux qui l'avaient suivie à l'intérieur.

Pas l'ombre d'un choix, donc pas la peine de réfléchir. Se hisser sur le rebord de la fenêtre, les derniers fragments de verre de la vitre blessant la paume de sa main droite. Une conduite d'eau rouillée au-dessus de sa tête. Elle tira dessus. Elle semblait tenir. S'accrochant à elle, elle se balança pour atterrir à l'angle d'une boîte de jonction solide, une parmi six vissées à un panneau, avec des câbles qui en jaillissaient comme des spaghettis noirs.

— Là-haut, gueula un homme. *Vite !*

Mais il ne fut pas assez rapide. Elle propulsait déjà son corps à travers un enchevêtrement de nervures métalliques tordues. Sur le toit, elle évalua la structure des passages, les arêtes, les intersections. La plus grande partie du verre avait disparu. À sa gauche, une épaisse fumée noire s'élevait en volutes vers le ciel, les flammes en dessous résistant à la pluie.

La surface était glissante, des années de crasse luisant sous l'averse. Elle s'efforça de repérer la rue Saint-Denis pour partir dans la direction opposée. Au vu des arrières des immeubles voisins, cela n'avait rien d'évident, mais repérant un espace, elle se dirigea par là. Le toit partait en pente vers un mur étayant un immeuble plus haut ; des appartements à partir du premier étage, un magasin au niveau de la rue, rideau baissé.

Elle descendit jusqu'au premier étage à l'aide d'une gouttière, bousculant trois plantes en pot disposées sur une fenêtre, puis atterrit en douceur sur une Renault Megane blanche garée sur le trottoir.

Elle se retrouvait au milieu d'une petite place triangulaire : rue Saint-Spire, rue Alexandrie, rue Sainte-Foy. Elle s'engagea dans la rue Sainte-Foy.

Deux heures cinq, les sirènes à présent loin derrière elle, elle marchait toujours sous une pluie battante. Et bien utile. Vu les circonstances, il valait mieux être trempée que sale. Son raisonnement logique s'arrêtait là.

Va à la gare du Nord. Sers-toi du billet de retour. Rentre à la maison, prends une douche, saute dans l'avion. Ne commence à te faire du souci qu'une fois armée d'un cocktail à siroter sur la plage.

Elle aurait bien cédé à la tentation, mais elle savait que c'était impossible. Il fallait éviter les gares. Comme la maison. Ce qui signifiait que l'intégrité de Marianne Bernard se trouvait en suspens. Et c'était ce nom qui figurait sur le billet d'avion.

Comment la police avait-elle débarqué aussi vite ? Comment l'avait-elle identifiée si vite ? Et l'ordre de tirer – parce qu'elle était *armée* – qu'est-ce que cela signifiait ?

Elle se serait bien arrêtée pour réfléchir. Pour faire le point. Non. Il fallait qu'elle continue à avancer. C'était la priorité.

Ne t'arrête jamais. Dès l'instant où tu le fais...

Trois heures trente-cinq. Le cinéma lui offrait un sanctuaire provisoire d'obscurité. Le film était une comédie romantique de Hollywood, en d'autres termes peu romantique, et complètement dénuée d'humour. Stephanie attendit que le long métrage commence pour se rendre aux toilettes. Elle retira sa veste en jean et son col roulé noir. Les deux étaient à tordre. Le T-shirt framboise à manches longues qu'elle portait en dessous lui collait à la peau. Elle remplit le lavabo d'eau savonneuse tiède, remonta ses manches jusqu'aux coudes, se nettoya le visage, les mains et les bras, se rinça, remplit le lavabo d'eau chaude et plongea la tête dedans, avant d'essayer de remettre un peu d'ordre dans ses cheveux.

Un peu plus propre mais toujours ruisselante, elle s'enferma dans un des cabinets, accrochant le pull et la veste au porte-manteau. Elle souleva son T-shirt, examina son torse et explora son dos du bout des doigts. Rien que quelques coupures et égratignures. Elle ferma le couvercle des toilettes, s'assit dessus, retira une chaussure Merrell gris foncé pour vérifier sa cheville droite ; enflée, sensible au toucher, mais pas de dégâts irrémédiables. Lorsqu'elle songea au Béatrice, elle se dit qu'elle n'était pas passée loin du miracle. Et tout ça grâce à Petra ; Stephanie serait restée assise à attendre Jacob Furst.

Elle renfila ses vêtements trempés et vérifia ses biens : le billet retour du train, les cartes de crédit de Marianne, un permis de conduire belge, des clés plates, six cent dix-sept euros en liquide, un portable, un ticket de cinéma.

Stephanie regagna l'obscurité réconfortante de la salle, s'installa au fond, reconnaissante à la chaleur étouffante. D'abord, un plan. L'instinct premier était de fuir. Et elle fuirait. Comme elle l'avait fait par le passé. C'était l'aspect facile. Personne ne courait aussi facilement que Petra. Mais il n'était pas question de se laisser guider par la peur. Avant, il y avait des réponses à trouver.

Elle se retrouva dans le *melting pot* ethnique de Belleville. Le trottoir côté est du large boulevard de Belleville grouillait de monde. Stephanie se fraya un chemin à travers des Afghans, des Turcs, des Iraniens, des Géorgiens et des Chinois. Un groupe de cinq grands Soudanais discutaient à l'angle de la rue Ramponeau. Une Vietnamienne traînant un sac de linge rebondi la bouscula. La circulation étant bloquée des deux côtés du boulevard, les klaxons s'en donnaient à cœur joie.

Stephanie alluma son portable. Pas de messages ni d'appels ratés depuis qu'elle l'avait éteint vingt minutes après avoir quitté le passage du Caire. Elle rappela le numéro de Jacob Furst. Pas de réponse. Elle coupa de nouveau le téléphone et remonta la rue Lémon vers la rue Dénoyez. L'immeuble de cinq étages se dressait de l'autre côté de la rue. Au rez-de-chaussée, la boucherie Shalom était fermée. Le restaurant voisin était ouvert, mais on ne voyait pas de clients derrière la vitrine.

L'appartement des Furst était au troisième étage. Pas de lumières allumées, les rideaux ouverts. De mauvaises herbes jaillissaient du plâtre à côté d'une fissure de la descente de gouttière. L'immeuble de droite, démoli, était remplacé par un terrain vague dissimulé par une barricade de tôle ondulée bleue et verte.

Elle s'éloigna vers la gauche, remontant la rue pavée, passant devant des graffitis et des affiches déchirées, l'entrée de l'hôtel louche Dénoyez − *chambres à l'heure* − jusqu'à ce qu'elle arrive rue de Belleville. Puis elle décrivit un cercle et rentra dans la rue Dénoyez en passant par l'autre extrémité de la rue Ramponeau.

La famille Furst était parisienne depuis deux siècles. À l'époque, il y avait deux constantes : une entreprise familiale tournant autour de l'industrie du vêtement et une participation active au sein de la communauté juive. Ce qui incluait de vivre au milieu de cette communauté. Et la preuve était là. Dans la rue Ramponeau, Stephanie tournait le dos à la Maison du Taleth, une boutique vendant des articles religieux juifs. Les restaurants et les boutiques de sandwichs affichaient tous l'étoile de David.

Elle retourna sur le boulevard de Belleville. De la cabine téléphonique du métro, elle téléphona à la police. Un incident à signaler, une sorte de cambriolage. Elle avait entendu des bruits – des appels à l'aide, des bris de verre, une détonation – puis plus rien. *Dépêchez-vous, c'est un vieux couple. Vulnérable...*

Quand on lui demanda son nom, elle raccrocha.

Elle observa la scène de l'entrée bleu vif de l'hôtel Dénoyez. La voiture de police arriva, deux policiers en jaillirent et elle nota deux détails. Un, ils avaient l'air décontracté ; à leur façon de se mouvoir, ils s'attendaient à un problème domestique monté en épingle. Ou à une fausse alerte. Le second détail était une BMW 5 bleu marine entre elle et la voiture de police.

Elle se trouvait là depuis qu'elle traînait devant l'entrée de l'hôtel. Elle avait cru qu'il n'y avait personne à l'intérieur. Mais à l'arrivée de la voiture de police, le moteur de la BMW toussa, une giclée de fumée huileuse s'échappant du pot d'échappement. Regardant plus attentivement, elle distingua deux personnes. Le véhicule ne bougea pas avant l'entrée des policiers dans l'immeuble. Puis il démarra dans un couinement de pneus et tourna à droite dans la rue Ramponeau.

Elle continua à attendre. Une lumière s'alluma au troisième étage. Stephanie imagina Miriam Furst dans la cuisine au fond de l'appartement. Préparant du café pour les policiers, tirant des tasses de l'étagère en bois au-dessus de l'évier. C'était ainsi qu'elle se la rappelait. À côté de l'étagère, une aquarelle bon marché de la place des Vosges était accrochée à côté d'un panneau en liège couvert de photos de famille : trois enfants, que des filles, et neuf petits-enfants, dont aucun n'avait eu envie de faire connaître un troisième siècle à l'entreprise textile Furst.

Un quart d'heure après l'arrivée de la première voiture de police, une autre arriva. Suivie dans les quarante-cinq secondes par une ambulance, puis par une troisième voiture de police et une seconde ambulance. Trois policiers entreprirent de barrer la rue.

Ce n'était plus seulement les doigts de Stephanie qui s'engourdissaient à présent.

Nous entrons dans la station Tuileries en direction de La Défense. Je vais probablement changer à Franklin Roosevelt pour aller Mairie de Montreuil, puis changer de nouveau au bout d'une dizaine de stations. Il est onze heures moins cinq et cela fait deux heures que je suis dans le métro. Rien de mieux pour se rendre invisible pendant un temps que de fréquenter les transports publics d'une grande ville tard le soir. Par la suite, on me verra aller et venir sur les bandes des caméras de sécurité. Mais à ce moment-là, je serai ailleurs. Et je serai quelqu'un d'autre.

En surface, dans les bars et les restaurants, dans les domiciles, un seul sujet de conversation ce soir. La bombe dans le Sentier. Beaucoup de morts, beaucoup de blessés, beaucoup de théories. Aux informations, on se lamentera, on se scandalisera, on donnera la parole à des experts qui fourniront un tas d'analyses approfondies inexactes.

Je sais que Jacob et Miriam Furst sont morts. Personne ne lira rien à leur sujet demain. Ils seront morts comme ils auront vécu : ignorés de tous. Je sais aussi que je devrais être morte moi aussi.

Les hommes qui m'ont poursuivie dans les décombres fumants du passage du Caire étaient là pour s'en assurer. Ils sont arrivés si vite. Et ils ne cherchaient pas quelqu'un d'autre ; ils m'ont reconnue.

Je m'efforce d'établir une version des événements. Furst est retenu contre son gré jusqu'à ce qu'il passe le coup de téléphone permettant de s'assurer que je suis sur place. Il est surpris de me trouver. Pensait-il que je ne viendrais pas ? Il m'annonce qu'il me rejoindra dans quinze minutes, puis deux. Pourquoi cette différence ? Pour éveiller mes soupçons ? Pour m'avertir ?

Comment a-t-il obtenu mon numéro ? Et pourquoi n'ai-je pas été plus vigilante ? Peut-être que mentalement j'étais déjà à l'île Maurice.

Notre conversation terminée, l'explosion a lieu dans la minute qui suit. Mais plus j'y réfléchis, plus je suis perplexe. Ils − quels qu'ils soient − devaient s'assurer que je serais à Paris aujourd'hui. Que je serais chez Béatrice à une heure. Comment pouvaient-ils être sûrs que je viendrais de Bruxelles ? Et si je dois partir du principe qu'ils me savaient à Bruxelles, ce qui est une question de sécurité, ne devrais-je pas aussi partir du principe qu'ils n'ignorent pas que je suis Marianne Bernard ? Et s'ils sont au courant, que savent-ils d'autre ? Qu'ils soient ou non au courant pour Marianne Bernard, on sait qui ils cherchaient. Petra Reuter. C'est elle qui a une réputation.

Mais pourquoi ce piège compliqué ? Personne la connaissant un peu ne risquerait une chose pareille. Ils la descendraient dès l'instant où ils la trouveraient. Chez elle, par exemple, dans un appartement délabré de Bruxelles. Ils la surprendraient avec la garde baissée. Plus simple, plus sûr, bien mieux.

Il n'y a qu'une réponse possible : ils avaient besoin que je sois à La Béatrice.

Troisième jour

Le Marais, cinq heures moins le quart du matin, le reflet des lampadaires dans des flaques à moitié gelées. La rue des Rosiers était presque vide : un ou deux passants rentrant chez eux, un ou deux se rendant au travail, mains enfoncées dans les poches, le nez dans l'écharpe.

Elle avait abandonné le métro après minuit. Depuis, elle ne s'était arrêtée qu'une fois, au retour de la pluie juste avant trois heures. Elle avait trouvé un café ouvert toute la nuit non loin de l'endroit où elle était maintenant ; des bougies et des néons sur des murs en béton, des box en cuir dans des coins sombres, Ute Lemper en fond sonore.

Stephanie fit durer une tasse de café noir plus d'une heure avant qu'on ne l'aborde. Une grande femme anguleuse d'une pâleur de mort avec des cheveux roux foncé à l'épaule, portant un chemisier en soie mauve sous un pardessus de cuir noir. Elle sourit à travers une balafre de rouge à lèvres magenta et s'assit en face de Stephanie.

— Bonjour. Moi, c'est Véronique.

Véronique de Lyon. Elle avait dû être d'une incroyable beauté jadis – il n'y avait peut-être pas si longtemps – mais la maigreur l'avait vieillie. Comme le malheur. Stephanie la trouva sympathique parce qu'elle comprenait la solitude glaciale d'un être isolé dans une ville comptant des millions d'habitants.

Elles bavardèrent un moment avant que Véronique ne lui prenne la main.

— J'habite à côté. Tu veux venir ? On pourrait boire un coup.

Petra envisagea cette offre d'un œil clinique : Véronique était le moyen idéal de disparaître de la rue. Pas de caméras de surveillance, pas de fiches à remplir, pas de témoins. Une fois chez elle, des options s'offriraient à Petra ; certaines brutales, d'autres moins. Mais il était quatre heures passées : Véronique ne représentait plus un besoin pressant.

Elle la laissa gentiment tomber avec une version de la vérité.

— C'est trop tard pour moi. Dommage que nous ne nous soyons pas rencontrées plus tôt.

Elle tourna à gauche dans la rue Vieille-du-Temple. Elle aperçut l'enseigne rouge et dorée du magasin éclairée par trois petites lampes : Adler. Et au-dessous : boulangerie − pâtisserie.

Stephanie frappa à la porte. Derrière la vitre, le store était baissé avec le mot « Fermé » peint dessus. Une minute passa. Rien. Elle essaya de nouveau − toujours rien − et elle s'apprêtait à recommencer quand elle entendit des pas et une bordée de jurons.

De la même taille qu'elle, il arborait une chemise froissée pistache aux manches retroussées et un gilet noir, ouvert. Un nez crochu, une cicatrice entourant l'œil gauche, d'épais poils noirs partout, sauf sur son crâne. La dernière fois, il portait une queue de cheval. Fini ce temps-là, la coupe en brosse était plus flatteuse pour la calvitie qui gagnait du terrain. Et de l'or : des gourmettes, une montre, des chaînes avec des breloques, un anneau épais au lobe de l'oreille gauche. Comme Cyril Bradfield lui avait dit une fois : « À le voir on n'imaginerait pas plus coriace. Mais il s'habille comme une tantouse. »

— Bonjour, Claude.

Claude Adler fut trop stupéfait pour répondre.

— Je savais que vous seriez debout. Quatre heures et demie, tous les jours. Exact ?

— Petra...

— J'aurais appelé, bien sûr...

— Bien sûr.

— Mais je n'ai pas pu.

— C'est... euh... inattendu.

— Autant pour vous que pour moi. Il faut qu'on parle.

Il régnait une chaleur délicieuse à l'intérieur. Adler verrouilla la porte derrière eux et ils traversèrent la boutique dont les rayons et les paniers en osier étaient encore vides. Stephanie sentit les parfums du minuscule fournil à l'arrière avant même d'y pénétrer : des baguettes, des petits pains au sésame, du strudel, tout frais, ce qui lui rappela qu'elle n'avait rien avalé depuis Bruxelles.

Adler l'emmena à l'étage au-dessus du magasin où sa femme et lui vivaient depuis près de vingt ans. Il alluma le gaz sous une casserole d'eau et versa du café moulu dans une cafetière. Un paquet de gauloises était posé sur le rebord de la fenêtre. Il en offrit une à Stephanie qui refusa, la glissa entre ses lèvres et se pencha vers le brûleur à gaz pour l'allumer.

— Sylvie est là ?

— Elle dort encore. Elle sera contente de vous voir.

— J'en doute. C'est la raison de ma présence ici, Claude. J'ai de mauvaises nouvelles.

Adler prit son temps pour se redresser.

— Vous avez vu la télé ? On dirait que c'est la journée des mauvaises nouvelles.

— Effectivement. Jacob et Miriam sont morts.

Il se figea.

— *Tous les deux ?*

Stephanie opina du chef.

— À leur âge, on pouvait s'attendre à ce que l'un meure. Suivi de près, peut-être, par l'autre. Mais les deux en même temps ?

— Quand ?

— Hier soir.

— Comment ?

— Violemment.

— Je n'arrive pas à y croire.

— C'est vrai.

— Comment le savez-vous ?

— J'ai vu la police. Les ambulances...

— Vous y étiez ?

— Après, oui.

— Vous les avez vus ?

Stephanie secoua la tête.

— Alors peut-être...

— Croyez-moi, Claude. Ils sont morts.

Il voulut protester mais s'en garda parce qu'il la crut. Même si elle n'avait pas vu les corps. Même s'il ne la connaissait pas assez pour savoir ce qu'elle faisait. Pas exactement, en tout cas.

— Qui a fait le coup ?

— Je ne sais pas.

Il réfléchit à ça un moment.

— Alors pourquoi êtes-vous là ?

— Parce que je suis censée être morte moi aussi.

Adler remplit leurs tasses ; d'abord du lait brûlant, puis du café aussi fort que du pétrole brut, versé sur le dos d'une cuiller, un rituel répété plusieurs fois par jour. Comme d'allumer une cigarette. Ce qu'il fit pour la quatrième fois depuis son arrivée, les vieux mégots se multipliant sur une soucoupe jaune pâle.

Maintenant qu'il avait digéré le choc initial, Adler se remémorait. De l'histoire de seconde main, celle que Furst lui avait racontée : le réseau permettant de mettre des réfugiés juifs à l'abri ; la fabrique de faux papiers qu'il avait créée à Montmartre ; le 14 juin 1940, le jour où les nazis avaient occupé Paris ; l'envoi clandestin de Miriam à Lisbonne par l'Espagne à l'automne 1941 ; la fabrication de faux papiers pour la résistance et les SOE. Et enfin, la trahison, l'interrogatoire, Auschwitz.

Adler se gratta sa barbe de trois jours, mi-brune, mi-argentée.

— Il disait toujours qu'il avait de la chance d'être en vie. En l'écoutant dire ça, je n'en étais pas si sûr. (Il remua le sucre dans son café.) Si vous survivez à une expérience pareille, vous ne vous attendez pas à mourir seul de causes naturelles. Nom de Dieu, il avait près de quatre-vingt-dix ans.

— Vous avez raison.

— Vous savez ce que j'admirais le plus en lui ?

— Quoi ?

Cigarette au bec, il exhala la fumée.

— Qu'il ne lui soit jamais venu à l'idée de partir. Dès 1939, il aurait pu s'enfuir. Mais il n'en a rien fait. Il a choisi de rester, afin de créer de faux papiers pour en aider d'autres à s'échapper. Il connaissait les risques mieux que quiconque. Pourtant, même après avoir organisé le départ de Miriam, il ne lui a jamais traversé l'esprit de l'accompagner.

— C'était le genre d'homme qu'il était. Silencieusement courageux. Discret.

— Exact. Un homme qui croyait en la communauté. Sa communauté.

— À propos, est-ce que Jacob est jamais revenu dans le Sentier ?

Adler la fixa droit dans les yeux.

— C'est une question bien directe en une matinée pareille.

— C'est justement pour ça que je la pose, Claude.

Il haussa les épaules.

— Pas vraiment, je ne crois pas. Pas depuis qu'il a vendu le magasin.

— Je l'ai vu hier.

— Quoi donc ?

— Le magasin. Dans le passage du Caire. Il reste une partie de l'enseigne au-dessus de l'entrée. Du moins, il en restait une partie. Elle a disparu.

Adler la regarda, bouche bée.

— Vous y étiez ?

— Quelques instants avant l'explosion, oui.

— Mon Dieu... mais pourquoi ?

— Pour voir Jacob. Il m'a appelée il y a deux soirs pour me demander de venir à Paris. Il a dit que c'était important. Il voulait qu'on se retrouve à La Béatrice. J'y suis allée. Pas lui.

— À La Béatrice ? C'était son café préféré.

— Je sais.

— Une coïncidence ?

— Je n'en sais pas plus que vous.

Adler se tourna vers la fenêtre.

— Nous avons passé la nuit debout à regarder les informations. Douze morts, cinquante blessés. Nous nous demandions qui nous connaîtrions. Vous allez bien ?

— Ça va.

— Vous étiez déjà partie ?

— Non, j'ai eu de la chance, c'est tout. Tout le monde autour de moi était mort ou blessé. Je m'en suis tirée avec quelques égratignures.

— Et Jacob ?

— Je vous l'ai dit. Il n'est jamais venu. Il est mort après. Dans leur appartement.

— Avec Miriam.

— Oui.

— Vous pensez qu'il y a un rapport ?

— Je préfère pas. Mais c'est difficile de ne pas en établir un. Quand l'avez-vous vu pour la dernière fois ?

— Jeudi. Sylvie et moi sommes allés chez eux, avant de partir pour le marché en plein air du boulevard de Belleville. Depuis quelque temps, nous faisions cela pratiquement toutes les semaines. Le marché a lieu les jeudis et vendredis matin. Ensuite, on déjeune. Généralement chez le vieux Goldenberg – vous connaissez ? Jacob et lui étaient amis.

Elle secoua la tête.

— Rue de Tourtille. Service impeccable, bouffe merdique. Jacob et Miriam fréquentaient l'endroit depuis l'ouverture, dans les années 1970. Jacob disait toujours qu'il n'avait commencé à l'apprécier que lorsqu'il avait perdu le goût, il y a cinq ans. Il se penchait au-dessus de la table quand Goldenberg traînait autour pour me glisser : « Claude, il y a deux trucs qui me donnent du plaisir quand je viens ici. Ne pas sentir le goût de la nourriture et voir ta tête. Chaque bouchée est un chef-d'œuvre. » C'était sa plaisanterie préférée. Goldenberg avait mis une pancarte dans sa vitrine : *chaque bouchée est un chef-d'œuvre.*

Stephanie s'efforça de sourire.

— C'est toujours vous qui faisiez le déplacement ? Ou est-ce qu'il venait ici ?

— Généralement, c'est nous qui y allions. Lorsqu'il a vendu son entreprise, il a commencé à baisser. Depuis peu, il était devenu... fragile.

— À son âge, il avait le droit.

— Je suis d'accord avec vous. Mais lui ne l'aurait pas été.

— Vous n'avez rien remarqué de particulier jeudi ? Il ne paraissait pas contrarié ou préoccupé ?

— Rien de ce genre, non.

— Et ces dernières semaines ?

— Non plus.

— Cela vous surprend qu'il ait organisé un rendez-vous avec moi à La Béatrice ?

— Franchement, oui. Il vous aimait beaucoup. Tous les deux vous aimaient beaucoup. J'aurais pensé qu'il vous aurait invitée chez eux. C'était leur genre.

— C'est bien ce que je me disais.

— Comment pourrait-il être lié à ce qui s'est produit dans le Sentier ?

— Je n'en sais rien.

— Qu'est-ce que vous allez faire ?

— Impossible à dire pour l'instant. Je pense que j'irai jeter un coup d'œil chez lui. Ensuite... qui sait ?

— Comment allez-vous entrer ?

— Je trouverai un moyen.

Adler se leva et partit en traînant les pieds dans le couloir. Stephanie entendit un tiroir s'ouvrir. À son retour, il tenait des clés.

— Celle avec le trombone en plastique, c'est le verrou du haut, l'autre la serrure principale. Le code de l'immeuble est le un huit quatre cinq.

— Merci.

— C'était l'idée de Miriam. Au cas où ils auraient eu besoin d'aide.

Stephanie fourra les clés dans la poche de son blouson en jean.

— Est-ce que je peux faire quelque chose, Petra ? J'aimerais me rendre utile.

— Alors oubliez cette conversation. En fait, oubliez même mon passage ici.

Je suis assise devant un petit guéridon près de la vitrine. Dehors la circulation grossit rue de Rivoli. La chaussée scintille dans la lumière hivernale du petit matin. Une pluie argentée coule sur la vitre. Je commande un petit déjeuner, puis étale les journaux sur la table : Le Monde, Libération, l'International Herald Tribune. *La bombe domine les unes des deux journaux français et partage celle du* Tribune.

Selon les comptes rendus français, on compte douze morts et quarante-cinq blessés. Le Tribune *annonce treize morts et quarante-neuf blessés. Un porte-parole du préfet de police conclut : « C'est une tragédie. Et un acte d'une lâcheté grotesque. »*

La presse donne surtout dans l'analyse. Comme la présence juive est forte dans le Sentier, on se concentre inévitablement sur des extrémistes antisémites. Avec toutes les questions gênantes que cela soulève pour un pays comme la France. Voire une ville comme Paris. Libération *rapporte que la gendarmerie nationale a deux suspects, deux hommes, qu'on a vus entrer à La Béatrice deux ou trois minutes avant l'explosion. Le plus petit mesure un mètre soixante et il est âgé de vingt à vingt-cinq ans. Il portait un survêtement Nike bleu marine parsemé d'éclairs blancs. Le plus âgé doit avoir la trentaine, environ un mètre quatre-vingts et il portait un jean, des tennis noires et une veste kaki à fermeture Éclair. Ils sont algériens mais voyagent peut-être avec des passeports marocains. On ne fournit pas de noms.*

Je lis les descriptions plusieurs fois. Le détail est convaincant mais faux. Je n'ai pas vu ces hommes entrer à La Béatrice tant que j'y suis restée, ce qui représente une vingtaine de minutes. Et s'ils étaient entrés après mon départ, ils n'en auraient pas réchappé.

Le nom d'Al-Quaïda est aussi omniprésent dans les articles que des confettis à un mariage. Les journaux français, notamment, s'inquiètent de l'éventualité d'un retour de bâton antimusulman. Rien de nouveau sous le soleil.

Le café est calme. Un homme fripé d'une cinquantaine d'années assis sous le tableau du menu sirote un verre de vin. Est-ce le dernier de la nuit ou le premier de la journée ? Impossible à dire. À trois tables de moi, une brune replète fume une cigarette sans filtre. Son eye-liner qui a coulé attire l'attention sur ses yeux injectés de sang.

Le serveur m'apporte du pain, du beurre et un chocolat chaud. Quand il se penche pour déposer le tout devant moi, une boucle de cheveux gris gras tombe sur son front. Il voit les journaux, secoue la tête et manifeste sa désapprobation d'un claquement de langue.

On ne parle de moi nulle part. Pas de suspect féminin. Pas de poursuite à travers les décombres. Pas de coups de feu. On m'a effacée du tableau.

16, place Vendôme. Dans l'entrée, sur le mur de gauche, les noms des sociétés sont inscrites en lettres dorées sur un miroir ; R.T. Vanderbilt Company Inc., Lazard Construction, Laboratoires Garnier. Sous « Escalier B », Stephanie repéra le nom, jadis connu, à présent en grande partie ignoré, Banque Damiani, Genève. Ce serait sa seconde visite en sept ans.

L'escalier B se trouvait au fond d'une cour pavée, derrière une porte noire à deux battants, juste après les bureaux de Comme des garçons.

La salle de réception avait été redécorée : un grand tapis chinois jeté sur un parquet ciré, de lourds rideaux de brocart prune, une paire de fauteuils Louis XIV flanquant une table. Une série de portraits à l'huile dans de grands cadres ovales dorés ornait les lambris. Stephanie savait que ces visages étaient ceux des frères fondateurs Damiani et de leurs fils.

La réceptionniste avait à peu près son âge. Mais debout devant son bureau, Stephanie se fit l'effet d'une adolescente gauche. Elle portait un tailleur superbement coupé ; bleu marine, simple, élégant. Elle était assise sur une sorte de trône, la colonne vertébrale bien droite. À son poignet, une montre Piaget en or.

Elle accueillit Stephanie avec un sourire chaleureux. Ailleurs, cela aurait pu surprendre vu l'apparence de Stephanie – *peut-être vous êtes-vous trompée d'endroit ?* – mais pas ici. Les rares à se présenter à la réception de la banque Damiani le faisaient volontairement. Quelle que soit leur apparence.

— J'ai un coffre.

— Bien sûr. Un instant, s'il vous plaît.

La réceptionniste l'invita à s'asseoir dans un des fauteuils Louis XIV, puis disparut derrière une porte à droite, tapissée de miroirs anciens. Une fois seule, Stephanie espéra se rappeler correctement la procédure ; deux séries de chiffres et un code unique pour avoir accès à la salle des coffres. Elle serait accompagnée par un haut responsable de la banque et un garde de sécurité. Dans une cabine privée, on lui apporterait son coffre. Une fois seule, elle l'ouvrirait à l'aide d'un code à six chiffres. On ne se servait pas de clés, ce qui était une des raisons qui l'avaient amenée à choisir la banque Damiani. Étant donné les circonstances qui pourraient la pousser à chercher à accéder au coffre, porter une clé, voire en récupérer une, risquait de ne pas être possible.

Dans le coffre l'attendait Helen Graham ; une Canadienne de trente et un ans, née à Vancouver, habitant à présent Chicago. Passeport, carte d'identité, permis de conduire, cartes de crédit, euros, dollars, une paire de lunettes, une petite boîte contenant deux séries de lentilles de contact de couleur (grise), un portefeuille en plastique bon marché contenant treize photos de famille et un stylo à insuline. Contenant, en lieu et place d'insuline, une souche de tétrodoxine reconstituée, une substance trouvée naturellement dans le poisson-globe, destinée à agir instantanément en fermant les canaux sodiques dans les nerfs, les rendant ainsi inutilisables, provoquant la mort par paralysie des muscles respiratoires.

Helen Graham était une des « sept merveilles ». Elle faisait partie des cinq identités de secours que Stephanie avait disséminées en Europe. Les autres se trouvaient à Francfort, à Valence, à Bratislava et à Trondheim. Chacune était conservée dans le coffre d'une institution dont le moyen d'accès n'existait que dans sa mémoire. En dehors de l'Europe, il existait des versions d'elle à Baltimore et à Osaka.

Au cours des années, ces identités avaient tourné. De nouvelles avaient été créées, d'anciennes détruites, sans avoir jamais servi. C'était seulement la troisième fois qu'elle avait besoin d'en activer une. La dernière, c'était à Helsinki et cela remontait à près de quatre ans. Depuis, elle n'avait touché qu'à une occasion à ces identités. Deux mois après l'introduction de l'euro, elle avait fait le tour de tous les coffres européens afin de remplacer des liasses de deutschemark et de francs condamnés par des billets d'euros flambant neufs.

Les sept merveilles avaient été créées pour servir de police d'assurance. Créées par le protégé de Jacob Furst, Cyril Bradfield, à l'insu de ses anciens maîtres, leur existence avait davantage été jusqu'alors de l'ordre d'un luxe hors de prix qu'elle n'avait correspondu à une nécessité pratique.

La porte s'ouvrit sur un homme vêtu d'un costume croisé gris foncé qui tenait à la main une écritoire en cuir. Teint olivâtre, cheveux bruns parsemés de gris aux tempes, il mesurait quatre bons centimètres de moins que Stephanie. Il s'adressa à elle dans un allemand saccadé, qui n'était visiblement pas sa langue maternelle.

— Bienvenue. C'est un plaisir de vous revoir.

Stephanie ne l'avait jamais rencontré. Il s'exprimait en allemand parce qu'elle s'appelait Stephanie Schneider, bien que personne à la banque ne risquât de mentionner ce nom dans une conversation avec elle.

— Je me présente : Pierre Damiani. Malheureusement, mon oncle est à l'étranger cette semaine. Il sera désolé de vous avoir ratée.

Peu probable. Elle ne l'avait jamais croisé non plus.

— J'espère être en mesure de vous aider. Sophie m'a expliqué la raison de votre venue. Avant de poursuivre, j'aimerais saisir cette occasion pour dire que cette banque et ma famille jugent absolument sacrés les intérêts de nos chers clients.

Le tout dit avec conviction, sans la moindre obséquiosité.

— Je n'en doute pas.

Il hocha sèchement la tête, puis lui tendit l'écritoire en cuir. Y était attachée une carte crème avec le nom de la banque et des armoiries en relief. En dessous, trois cases pour les chiffres et le code.

— Vous connaissez la procédure ?

— Oui.

— Lisez la feuille en dessous, je vous prie.

Stephanie souleva la carte. Le message était écrit à la main à l'encre bleue. *Votre coffre a été contaminé. La façade de cet immeuble est sous surveillance. Votre présence ici a déjà été signalée. Dans un instant, je vais quitter cette pièce. Ne partez pas avant, s'il vous plaît. Prenez la porte située face à celle que j'ai utilisée. Au bout du couloir, vous trouverez une issue de secours. Elle n'est pas verrouillée. Comme nos caméras nous filment —* j'espère que vous comprenez — *pourriez-vous apposer votre signature en bas du formulaire de déclaration, puis remplir la carte, comme d'habitude. Il est dangereux pour nous de parler. Avec nos excuses les plus sincères, vos fidèles serviteurs, la banque Damiani & la famille Damiani.*

Dix heures quarante. L'Internet-Café du boulevard Sébastopol était bondé. Stephanie s'assit devant son terminal et envoya le même message à trois adresses différentes.

>Oscar. Faut que je vous parle. CRV/13. P.

Elle avait suivi l'itinéraire d'évasion de Pierre Damiani sans problème. Qu'auraient-ils pu faire de plus pour elle ? *Nos caméras nous filment — j'espère que vous comprenez.* Un appel plus qu'autre chose, signifiant peut-être : *nos caméras nous filment... et qui sait qui regardera les enregistrements ?* Une entité avec le pouvoir de placer ces bandes sous séquestre ?

Hier elle ne comptait pas ses identités de repli : Stephanie, Petra, Marianne, les sept merveilles. Maintenant elle était réduite à une. Mais laquelle ? Ou était-ce pire encore ? Peut-être n'était-elle plus personne du tout.

En général, plus la crise était grave, plus elle se réfugiait en Petra. Ce qui alimentait sa contradiction interne : Stephanie était rarement aussi extraordinaire que Petra et plus Petra était extraordinaire, plus Stephanie lui en voulait. Là, toutefois, Petra semblait marginalisée, son assurance, une vraie peau de chagrin.

Helen Graham lui était inutile maintenant. Cela signifiait que le reste des sept merveilles étaient contaminées par association. Ce qui fit naître une pensée désagréable : Cyril Bradfield était la seule autre personne au courant de leur existence. Qui avait bien pu percer leur secret ? Et surtout, comment ? Par le biais de Bradfield lui-même ? Elle ne voyait pas d'autre explication. Cela lui fila la nausée. Magenta House était forcément le premier candidat. Ce qui était un peu ironique, puisque les identités étaient censées la protéger d'eux.

Magenta House était l'organisation pour laquelle elle avait jadis travaillé. Basée à Londres, si tant est qu'une entité qui n'existe pas puisse être basée quelque part, elle n'avait pas de titre officiel ; Magenta House était le surnom utilisé par ceux qui en faisaient partie. Créée pour opérer au-dessus des lois, elle ne s'était jamais souciée de reconnaître la loi. En ce sens, c'était un concept logique, surtout si l'on admettait qu'il existait des menaces impossibles à contrer légalement. *Il faut bien que quelqu'un travaille dans les égouts, Stephanie. C'est pourquoi des gens comme vous existent.*

Ils l'avaient créée, ils avaient essayé de la contrôler et, finalement, de la tuer. Ce qui, paradoxalement, en faisait à présent des candidats improbables. Ils l'avaient laissée partir. Il y avait eu un changement. Une ère avait pris fin, une autre avait commencé, et Petra était devenue de l'histoire ancienne.

Rien de ce qui s'était produit au cours des dernières vingt-quatre heures ne portait la marque de Magenta House. Ils fuyaient le spectaculaire. Ils ne plaçaient pas des bombes dans des endroits publics. Non, ils liquidaient plutôt les gens qui s'en chargeaient. Tranquillement, cliniquement, sans laisser de traces, ni même de cadavre parfois. Ils effaçaient les gens. S'ils avaient voulu la tuer et s'ils avaient découvert l'endroit où elle se trouvait, ils ne se seraient pas embêtés à l'attirer à Paris.

Sur l'écran, une réponse fit cesser ses réflexions.

>Bonjour, Oscar.

>Petra. On s'ennuie déjà ?

Le curseur lui adressait des clins d'œil, la taquinait.

>Je suis à Paris.

>Pas un très bon choix comme destination de vacances en ce moment.

>Surtout dans le Sentier.

>Vous y étiez ?

>Oui. Est-ce qu'on me cherche ?

>Vous êtes toujours très demandée.

>J'ai besoin d'aide, Oscar. Je suis dans le noir le plus total.

Il y eut une longue interruption et Stephanie sut pourquoi. C'était la première fois que Stern surprenait Petra en pleine panade.

>De quoi avez-vous besoin ?

>De quelque chose. *N'importe quoi.*

>Accordez-moi deux heures. Rendez-vous au même endroit.

Elle coupa la connexion. Dehors dans la rue, elle boutonna sa veste en jean jusqu'au cou et fourra ses mains dans ses poches. C'est là que ses doigts entrèrent en contact avec les clés qu'Adler lui avait remises. Dans l'autre poche, se trouvait le portable de Marianne Bernard. Elle se maudit de ne pas s'en être débarrassée plus tôt : un portable allumé était une balise en mouvement. En outre, selon une rumeur récente, on pouvait à présent suivre un portable à la trace quand il était éteint. Elle le jeta dans la première poubelle venue.

Une heure moins cinq. Stephanie était de nouveau avec Stern grâce à un terminal de Web 46, rue du Roi-de-Sicile.

>J'ai un nom pour vous, Petra.

>Combien ?

>C'est gratuit.

>Vous devez vous adoucir avec l'âge.

>Il ne vous est jamais venu à l'idée que je pourrais être plus jeune que vous ?

>Seulement quand j'ai de l'humour.

>Je ne verse pas dans le sentimental. C'est du pragmatisme. S'il vous arrive quoi que ce soit, je perds de l'argent.

>Ça vous ressemble davantage. Qui est-ce ?

>Leonid Golitsyn.

>Connais pas.

>Un marchand d'art. Très riche. Avec d'excellentes relations.

>Quelle est son histoire ?

>Il possède une galerie avenue Matignon à Paris, mais il est basé à New York. Il vient à Paris trois ou quatre fois par an, généralement au retour de Moscou. Golitsyn fait partie de la vieille école. Tchernenko, Gromyko, voire Brejnev - il était intime avec tous. À l'époque, il ne cessait de faire l'aller-retour entre les États-Unis et l'Union soviétique. Il a toujours été proche du Kremlin. Encore maintenant.

>Poutine ne me donne pas l'impression d'être un collectionneur d'art.

>Je crois qu'on peut dire que Golitsyn a transporté plus que des toiles pendant toutes ces années. C'est l'une de ces créatures étranges qui connaît tout le monde mais que personne ne connaît. Un ami à moi l'a traité un jour - de façon assez mémorable - de valise diplomatique. Une insulte et une vérité réunies.

>Pourquoi est-il l'homme de la situation ?

>Anders Brand.

>Qu'est-ce qu'il a à voir avec ça ?

>C'est l'un des treize morts d'hier.

Stephanie en fut stupéfaite. Anders Brand, l'ancien diplomate suédois, affectueusement surnommé le « Chuchoteur ». Un homme qui parlait si doucement qu'on finissait par se demander si l'on n'était pas dur d'oreille. Un médiateur hors pair pendant son temps aux Nations unies. Elle l'avait vu à l'émission *Hard Talk* sur BBC World. Il ne plaisantait qu'à moitié lorsqu'il avait déclaré que murmurer était une des clés de son succès dans la médiation : « Cela oblige les gens à m'écouter plus attentivement. »

Elle imagina Brand tel qu'on le voyait généralement − sur l'estrade d'une salle de conférences, dans un studio de télévision, descendant d'un avion − et comprit que son visage correspondait à un visage qu'elle avait vu à La Béatrice. Le visage qu'elle avait cru reconnaître sans pouvoir mettre de nom dessus.

>Comment se fait-il que cela ne fasse pas la une de la presse ?

>Ce sera le cas ce soir. D'après ce que j'ai compris, sa mort ne sera officiellement confirmée qu'en fin d'après-midi.

>Après plus de vingt-quatre heures ?

>Je n'y étais pas, Petra. Mais j'ai vu les photos.

L'image de la tête en feu de Béatrice Klug donna une crédibilité désagréable à cette volonté de retard dans l'identification des victimes.

>Quel est le lien avec Golitsyn ?

>J'ignore s'il y en a nécessairement un. Voilà ce que je sais : avant-hier, ils ont dîné ensemble au Meurice. Golitsyn avait débarqué de New York plus tôt dans la journée. Brand devait prendre l'avion pour Bagdad aujourd'hui. Golitsyn rentre à Moscou demain. Golitsyn et Brand, c'est une longue histoire. Brand est une des relations extrêmement chères à Golitsyn. Peut-être ont-ils discuté d'un sujet lié à votre situation actuelle.

Il ne me dit pas tout.

Typique de Stern. Leurs rapports avaient duré plus longtemps qu'aucune des histoires sentimentales de Stephanie. Même les bonnes. Tous deux avaient des secrets, mais cela ne les avait pas empêchés de se confier en partie à l'autre. Elle ne pouvait pas le vérifier ; elle le sentait.

>Comment je rencontre Golitsyn ?

>Ce soir Golitsyn sera au Lancaster. Vous connaissez ?

C'était le cas. Mais seulement parce que le nom de l'hôtel en évoquait un autre : Konstantin Komarov. L'un des deux seuls hommes à avoir su abattre ses défenses. Encore maintenant, elle frissonnait en entendant son nom.

Une image était gravée dans sa mémoire : Komarov devant le Lancaster avec une femme à son bras. Non pas Stephanie mais une Russe de grande taille. Ludmilla. Celle qui avait pris sa place dans son lit. Une femme qui, disait-on, était aussi intelligente que belle. En d'autres termes, une femme qui n'avait même pas laissé une ombre d'espoir à Stephanie.

>Je connais.

>Il a une série de rendez-vous d'affaires là-bas. Je me suis organisé pour que vous le rencontriez à huit heures.

>Et c'est tout ?

>Pas tout à fait. Il faudra que vous soyez Claudia Calderon.

>Qui est-ce ?

>La toute nouvelle conseillère artistique de Hector Reggiano.

Stephanie reconnut ce nom. Un milliardaire argentin. Techniquement, un financier, quoi que cela signifie en Argentine. Dans le monde réel, un banal voleur. Mais cultivé ; un collectionneur d'art gourmand.

>Golitsyn courtise Reggiano depuis des années. De votre point de vue, Claudia Calderon présente deux avantages indéniables. Un : elle se trouve actuellement en Patagonie. Deux : Golitsyn ne l'a jamais rencontrée. Et il ne va pas cracher sur une occasion impromptue de voir s'il peut séduire la femme qui tient les cordons de la bourse de Reggiano.

>Tout cela est-il vraiment nécessaire ?

>Que vous voyiez Golitsyn ? Absolument. Claudia Calderon vous permet de sauter la case Medvedev. Une fois que vous serez avec Golitsyn, à vous de jouer.

>Et qui est Medvedev ?

>Le secrétaire particulier de Golitsyn. Ex-Spetsnaz. À l'heure actuelle, Medvedev ne quitte pas Golitsyn d'une semelle. Il s'occupe de tout. Hôtels, vols, rendez-vous, argent, filles.

>Peut-être que je suggérerai à Golitsyn de prendre une secrétaire particulière pour faire des économies.

>Cela n'a rien d'urgent.

>Trop riche pour s'en soucier ?

>Il est plus que riche, Petra.

>Ce qui veut dire ?

>Golitsyn flotte au-dessus du monde.

Dans la peau de Petra, peu de situations m'intimident. Le sang-froid fait partie de son maquillage et, quand je le porte, c'est un reflet authentique de l'être que je suis à ce moment précis. Mais tout le monde a un talon d'Achille. Et ce qui suit est à la fois le sien et le mien.

Avenue Montaigne. Je suis entrée chez Gucci, chez Jil Sander et chez Calvin Klein, en quête d'une tenue que pourrait porter Claudia Calderon.

Je vois mal la conseillère en art de Hector Reggiano se présenter à un rendez-vous avec Leonid Golitsyn avec une veste en jean crasseuse et des tennis fatiguées. J'ai une image d'elle : grande, mince, chic. Je ne peux que faire semblant dans une tenue élégante. Passages éclairs chez Escada et Christian Lacroix.

C'est le fascisme de la mode qui m'agace. L'eugénisme de la beauté. Le personnel de ces boutiques paraît toujours savoir que je n'appartiens pas à son monde. Finalement le salut se présente sous la forme de Max Mara, à l'angle de la rue Clément Marot, en face du bijoutier Harry Winston. Quelle que soit la ville, c'est le seul endroit où je ne me fasse pas l'effet d'une lépreuse.

J'arpente la boutique et jette mon dévolu sur une robe moulante, entre gris foncé et marron, avec des manches couvrant les mains. Pour l'accompagner, je choisis un manteau en daim au genou, d'un marron foncé très doux avec une ceinture en cuir noire, des chaussures et un sac noir.

Je prends la décision délibérée d'utiliser la carte American Express de Marianne Bernard. On trouvera la trace de la transaction. Mais je compte sur un retard. Pas la peine qu'il soit long. Soixante secondes suffiront.

L'achat se fait sans problème et je pars avec Claudia Calderon dans un sac. Plus tard, j'enveloppe les cartes de crédit de Marianne dans une serviette en papier avant de les jeter. La vie que nous avons partagée me manquera. Marianne était gentille avec moi, bonne pour moi ; bien le signe que nos rapports n'étaient pas destinés à durer.

En fin d'après-midi, Stephanie composa le un huit quatre cinq sur le pavé numérique et emprunta l'escalier humide jusqu'au troisième étage. L'appartement de Jacob et Miriam Furst se trouvait au bout du couloir. La porte était barrée du ruban de la police. Pas un bruit ne s'échappait des appartements voisins. De la rue, elle n'avait vu de lumière dans aucun. Elle coupa le ruban, entra avec les clés de Claude Adler, referma silencieusement la porte derrière elle.

À l'intérieur, elle s'immobilisa pour s'adapter à la pénombre. Les lieux n'étaient éclairés que par la lueur blafarde des lampadaires. Cela sentait le tabac froid. Les Furst ne fumaient pas : Miriam était asthmatique.

Le petit salon donnait sur la rue Dénoyez. Stephanie distingua un delta d'éclaboussures sombres sur le tapis beige au centre de la pièce. Le sang, séché, formait une croûte noire. Il y avait du verre brisé dans l'âtre en fonte. Sur le manteau de la cheminée, elle se souvenait d'une grande collection de figurines miniatures ; des chevaux en verre soufflé avec des volutes d'orange vif et de vert émeraude. Il n'en restait que deux.

Dans la cuisine elle reconnut l'aquarelle bon marché de la place des Vosges et l'étagère en bois pour les tasses. Toutes avaient été cassées. Le lino était jonché de couverts et de bris de porcelaine.

Quelle était donc la version officielle ? Un cambriolage violent chez un couple vulnérable et âgé, dont l'assassinat n'était guère qu'une sorte de bonus ?

La salle de bains, au fond de l'appartement, donnait sur un terrain vague. Apparemment, l'aménager ne figurait pas dans les projets imminents. Elle baissa le store et alluma. La tapisserie qui avait dû être crème dans le temps, avait viré au rouille pâle, à part des taches noires d'humidité dans l'angle au-dessus de la baignoire. Près du lavabo, un nécessaire à raser : le blaireau et le coupe-chou posés sur un vieux gant de toilette.

Stephanie se lava à fond, puis enfila les sous-vêtements et les bas achetés dans une boutique discount déprimante du boulevard de Belleville et les vêtements choisis chez Max Mara. Elle fourra ses biens dans le sac en cuir noir et mit ses vêtements sales dans les sacs Max Mara qu'elle plaça sous le lavabo.

Utiliser la brosse de Miriam la mit un peu mal à l'aise. Elle s'efforça d'ignorer cette sensation et s'examina dans le miroir. Ce dont elle avait besoin, c'était vingt minutes sous la douche avec des litres de shampooing et de savon. Ensuite du maquillage pour dissimuler la fatigue. Mais elle avait oublié d'en acheter et elle était sûre que Miriam n'en avait jamais porté. En plus, cela la mettrait certainement encore plus mal à l'aise que de se servir de la brosse ; qui irait mettre le rouge à lèvres d'une morte ?

Le Lancaster était petit et discret, un hôtel particulier transformé, le genre qui lui plaisait. Dans le bar qui ouvrait sur le restaurant, des tables étaient entourées de fauteuils et de quelques canapés. À huit heures moins le quart, c'était animé, le centre de la pièce occupé par un groupe bruyant ; quatre femmes squelettiques, dont deux arborant des lunettes noires, et trois hommes squelettiques avec barbe de trois jours, che-

66

mise à col ouvert, costume. L'un d'eux jouait avec un teckel miniature. Tous buvaient du champagne.

Stern avait dit que Medvedev l'attendrait au bar. Elle n'eut pas de mal à le repérer ; seul, un Martini à côté de son coude, au téléphone.

Medvedev était un ancien Spetsnaz − FBS Alpha − mais il n'en restait aucune trace. L'influence de Golitsyn, se dit-elle. Une vie de luxe pour aplanir les angles. Elle approchait du bar quand il termina sa conversation, replia son téléphone et prit son verre.

— Fyodor Medvedev ?

Il reposa le verre sans y toucher.

— *Dobryy vecher. Minya zavut Claudia Calderon*, dit-elle en russe.

Il prit son temps pour répondre.

— Désolé. Vous pourriez répéter. Je m'appelle... ?

Pas la peine d'insister. Son accent était atroce.

Ce fut au tour de Stephanie d'avoir l'air perdu.

— Fyodor Medvedev ?

Il passa à l'anglais ; de l'Américain, côte Est, mais pas trop prononcé.

— Voilà donc qui je suis. Merci. Je commençais à m'interroger.

— Vous n'êtes pas russe.

— Pas plus que vous.

— Et vous ne travaillez pas pour Leonid Golitsyn ?

— Jamais entendu parler de lui.

Elle regarda autour d'elle − *où était Medvedev ?* − et haussa les épaules.

— Je suis désolée. J'ai cru que vous étiez...

— Nous nous connaissons ?

— C'est original.

— Je sais. Mais est-ce le cas ?

Stephanie songea soudain qu'ils avaient cru tous les deux se reconnaître. Elle l'avait pris pour Medvedev. Et lui... *pour qui* ? Qui avait-elle représenté pour lui quand il l'avait vue ?

— Je ne crois pas.

Il lui tendit la main.

— Bon, je m'appelle Robert. Robert Newman.

— Bonjour, Robert. Claudia Calderon.

— Calderon − espagnole ?

— Argentine.

— Quelle chance vous avez. Un de mes pays préférés.

Stephanie changea rapidement de conversation.

— Bien... et que faites-vous dans la vie, Robert ?

— Tout dépend qui pose la question.

— On croirait entendre un tueur à gages.

— Mais en costume.

Qu'il portait bien, d'ailleurs. *Du sur mesure.* Gris, croisé, sur une chemise bleu pâle avec une cravate en soie faite main d'un rouge intense.

— Ce sont ceux qu'il faut surveiller. Comme la fille du pasteur.

Il eut un rire doux et silencieux.

— Alors je dois être... dans la finance.

— Vous n'avez pas l'air très sûr.

— Je viens du pétrole.

— Mais pas de mains sales ?

— Plus maintenant. Quand j'étais plus jeune.

C'était crédible. Il ne détonnait pas du tout dans le bar du Lancaster, dans son costume coûteux, avec sa lourde TAG-Heuer en acier inoxydable au poignet. Pourtant, elle pouvait voir les champs de pétrole. Dans ses yeux, dans les rides autour, sur ses mains faites pour le travail manuel.

Il fit signe au barman et demanda à Stephanie s'il pouvait lui offrir quelque chose.

Une question qui lui avait été posée trop souvent par trop d'hommes. Mais venant de lui, elle ne la dérangea pas. Il n'avait pas d'idée préconçue à son sujet. Pas encore. Généralement, les hommes qui lui posaient cette question calculaient déjà combien ils étaient prêts à payer pour elle.

Elle choisit du champagne parce que cela lui semblait convenir à Claudia Calderon. Ça ou un diet Coke. Newman commanda un autre Martini vodka.

— Vous habitez Paris, Claudia ?

— Je suis de passage.

— Vous êtes descendue ici, au Lancaster ?

— Un homme qui va droit au but.

— C'est une question innocente.

Le barman glissa un verre vers elle.

— Non, je ne suis pas descendue ici. Et vous ?

— Je vis ici.

— À l'hôtel ?

— Dans la ville.

— Comme c'est original. Un Américain à Paris.

— Si vous estimez qu'un New-Yorkais est américain...

— Pas vous ?

— Pas vraiment. Pour moi, New York est une ville-État. L'Amérique est un autre pays.

Elle avait cette impression elle aussi. À New York, elle s'était toujours sentie chez elle. Le reste de l'Amérique ne cessait de lui rappeler à quel point elle était européenne.

— Depuis quand habitez-vous ici ?

— J'ai un appartement depuis dix ans mais je ne l'utilise guère. Je voyage beaucoup pour affaires.

— Où cela ?

— L'Extrême-Orient, le Moyen-Orient, les États-Unis. Partout. Et vous ? Qu'est-ce que vous faites ?

Il lui était difficile à présent de se faire passer pour une conseillère en art.

— Devinez.

Il réfléchit, ce qui lui donna le temps de l'étudier de plus près. Cheveux bruns courts et de beaux yeux bruns. Un visage hâlé, agréablement buriné pour un homme d'affaires. La quarantaine, voire une jeune cinquantaine, il paraissait en forme pour un homme avec le genre de vie qu'il avait décrit.

— Alors ?

— Vous savez, en vous regardant, j'ai beau réfléchir, je ne vois pas.

— Vous vous écartez du sujet.

— Comment cela ?

— C'est censé être une conversation polie. Il y a des règles. L'une d'elles est : n'essayez même pas de réfléchir. La réflexion engendre le silence. Ce n'est pas autorisé. Si vous ne trouvez rien de convenable à dire, dites quelque chose de creux.

— Désolé. Je ne savais pas.

— Cela me surprend. Tous ces voyages, tous ces hôtels. Cela ne peut pas être une première pour vous.

— Une première ?

— Se faire aborder. Dans un bar. Par une femme.

Il eut un sourire désabusé

— Cela dépend où vous voulez en venir.

Stephanie sourit à son tour.

— Voilà qui a le mérite d'être franc.

— Vous n'avez pas répondu à la question.

— Peut-être est-ce là ma principale occupation. Aborder des inconnus dans des bars d'hôtel.

— J'en doute.

— Pourquoi ?

— Vous n'avez pas l'allure voulue.

— Quelle allure ?

Il sirota un peu de vodka.

— L'allure d'une prédatrice prête à tout.

Stephanie haussa un sourcil.

— L'allure d'une prédatrice prête à tout ? Cela me plaît. Mais vous risquez de passer pour un expert.

— Bon, vous avez raison, bien sûr. J'ai fréquenté de nombreux bars. Il y a eu de nombreuses... *situations*. Et elles ne manquent jamais d'être décevantes.

— On n'en a pas pour son argent ?

— Je laisse tomber avant qu'on en arrive là.

— Bien entendu.

— Vous ne me croyez pas ?

— Je ne sais pas trop. Je ne m'attendrais pas à ce que vous l'avouiez.

Il prit le temps de la jauger, de la cataloguer.

— Vous êtes toujours aussi directe ?

— Seulement avec de parfaits inconnus.

— Parce que c'est possible, exact ?

— Oui. Libérateur, non ?

Il acquiesça, à l'aise avec elle ; il ne se sentait ni menacé, ni encouragé. Elle espéra qu'il ne gâcherait pas tout en disant quelque chose de grossier.

— Ce doit être le jeu auquel nous nous prêtons. (Il fit tourner son verre dans sa main, regardant bouger le liquide huileux.) C'est étrange la manière dont cela marche, non ? Que l'on puisse dire n'importe quoi à quelqu'un qu'on ne connaît pas. Qu'on ne dirait jamais à un proche.

— Cela ne marche que si vous pensez ne jamais les revoir.

— Comme maintenant.

— Oui. Comme maintenant.

— Shéhérazade.

— Quoi ?

— Désolé. Il va falloir que vous m'excusiez.

Stephanie se retourna. Une femme venait de faire son apparition à l'autre extrémité du bar. De magnifiques cheveux bruns épais. Un teint mat impeccable mettant en valeur le collier en or lui enserrant la gorge. Mince mais avec des formes, elle n'était pas grande, pas plus d'un mètre soixante-cinq peut-être, mais elle ne manquait ni d'assurance, ni de présence. Les têtes se tournaient sur son passage.

— Votre rendez-vous ? demanda Stephanie.

Comme c'était typique que ce soit moi qui sorte une grossièreté. Newman parut trouver cela amusant.

— Ce fut un plaisir, Claudia. Un plaisir rare.

Puis il s'éclipsa. Stephanie regarda de nouveau la femme. Elle reconnaissait le visage sans pouvoir mettre un nom dessus ; pommettes hautes, grands yeux bruns, bouche généreuse qui sourit quand Newman s'avança vers elle.

Le téléphone derrière le bar sonna.

Shéhérazade qui ?

Ils s'enlacèrent, puis il laissa sa main sur son bras. Elle jeta un coup d'œil à Stephanie puis lui murmura quelque chose à l'oreille. Ils rirent et s'installèrent sur le seul canapé encore libre.

— *Excusez-moi*[1]...

Elle se retourna. Le barman lui tendait le téléphone. Malgré les grésillements de la mauvaise réception, elle entendit un moteur. Des klaxons à l'arrière-plan.

— Oui ?

— Ici, Fyodor Medvedev. (Son accent américain était maladroit, ses mots se bousculaient comme de vieux wagons sur une voie de garage.) Je suis désolé d'être en retard. Je suis dans un embouteillage. Coincé.

— Au moins je sais que vous êtes à Paris.

Il ne pigea pas.

— Je serai à l'hôtel dans dix minutes. M. Golitsyn veut vous voir maintenant. Cela vous convient ?

---

1. En français dans le texte.

— Bien sûr.

— Chambre 41. La suite Émile Wolf. Il vous attend.

Lorsqu'elle rendit le téléphone au barman, le nom lui revint. Shéhérazade Zahani. Très appréciée par *Paris Match* et les journaux *people*. Généralement photographiée à l'opéra, ou sortant du dernier restaurant à la mode, ou sur le pont de son yacht de cent mètres au cap d'Antibes.

Fille d'un riche négociant d'armes, elle avait épousé un milliardaire du pétrole saoudien. Stephanie ne se rappelait plus son nom mais se souvenait qu'il avait la soixantaine bien tassée. Étudiante à Princeton, très douée, très belle, Zahani n'avait à l'époque que vingt-deux ou vingt-trois ans. Cela avait fait jaser. Quinze ans plus tard, après la mort de son mari en Suisse, Zahani s'était installée à Paris, plus riche de plusieurs milliards de dollars. Depuis, la presse française avait cherché à lier la veuve éplorée à tous les beaux partis français de plus de trente-cinq ans. Si ces stupidités médiatiques à son sujet l'agaçaient, elle n'en laissait jamais rien paraître. Elle semblait satisfaite d'être vue en public accompagnée de prétendants potentiels qui duraient rarement plus d'une ou deux soirées. Il n'y avait eu ni liaisons, ni scandales.

C'était seulement au cours des cinq dernières années que son sens des affaires avait été reconnu. Elle était à présent considérée comme l'une des investisseuses les plus astucieuses de France. En observant Shéhérazade Zahani et Robert Newman, Stephanie se demanda s'ils discutaient de leur seul point commun.

Le pétrole.

Je sais que quelque chose cloche dès l'instant où j'entre dans la suite de Leonid Golitsyn au quatrième étage. J'ai frappé à la porte sans obtenir de réponse. J'ai essayé la poignée et la porte s'est ouverte.

Dans la chambre, Golitsyn gît par terre au pied du lit. Un grand téléviseur Thomson enveloppe son corps de lueurs tremblotantes. Une émission de jeux, le volume élevé, des rires et des applaudissements amplifiés. Une large fleur marron a fleuri sur sa poitrine. Du sang coule sur la moquette sous son corps. Des gouttes en constellent son visage, comme une attaque de variole luisante.

Il bat des paupières.

Je fais lentement et silencieusement le tour de la pièce avant de contrôler la salle de bains. Un deuxième corps est dans la baignoire, une jambe couverte d'un pantalon pendant sur le rebord. Par terre, une arme. Un Smith & Wesson Sigma 40, une arme exclusivement en matière synthétique, un polymère très résistant. Il n'a pas été utilisé récemment.

L'homme dans la baignoire sous le rideau de douche taché de sang en partie arraché de sa tringle porte un costume fripé. Il y a du sang par terre et sur le mur. On lui a tiré dessus au moins trois fois. Avec un silencieux très efficace, j'imagine, parce qu'étant une maison de ville convertie, l'isolation sonore du Lancaster laisse à désirer.

Je retourne dans la chambre. Quand j'arrive dans sa ligne de vision, Golitsyn cligne des yeux de nouveau et réussit à remuer légèrement les doigts.

Je m'accroupis près de lui. Ce devait être un homme impressionnant. Deux mètres, à vue de nez, avec de beaux traits patriciens sur un visage long, encadré de cheveux blancs neigeux ayant besoin d'une coupe et une barbe parfaitement taillée de la même couleur.

Je regarde la blessure à la poitrine, puis le sang. Il devrait déjà être mort. Je ne peux rien pour lui.

Il s'efforce d'articuler un mot :

— *Ah... ams...*

— *Anders ?*

Il froncerait les sourcils si les muscles de son front répondaient encore. Je recommence.

— *Anders Brand ?*

Rien.

— *Vous et Anders Brand ?*

Je coupe le son de la télé.

— *... da... ah... ams...*

Tout est très récent.

— *Passage du Caire. Vous comprenez ?*

— *... Ter... da... ahm...*

— *Anders Brand. Il y était. Il a été tué. Après que vous l'avez vu.*

Dans les yeux de Golitsyn, la flamme de l'urgence lutte contre la bise glaciale de la mort.

— *...ams...ams.*

— *Qui a fait ça ? Ceux qui ont tué Brand ?*

— *... ter... da...*

— *Et la bombe ?*

— *Ams... ter...*

— *Amster ?*

Je lis un « oui » dans son regard.

— *Dam.*

Il a presque toussé cette syllabe.

— *Amsterdam ?*

Il cligne des paupières pour confirmer parce qu'il s'affaiblit vite.

— *Pourquoi Amsterdam ?*

Il tente de former une dernière phrase, mais en vain ; ses yeux se figent, se voilent, les doigts se détendent. Sur l'écran de télé, une candidate crie de joie en prenant possession d'un Hyundai flambant neuf.

Dehors quelque part, une sirène gémit au loin. Pas pour moi, me dis-je. Mais je n'en suis pas si sûre. Je prends le liquide sur la table – Petra, le vautour, le charognard-né – et fourre sa correspondance ainsi que son portable dans un mince attaché-case en cuir sur lequel trois lettres en cyrillique dorées figurent en relief sous la poignée : L.I.G.

Je retourne dans la salle de bains où la curiosité me pousse à contrôler le corps. Faisant de mon mieux pour ne pas me tacher de sang, je fourre une main sous les plis du rideau de douche et à l'intérieur d'une veste gris pâle pour récupérer un portefeuille et un passeport. J'ouvre le passeport ; des traits plats, des cheveux châtains coupés court avec une raie à droite, de petits yeux gris.

Fyodor Medvedev.

L'homme à qui j'ai parlé... il y a combien de minutes ?

Pas le temps pour ça. Pas maintenant. Sors d'ici.

Je lâche l'arme dans mon sac Max Mara noir. Vêtue comme je le suis, l'attaché-case ne paraît pas trop incongru. Au moins quelque chose marche aujourd'hui.

Je referme la porte de la suite derrière moi et me dirige calmement vers l'ascenseur. J'appuie sur le bouton. Une femme de la lingerie passe, chargée d'une tour de serviettes blanches.

— Bonsoir.

— Bonsoir.

J'entre dans le minuscule ascenseur au décor de bois ciré et de cuir bordeaux. Les questions sans réponses m'obsèdent. Le Medvedev dans la baignoire n'est pas le Medvedev à qui j'ai parlé au téléphone au bar. J'en suis sûre. Même s'il était assis dans une voiture devant l'hôtel, il aurait à peine eu le temps de courir à l'étage pour se faire tuer avant que je ne le trouve. Donc si le cadavre dans la baignoire est Medvedev, à qui ai-je parlé ?

Quant à Golitsyn...

Les portes s'ouvrent. Je sors de l'ascenseur et tourne à droite. Des éclats de voix montent de la réception qui est hors de ma vue à ma gauche. On s'agite. Je reviens sur mes pas et traverse le bar. Le groupe squelettique est trop nombriliste pour s'être rendu compte que quelque chose ne va pas, mais d'autres ont remarqué ; des conversations s'interrompent, des têtes se tournent. Le canapé sur lequel Robert Newman et Shéhérazade Zahani avaient pris place est vide. Peut-être sont-ils au restaurant.

Je pousse la grande porte vitrée et, en suivant le petit couloir menant à la sortie, j'entrevois la réception à ma droite ; deux hommes se disputent avec la femme derrière le comptoir. L'un d'eux lui montre quelque chose. Une carte. Elle parle au téléphone, visiblement inquiète. Derrière elle, un homme trie des clés.

Je sors dans la rue de Berri. À ma gauche, un portier nerveux en long manteau se tient à côté d'une Renault noire. Il n'y a personne dedans. Les deux portières avant sont ouvertes, la roue avant gauche mord le trottoir. Une lampe bleue est posée sur le tableau de bord.

Surtout, ne cours pas.

Je tourne à droite. Je suis une femme d'affaires chic armée d'un attaché-case. Dans ce quartier, cela ne devrait faire sourciller personne. Sauf moi ; au-dessus des bruits de la ville, les sirènes sont de plus en plus audibles. Devant, au carrefour avec les Champs-Élysées, les premières lueurs stroboscopiques bleues se reflètent sur les immeubles.

Je regarde par-dessus mon épaule. Le portier se retourne. Nous sommes à quinze mètres l'un de l'autre. Il n'arrive pas à décider s'il m'a déjà vue. Un cri jaillit de l'hôtel. Je me fais l'effet d'un lapin pris dans le faisceau de phares. Où est Petra ?

À côté du Lancaster se trouve le parking Berri-Washington ouvert vingt-quatre heures sur vingt-quatre, avec un néon bleu au-dessus d'une longue rampe en béton. J'ai la main droite dans le sac en cuir noir, mes doigts sur le Sigma. La première voiture de patrouille entre dans la rue de Berri. Suivie d'une autre. Je descends la rampe.

Un parking souterrain devrait être équipé d'une sortie de secours qui donne ailleurs. Je m'efforce d'ignorer les sirènes, mais j'attends le cri. L'ordre de m'immobiliser, de sortir ma main de mon sac, de tout lâcher et de me retourner.

Je suis à la moitié de la rampe quand une voiture apparaît. Le béton renvoie le bruit du moteur. Une Audi A6 quattro gris métallisé.

Garde ton calme.

Je ne suis qu'une femme descendant récupérer sa voiture. Je m'écarte pour laisser passer l'Audi. Qui ralentit...

Continue à marcher.

... et s'arrête.

Non, pitié.

Ma main droite cherche la crosse. Une vitre se baisse.

— *Le monde est petit.*

Sur le coup, je suis trop hébétée pour articuler un mot. C'est Robert Newman.

Derrière moi et au-dessus de nos têtes, les sirènes se multiplient. L'heure de la décision a sonné. Et s'il n'y a pas d'autre sortie ?

— *Je vous dépose quelque part ?*

Non mais, je rêve.

Je lui adresse mon plus beau sourire :

— *Bien sûr. Merci.*

Je monte à l'arrière de l'Audi, ce qui le surprend. Il regarde par-dessus son épaule :

— *Vous pouvez vous asseoir devant si vous voulez. Je vous promets de ne...*

C'est là qu'il voit l'arme.

— *Démarrez.*

— *Mais qu'est-ce...*

— *Faites-moi confiance – vous n'avez pas le temps d'y réfléchir.*

Il jette un coup d'œil au sommet de la rampe.

Je colle le canon du Sigma contre sa joue et hurle :

— *Démarrez.*

Il accélère jusqu'à la rue.

— *Où ?*

— *À droite. Prenez à droite.*

— *Je ne peux pas.*

— *Quoi ?*

— *C'est un sens unique.*

— *Alors prenez à gauche !*

— *Et ensuite ?*

— *Obéissez, point ! Et quoi qu'il arrive, ne vous arrêtez pas. Sinon, je vous jure que je vous tue.*

Il sort, passe à côté de la Renault noire, de deux voitures de police, gyrophares en folie. Des policiers rôdent sur la chaussée, un attroupement se forme. Je cache l'arme. Un jeune flic, impatient de nous voir vider les lieux, nous fait signe de filer. Je jette un coup d'œil par la lunette arrière. Au boulevard Haussmann, nous tournons à droite.

Comment sont-ils arrivés aussi vite ? Hier, passage du Caire, c'était

*pareil ; des policiers en uniforme débarquant dans les cinq minutes. Je
ferme les yeux. Quand je les rouvre, je croise son regard dans le rétroviseur.*

— *Où allons-nous ?*

— *Nulle part. Contentez-vous d'avancer. Et ne faites rien de stupide.*

— *On dirait que c'est déjà fait.*

— Garez-vous.

Nous étions dans une rue tranquille près de la porte de
Champerret, à deux pas du périphérique. Quand Newman
coupa le moteur, ils entendirent le grondement de la circulation
voisine. Près d'une heure s'était écoulée, dans un silence
presque total. Stephanie avait essayé de réfléchir, mais en vain.
Trop de questions se pressaient dans son esprit. Elle était incapable d'en distinguer une, incapable de se concentrer sur une
pensée cohérente. Progressivement toutefois Petra avait émergé
et une froide clarté avait remplacé la panique.

— Laissez vos mains sur le volant pour que je les voie.

La rue était vide. Elle serra la crosse de son arme et changea
de position pour jouir d'un meilleur angle de vue.

— Bon. Qui êtes-vous ?

— Vous savez qui je suis. Robert Newman.

— Croyez-moi, votre prochaine réponse futée sera la dernière.

— Je ne sais pas quoi dire d'autre.

— Vous feriez bien d'y réfléchir. Et vite.

— Je m'appelle Robert Newman. Je suis un homme
d'affaires.

— Nous nous rencontrons au bar puis vous remontez la
rampe. Expliquez-moi ça.

Il haussa les épaules.

— Je ne peux pas.

— Une coïncidence ?

— Ce doit être ça.

— Je ne crois pas aux coïncidences. Shéhérazade Zahani et
vous − cela a dû être le rendez-vous le plus bref de l'histoire.

Newman tiqua à la mention de ce nom.

— Je n'étais pas là pour la retrouver. Elle a débarqué, c'est
tout. Elle avait rendez-vous avec un ami descendu au Lancaster.

— Une autre coïncidence ?

Il ne put se résoudre à le reconnaître. Stephanie se pencha et colla le canon du Smith & Wesson contre sa nuque, juste au-dessus du col.

— Laissez-moi vous expliquer quelque chose. Celle pour qui vous m'avez prise au bar − elle n'existe pas. Elle n'a jamais existé.

— Écoutez, je devais voir quelqu'un. Il a appelé pour annuler juste après votre départ.

— Je vais vous donner encore une chance.

— Voyez vous-même, lâcha-t-il en fourrant une main dans son veston.

— Arrêtez !

Newman se figea. Et remit sa main droite sur le volant.

— Nom de Dieu ! Détendez-vous !

— Qu'est-ce que je vous ai dit ?

— Je sais ce que vous avez dit. Je cherchais juste mon portable. Pour que vous puissiez vérifier. Le numéro, l'heure.

Stephanie se concentra sur sa respiration une seconde. Tout pour ralentir son pouls. Un couple marchait vers eux, bras dessus, bras dessous, leurs têtes enveloppées par leurs haleines glacées, leurs talons claquant sur le trottoir. Stephanie posa l'arme sur ses genoux et la dissimula sous le sac en cuir noir.

— Il faut que je disparaisse.

— Mais je vous en prie, faites donc.

— Où habitez-vous ?

— Dans l'île Saint-Louis.

— Seul ?

Il hésita.

— Oui.

— Je vais vous reposer la question. Si en arrivant là-bas, il y a quelqu'un pour nous accueillir, je le tue, derechef. Alors réfléchissez bien avant de parler. Vivez-vous seul ?

— Oui.

Le couple passa à côté de la voiture.

— Donnez-moi votre portefeuille.

— Il est dans mon veston. Comme mon portable.

Stephanie colla de nouveau le Smith & Wesson contre sa nuque.

— Alors soyez très prudent.

Il récupéra son portefeuille − Dunhill, cuir noir aux coins dorés − et le lui passa. Sur sa Platinum Amex, le nom était Robert R. Newman. Il avait deux cartes de visite, une professionnelle, une privée sur laquelle figurait une adresse quai d'Orléans, île Saint-Louis. L'autre carte portait un nom qu'elle ne reconnut pas avec une adresse à La Défense.

— Solaris, c'est quoi ?

— Une société. Je travaille pour eux.

— Une compagnie pétrolière ?

— Parfois.

— Nous allons chez vous. J'ai besoin d'un endroit pour réfléchir.

Quai d'Orléans, île Saint-Louis, dix heures et demie. Ils trouvèrent une place non loin de son immeuble. Des passants rentraient chez eux après avoir dîné dans les restaurants de la rue Saint-Louis-en-l'Île.

Dans l'Audi, Stephanie lui glissa à voix basse.

— Je n'ai pas envie de le faire. Mais si vous m'y obligez, vous y aurez droit. Compris ?

Newman opina.

— Si nous croisons quelqu'un de votre connaissance, restez simple. Je ne suis qu'une amie.

Ils descendirent de voiture. Newman portait l'attaché-case de Leonid Golitsyn et elle serrait le Smith & Wesson au fond de la poche de son manteau.

Ils arrivèrent devant l'entrée de son immeuble. Il composa le code à quatre chiffres − deux zéro sept un − et ils entrèrent dans un grand hall, presque nu. Un ascenseur brinquebalant les conduisit au cinquième étage. Ils pénétrèrent dans l'appartement de Newman par une double porte haute qui donnait sur une entrée dallée. Aux murs, des toiles dans des cadres dorés ; des paysages flamands plats sous de tristes cieux gris anthracite, des portraits maussades de marchands prospères, des aristocrates pâlots. Des lis de Casablanca dans un haut vase effilé octogonal parfumaient la pièce.

Stephanie jeta un coup d'œil aux fleurs puis à Newman qui comprit.

— Yvette. Elle veille sur l'appartement. Elle vient tous les jours de la semaine.

— Elle a sa propre clé ?

— Oui.

— Si vous l'aimez bien, rappelez-moi de vous dire de lui téléphoner demain matin.

Sous la menace de l'arme, Newman lui fit faire le tour du propriétaire : deux chambres, chacune avec sa salle de bains, un vaste salon, une salle à manger modeste, une cuisine généreuse, une buanderie et un bureau. Le salon et la salle à manger étaient sur la façade ; leurs portes-fenêtres ouvraient sur un balcon qui offrait une vue spectaculaire sur Notre-Dame.

— Pas mal. Les affaires marchent, on dirait.

Ils retournèrent dans la buanderie. Stephanie l'obligea à ouvrir les deux placards ; un aspirateur, une planche à repasser, un balai à franges dans un seau, des balais, des brosses, des chiffons, des produits d'entretien. Elle prit la corde à linge enroulée sur le comptoir. Sur une étagère, elle trouva une boîte en bois contenant des outils, dont un rouleau de Scotch toilé noir qu'elle embarqua aussi. De retour dans le salon, elle ferma les rideaux et tira une chaise au centre de la pièce.

— Enlevez votre veston et votre cravate.

Il s'exécuta, déboutonna les deux premiers boutons de sa chemise dont il roula les manches.

— Qu'est-il arrivé à vos poignets ?

Les deux étaient ceints d'un bracelet de tissu conjonctif violet. Elle ne les avait pas encore remarqués. Il ne répondit pas ; il se contenta de la fixer d'un air mauvais, dans un silence lourd de mépris.

— Obéissez et je ne vous ferai pas mal. Asseyez-vous.

Elle lui attacha les poignets avec la corde à linge au dos de la chaise, puis lui scotcha une cheville à un pied.

— Pas un bruit.

Elle retourna dans la cuisine. Une cuisine de célibataire, à l'évidence : un îlot central avec un plateau en ardoise ; deux billots à peine égratignés, un bloc à couteaux contenant une série de lames Sabatier comme neuves. Le réfrigérateur contenait deux bouteilles de veuve-cliquot, un peu de San Pellegrino, une bouteille de montagny, du café moulu et du jus d'orange. Rien à manger.

Ses costumes étaient accrochés dans une armoire dans la chambre, tous sur mesure. Mais dans une commode elle découvrit un autre Robert Newman : des jeans usés et effilochés, des T-shirts qui avaient perdu forme et couleur depuis longtemps, des survêtements, de vieilles tennis.

Sur une table de chevet un téléphone Bang & Olufsen, un flacon de Nurofen et un exemplaire de *What Went Wrong ?* de Bernard Lewis. Sur l'autre, une unique boucle d'oreille en or. Stephanie la souleva. On aurait dit un petit coquillage.

Dans la salle de bains, les objets de toilette de Newman. Mais dans l'armoire à pharmacie derrière le miroir, Stephanie trouva de l'eye-liner et un petit flacon de Chanel n° 5, à moitié vide. Dans la seconde salle de bains, de nouvelles preuves ; une robe en soie prune sur un cintre, deux pulls, un jean Calvin Klein noir, des sous-vêtements légers, deux chemises, une paire de tennis Prada argentées.

Elle revint dans le salon.

— Qui est la femme ?

— Quelle femme ?

— La femme qui laisse du Chanel n° 5 dans votre salle de bains. (Elle lui montra la boucle d'oreille.) Cette femme.

— Cela pourrait m'appartenir.

— Je vous jure que je ne suis pas d'humeur.

— Ce ne sont pas vos putains d'oignons.

— Vous êtes sûr ?

— C'est de l'histoire ancienne.

— Si elle débarque ici, ce sera le cas.

— Cela fait un moment que c'est fini.

— C'était sur votre table de chevet.

— Je suis du genre sentimental.

— Ses affaires sont encore ici.

Il était manifestement extrêmement nerveux – la sueur, les frissons – mais il était bien décidé à préserver les apparences. Il ne pouvait plus se raccrocher qu'à ça.

— Vous devriez voir ce que j'ai laissé chez elle.

Il n'y avait pas de réponse à cela ; Stephanie avait laissé des traces d'elle-même partout.

Stephanie s'assit sur l'accoudoir d'un canapé et alluma la télévision Loewe grand écran installée dans un coin du salon. Elle zappa d'une chaîne à l'autre : France 3, Canal +, France 2, s'arrêta sur un flash d'informations sur TF1. La bombe dans le Sentier, des émeutes à Caracas, une nappe de pétrole au large des côtes de Normandie. Apparut ensuite une journaliste avec une écharpe rouge autour du cou. Elle était rue de Berri, on distinguait vaguement le Lancaster à l'arrière-plan, après l'entrée du parking Berri-Washington.

Le présentateur posait une question. La journaliste acquiesça et enchaîna.

— La police se contente de dire que le marchand d'art russe Leonid Golitsyn et un autre homme non identifié ont été tués par balle au cours de ce qui ressemble à une exécution préméditée.

— On évoque un suspect ?

— Pas encore. Tout ce que nous savons, c'est que les corps ont été découverts par un membre du personnel de l'hôtel et que...

Faux. Quand elle était sortie de la suite de Golitsyn, la police était au rez-de-chaussée. Elle avait vu des inspecteurs en civil à la réception quelques secondes après avoir quitté l'ascenseur. Pourtant, moins d'une minute avant, au quatrième étage, elle avait échangé un bonsoir cordial avec une employée de la lingerie.

— Pas étonnant que je n'aie pas réussi à deviner ce que vous faites dans la vie, dit Newman.

— Je ne les ai pas tués.

— Ce type Golitsyn – quand vous m'avez pris pour un autre, vous pensiez que je travaillais pour lui.

— À mon arrivée dans la chambre, ils étaient déjà morts.

Ces intonations coupables ! elle n'en revenait pas.

Newman fixa le Smith & Wesson.

— C'est vrai ?

— On n'a pas tiré avec. Il n'est pas à moi. Je l'ai ramassé par terre.

— Qu'est-ce que vous sous-entendez – ils avaient décidé de se suicider ensemble ?

Elle changea de chaîne et choisit la couverture de la bombe du Sentier par CNN. Quelques images du carnage passage du Caire, une reprise du nombre des victimes et toujours aucune mention d'Anders Brand.

Dans le studio de CNN, deux spécialistes encadraient Becky Anderson. L'un était le porte-parole du CRIF (le Conseil représentatif des institutions juives de France), l'autre, un expert en terrorisme de la London School of Economics. Le porte-parole du CRIF affirma que la bombe faisait partie d'une campagne grandissante d'activités antisémites en France, puis fustigea le gouvernement et – par implication – l'opinion publique pour la tiédeur de leurs réactions.

L'analyste se concentra sur la provenance probable des deux faux suspects. On émaillait la théorie de bribes de renseignements pour la rendre crédible ; des rumeurs dans les jours précédents provenant du Blanc-Mesnil, une petite ville de la banlieue nord de Paris comptant une vaste population immigrée, au départ des juifs sépharades des colonies nord-africaines, plus récemment des musulmans, souvent issus des mêmes pays.

Les prémisses paraissaient convaincantes ; une haine raciale débordant dans une zone connue pour ça. Le Blanc-Mesnil était dans le 93, un département faisant partie de la fameuse « ceinture rouge », surnom datant de l'époque où la région était aux mains de maires communistes convaincus. L'immigration y avait toujours été un problème pressant. L'homme de la London School réussit adroitement à établir un lien entre le ressentiment au Blanc-Mesnil et les intérêts commerciaux juifs dans le Sentier. Il faillit convaincre Stephanie jusqu'à ce qu'il reparle des suspects.

Elle éteignit la télévision.

Deux incidents dans une même ville en deux jours. Superficiellement indépendants l'un de l'autre mais reliés par un troisième incident : l'assassinat de Jacob et Miriam Furst. Pas assez significatif en soi pour que la presse s'en empare – un vieux couple assassiné chez lui – mais vital pour Stephanie parce qu'elle était l'unique facteur commun aux trois.

Quatrième jour

Réveillée en sursaut, elle consulta sa montre. Trois heures vingt-cinq. Adolescente, elle avait toujours eu un mal fou à trouver le sommeil. C'était toujours le cas de Stephanie. Mais Petra avait été formée pour dormir n'importe où, même dans les environnements les plus hostiles.

Ils se trouvaient dans le salon. Tête inclinée sur le côté, Newman était affalé sur sa chaise. Stephanie avait pris place sur le canapé derrière lui. Pour qu'il ne puisse pas la voir. Un avantage psychologique.

Elle se leva sans bruit et se rendit dans la salle de bains. Elle se doucha, se drapa d'une de ses serviettes et passa en revue la garde-robe de son ex-maîtresse. Le jean noir était de la bonne longueur mais un peu grand à la taille. Elle enfila un T-shirt bleu marine à manches longues, un gros pull noir et les tennis argentées.

Elle se sentait de nouveau humaine. Aussi humaine que Petra pût l'être.

Dans la cuisine, elle remplit une bouilloire. Pendant que l'eau chauffait, elle examina le bureau de Newman. Sur une grande table en chêne près de la fenêtre se trouvaient deux écrans plats Sony et un clavier sans fil. Elle fouilla dans les tiroirs ; du papier à lettres, des factures et des reçus, de la correspondance, de l'argent liquide − euros, dollars, francs suisses − une carte d'embarquement en première classe d'Air France pour un vol Singapour-Paris et deux passeports américains.

Le premier appartenait à Robert Ridley Newman, âgé de quarante-huit ans. Il avait été délivré deux ans plus tôt mais il était déjà revêtu de dizaines de tampons, dont certains revenaient fréquemment : Damas, Riyad, Pékin et Shanghai, Téhéran, Jakarta. Le second passeport datait de sept ans. Elle le feuilleta. N'y figuraient que douze tampons, dont neuf de l'aéroport Ben Gourion à Tel Aviv.

Dans le tiroir du bas à droite, elle trouva une montre Vacheron avec un bracelet en cuir. Au dos une inscription et une date : *Robert, affectueusement, Carlotta, 11-10-2001.* Un anniversaire ? Elle vérifia les passeports. Pas le sien.

De retour dans la cuisine, elle alluma la télé suspendue au-dessus du plan de travail en ardoise. Branchée sur une chaîne financière. Elle zappa jusqu'à ce qu'elle tombe sur BBC World qui passait des images d'archives d'Anders Brand. On le voyait serrer la main de Kofi Annan, Bill Clinton à leurs côtés, tous les trois riant d'une blague. En bas de l'écran, une légende : ancien diplomate suédois cité parmi les morts de Paris.

On récapitula sa carrière : des postes à Manille, Bagdad, Rome et Washington à ses débuts, puis deux incursions dans le monde des affaires avec la Deutsche Bank à New York et Shell à Londres. Par la suite, Brand était revenu à la diplomatie suédoise, pour laquelle il avait servi aux Philippines, puis en Espagne. Ensuite, il était entré aux Nations unies à New York, remplissant une série de rôles de moins en moins définis à mesure que son étoile montait. Divorcé depuis près de vingt ans, Brand laissait une ex-femme, l'ancienne actrice Lena Meslin, et leurs deux fils adultes.

Un peu tard mais exactement comme Stern l'avait prédit.

Stern.

Douloureusement, Stephanie s'abandonna à la pensée à laquelle elle résistait depuis le Lancaster.

Tu m'as piégé.

À présent, plus que jamais, elle avait besoin de renseignements. Pendant des années, il avait été sa source préférée. Les renseignements fournis par Stern coûtaient la peau du dos, mais on en avait pour son argent. Elle n'avait jamais eu de raisons de mettre leur qualité en cause. Il ne l'avait jamais trahie. Au contraire. À certaines occasions, il lui avait spontanément fourni des tuyaux pour la protéger. Ou plutôt, comme il le disait, pour protéger son investissement.

Leurs rapports avaient fini par se transformer en une sorte

d'amitié électronique stérile, ni l'un ni l'autre ne cherchant à en savoir trop long sur l'autre parce qu'ils comprenaient tous les deux que la sécurité reposait sur l'anonymat. Mais au début cela avait été strictement du business ; requête, négociation, paiement, livraison. Froid et clinique.

Stern vendait du renseignement, non de l'affection. Les faux rapports que Stephanie avait laissés se développer entre eux avaient fini par obscurcir ce fait gênant. Stern ne lui devait rien, et c'était réciproque. À la fin de chaque transaction, ils étaient à égalité. Certes, elle lui rapportait de l'argent. Comme elle tirait des revenus des renseignements qu'il lui vendait. Elle en était venue à partir du principe qu'il ne la vendrait jamais parce qu'elle avait de la valeur pour lui. Mais pourquoi pas, si le prix en valait la chandelle ? Elle ne lui avait jamais rien garanti. À chaque transaction, elle courait le risque que ce soit la dernière. Stern existait dans un environnement transitoire ; la valeur monétaire du renseignement avait tendance à se dévaluer avec le temps. Dans leurs deux mondes, cela payait de saisir l'occasion.

En définitive, la fidélité de Stern serait toujours une question de prix.

Au départ, il crut l'avoir imaginé. Un bruit d'eau. Une douche. *Sa* douche. Il tenta de se redresser. S'était-il endormi ? Peut-être mais cela ne l'avait pas régénéré. Le sommeil se réduisait à une brève période entre deux moments inconfortables de veille. Il se grippait lentement : mains engourdies, nuque raide, colonne vertébrale douloureuse, crampes. Il avait la bouche sèche et sale.

Depuis combien de temps était-il seul ? Non que cela eût de l'importance. Il ne pouvait rien faire. Sa chaise et lui étaient devenus une entité, elle s'en était assurée. Une entité isolée au milieu d'un tapis de Bokhara, un naufragé sous son propre toit.

Il ne parvenait pas à concilier la femme dans son appartement avec celle qui l'avait abordé au bar du Lancaster. Claudia Calderon avait été sûre d'elle, détendue, enjouée. Et sexy. Il pouvait l'admettre, même maintenant. Et puis il y avait la créature armée. De quoi s'était-elle rendue coupable ? Que voulait-elle ?

Il tenta de se convaincre qu'elle ne lui ferait aucun mal. Qu'elle s'éloignerait, tel un orage soudain, le laissant tel qu'elle l'avait trouvé. Mais Leonid Golitsyn et un autre homme étaient morts. Newman l'avait vu à la télé. Elle avait admis s'être trouvée dans leur chambre. Et elle avait l'arme. Il avait à peine entendu son déni. Plus étrange encore, elle semblait plus préoccupée par les reportages sur la bombe du Sentier que par les événements du Lancaster. Les deux étaient-ils liés ? Était-elle ce lien ? Et si tel était le cas, qu'est-ce que cela signifierait pour lui ?

— Je vais vous libérer les mains. Il faut que votre sang circule.

Les cicatrices violettes autour de ses poignets luisaient. Fripées, boursouflées. Elles n'avaient rien de lisse, rien... d'uniforme. Ses mains étaient enflées. Quand elle les libéra, Newman frémit. Il ramena ses bras devant lui avec raideur. Une fois ses mains sur ses genoux, il remua ses doigts. Elle nota la tension dans ses épaules, les muscles noués.

— Qui est Carlotta ?

Pas de réponse.

— Généralement j'aime bien savoir à qui appartiennent les vêtements que je porte.

Toujours rien.

— La boucle d'oreille était à elle ?

Pas le moindre signe de peur, de colère, ni d'émotion.

Elle posa l'attaché-case de Golitsyn sur le canapé. Des clés, des stylos, un carnet d'adresses relié de cuir, des documents d'affaires. Ses lettres lui étaient adressées en différents endroits : la poste centrale de MosProm dans ulitsa [1] Tverskaya au centre de Moscou ; la galerie Golitsyn avenue Matignon à Paris, l'hôtel Meurice ; un appartement dans la 62e Rue Est à New York.

Dans un porte-documents au format ministre en plastique transparent était rangée une série de plans d'architecte. Stephanie les retourna pour voir l'adresse. Cork Street, Londres ; une autre galerie d'art, certainement. Quelque chose s'était

---

1. *Ulitsa* : « rue » en russe (N.d.E.).

glissé entre les plis des croquis. Elle ouvrit le porte-documents et une feuille s'en échappa.

Il s'agissait d'un accord avec un agent immobilier du nom de Guy Grangé sis boulevard Magenta dans le XXe arrondissement. Une location d'un mois, un studio dans le quartier de Stalingrad, payé d'avance en liquide. Pas le genre de coin dans lequel Stephanie aurait imaginé Golitsyn. Pas plus que ce genre d'appartement. Il n'y avait pas d'adresse, seulement un numéro de référence. Le code d'entrée imprimé correspondait au chiffre sur le cercle en plastique rouge attaché aux clés.

Pourquoi Stern l'avait-il dirigée vers ce Russe âgé de soixante-dix-sept ans ?

Elle trouva ensuite des reçus de cartes de crédit, dont un venant du légendaire joaillier Ginzburg, de la place Vendôme. Une petite carte y était agrafée. Au verso, un bref message écrit d'une main tremblante :

Leonid, mon cher,
Merci pour tout,
N x.

Et en dessous, en russe :
Des diamants ou du pain ? Nous seuls savons.

Stephanie étudia la première partie du message. N pour Natalya ? La veuve d'Aleksandr Ginzburg s'appelait Natalya. Et elle vivait encore, semblait-il. Stephanie en fut un peu surprise. Aleksandr Ginzburg était mort depuis longtemps – un accident de voiture célèbre près de Cannes à la fin des années 1970 ou au début des années 1980 – Stephanie avait supposé que sa femme était décédée depuis. Apparemment non. Ce qui faisait d'elle une femme très âgée. Sauf qu'Aleksandr n'était pas si vieux lorsqu'il s'était tué. Peut-être avait-elle quatre-vingts ans. En d'autres termes, de la même génération que Golitsyn.

Stephanie regarda fixement le message, sensible à son nondit.

Des diamants ou du pain ? Nous seuls savons.

Londres, quatre heures cinq

Quand le téléphone sonna dans le petit appartement du premier étage de Rosie Chaudhuri près de Chichele Road dans le nord de Londres, elle était déjà réveillée. Elle s'était écroulée dans son lit à une heure, épuisée, un peu grise, malheureuse.

L'alcool censé apaiser la douleur n'avait pas fait son effet. Buveuse sans expérience, elle avait au moins espéré dormir d'un sommeil de plomb, mais elle s'était réveillée à trois heures et demie.

Sa première sortie en un mois, sa première en célibataire depuis plus d'un an. Son amie Claire avait insisté. Il était temps de passer à autre chose. De tourner la page. Rosie avait capitulé, à contrecœur. Une mauvaise décision, en fait. Cela n'avait pas pansé ses plaies, cela n'avait pas boosté son moi. Rien qu'une addition salée et une gueule de bois.

Quand son histoire avait viré court, Rosie avait réagi comme à son habitude : elle s'était jetée à corps perdu dans le travail. Une solution facile qui avait paru payer pendant une semaine ou deux. Avait ensuite surgi la sensation familière ; le poids dans la poitrine, le soupçon d'un plus grand malaise tapi en elle. Comment une femme séduisante et intelligente pouvait-elle continuer de trébucher d'une histoire médiocre à une autre ?

Indienne de la deuxième génération, Rosie dirigeait une organisation à l'avant-garde du renseignement mondial. De n'importe quel point de vue − race, sexe, âge − elle avait réussi. Mais elle n'en avait pas le sentiment. Elle ne l'avait jamais eu, s'il fallait avouer la vérité, et maintenant à quatre heures cinq par un matin d'hiver lugubre, elle se faisait l'effet d'une ratée totale.

À quoi bon sa position − son pouvoir − si elle ne pouvait pas garder un homme ? Larguée par un acteur au chômage parce que sa réussite professionnelle l'intimidait. Il pensait qu'elle travaillait pour le centre des études de la Défense à King's College, à Londres. Le mensonge qu'elle entretenait auprès de sa famille et de ses amis.

L'acteur était un être délicieux ; gentil, drôle, beau gosse. Mais pas très doué. Lorsqu'il s'était plaint de ses horaires impossibles, elle avait vu clair dans son jeu ; il ne supportait pas qu'elle travaille ainsi parce que cela alimentait son sentiment de ne pas être à la hauteur professionnellement. Ce qu'elle ne supportait pas. Ce n'était pas drôle de rentrer après seize heures de travail pour se faire critiquer par un type qui avait passé la journée affalé sur un canapé à regarder des bêtises à la télé en attendant le coup de fil de Steven Spielberg.

Elle décrocha :

— Oui ?

— Carter, S3. (La S3 était la section du renseignement.)

— Que se passe-t-il, John ?

— Une voiture vient vous prendre. Elle sera là dans huit minutes.

— Résumez-moi la situation.

— Hier soir, Paris. Hôtel Lancaster. Un assassinat, deux victimes : Leonid Golitsyn et Fyodor Medvedev.

Le premier nom lui disait vaguement quelque chose, le second absolument rien.

— Poursuivez.

— S9 a intercepté une communication entre la DST et la DGSE.

Rosie réclama un bref rappel de l'importance de Golitsyn.

— Quel est le problème ?

— Stephanie Patrick.

Une suite de syllabes à vous couper le souffle.

Impossible, se dit-elle. Enfin, non, pas impossible. Disons, improbable.

— Ils cherchent Petra Reuter. Il y a eu une identification positive.

— Photographique ?

— Nous n'en sommes pas sûrs. Mais il y a autre chose. Les deux Algériens soupçonnés par la DGSE pour l'explosion du Sentier – c'est une diversion. C'est elle qu'ils veulent.

— Une bombe ?

Petra n'était pas du genre à utiliser des bombes. À moins qu'on ne compte la fois où elle avait décapité un avocat américain à Singapour à l'aide d'un portable piégé.

— Je sais ce que vous pensez, reprit Carter, mais ils semblent très sûrs d'eux.

— C'est généralement le cas. Sommes-nous certains qu'il s'agisse de la vraie ?

Comme toutes les vedettes, Petra Reuter avait ses imitateurs de pacotille.

— Aussi sûrs qu'on peut l'être.

Rosie raccrocha, s'extirpa de son lit et passa dans sa salle de bains. Avec son eye-liner qui avait coulé, on aurait dit qu'elle avait les yeux au beurre noir. N'ayant pas le temps de choisir une tenue propre, elle enfila son tailleur de la veille. Dans le salon, elle trouva sa serviette sur un carton de déménagement.

Au bout de six mois dans les lieux, elle n'était pas encore installée. Elle avait vendu son appartement près de Seven Sisters Road mais l'échange prévu avait échoué. Cette location à court terme était provisoire. Elle avait cherché quelque chose de petit et de confortable au cœur de la ville. Maintenant elle ne savait plus trop ce qu'elle voulait.

Son prédécesseur avait aménagé une petite chambre dans les locaux de Magenta House. Vers la fin, il ne rentrait plus jamais chez lui. Rosie jugeait que cela expliquait bien des dérives de l'organisation qui en était venue à trop se tourner vers elle-même. On avait alors atteint un niveau de paranoïa qui avait commencé à affecter l'intégrité opérationnelle de la structure.

Dans tous les domaines, on avait besoin d'avoir des intérêts en dehors du travail pour préserver son équilibre. Selon Rosie, cela se vérifiait notamment pour les employés d'une organisation comme Magenta House. Au bout de quinze jours à la place de l'ancien directeur, elle avait fait démolir la chambre pour la transformer en un nouveau bureau de débriefing.

L'ennui était le suivant : maintenant qu'elle avait cette position, où trouverait-elle le temps de conserver elle-même cet équilibre ?

Elle sortit de chez elle sept minutes après l'appel. La BMW vert foncé l'attendait déjà. Sur la banquette arrière en cuir, une chemise mince.

Après Berlin, l'avenir avait pris une forme évidente. Rosie remplacerait Alexander. Sa mort avait épargné aux administrateurs de Magenta House un dilemme gênant : comment remplacer un homme qui était devenu synonyme de l'organisation au point de lui porter ombrage ? Quant à Stephanie, elle devait disparaître pour de bon, mettant définitivement la légende de Petra Reuter à la retraite.

De faux rapports des activités de Petra avaient toujours circulé. Certains étaient simplement des erreurs, d'autres des tentatives délibérées de nuire. Peu importait. Toute rumeur, vraie ou fausse, alimentait la légende. Rosie n'avait donc pas été surprise que de nouvelles rumeurs naissent après Berlin ; comme personne n'avait jamais laissé entendre que Petra était morte, il n'y avait pas de raison que le flot des histoires sur son compte se tarisse.

Stephanie avait passé la plus grande partie de sa vie d'adulte à chercher à divorcer de Petra. Maintenant qu'elle avait obtenu gain de cause, toute forme de réconciliation semblait inconcevable. Personne à Magenta House ne connaissait Stephanie aussi bien que Rosie. Elles avaient été amies. Elles avaient été les outsiders dans une organisation d'outsiders.

Stephanie, se peut-il vraiment que ce soit vous ?

— Il faut que j'aille aux toilettes.

Stephanie connaissait la procédure. Le laisser uriner ou déféquer sur sa chaise. L'humiliation menait à la soumission. Mais elle comprit aussitôt qu'elle n'en ferait rien. Elle lui délia de nouveau les mains et lui dit d'arracher le ruban adhésif sur sa cheville.

Il se redressa péniblement. Il avait les muscles des cuisses et les fléchisseurs raides. Il dut poser une main sur le dossier de la chaise pour compléter le mouvement. Ses premiers pas furent chancelants ; il avait des fourmis partout.

La porte de la salle de bains était équipée d'un verrou et non d'une clé.

— Ne la fermez pas, lui dit Stephanie.

— Vous avez l'intention de regarder ?

Elle jeta un livre relié par terre, le coinça du pied dans la porte, le poussa à l'intérieur, puis tira la poignée, laissant un espace d'une vingtaine de centimètres. En entendant la chasse d'eau, elle poussa le battant. Newman fermait son pantalon.

— Je peux me rafraîchir un peu ?

— Allez-y.

Il se lava les mains puis remplit le lavabo d'eau froide et plongea le visage dedans. Il se redressa lentement, l'eau dégoulinant sur sa chemise.

— Je peux me raser ?

— Non.

— Je vous promets de ne pas vous attaquer avec mon rasoir. Il est muni d'un cran de sûreté.

— Venez.

Stephanie le ramena à sa chaise sous la menace du Smith & Wesson, histoire de rester convaincante. Elle prit la corde à linge et s'accroupit derrière lui. Il lui offrit ses mains avant même qu'elle ne les lui réclame.

— D'où viennent ces cicatrices ?

— Je vous l'ai dit. C'est pas vos oignons.

Elle fut tentée de tirer sur la corde jusqu'à ce que les blessures se rouvrent.

Mais lui faire mal reviendrait à lui accorder une petite victoire. Elle enroula la corde gainée de plastique autour de ses poignets, en serrant un peu moins fort – chose qu'il ne manquerait pas de remarquer – avant de l'attacher à un montant de chaise hors de sa portée. Elle nota qu'il prenait une grande inspiration et gonflait ses muscles pendant le processus.

— À quelle heure arrive la bonne ?

— Sept heures et demie.

Il était six heures et demie passées.

— Vous lui ouvrez la porte ?

— Elle a sa clé.

Stephanie prit un téléphone.

— Quel est son numéro ?

— Qu'est-ce que je lui raconte ?

— Ce que vous voudrez du moment que cela tient debout.

— C'est juste pour aujourd'hui ?

— Jusqu'à nouvel ordre. Peut-être un ou deux jours.

Elle approcha son oreille du combiné. Quand Yvette répondit, Newman expliqua qu'il avait de la visite et qu'il ne voulait pas être dérangé. Il la rappellerait quand il voudrait la revoir.

— Elle n'a pas paru surprise.

— Et alors ?

— Elle est peut-être habituée à ce genre de requêtes.

— Son mari purge douze ans pour vol à main armée. Deux de ses fils sont morts, l'autre est un travesti. Il en faut plus pour la surprendre.

— Peut-être. Mais si elle débarque à l'improviste, je pense pouvoir gérer la situation, dit Stephanie en remarquant les clés de l'appartement sur le guéridon. À propos, j'aurai peut-être à sortir plus tard. Quel est le code en bas ?

— Neuf zéro six trois.

— Vous êtes sûr ? Ce ne serait pas plutôt deux zéro sept

un ? C'est celui que vous avez composé hier soir. Réfléchissez-y. Prenez votre temps. Deux zéro sept un.

Newman se mordit la lèvre.

Elle secoua la tête.

— Décevant. Et stupide.

— Pourquoi les avez-vous tués ?

— Je ne les ai pas tués.

— Alors pourquoi êtes-vous en cavale ? Pourquoi êtes-vous ici ?

— Je ne sais pas.

Newman grogna.

— Ce qui signifie ?

— Vous ne me faites pas l'effet d'une débutante.

— Qu'est-ce que vous en savez ?

Il eut l'air de connaître la réponse mais ne pipa mot.

— Oublions cela, marmonna Stephanie, agacée contre elle-même.

— Oublions quoi ? Que vous m'avez collé une arme sous le nez ?

— Taisez-vous.

— Peut-être êtes-vous une débutante après tout.

— La ferme.

— Qu'est-ce que vous allez faire ? Me descendre ?

— Vous ne m'en croyez pas capable ?

Il avait envie de la défier. C'était manifeste. Mais il lâcha prise. D'un pouce. Il pensait lire en elle mais s'il se trompait ?

— Pourquoi étiez-vous au Lancaster ?

— Vous êtes sourd ou quoi ?

— Dites-moi. Je veux le savoir.

— J'ai dit... la ferme.

— Allons. Vous voulez que je vous croie, non ?

— Allez vous faire foutre.

Je me prépare du café dans la cuisine. J'ai faim mais il n'y a même pas de pain. La bonne devait l'apporter. Encore tout chaud de la boulangerie. Avec des lis de Casablanca tout frais à disposer dans le vase octogonal de l'entrée. Rien que le fin du fin.

Je suis en colère contre lui, ce qui est absurde. Seul l'un de nous a le droit d'être en colère contre l'autre. J'aurais dû le laisser se pisser dessus. Rien que pour bien marquer ma domination sur lui. Les échos d'une conférence lointaine me reviennent : une interaction avec un otage établit un rapport qui, pour être inhabituel, humanise l'otage aux yeux du geôlier, ce qui lui rend plus difficile de traiter l'otage de la manière adéquate.

La manière adéquate. Mais cela consiste en quoi dans cette situation ? Je n'en ai pas la moindre idée. Il n'a été qu'une question de commodité. Une stratégie de sortie, adoptée sans réfléchir, dans un moment de crise. Il n'a aucune valeur pour moi. Contrairement à son appartement, qui est un havre.

Peut-être que la manière adéquate devrait venir du Smith & Wesson. Éviter les complications, tuer l'otage, occuper son appartement aussi longtemps que nécessaire. Mais je ne vais pas faire ça. Je suis peut-être Petra mais pas cette Petra-là. Plus maintenant.

Je m'approche de la fenêtre. Au-dessus du voile de pollution, le ciel vire au prune. Il doit faire beau et chaud à l'île Maurice. Je devrais être en train de déguster des mangues au son des vagues.

Je songe à Stern, Amsterdam et Anders Brand. Mais surtout à Stern. Mon sentiment de trahison dépasse le plan professionnel pour rejoindre le plan personnel. J'ai l'impression d'être une maîtresse rejetée. Je sais que c'est ridicule mais n'empêche. Je croyais que nos rapports sortaient de l'ordinaire.

J'essaie d'oublier mes sentiments. Stern m'a donné Golitsyn gratuitement. Cela aurait peut-être dû me mettre la puce à l'oreille.

```
>Je ne verse pas dans le sentimental. C'est du pragma-
tisme. S'il vous arrive quoi que ce soit, je perds de
l'argent.
```

Seule la première phrase sonne vraie. Stern gagnait sa vie avant que je ne fasse appel à lui. Et il en gagnera encore longtemps après que j'ai disparu.

Newman était en colère. Contre elle. Contre lui-même.

Maintenant qu'il se retrouvait de nouveau seul, il s'efforça de mettre de l'ordre dans ses idées. Cette situation n'entrait dans aucune catégorie. Il avait été kidnappé. Il était un otage. Mais sous son propre toit. Cela ne correspondait pas aux modes d'opération habituels qu'il connaissait bien, après des années dans le monde du pétrole.

Quatre-vingt-dix pour cent des kidnappings dans le monde étaient pratiqués contre une rançon et la grande majorité n'était pas signalée. Selon les estimations officielles, on comptait annuellement entre cinq mille et vingt-cinq mille kidnappings contre rançon. La différence tenait à une question de définition. Ce que les experts ne contestaient pas, c'était le vrai chiffre, à savoir plus de cinquante mille. Dans certains secteurs de l'industrie pétrolière, tout le monde le savait ; dans les régions du monde où le kidnapping était un sport national, les employés des sociétés pétrolières offraient des cibles de choix. Les autres enlèvements étaient politiques et bien moins prévisibles.

Newman n'aurait su dire de quelle catégorie de kidnapping il relevait. Il devait faire partie d'une très petite fraction d'un pour cent du total.

Une fois enlevés, tous les otages devaient respecter certaines règles. Surtout, ne rien faire qui risquât d'agiter le ravisseur. Les otages difficiles souffraient. Il valait mieux coopérer. Tenter d'établir une relation. Il le savait, mais il l'avait tout de même provoquée. Et pourquoi ? Sans raison aucune.

Son agressivité avait été alimentée par son épuisement et son angoisse mais tant qu'elle restait une inconnue, il ne pouvait se permettre des erreurs aussi élémentaires. L'influence d'un otage était forcément limitée mais il fallait au moins éviter d'aggraver la situation.

Il analysa ce qu'il croyait savoir. On ne l'avait pas enlevé pour de l'argent. Et ce n'était pas politique. Ni personnel. Ce qui en faisait probablement une affaire criminelle.

C'était l'impression que cela donnait. Un assassinat qui avait mal tourné. Il était un otage accidentel. Un kidnapping dû au hasard, il s'était trouvé au mauvais endroit au mauvais moment. Les règles étaient-elles les mêmes dans ce cas de figure ? Tant qu'il n'en saurait pas plus, il décida de partir de ce principe.

Joue le jeu.

À force de réfléchir, il découvrit progressivement un objet sur lequel se concentrer – une bouée à laquelle se raccrocher – ce qui était crucial.

Ça, il en était sûr.

— *Je vous rapporterai de quoi manger à mon retour.*
— *Vous sortez ?*
Je déchire environ vingt-cinq centimètres de ruban adhésif avec les dents.

— Je sors un moment. Pas la peine de vous exciter. Vous serez toujours là à mon retour.

— Attendez. Qu'est-ce que vous allez faire avec ça ?

— Je vous l'ai dit. Il faut que je sorte.

— C'est pour ma bouche.

— Oui.

— S'il vous plaît, non. Je jure que je ne ferai pas un bruit.

Je hausse un sourcil.

— J'ai votre parole ?

Il se met à s'agiter, à tirer sur ses liens.

— On se détend. Je ne serai pas longue.

Mais il ne se détend pas. Sa respiration s'accélère. Il blêmit. Être bâillonné n'a rien d'agréable, mais il semble s'affoler.

— Respirez par le nez.

Il secoue la tête.

— Calmez-vous.

Il déglutit.

— Vous ne comprenez pas...

— Peu importe. Plus vite on en aura fini avec ça, plus vite je reviendrai pour le retirer.

— Je vous en prie, non.

— Écoutez, je ne vais pas sortir d'ici en vous permettant d'alerter toute la maison par vos cris. Ne bougez pas.

Son teint gris se met à luire. J'essaie de lui coller le ruban adhésif sur la bouche. Il secoue la tête.

— Nom de Dieu, vous arrêtez, oui !

Dans sa panique, il se met à hurler. Sa chaise se balance. J'essaie de l'attraper par les cheveux mais il se dérobe.

— On se calme ! Je ne vais pas vous faire mal.

— Foutez-moi la paix !

Mon revers de main atterrit sur sa joue juste en dessous de son œil droit. Le contact fait l'effet d'une pulsation électrique. Qui court des os de ma main jusqu'à l'épaule.

Il est hébété, soumis. Je passe derrière lui, lui fais une clé et lui colle l'adhésif.

— Maintenant détendez-vous. Et respirez par le nez.

C'était une journée magnifique, pas un nuage pour gêner un soleil enchâssé tel un diamant dans un ciel bleu saphir. Dès l'instant où elle sortit de l'immeuble, elle retrouva le moral.

Elle décida d'oublier Newman et sa réaction devant le bâillon. Une brise glaciale ridait la Seine.

Elle traversa le pont Louis-Philippe et retourna à Web 46, rue du Roi-de-Sicile, à cinq minutes de l'appartement. Elle ne s'embêta pas à vérifier ses mails. Elle se servit d'une adresse Hotmail neutre – Joan Appleby – pour envoyer un message à Cyril Bradfield.

>Cyril, je passe du bon temps en NZ. La semaine pro-
chaine, Sydney. Puis Melbourne, Alice Springs, Darwin.
HK le mois prochain, puis retour au bercail. Espère que
vous allez bien – Joan.

Ensuite elle créa une nouvelle adresse Hotmail – pas de nom, juste une série de lettres et de chiffres – et envoya un second message à une troisième adresse. Une adresse créée par Bradfield mais jamais utilisée. Il la vérifiait deux fois par mois pour la maintenir en activité, mais jamais à partir de son propre ordinateur. Un message de Joan Appleby l'inciterait à aller la relever.

>Cyril, Jacob et Miriam sont morts. Le coupable est à
mes trousses. Vous êtes en danger. Tout a disparu. Si
possible, contactez-moi par le biais de notre connaissance commune. Affectueusement, qui vous savez.

La chose faite, elle entra dans un café voisin où elle commanda du café, du jus d'orange et une omelette. Pourvu que Bradfield se rappelle le procédé. Quand il s'agissait de technologie dépassant son champ de compétence, il se complaisait dans l'ignorance.

À part Stephanie elle-même, Bradfield était le seul lien entre les Furst et toutes les versions de Petra. Ce qui signifiait qu'il était probablement déjà mort. S'il était sain et sauf, il saurait quoi faire. Et s'il était vivant mais sous la contrainte, pas libre de ses mouvements, il saurait encore quoi faire ; elle lui avait fourni une voie de sortie sûre.

>Contactez-moi par le biais de notre connaissance com-
mune.

Toute partie impliquée lisant cette phrase penserait qu'elle faisait référence à Petra. Et Bradfield le confirmerait. Mais il savait qu'en cas d'urgence toutes les adresses de Petra devaient être considérées comme redondantes. S'il avait des ennuis, il serait en mesure de l'avertir dans sa réponse.

Guy Grangé, agent immobilier boulevard Magenta dans le XX⁰ arrondissement. Des studios et des deux pièces à vendre dans la vitrine. Les images numériques étaient floues. Les rares locations étaient punaisées sur un tableau en feutre à l'intérieur.

Le chauffage central et les cigarettes privaient l'endroit d'oxygène. L'employée était une femme d'âge mûr arborant des lunettes aux verres teintés et des mèches décolorées. Vaincue et grise, elle était assise sous un sinistre calendrier orné de la photo d'une location commerciale. Personne ne s'était soucié de tourner la page depuis le mois d'octobre.

Stephanie lui montra le reçu qu'elle avait trouvé dans l'attaché-case de Golitsyn.

— Il n'y a pas d'adresse là-dessus.

— Non.

— Ni de numéro de téléphone.

— Pour les locations de courte durée, nous gardons l'adresse et ne donnons que le numéro de la facture. C'est une question de sécurité.

— De sécurité ?

— On n'est pas dans le XVI⁰ ici. Les gens à qui on a affaire, eh bien...

Bien que faisant elle-même partie du fond du panier, elle trouvait encore le moyen de trouver de pauvres diables à mépriser.

Stephanie lui montra les clés prises dans l'attaché-case de Golitsyn.

— J'ai ça mais je ne sais pas où aller. Mon patron est en déplacement. Je suis censée tout vérifier. (Elle aperçut la signature en bas de la facture. Celle de Medvedev, bien entendu, pas celle de Golitsyn.) Vous n'imaginez pas à quel point ces Russes sont difficiles...

La remarque déclencha un éclair de solidarité.

— Presque aussi affreux que les Africains.

Stephanie leva les yeux au ciel pour marquer sa sympathie.

— On dit un truc, on en fait un autre.

— Et ce n'est pas le pire. Vous savez ? On perd de l'argent avec eux. Sérieux. Même quand nous le touchons d'avance.

— Non. Comment ?

— L'état des lieux quand nous les récupérons – vous n'y croiriez pas. Dégoûtant. Quant aux Chinois – je ne sais pas par où commencer.

Elle était lancée à présent, puisant dans sa banque à souvenirs en quête des pires coupables. Ce faisant, elle prit un bout de papier et un feutre.

New York, six heures vingt

Il y avait quelqu'un en bas. John Cabrini se redressa dans son lit, tendant l'oreille pour repérer le bruit au milieu du vacarme extérieur : une balayeuse dans le lointain, une sirène, deux Cubains en train de s'engueuler sous ses fenêtres.

Plus il tendait l'oreille, plus le silence devenait pesant. Jusqu'à ce qu'un second bruit sourd vienne le briser. À l'intérieur, sans aucun doute.

Il sortit de son lit et enfila un peignoir gris qu'il avait volé dans un hôtel de Turin. Il n'était pas question d'affronter qui que ce fût en caleçon bleu marine et en maillot de corps. Dans le tiroir de sa table de nuit, il conservait un Ruger P-85. Evelyn, sa femme, ne l'avait jamais autorisé à garder une arme à la maison. Il l'avait achetée trois mois après sa mort. Incapable de supporter la perspective d'une vie sans elle, il avait eu l'intention de la retourner contre lui-même. Au dernier moment – cran de sûreté relevé, index sur la détente – il avait hésité.

C'était il y avait quatorze ans. L'arme n'avait jamais servi. Mais à quatre occasions il avait été prêt à tirer, deux fois au cours des douze derniers mois. Chaque fois, les intrus s'étaient évanouis dans la nature le temps qu'il arrive dans la pizzeria en bas. Et chaque fois, il avait retrouvé du verre brisé par terre et une caisse vide.

Angelo's dans la 122ᵉ Rue Ouest à Harlem. Rien de sophistiqué. Que de la bonne pizza à des prix abordables. Une des succursales de la chaîne de sept Angelo's à Harlem et dans le haut de l'Upper West Side et de l'Upper East Side. Michael Cabrini, le cadet de John, était propriétaire de l'affaire qui employait sa femme, deux fils et une poignée de neveux. Comme il aimait à le dire : « Les franchises, c'est de la merde à moins d'avoir quelqu'un de confiance pour les diriger. C'est-à-dire, toi, John. Toi et les garçons. Pas d'étrangers à la famille. » C'est pourquoi l'empire n'avait pas dépassé les sept établissements ; son frère s'était trouvé à court de fils et de neveux à recruter.

Cabrini descendit l'escalier sur la pointe des pieds et traversa la cuisine. Il s'immobilisa sur le seuil du restaurant, ses yeux s'adaptant progressivement à la pénombre.

L'homme ne cherchait pas à se cacher. Il était assis à une table au milieu de la salle. Devant lui, sur la nappe à carreaux rouges et blancs, une tasse sur une soucoupe.

— J'espère que vous ne m'en voudrez pas. Je me suis fait un espresso.

Le teint pâle, des vestiges de cheveux bruns grisonnant aux tempes, le crâne chauve, la cinquantaine, il portait un pardessus bleu marine sur un costume. Malgré le peu de lumière, Cabrini nota combien l'extrémité de ses chaussures noires était bien astiquée. Il approuva. À côté de la tasse, un feutre.

— Je suis surpris que vous sachiez le préparer.

Un sourire mince et exsangue.

— Ma femme a acheté à grands frais une version plus petite de cette machine. Bien entendu, elle ne l'a jamais utilisée. Personnellement, comme j'ai horreur du gaspillage, j'ai fait l'effort d'apprendre tout seul. Maintenant je m'en sers tous les jours. Il leva la tasse, but une gorgée : je suis sûr que nous serions plus heureux tous les deux si vous cessiez de braquer cette arme sur moi.

Cabrini la posa sur le comptoir.

— Comment êtes-vous entré ?

— Bien trop facilement. Nous nous connaissons ?

— Non.

— Mais vous savez qui je suis.

— J'ai une idée.

Gordon Wiley. Un homme dont les instincts étaient plus à l'aise à Washington qu'à New York.

— M. Ellroy est en Europe. Je lui ai parlé il y a peu.

— De quoi s'agit-il ?

— D'une récupération.

— À quel genre d'assistance aurons-nous droit ?

— Cent pour cent.

— Qu'est-ce qui est touché ?

— *Qui* est touché ? Là est la question. C'est une Allemande du nom de Reuter. Petra Reuter. Il y a encore une heure, je n'avais jamais entendu parler d'elle. Et maintenant j'aimerais remonter le temps. C'est un sacré foutoir là-bas.

— Et M. Ellroy ?

— Il reste. C'est la raison pour laquelle il veut que son animateur préféré présente l'émission.

Wiley prit son chapeau. Une Lincoln noire l'attendait dehors, garée devant une Datsun blanche déglinguée. Cabrini la regarda s'éloigner à travers la première averse de neige et ressentit du soulagement plutôt que de l'anxiété ; plus de pizzas. Pour un jour ou deux, au moins. Et dans environ un an, plus jamais de pizzas.

Il était sept heures moins le quart quand il téléphona à son frère.

— Michael ?

— Bon Dieu, John, tu as vu l'heure ?

— Il faut que je m'en aille.

Long silence.

— Quand ?

— Maintenant.

— C'est grave ?

— Toujours. Tu le sais.

— Combien de temps ?

— Je l'ignore.

— Ça va ?

— Ça va. Tu prends le relais ?

— Bien sûr. Je vais demander à Stevie de gérer ta boîte.

Le neveu le plus jeune. Le prochain sur la liste si jamais l'empire Angelo's s'étendait un jour à huit. Après avoir raccroché, Cabrini remonta à l'étage.

Récupération.

Bien, c'était lui l'expert. Et ce, depuis vingt ans. Ce n'était jamais joli, mais ce n'était pas un concours de beauté, pas vrai. En outre, il n'avait pas encore essuyé d'échec. C'était tout ce qui comptait.

Il rangea le Ruger P-85 dans le tiroir de la table de nuit. Dans la salle de bains, il se rasa. La plupart du temps, il ne s'embêtait pas avec ça. Pour servir derrière le comptoir, il préférait être mal rasé, cireux, morne. Invisible pour ses clients.

Un homme de cinquante ans distribuant des pizzas ; pas vraiment un modèle de réussite.

Sous la faible lumière dispensée par l'ampoule nue se dressait un homme mince. Devant ses clients, avec son dos légèrement voûté et sa manie de traîner les pieds, il paraissait faible. Mais quand il se tenait bien droit et marchait d'un pas assuré, on le voyait tel qu'il était : dans une forme éblouissante. Il observa la transformation bienvenue dans le miroir en peignant ses cheveux et en se tapotant les joues avec un peu d'aftershave Christian Dior.

Il retourna dans la chambre, à moitié ressuscité. Cabrini avait toujours eu un faible pour les vêtements bien coupés mais presque tout ce qu'il portait venait de solderies. Toutefois, au fond du placard, se trouvait un costume sur mesure de chez Huntsman of London. Cinq ans d'âge, un chef-d'œuvre en tissu, Cabrini savait qu'il durerait jusqu'à la fin de sa vie. Il l'étala sur le lit, puis choisit une paire de Lobb et un polo de soie noire spécialement créé pour lui par Clive Ishiguro.

Son uniforme de récupération. Il était le chef, il donnait le ton. Cela faisait du bien de se débarrasser du déguisement mal fichu de temps en temps.

Quand la ferme dominant Orvieto serait prête, il irait s'installer en Italie pour ne jamais revenir, satisfait de se consoler de la perte douloureuse d'Evelyn en s'entourant de beauté. Un jardin, de la porcelaine, des tableaux, des vêtements, de la musique.

La Datsun blanche rouillée avait vingt ans. Cabrini et Evelyn l'avaient achetée ensemble. C'était la seule voiture qu'il eût jamais possédée. Il n'en avait jamais voulu d'autre. De Harlem à Brooklyn, il fonça sur la voie express Long Island qu'il quitta pour rejoindre le front de mer et ses entrepôts pas encore réhabilités.

Il arriva devant la zone de chargement du troisième entrepôt : R.L. Gallagher Inc. Sans bruit, une grande barrière se leva. Cabrini poursuivit jusqu'à l'arrière de la zone d'amarrage, se gara puis entra dans le monte-charge. Au quatrième étage, il traversa une vaste zone d'entrepôts déserts, mis à part deux cabines noir mat posées sur des supports métalliques. Les deux grosses paires de roues qui se trouvaient à présent à vingt centimètres du sol étaient à peine visibles dans l'obscurité parcourue de courants d'air. En haut d'un escalier en aluminium, une porte scellée. À côté de la porte, monté sur le mur, un panneau gris mat. Il plaça son visage devant et dit : « Cabrini, John, lieu de naissance, Cleveland, Ohio ».

Cabrini était né à New York mais cela n'avait pas d'importance. La plaque biométrique analysait le timbre de la voix, le réseau de vaisseaux sanguins dans la rétine et des traces de composition de respiration, un processus qui prenait actuellement entre deux et cinq secondes.

Quand la porte s'ouvrit dans un sifflement, John Cabrini entra dans un sas aseptisé de lumière ultraviolette.

Stalingrad, à l'endroit où le boulevard de la Chapelle devient le boulevard de la Villette. Donnant sur le delta d'acier de rails se déployant en dehors de la gare du Nord, l'immeuble délabré était lui-même dominé par le métro aérien. Quand Stephanie descendit vers la rue, l'armature métallique au-dessus de sa tête se mit à grincer. Un train de la ligne Nation-Porte Dauphine approchait. Des pigeons voltigèrent à ses pieds.

L'adresse correspondait à cinq étages de plâtre en lambeaux et de fenêtres cassées. Des locaux commerciaux au rez-de-chaussée. Commerciaux, il fallait le dire vite. Des rideaux rouillés en cachaient la moitié. Les autres tournaient au ralenti. Des solderies vendant des vêtements bon marché, des bagages chinois, des lavabos et des cuvettes de W.-C. avocat et saumon. Il y avait un bar-boîte de nuit à une extrémité. Son nom, Coral, était inscrit au pochoir sur un auvent d'un rouge sale à côté des silhouettes crèmes de deux femmes enlacées.

Stephanie s'engagea sous un porche qui menait à une cour non entretenue. Un escalier derrière des portes battantes ; sans lumière, froid, humide. Les graffitis brillaient comme d'habitude par leur originalité : *Marie Z, je t'aime, Antoine* ; *le PSG, c'est des merdes* ; *Jim Morrison 1943-1971* ; *Marie Z est une pute*. L'appartement était au fond du couloir du troisième étage. De chaque porte devant laquelle elle passa s'échappait un son différent, un enfant en pleurs, du rap, des aboiements. Cela empestait la viande frite, le tabac froid, une tuyauterie qui réclamait l'intervention d'un plombier.

La porte avait récemment été remplacée. Les éraflures sur le cadre n'avaient été ni colmatées ni repeintes. Les deux serrures neuves étincelaient encore. Elle frappa deux fois puis essaya les clés trouvées dans l'attaché-case de Golitsyn.

— Y a quelqu'un ?

Pas de réponse. Elle entra. L'obscurité régnait. Instinctivement elle tira le Smith & Wesson de la poche de son manteau Max Mara.

Deux pièces dans lesquelles les rideaux étaient à moitié tirés. Une salle de séjour exiguë donnant sur la rue, la chambre, sur les voies. Une minuscule cabine de douche à côté d'un W.-C. et d'un lavabo. La femme de l'agence avait signalé cette particularité ; un vrai luxe pour l'endroit — pas de W.-C. communs. Une pellicule grasse de moisissure verte colonisait le rideau de douche. Dans la salle de séjour, un réchaud à gaz était posé par terre à côté d'un petit réfrigérateur. Dans l'évier, un verre ébréché, des couverts et une assiette sale. Deux cafards rampaient sur une sauce figée en une croûte marron.

Cela puait le renfermé. Elle examina de nouveau le reçu. Il datait de dix jours.

Dans la chambre, un sac en toile vert olive gisait près du lit. Elle le fouilla. Des vêtements de femme — deux pulls miteux, des sous-vêtements, des tennis — un transistor, un exemplaire écorné de la traduction française d'un roman de Donna Tart. Dans la salle de bains, une brosse à dents attendait dans un verre en plastique mandarine. Une boîte de tampons gisait près des toilettes.

Pas le moindre signe d'une présence masculine.

Elle jeta un coup d'œil entre les rideaux. Un TGV émergea de sous un pont. Dans la salle de séjour, elle inspecta le réfrigérateur : une bouteille en plastique d'Orangina, un tube de purée de tomate, trois bouteilles d'Amstel. Sur la table au centre de la pièce un vieil exemplaire de *France-Soir* — daté du 23 décembre — une boîte de céréales vide et une platine laser portable Samsung avec quelques CD ; *Colour of Spring* de Talk Talk, *Achtung Baby* de U2, *Blood on the Tracks* de Bob Dylan. Rien de récent, rien de français.

Une femme, donc. Dans un appartement payé par Golitsyn, puisque le reçu se trouvait dans son attaché-case malgré la signature de Medvedev. *Golitsyn flotte au-dessus du monde.* N'était-ce pas ce que Stern avait dit ? Quoi que cela signifiât, cela incluait probablement de ne pas avoir à se soucier de signatures de ce genre.

Mais quel genre de femme ? Une maîtresse ? Pas ici. L'argent n'étant pas un problème, ne la logerait-il pas dans un appartement discret au milieu d'un quartier plus chic ? Mais peut-être Golitsyn aimait-il s'encanailler. Qu'est-ce qu'on offre à un homme blasé ? Un aperçu de ce que cela représente de ne rien posséder peut-être. Pourquoi pas ? Une plongée dans le caniveau pour mieux apprécier la douceur de sa vie habituelle.

Elle remit le Smith & Wesson dans sa poche et sortit. Elle ferma la porte à double tour, comme elle l'avait trouvée.

— T'es revenue.

Ils étaient trois à lui bloquer le passage. Arborant l'uniforme typique des rebelles – Nike, Donnay. Difficile de les situer. Asiatiques, peut-être. Pour deux d'entre eux, au moins. Le plus petit, aux muscles moulés par un t-shirt blanc sous son haut de survêtement Adidas ouvert, pouvait être arabe. Il arborait deux zigzags dans sa tonsure au dessus de l'oreille gauche.

— T'étais pas là.

Il la fixait de ses yeux mats. Quel âge pouvait-il avoir ? Difficile à dire. Entre quinze et vingt-cinq ans. Une attitude entre la menace et l'insolence indolente.

— Quand ?

— Quand ils sont venus.

— Qui ?

— Tu veux baiser ?

Le plus grand rit, tira sur son joint et le passa au troisième qui essayait de se laisser pousser une moustache. Il portait une casquette de base-ball avec « 50 CENT » brodé dessus en fil doré.

— Quand *qui* est venu ?

Le petit la toisa, histoire de lui faire peur.

— Tu sais qui.

Stephanie eut un sourire glacial. Bien sûr que je sais.

— Qu'est-ce qu'ils voulaient ?

— Parler avec toi.

— De quoi ?

— Mets-toi à genoux et je te le dis.

Nouveau ricanement du grand.

Elle soutint son regard.

— C'était quand ?

— Hier.

— Je ne vous ai pas vus dans le coin.

— Et alors ?

— Comment savez-vous que c'est de moi qu'il s'agit ?

— Ils avaient une photo.

— De moi ?

— Qui d'autre ?

— Vous êtes sûrs que c'était moi ?

Il opina du chef.

— Qu'est-ce que t'as fait ?

— Rien. Quoi d'autre ?

— Ils ont dit de les appeler si on te voyait. Qu'ils nous fileraient du blé.

— Vous allez le faire ?

— On n'a pas besoin de ce fric. On en a assez. Et quand on a besoin de plus, on le prend. Comme pour toi. Si on te veut, on te prend.

— Ils étaient combien ?

— Tu nous en crois pas capables ?

Elle s'efforça de lui lancer un regard neutre ; ni défi, ni peur.

— Je ne sais pas.

Il se serra les parties de sa main droite.

— Allez, putain. On est que trois. Y en a pour tout le monde, non ?

— Combien étaient-ils ?

Ils se regardèrent fixement.

— Deux, finit-il par dire. Un de ces connards causait pas français.

— Comment le savez-vous ?

Il eut un rictus, révélant des couronnes.

— Comme l'autre était le seul à parler, j'ai traité le silencieux de pauvre con. Tu sais ce qu'il a dit ?

— Quoi ?

— Rien. Il s'est contenté de hocher la tête comme un âne. Incapable de faire mieux, cet enfoiré.

Ils la laissèrent partir non sans la palper au passage. Elle lutta pour ne pas leur voler dans les plumes en se faufilant entre eux, les yeux baissés, pas ravie mais déterminée. Sur le boulevard de la Villette, elle attendit près d'une heure qu'ils émergent de la cour. Lorsqu'ils descendirent dans la bouche du métro Stalingrad, elle retourna dans l'appartement.

Dans la salle de séjour, elle fouilla tous les tiroirs et le placard. De nouveau, rien. Il y avait un tapis usé sur le plancher. Elle tira la table de côté et le roula. Tout cela pour ne découvrir que de la poussière entre les lattes.

Le canapé près de la fenêtre était revêtu de velours chocolat. Elle jeta les coussins par terre et fourra la main dans les espaces sur les côtés et à l'arrière. De la crasse vint se loger sous ses ongles. Une vieille pièce de un franc, le capuchon d'un stylo bille, une photo toute froissée, un collier en argent bon marché, une montre fichue. Le collier était cassé. Elle lissa la photo d'une main ; cinq gamins sales, de sept ou huit ans, grimaçant devant l'objectif. Elle ne les reconnut pas. L'arrière-plan était légèrement flou ; un immeuble austère et gris derrière un voile de flocons de neige.

Sa seconde fouille de la salle de bains ne fut pas plus productive que la première. Dans la chambre, elle vida le sac sur le matelas défoncé et vérifia les deux poches latérales. Dans l'armoire fixée de travers, un pardessus gris foncé, sur un cintre. Elle s'agenouilla par terre pour regarder sous le lit ; une couche de poussière, un jean roulé en boule, un emballage de préservatif vide.

Il n'y avait rien dans les poches avant du jean, un Levi's. Dans l'arrière gauche, elle trouva un ticket de métro, un vieux Kleenex et un bout de papier avec un message écrit au stylo : *Rudi, gare du Nord, 19 h 30.* En dessous un numéro de téléphone. De la poche arrière droite elle tira un reçu de carte de crédit agrafé à une facture. Elle ne réussit pas à déchiffrer la signature. C'était une transaction par carte Visa d'un montant de soixante-quinze euros. La facture était imprimée sur du papier couché blanc avec des caractères bleus en relief. En haut, un nom : Augustine Villard. Une kinésithérapeute de la rue du Châtelain. En dessous l'objet de la consultation : une séance prolongée pour le traitement du cou, des épaules et du haut du dos. Le nom de la patiente figurait au bas de la page.

Marianne Bernard.

Stephanie le fixa. Elle cligna plusieurs fois des yeux, s'attendant à ce qu'il ait changé. Voulant qu'il change. Peine perdue.

Elle avait consulté plusieurs kinésithérapeutes au cours des années mais n'avait jamais entendu parler d'une certaine Augustine Villard. Elle remarqua alors que l'adresse − la rue du Châtelain − n'était pas à Paris mais à Bruxelles. Elle examina de nouveau le reçu et vit qu'il était signé Marianne Bernard. Mais ce n'était pas sa signature.

Elle reprit le bout de papier. Rudi. Cela ne lui disait toujours rien. Mais le numéro de téléphone lui rappelait vaguement quelque chose. Ou l'imaginait-elle ? Sept chiffres. Les numéros de Paris en comptaient huit. Bruxelles de nouveau ?

Retour à la salle de séjour et aux CD sur la table. Pas les siens, sans aucun doute, mais elle connaissait tous ces albums. Elle étudia plus attentivement les cinq jeunes visages de la photo froissée. Ils restèrent des inconnus souriants. Mais il y avait... quelque chose.

Elle comprit lentement. Ce n'était pas les enfants. Mais l'immeuble flou à l'arrière-plan. La neige.

Le Home pour enfants numéro 23 d'Izmaïlovo à Moscou. L'orphelinat que Konstantin Komarov avait reconstruit. L'orphelinat auquel Stephanie avait fait don d'un million des dollars contaminés de Petra Reuter.

Un instant Stephanie crut vraiment qu'elle ne respirait plus. Elle était chez elle.

Tremblante, je sors de l'immeuble et commence à marcher. Je ne sais pas où je vais et je m'en fous. J'ai seulement besoin de continuer à avancer, à respirer.

C'est mon appartement. Ou plutôt, celui de Petra. Enfin, ce n'est pas tout à fait exact. Il appartient à une version de Petra. Une version assez exacte qui inclut des éléments de l'histoire de Stephanie. Une version créée par quelqu'un qui connaît l'existence de Marianne Bernard à Bruxelles. En d'autres termes, la Petra que j'étais avant-hier. Parce qu'aujourd'hui j'ignore quelle Petra je suis. Et même si je suis Petra.

Ils sont aussi au courant pour la Petra que j'étais quand j'étais amoureuse de Kostya. Et peut-être quand j'étais amoureuse de Mark.

Les CD m'étaient familiers, bien que je n'en aie jamais acheté aucun. Mais Mark, si. Il les avait tous les trois. Il possédait des dizaines d'albums. Dans d'autres circonstances, je n'y songerais même pas mais quand je pense à la photo et à la facture, je ne peux ignorer cette éventualité.

Je m'accroche à une chose : les erreurs. Une photo personnelle laissée dans une maison sûre opérationnelle ? Jamais. Un reçu de carte de crédit portant un nom non activé en possession d'un nom activé. Pas question. Cette Petra est un pastiche minable de la vraie. Non que cela la rende moins menaçante.

Ces indices ont dû être placés dans l'appartement pour qu'on les trouve. Je pense à la bombe du Sentier. J'imagine qu'il doit exister quelque part de quoi conduire les enquêteurs à l'appartement de Stalingrad.

De là, où ces indices mènent-ils ? Que suggèrent-ils ? Quelle histoire tente-t-on de raconter ? Que la terroriste Petra Reuter a placé la bombe dans le passage du Caire ? Bombe qui l'a tuée en explosant prématurément peut-être. Est-ce que la piste mène d'ici à Bruxelles ? À Marianne Bernard et au-delà ? Et où Leonid Golitsyn se situe-t-il dans tout cela ? Si c'était son plan, il a raté puisqu'il est mort. Si ce n'était pas le cas, alors peut-être y a-t-il un lien entre nous, puisque je suis aussi censée être morte.

Toute ma vie d'adulte, j'ai été deux femmes, Stephanie Patrick et Petra Reuter. Mais maintenant j'en suis trois ; la femme que je suis, la femme qui a été créée pour moi et la femme créée pour remplacer les deux premières. Un dialogue défile dans ma tête. Petra et Stephanie se demandent comment procéder. Partant d'angles différents, elles arrivent toutes les deux à la même conclusion : la clé de leur survie est la troisième.

La troisième femme.

La porte d'entrée était toujours fermée à double tour, comme elle l'avait laissée, le cheveu en place, le plus vieux truc qu'elle connût. Stephanie entra le plus silencieusement possible. Un bruit venait de la direction du salon. Un bruit de lutte. Elle posa le sac d'épicerie et tira l'arme de la poche de son pardessus.

Newman lui tournait le dos. Il tremblait violemment, les épaules de sa chemise étaient noires de sueur. Pendant plusieurs secondes, Stephanie observa la scène sans piper.

Il essaie de me piéger.

Il aperçut le reflet de Stephanie dans le miroir. Toujours prudente, elle s'approcha. Il avait le visage violacé, la peau luisante, les veines du cou gonflées.

— Je vais retirer le sparadrap. Ne criez pas.

Elle l'arracha. Il avait du sang dans la bouche. Malgré l'avertissement, il cria. Une suite de sons inarticulés.

Stephanie resta à distance.

— Que se passe-t-il ?

— Mes jambes, mon dos, siffla-t-il entre des dents serrées.

— Qu'est-ce qu'il y a ?

— Des crampes...

— Des crampes ?

— Enlevez-moi ces satanés liens.

Il essaie de me piéger.

Elle recula d'un pas pour réfléchir.

— Nom de Dieu ! Ne restez pas plantée là. Faites quelque chose !

Stephanie braqua l'arme sur lui.

— Ne tentez rien. D'accord ?

— D'accord.

Elle commença par arracher le ruban adhésif lui emprisonnant les chevilles, puis dénoua la corde à linge autour de ses poignets. Il essaya de se lever mais ses jambes refusèrent d'obéir. Il plongea en avant, heurtant le tapis en respirant bruyamment.

L'instinct humain la poussait à lui venir en aide, mais Petra l'en empêcha. Elle le regarda lutter, tenter de faire circuler le sang dans des blocs anémiques de muscles raides. Le pire étant passé, il se détendit et s'immobilisa. Stephanie le regarda avec détachement reprendre sa respiration et se calmer.

— Au moins les autres salopards me laissaient bouger, marmonna-t-il sans rouvrir les yeux.

— Quels autres ?

— Oubliez cela.

— *Quels autres ?*

Elle lui offrit une banane.

— Allez-y. Mangez-la.

— Je ne veux pas de banane.

Une demi-heure s'était écoulée. Elle avait décidé de ne pas l'attacher tout de suite. Il avait besoin de mouvement. Une pause circulation. Elle ignorait − ou n'arrivait pas à se rappeler − si c'était correct comme procédure. Et elle s'en fichait.

Ils étaient dans la cuisine. Elle passait en revue le contenu du sac d'épicerie ; fruits, jus d'orange, yaourts, pain, fromage, salami. Newman était assis sur un tabouret de l'autre côté de l'îlot central. Là où elle lui avait ordonné de s'asseoir. Elle avait mis hors de sa portée le bloc à couteaux et la bouteille de

Léoville Las Cases 1985 à moitié vide. Le Smith & Wesson était sur le plan de travail derrière elle.

Elle posa la banane devant lui.

— Vous devriez manger de toute façon.

Il but de l'eau au goulot d'une bouteille en plastique.

— Ah oui ? Et pourquoi ?

— Pour le potassium.

— Le potassium ?

— Une carence en potassium donne des crampes.

— Croyez-moi, ce genre de crampes n'a rien à voir avec un manque de potassium.

— Comment le savez-vous ?

— C'est un médecin qui me l'a dit.

Elle mit les fruits dans un bol en porcelaine et laissa le pain sur le plan de travail à côté de la plaque de cuisson.

— Je n'ai jamais vu personne avoir une crise de crampes pareille.

— Vous devriez attacher des gens à des chaises plus souvent.

D'après le répondeur du téléphone installé sur le plan de travail, cinq messages attendaient.

10 h 17 – Robert, votre portable est éteint. Appelez-moi. Vous êtes en retard.

Une voix de femme, agréablement rauque. Une fumeuse ?

10 h 59 – coup de fil raccroché

12 h 43 – Robert, c'est de nouveau Marie. Où êtes-vous ? Est-ce que ça va ? Je serai ici jusqu'à une heure, ensuite appelez mon portable. Salut.

17 h 23 – Bonjour. Ici, Jean-Claude Sardé. J'aimerais vous voir le plus vite possible. Votre secrétaire m'a donné votre numéro privé. J'espère que cela ne vous ennuie pas. Pourriez-vous me téléphoner dès que vous aurez un moment ? Merci.

17 h 34 – raccroché.

— Qui est Marie ?

— Ma secrétaire.

— Chez Solaris ?

— Oui.

— C'est inhabituel de votre part de ne pas vous manifester pendant vingt-quatre heures ?

— Quand je suis en déplacement, c'est normal.

— Mais quand vous êtes à Paris ?

— Non.

Elle posa le jus d'orange, le salami, le fromage et les yaourts près du réfrigérateur.

— Alors il faut que vous l'appeliez. Et vous feriez bien de trouver une bonne excuse. Qui est Jean-Claude Sardé ?

— Une relation de travail. Un banquier.

Elle ouvrit la porte du réfrigérateur. Et l'espace d'une seconde, le temps de ranger le jus d'orange, elle lui tourna le dos en partie.

Elle avait rangé les armes potentielles à bonne distance mais elle en avait oublié une. Newman se leva de son tabouret, saisit à deux mains l'absurde moulin à poivre chromé que lui avait offert pour Noël une maîtresse qui n'avait pas duré jusqu'au nouvel an.

Et le balança comme une batte de base-ball. Visant l'arrière de son crâne.

La plupart des actes délictueux sont le fruit du hasard. Newman avait lu ça quelque part. Des impulsions. Pourtant, quand l'occasion s'était présentée, il avait été rattrapé par la prudence, mais n'y avait pas cédé. Il bougeait déjà, comme mû par une entité contrôlant son corps. Et une fois lancé, il n'y avait pas de retour en arrière possible.

Elle parut tomber au ralenti.

Elle s'était tournée au dernier moment. Il ne savait pas trop bien où il l'avait frappée. Entre les omoplates ? À la nuque ? Peu importait. Il balança de nouveau le moulin à poivre, qui atterrit cette fois sur son dos. Il lui envoya un coup de pied de si bon cœur qu'il se tordit la cheville.

Il s'éloigna d'elle mais ne fila pas vers la porte. Il récupéra le Smith & Wesson à l'autre bout de la cuisine.

Il l'entendit derrière lui. Luttant pour se redresser, malgré la douleur. Il prit l'arme et se retourna. Elle arrivait sur lui.

Il mit le doigt sur la détente. Elle s'immobilisa, les yeux écarquillés. Une seconde, elle songea à lui bondir dessus. Il le vit, elle le comprit. Puis elle hésita.

L'arme tremblait dans la main de Newman.

— Un pas de plus et je jure que je vous tue.

New York, quinze heures trente-sept

La structure était simple ; deux conteneurs de quarante tonnes réunis pour former une suite de salles des opérations mobile. Au cœur de la suite se trouvait la salle des opérations proprement dite avec un poste de commande en courbe installé sur une estrade au fond. C'est là que John Cabrini s'asseyait. Devant lui, deux bureaux supplémentaires pour les autres membres de l'équipe, Steven Mathis et Helen Ito. Leurs postes de travail étaient équipés chacun de quatre écrans de contrôle escamotables. Celui de Cabrini en avait six. À l'avant de la salle, le mur incurvé était tapissé d'un immense écran à cristaux liquides, de six pieds sur quatre, utilisable comme un seul écran ou vingt-quatre écrans individuels, ou toute autre combinaison.

Les deux conteneurs étaient tapissés d'un polymère spécial qui empêchait un imageur thermique de détecter des activités humaines à l'intérieur. Ce revêtement incolore contenait des microcapteurs qui mesuraient la température extérieure pour permettre à l'ordinateur de rafraîchir ou de réchauffer les enveloppes des conteneurs afin qu'elles soient parfaitement adaptées à leur environnement. Les conteneurs émettaient également un blizzard de signaux électroniques impénétrables destinés à déjouer les écoutes indiscrètes.

Progressivement, toutes les fonctions se mettaient en branle, pour la plupart grâce à la NSA, l'ancien employeur de Cabrini. L'écran du haut à droite recevait les émissions du Defense Intelligence Network, la version NSA de CNN. Elle offrait un service d'informations en continu. Cela ressemblait souvent à CNN, les publicités et l'autopromotion incessantes en moins. Mais elle fournissait également des images en temps réel de satellites espions et des transcriptions ou des enregistrements de conversations interceptées, de même que des potins de la communauté mondiale du renseignement. Des deux écrans actifs sur le bureau de Cabrini, celui de gauche était relié à Intelink, l'Intranet privé de Crypto City.

Non loin du petit village d'Annapolis Junction dans le Maryland se trouve un complexe d'une soixantaine de bâtiments. Ils sont dissimulés au regard du public par des bois, protégés par des détecteurs de mouvements, des barrières en béton, des dispositifs anti-camions hydrauliques et des clôtures barbelées. Ces bâtiments – bureaux, laboratoires, usines, entrepôts et quartiers – abritent l'organisme d'espionnage techniquement le plus sophistiqué du monde, la NSA. Ce complexe s'appelle Crypto City. Crypto City renferme la plus puissante armée d'ordinateurs jamais rassemblée, secondée par les meilleurs mathématiciens et linguistes de la planète.

Intelink est le propre service Intranet de la NSA bien qu'il soit aussi utilisé par d'autres agences de renseignement, notamment celles du Canada, de l'Australie et du Royaume-Uni. D'Intelink Central dépendent quatre services différents, chacun ayant ses propres conditions d'habilitation. John Cabrini avait accès à tous, dont Intelink-P, un service destiné uniquement au président, au vice-président, au conseiller pour la sécurité nationale et une poignée choisie de hauts responsables.

— Où en sommes-nous, Steven ?

— On y est presque. On attend encore INTELSAT et Échelon.

Une image médiocre de Stephanie se matérialisa sur le mur face à eux. La qualité du cliché suivant laissait aussi à désirer. Il aurait pu s'agir de deux femmes différentes. Rien de ce qui suivit ne fut plus net, dont des photos de passeports mises au rebut.

Cabrini lut la biographie qui défilait. « Reuter, Petra. Ressortissante allemande, née à Hambourg, fille unique. Le père était... Reuter, Karl, un flic qui a déménagé à Stuttgart en 1953, marié en 1963 à... Holl, Rosa, archiviste à la *Bibliothek für Zeitgeschichte*, décédée en 1985, accident de voiture. Karl est mort en... 1987. C'est là, semble-t-il, que les ennuis commencent. »

Militante à l'université, puis anarchiste de gauche. Ensuite, une terroriste. Plus tard encore une tueuse à gages. Une fusillade à Mechelen en Belgique lui avait laissé son trait le plus caractéristique, une blessure d'entrée et de sortie de balle à l'épaule gauche. Après la Belgique, elle était réapparue au Brésil avec Gustavo Marin, le négociant d'armes. Plus tard, elle avait eu une altercation avec un autre marchand d'armes, le flamboyant Russe Maxim Mostovoï. Cela s'était passé à Marrakech. Elle avait travaillé en Russie, aux États-Unis, dans toute l'Europe et en Extrême-Orient. Une professionnelle très occupée alors.

Quand Cabrini avait été recruté dans le secteur commercial, il n'avait accepté qu'à la condition qu'il puisse amener ses deux assistants à la NSA, Steven Mathis et Helen Ito, deux pointures dans leurs domaines, qui avaient eu des problèmes personnels qui minaient leurs perspectives d'avenir à la NSA. Mathis avait des dettes et Helen Ito était sous surveillance après qu'une recherche poussée avait révélé une adhésion à une organisation étudiante socialiste démantelée pendant son passage à l'université de Cambridge. Bien que la sécurité interne de la NSA eût fini par décider que ni Mathis ni Ito ne représentaient de risques immédiats, leur carrière s'était retrouvée au point mort.

Tous deux avaient travaillé sous les ordres de Cabrini. À une occasion, ensemble. Cabrini dirigeait une opération à Pékin, une mise sur écoute du PSB. Tous trois s'étaient retrouvés dans la Pièce 3E099 d'OPS 1, le centre du réseau d'écoutes mondial de la NSA. Sur le plan professionnel, Mathis et Ito étaient parfaitement complémentaires.

Si Cabrini ne faisait plus partie de la NSA, il conservait nombre des contacts et privilèges dont il avait bénéficié pendant ces années. À une époque, cela avait été une source de différends. En effet, cela avait posé un problème de légalité. Toutefois, à présent, dans un monde de plus en plus dominé par l'entreprise, ce n'était rien d'autre qu'une question de bon sens. Maintenant, plus que jamais, les deux communautés partageaient des intérêts communs, des stratégies communes, des ressources communes.

Et des méthodes communes.

— *Qu'est-ce que vous allez faire ? Me descendre ?*
— *Vous ne m'en croyez pas capable ?*

Cela pourrait se produire. Il est plus nerveux maintenant qu'il a l'arme. Sur le plan émotionnel, il ne contrôle plus rien. Je le vois dans son regard, dans ses mouvements maladroits.

Nous sommes dans le salon parce que c'était là que je le gardais prisonnier. Il ne parvient pas à trouver meilleure solution de rechange et il se dit que je savais ce que je faisais.

Du sang coule d'une coupure derrière mon oreille gauche. Mon cou et mon épaule palpitent.

— *Vous allez appeler la police ?*
— *Quand je serai prêt. D'abord, je veux des réponses.*
— *Vous ne pouvez pas faire ça.*
— *Quoi donc ?*

— *Appeler la police. Ils me cherchent.*

— *Et alors ?*

— *Ils me tueront.*

— *La police ne tue pas les gens.*

— *Vous aimeriez le croire, hein ?*

Je suis assise sur le canapé, là où il m'a donné l'ordre de m'installer. Il fait les cent pas. Si je tentais quelque chose maintenant, il me raterait certainement, mais je ne bouge pas.

— *Qui êtes-vous ?*

— *Claudia Calderon.*

— *À d'autres.*

— *Alors j'ignore qui je suis.*

— *Malin.*

Il agite l'arme sous mon nez. J'ai eu peur de me faire descendre avant. Mais jamais par erreur. Quoique, en l'occurrence, il ne s'agira peut-être pas d'une erreur.

— *On m'a piégée et je ne sais pas pourquoi. Je suis montée dans votre voiture parce que je n'avais pas le choix. Golitsyn et Medvedev étaient morts quand je suis entrée dans la chambre. La police était déjà en route. Quelqu'un l'a appelée, sachant où je serais.*

— *Et le Sentier ?*

— *J'étais censée rencontrer quelqu'un là-bas. J'y suis allée. La bombe a explosé. J'ai eu de la chance d'en réchapper. C'est tout ce que je sais.*

Il réfléchit une seconde.

— *Vous mentez. Et Golitsyn ?*

— *Je ne l'ai pas connu. J'étais là parce que j'avais une recommandation.*

— *De qui ?*

— *Quelqu'un en qui je croyais pouvoir me fier. Apparemment j'avais tort.*

— *Et il était mort ?*

— *Oui.*

— *C'est pratique.*

— *Pas de mon point de vue. Écoutez, je n'étais même pas censée être ici. Je suis venue à Paris pour aider un ami. Nous avions rendez-vous passage du Caire et...*

— *Vous êtes juste une fille normale qui s'est trouvée au mauvais endroit au mauvais moment ?*

Je ne pipe pas.

— *Quel ami ?*

— *Un vieil ami de la famille.*

— *Vous lui avez parlé depuis ?*

— *Non. Il est mort. Sa femme aussi.*

Ricanement de dérision.

— *D'autres corps ? Vous vous foutez de moi.*

Je ne tente même pas de combattre son incrédulité fort justifiée.

Il me fixe avec mépris.

— *Légitime défense.*

— *Pardon ?*

— *C'est ce que je dirai. C'était de la légitime défense. J'ai été enlevé, puis libéré, il y a eu lutte et j'ai récupéré l'arme. Si ce que vous dites est vrai, ils seront ravis lorsqu'ils découvriront que le cadavre dans mon appartement est le vôtre.*

— *L'ennui, c'est qu'ils vous tueront aussi.*

— *Pourquoi ? Je suis le seul à pouvoir confirmer leur version des faits.*

— *Je vous assure, ce n'est pas une bonne idée.*

— *Je leur donnerai ce qu'ils veulent. Leur poseuse de bombe. Leur tueuse.*

— *Vous ne croyez ni l'un ni l'autre.*

— *Pourquoi pas ? Je sais que vous êtes une menteuse.*

— *Ce n'est pas pareil.*

Il pointe l'arme sur moi.

— *Vous avez du cran, je l'admets. D'après ce que j'ai vu, vous seriez capable de tuer de sang-froid. Vous avez le look voulu.*

— *Quel look ?*

— *Le look détaché.*

Je tente autre chose.

— *Vous n'allez pas me tuer.*

— *Pourquoi pas ?*

— *Pour la même raison qui a fait que je n'ai pas pu vous tuer.*

— *Rappelez-moi.*

— *Il s'est passé quelque chose entre nous.*

Il hausse un sourcil.

— *Au Lancaster ? Ne vous racontez pas d'histoires. Il s'est passé quelque chose avec une dénommée Claudia. Vous vous en souvenez ?*

— *Ce n'est pas à elle que vous parliez. Mais à moi.*

— *Je vous parle en ce moment et je ne sais pas qui vous êtes.*

— *Vous avez ressenti une sorte de complicité.*

— *Je ne me rappelle pas ce que j'ai ressenti hier soir. C'était il y a des lustres.*

118

Je suis assez d'accord avec ça.

Il abandonne son agressivité un instant.

— *Allez-y, alors. Convainquez-moi.*

Une requête, non un ordre mais venant d'un homme à deux doigts de craquer. Il souhaite désespérément ne pas tirer mais il est suffisamment désespéré pour tirer tout de même. Il faut que je lui file un os à ronger. Il faut que j'entretienne ce dialogue. Il n'est pas question que je le laisse prendre une décision. À moins que ce ne soit la bonne.

— *Je travaillais pour le gouvernement dans le temps.*

— *Quel gouvernement ?*

— *Le gouvernement anglais.*

— *Que faisiez-vous ?*

— *Des missions secrètes.*

— *On dirait de l'import-export. Cela peut signifier n'importe quoi. Quel genre de missions secrètes ?*

— *Laissez-moi partir.*

Il ne cache pas son incrédulité.

— *Vous laisser partir !*

— *Je ne vous rends pas service. Vous n'avez pas besoin de m'avoir dans les pattes.*

— *Vous n'irez nulle part. Pas tant que je n'obtiendrai pas des réponses.*

— *Un : je n'ai pas les réponses. Deux : même si je les avais, il vaudrait mieux pour vous que vous ne les ayez pas.*

— *Si vous essayez de partir, je vous descends.*

Je me lève du canapé.

— *Vous n'en ferez rien.*

Il me menace.

— *Plus un geste.*

— *Allez-y. Vous me rendrez probablement service. Vous rendrez certainement service à quelqu'un d'autre.*

— *Je ne plaisante pas.*

Nos regards se croisent.

— *Moi non plus.*

Je lui tourne le dos et commence à marcher. Je sens un petit point brûlant entre mes omoplates.

— *Dernière chance.*

Il ne plaisante pas. Je le sens à sa voix et c'est une réelle surprise. Je me retourne vers lui.

— *Très bien. Tuez-moi. Une chose, cependant : si vous vous apprêtez à tirer, vous feriez bien de commencer par retirer le cran de sûreté.*

Il jette un coup d'œil au Smith & Wesson mais n'en voit pas. Le temps qu'il pose les yeux sur moi, je ne suis plus là.

Elle se déplaça comme un tourbillon, semblant danser au-dessus du sol. Jusqu'à ce que son pied gauche touche le tapis, à l'instant même où son droit heurtait le genou gauche de Newman.

Sa jambe se déroba sous lui et elle réussit à le frapper deux fois de plus avant qu'il ne s'écroule par terre. Puis elle se percha sur son poignet droit et il dut ouvrir la main. Elle éloigna le Smith & Wesson d'un coup de pied. Lorsqu'il tenta de se redresser, elle lui balança un méchant revers au visage.

Cela lui fit mal. Mais c'était bon. Une indication du retour de Petra.

Même si elle se méprisait de frapper, elle y trouvait du plaisir. Cela avait toujours été le cas. Peu lui importait que Newman ne soit pas un vrai adversaire ; on fait avec ce qu'on a.

Mais le plaisir fut rejoint par le dégoût. Comment avait-elle pu être aussi stupide ? De nouveau. Elle chassa cette pensée d'un haussement d'épaules. L'inquisition pouvait attendre.

Elle récupéra l'arme et revint vers lui. Elle lui enfonça un pied dans la poitrine. Il gémit. Du sang coulait de son nez.

— C'est un Smith & Wesson Sigma 40. Il n'est pas équipé d'un cran de sûreté manuel. Les deux dispositifs de sûreté automatiques sont incorporés dans le mécanisme. Le premier est dans la gâchette, le second fait partie du percuteur. Désolée.

Il la regarda, plein de résignation et de rage, les deux émotions se mêlant pour en former une troisième, le défi : « Salope ».

Cinquième jour

Trois heures du matin. Sur le balcon dominant le pont Louis-Philippe, elle offrit son visage à la bruine, ferma les yeux et s'efforça d'oublier son corps endolori.

Un moulin à poivre !

Déprimant d'amateurisme. Elle avait pensé à retirer le bloc à couteaux et la bouteille mais non le grand moulin à poivre chromé posé à côté. Il y avait des explications, bien sûr – l'épuisement, le choc de Stalingrad – mais pas d'excuses. Petra ne croyait pas aux excuses. C'était pour les autres. Les faibles. Genre Stephanie.

Elle avait bougé juste avant le premier coup, ce qui l'avait probablement sauvée. Rétrospectivement, l'idée que la grande Petra Reuter se fasse envoyer *ad patres* par un moulin à poivre avait quelque chose de vaguement comique. Comme le tireur embusqué finlandais Juha Suomalainen mourant dans un bizarre accident de jardinage. Les assassins étaient censés finir dans un feu d'artifice de gloire sanglante. Pas tués par des épices.

Pourquoi elle ? Et pourquoi se servir de Jacob Furst pour l'attirer à Paris ? On ne l'avait pas attirée ici pour lui proposer un contrat. Mais pour qu'elle meure. Dans le passage du Caire avec Anders Brand, un homme célèbre qu'elle ne connaissait même pas. Et Leonid Golitsyn ? On avait visiblement décidé de lui mettre ça sur le dos après coup. Mais qui ? Stern ? Ou quelqu'un d'autre ? Quelqu'un qui se servait de Stern comme Stephanie se servait de lui, peut-être. Pour l'heure, cela ne changeait pas grand-chose à l'affaire puisque cela ne répondait pas à la question vraiment importante : pourquoi ?

Dans son bureau, des étagères ; des livres, surtout, un mélange d'essais et de romans. Parmi ces derniers, des Américains du XXe siècle dominaient : F. Scott Fitzgerald, Norman Mailer, Robert Penn Warren, Robert Stone.

Dans une armoire en chêne, elle trouva des casiers bourrés de CD et des cartons d'albums vinyle écornés. Elle qui aurait pris Newman pour un fan de jazz fut surprise par ses choix. Talking Heads, Patti Smith, des tas de Rolling Stones, pas de Beatles. Pink Floyd était moins étonnant mais *douze* David Bowie ! Un admirateur de Tchaïkovski, de Mahler et de Beethoven, mais non de Mozart.

Au mur, trois dessins encadrés, des croquis au crayon – une main tenant une tasse de thé, une pompe à essence solitaire, une femme assise sur le bord d'un lit – tous signés de la main de l'artiste : Edward Hopper. Pourtant dans l'entrée, les toiles dans les cadres dorés étaient toutes de la peinture flamande du XVIe siècle.

Le roi de l'éclectisme en matière de culture. Un homme aussi à l'aise en costume sur mesure qu'en t-shirts usés jusqu'à la corde. Un homme à l'aise avec différentes versions de lui-même.

Tout comme elle.

Peu avant sept heures, elle lui apporta son petit déjeuner – des fruits, du pain, une tasse de café crémeux. Lorsqu'elle lui détacha les mains, il la remercia. Il ne jeta pas le moindre coup d'œil à ses cicatrices à vif.

Elle alluma la télévision. La bombe du Sentier et ses répercussions dominaient toujours les titres. Dans la nuit, on avait incendié une mosquée à Annecy. Certains y voyaient les premiers signes d'un retour de bâton. Le président français avait déclaré : « Attaquer un juif, c'est attaquer la France. » Ce qui ne consola guère Benabdallah Bentaleb, président de l'Association musulmane de l'agglomération d'Annecy.

Dans le studio de télé, Patrick Roth correspondant à Paris du *Washington Post* donnait son opinion : « Aux États-Unis, à présent, on a le sentiment qu'être un juif en Europe est dangereux. C'est la vieille maladie européenne qui existe depuis un millier d'années. Du fait de la situation actuelle en Israël, rien n'est plus facile pour les Européens modernes que de ressusciter les vieilles haines. Ce qui s'est passé dans le Sentier est une tragédie. Mais vu d'un autre côté, cela n'a rien de nouveau. C'est l'histoire qui se répète. Des entreprises juives détruites. Des juifs assassinés. »

À côté de Roth était assis Alain Vega, l'écrivain et intellectuel suisse : « Raisonnement absurde, bien sûr. Essayer d'établir une comparaison avec la persécution des juifs européens dans les années 1930 est une grossière déformation de la réalité. Permettez-moi de m'exprimer sans détour : il y a une comparaison beaucoup plus proche à faire et c'est avec la manière dont les Israéliens traitent les Palestiniens dans les territoires occupés. Voilà ce qui est comparable. Un peuple entier emprisonné géographiquement et voué à la persécution. Un peuple entier qui − sans l'inconvénient de la télévision satellitaire − serait un probable candidat à l'éradication totale. »

Stephanie sentait le regard de Newman sur elle et sa question : où vous situez-vous dans tout cela ?

Il s'y prit d'une manière détournée.

— Ils sont proches de la vérité ?

— Je n'en sais rien.

— Cela n'a pas de sens pour vous ?

— Aucun.

— Bon, on ne me ferait pas cracher le morceau. Mais ces types sont payés.

— Que voulez-vous dire ?

— Je ne sais pas qui graisse la patte de Vega mais je peux vous affirmer que Patrick Roth est à la solde de l'AIPAC.

— L'AIPAC ?

— L'American Israel Public Affairs Committee. Une organisation de lobbying.

— Jamais entendu parler d'eux.

— L'Association américaine des retraités est considérée comme le groupe d'intérêt le plus influent de Washington. Elle compte trente-trois millions de membres. L'AIPAC arrive juste après. Ils ont cinquante mille membres.

— Comment s'y prennent-ils ?

— Ils ont beaucoup d'argent et ils n'ont pas peur de s'en servir. Ils le distribuent. Directement ou indirectement par le biais d'organisations bidon.

— Bidon ?

— De faux groupes populaires. Comme l'Association californienne des retraités pour un meilleur gouvernement. Ou l'Institut texan pour la défense d'une conduite morale dans la vie publique. N'importe qui, pourvu que cela ne fasse pas trop juif. À Washington, l'AIPAC se range du côté de nombre des groupes de réflexion qui ont contribué à modeler la politique étrangère de l'administration actuelle. Des boîtes comme le Potomac Institute et l'American Partnership Foundation.

— Les fameux néo-conservateurs ?

Newman acquiesça.

— À défaut d'un meilleur terme. L'AIPAC peut aisément influencer la nomination de partisans de la ligne dure à des postes clés de l'administration.

— Comme ?

— Richard Rhinehart, par exemple. Un haut responsable de l'American Partnership Foundation mais également un membre de la Commission de la politique de défense du Pentagone.

— Cela paraît pratique.

— C'est comme ça que ça marche. Parce que c'est comme ça qu'ils le font marcher. Mais c'est une situation bancale que des organisations comme l'AIPAC travaillent main dans la main avec le Potomac Institute ou l'APF, qui sont résolument de droite. Ce n'est pas un territoire naturel pour les intérêts juifs dans la politique américaine.

— Quel est votre intérêt à vous ?

— Facile. Le pétrole.

— Le pétrole ?

— Eh bien, la politique américaine au Moyen-Orient est avant tout un mélange de trois éléments : le pétrole, Israël et l'Islam. Et de quelque angle que vous preniez la chose, vous ne pouvez les séparer. C'est ainsi que je suis au courant pour l'AIPAC. Et c'est comme ça que je sais que Patrick Roth touche de l'argent venant d'eux. C'est dans mon intérêt de le savoir. Je vous garantis un truc : donnez-moi un téléphone et une heure et je pourrai vous dire qui finance la retraite d'Alain Vega.

À huit heures et demie Stephanie obligea Newman à appeler Marie, sa secrétaire chez Solaris. Il lui annonça qu'il avait la grippe. Épuisé, il parut convaincant à Stephanie. Mais manifestement pas à sa secrétaire :

— Non, Marie. Ce n'est pas un rhume. Pas même un vilain rhume. C'est la grippe, d'accord ? Et cela signifie que je suis au fond de mon lit. Et que je vais y rester... Non, je n'ai besoin de rien. Sinon de sommeil. Je vous téléphonerai quand je me sentirai de nouveau humain.

Ils regardèrent d'autres informations. Plus tard, Stephanie lui prépara une autre tasse de café dont il but la moitié sans quitter l'écran des yeux. Elle s'efforça de se souvenir comment elle l'avait vu pour la première fois ; au bar, un verre à côté de son coude, au téléphone.

Que faisiez-vous vraiment là-bas ?

Ils étaient ensemble depuis trente-six heures. Elle avait le sentiment qu'il s'était mieux adapté qu'elle à leur situation : l'otage compétent et le ravisseur incompétent. Est-ce que le cadre familier de son appartement jouait ? Est-ce que le sexe jouait ? Ou avait-il détecté en elle une faille susceptible d'atténuer sa propre anxiété ? Quoi qu'il en fût, elle trouvait son calme déroutant.

— Vos crampes hier, c'était vrai ?

— Vous avez cru que je feignais ?

— Dans ce cas, vous devriez vous installer à LA et prendre un agent. Mais j'ai cru que c'était peut-être un stratagème pour sortir de votre chaise.

— Je regrette de ne pas y avoir pensé.

— Le moulin à poivre, ce n'était pas planifié ?

Il secoua la tête.

— C'est venu comme ça.

— Vous n'avez pas craint que cela tourne mal ?

— Pas eu le temps. En outre, je me disais que vous alliez me tuer de toute façon, alors...

— Attendez une minute. Pourquoi penser une chose pareille ?

— Pourquoi pas ? Le fait que vous soyez ici. Le fait que vous étiez là-bas. À l'hôtel. Et le fait que je sais qui vous êtes.

Stephanie ricana.

— Je ne sais même pas qui je suis.

— J'ai vu votre visage. Vous êtes en fuite. Vous ne pouvez pas vous permettre de laisser traîner des indices derrière vous.

— Écoutez-moi. Je ne vais pas vous tuer.

— À moins que vous n'y soyez obligée. N'est-ce pas ?

Elle n'avait pas envie de discuter avec lui. Elle lui prit sa tasse vide.

— Je ne sais pas ce que ça vaut, mais je suis désolée.

— De quoi ?

— D'être montée dans votre voiture. Je suis désolée que cela soit tombé sur vous.

Sutherland, côte nord de l'Écosse, neuf heures vingt-cinq

L'hélicoptère sortit du nuage, la pluie dégoulinant sur la bulle de verre. Ils survolèrent des montagnes désolées, des rivières et des lochs noirs. En dessous, une route à une voie serpentait à travers le lugubre paysage rouille et Rosie Chaudhuri comprit soudain que le pilote s'en servait pour se repérer.

— Nous sommes presque arrivés ?

Il tapota du doigt une ligne en méandres sur la carte, la B801 menant à Kinlochbervie.

— Nous sommes ici. Oldshoremore est à trois kilomètres devant nous.

Il tourna deux fois au dessus de la plage à soixante mètres d'altitude. Au milieu de l'étendue de sable, un rocher avançait dans la mer, tombant à pic dans les vagues en furie. Lors du second passage, elle vit des gens sur le rocher, des taches noires courant sur l'herbe verte en direction du bord. Il y avait trois personnes sur la plage.

Le pilote entama la descente, luttant contre le vent pour empêcher l'appareil d'être déséquilibré. Avant même qu'ils ne touchent le sol, Rosie vit l'une des trois personnes se diriger vers eux.

Iain Boyd. Plus que tout autre, c'était l'homme qui avait transformé Stephanie Patrick en Petra Reuter. Rosie avait beaucoup entendu parler de lui sans jamais le rencontrer. Pas aussi grand qu'elle le pensait, mais plus large, il avait l'air de mesurer un mètre soixante-quinze de la tête aux pieds et d'une épaule à l'autre. Un produit de la terre qui l'avait nourri, ses traits et son tempérament patinés par le climat.

Ils atterrirent dans une secousse. Le pilote coupa le moteur. Qui mourut avec un gémissement triste. Puis il se pencha devant Rosie pour lui ouvrir la portière, faisant entrer une rafale d'air océanique glacial. Elle descendit sur le sable mouillé et ses talons s'enfoncèrent aussitôt dedans. Elle fit quelques pas en vacillant avant de se débarrasser de ses chaussures malgré le froid et l'humidité.

Iain Boyd l'observait, peu impressionné. Elle regarda par-dessus son épaule les taches noires s'approchant de la pointe du rocher.

— Des amis à vous ?

Il la fixait sans ciller sous la pluie tombant à l'horizontale.

— Désolée. Nous avons essayé de vous joindre plus tôt. Je m'appelle Rosie Chaudhuri. Nous ne nous connaissons pas mais...

— Je sais qui vous êtes.

— Vraiment ?

— Qui d'autre ferait atterrir une merde pareille sur une plage pareille ? Je ne travaille plus pour vous autres.

Rosie tenta de repousser ses cheveux que le vent lui poussait dans la figure.

— C'est Stephanie.

Il secoua la tête.

— Elle a disparu. *Évanouie dans la nature.*

— Elle *devrait* avoir disparu. Mais elle est de retour.

— Vous l'avez vue de vos propres yeux, c'est ça ?

— Non.

— Alors vous vous êtes trompée.

— Vous avez regardé les informations aujourd'hui ?

— Je sais que nous sommes loin d'Islington ou de Dieu sait quel coin vous sortez, mais on reçoit les journaux ici. Certains d'entre nous sont même capables de les lire.

— La bombe à Paris...

— Pas son boulot.

— Comment pouvez-vous en être aussi sûr ?

— Vous le savez. C'est moi qui l'ai faite.

— Il a coulé pas mal d'eau sous les ponts depuis que vous l'avez vue.

— Qu'est-ce que vous foutez ici alors ?

— Pardon ?

— Ce n'est pas pour ça que vous êtes venue ? Pour me demander mon avis ?

— En partie.

— Eh bien, voilà mon avis. Ce n'est pas elle.

— Mais elle y était. C'est un fait établi. Mais ce n'est pas tout. Il y a deux soirs, un double meurtre a été commis dans le centre de Paris. Et elle y était encore. Aux deux endroits.

— Elle a pris sa retraite.

— Je sais. Mais certains sortent de leur retraite. Pour toutes sortes de raisons. Quoi qu'il en soit, c'est elle que les autorités françaises recherchent.

— Qu'est-ce que vous voulez ?

Rosie contempla les rouleaux de la mer anthracite dont le grondement leur parvenait entre deux rafales de vent glacial.

— Il faut que quelqu'un lui parle.

— Vous n'avez pas des gens pour ça ?

— Mes gens ne *parlent* pas, monsieur Boyd. Vous devriez être bien placé pour le savoir. En outre, vous êtes celui en qui elle a confiance.

— Je croyais que c'était vous.

— Avant, oui. Peut-être que cela pourrait encore être le cas. Je ne sais pas. Quoi qu'il en soit, vous êtes le seul à avoir une chance de la trouver avant que quelqu'un d'autre ne s'en charge.

— Si elle est restée la moitié de la femme qu'elle était, elle échappera aux autorités françaises.

— Possible.

— Absolument.

Elle avait déjà les doigts et les orteils engourdis. Boyd portait un sweat fatigué − jadis bleu marine, à présent gris pâle − sur un T-shirt. La température ambiante n'avait visiblement aucun effet sur lui.

— Vous pensez que ce sont les seuls à la chercher.

— Il y a quelqu'un d'autre ?

— Ce n'est pas exclu.

Il eut l'air contrarié.

— Si je la trouve et que je réussisse à lui parler, il se passe quoi ?

128

— Vous la ramenez.

— À Magenta House ?

— Ce n'est plus la même organisation qu'avant.

Son sourire fut l'un des plus glacials que Rosie eût jamais vu.

— Je suis au courant, oui. Un sacré coup que vous avez mis au point toutes les deux. Elle descend Alexander, vous prenez sa place et elle obtient ce que le vieux lui refusait : la liberté. Du beau travail. Pour vous, pour elle. Mais pas pour lui.

— Ce n'était pas un coup monté.

— Comme vous voudrez.

— L'organisation n'en est pas sortie perdante non plus. Alexander était devenu un handicap grave.

— Je ne le conteste pas.

— Trouvez-la et parlez-lui.

— Et si elle ne veut pas coopérer ?

— Je n'ai pas le luxe d'une option sentimentale, monsieur Boyd. Dans un sens ou dans un autre, il faut qu'on la sorte de là. Si vous n'acceptez pas, j'enverrai quelqu'un d'autre. Quelqu'un qui ne la connaît pas. Quelqu'un qui procédera de manière clinique. Et vous pourrez aller rejoindre vos amis sur le rocher. À vous de voir.

Je regarde le bout de papier tiré du jean de l'appartement de Stalingrad. Rudi, gare du Nord, 19 h 30. En bas figure un numéro à sept chiffres. Le Thalys de Bruxelles arrivait à la gare du Nord. Je compose le numéro avec le code de Bruxelles, mais je n'obtiens pas de réponse.

Qui est Rudi ? Qui est-il pour moi, puisque ce message était dans mon jean, dans mon appartement ? Et qu'était Leonid Golitsyn pour moi ? Il réglait la location et j'habitais là-bas. Étais-je le moyen de s'encanailler d'un homme qui a tout ?

Il y a toujours eu différentes versions de Petra et, pour la plupart, c'était moi. Mais maintenant on m'a volée à moi-même. Je n'ai aucun contrôle sur la Petra que j'ai découverte à Stalingrad. Son existence est un viol. Je ne sais pas ce qu'elle a fait, mais une chose est sûre : comme toute autre version de Petra, elle a un objectif. Une raison d'être.

Dans le bureau, je reprends l'inventaire de l'attaché-case de Golitsyn : deux paquets de Philip Morris, un stylo Mont-Blanc, un agenda en cuir de chez Smythson. Je le feuillette. Comme nous sommes en janvier, il n'y a pas grand-chose. Ses notes sont un mélange de russe et d'anglais, sans logique apparente. Plusieurs rendez-vous à New York avant son départ il y a cinq jours.

Il y a quatre jours : 10 h 30, arrivée CDG ; déjeuner, av. Foch, 13 h ; AB − le Meurice, 20 h 15.

AB : Anders Brand. Stern m'a dit que Golitsyn et Brand ont dîné ensemble à l'hôtel Meurice la veille de la bombe du passage du Caire.

Il y a trois jours : rien.

Il y a deux jours : rien.

Pas de mention de la suite Émile Wolf au Lancaster. Ni d'un rendez-vous avec Claudia Calderon à huit heures.

Hier : 7 h 30, EL ; Moscou, Air France ; dîner MosProm, Café Pouchkine, 20 h 30.

Je connais le Café Pouchkine à Moscou. Un endroit merveilleux où dîner à condition de ne pas régler l'addition. À côté de EL, écrit à l'encre noire, l'heure initiale − onze heures − a été barrée avec la même encre rouge qui a servi à noter la nouvelle heure : sept heures trente. Le billet Air France non utilisé est dans un porte-documents de voyage avec une carte American Express noire et une liasse de roubles. Une pochette en plastique contient trois flacons de médicament : Golitsyn souffrait d'hypertension, d'articulations enflammées et de problèmes de sommeil.

J'examine sa correspondance d'affaires : banques, sociétés de Bourse, avocats. La plupart des lettres ont trait au projet de galerie Golitsyn dans Cork Street à Londres. Une chemise en plastique revêtue de la mention PETROTECH XIX. À l'intérieur, la première feuille est une lettre de l'agence Sirius, avenue de Wagram :

Monsieur,
Nous avons le plaisir de vous confirmer les dispositions suivantes : un avion privé, Moscou-Vienne-Moscou ; une suite à l'hôtel Bristol dans Kärntner Ring pour trois nuits ; une voiture privée et un chauffeur pour la durée de votre visite. D'autres détails suivent.

Sous la lettre, cinq brochures minces. Quatre sont américaines : deux entreprises de construction mécanique, une société de location d'avions, une société de plongée sous-marine basée en Floride. La cinquième est une entreprise de design russo-française baptisée « Mirasia ». Le produit est le Mir-3, un drone de maintenance flambant neuf pour des pipelines pétroliers.

Stern a fait allusion à des intérêts qui dépassaient le cadre des Beaux-Arts. D'abord la politique, maintenant le pétrole. Bien que peut-être il soit naïf de les distinguer.

Un coup d'œil à la dernière feuille de la chemise.

Hall d'entrée, niveau jaune, 12 h.

Hall A, niveau rouge, 12 h 30.

Hall D, niveau bleu, 15 h 30.

Un emploi du temps sans noms.

Je reviens à l'attaché-case. J'y trouve un exemplaire de The Economist, *une chemise de coupures de journaux et de magazines — surtout des potins du monde de l'art — et le dernier catalogue de Sotheby's. Sur la couverture, un post-it jaune avec un nom et une adresse. Étienne Lorenz, Zénith Studio, rue André-Antoine, Pigalle.*

Je reprends l'agenda de Golitsyn. EL — Étienne Lorenz ?

La dernière chose que j'examine, c'est la facture de Ginzburg que j'ai trouvée hier. Et le message au dos :

Leonid, mon cher,
Merci pour tout,
N x.
Suivi en russe de :
Des diamants ou du pain ? Nous seuls savons.

Le boulevard de Clichy à Pigalle par une matinée de milieu de semaine humide avait des allures de vilaine gueule de bois. Des rideaux métalliques se levaient avec la lenteur grinçante de la paupière collée d'un ivrogne. La nuit, les sex-shops étaient au mieux de leur forme minable. À la lumière grise du jour, elles semblaient dégager une odeur.

La rue André-Antoine était juste à côté de la place Pigalle, une étroite rue pavée montant vers Saint-Jean de Montmartre. Juste après l'hôtel des Beaux-Arts et le Club Harmony, Stephanie tomba sur le Zénith Studio. Qui ne ressemblait guère à un studio. Un immeuble miteux. Sur l'interphone, il y avait un autocollant au-dessus du bouton du haut : Lorenz — Zénith. C'était difficile d'imaginer Leonid Golitsyn planté là, mais pas plus que de l'imaginer dans l'appartement de Stalingrad.

Stephanie sonna trois fois. Pas de réponse. Elle usa d'un subterfuge classique pour convaincre un autre locataire de lui ouvrir : une livraison de fleurs.

Une entrée sombre menait à une cour lugubre. L'eau de pluie débordait de gouttières bouchées, s'écrasant sur un béton sale. Pas d'ascenseur.

Un mot était scotché sur la porte de Lorenz. *Claudette – sale débile. Qu'est-ce que tu fous ? Où est mon putain de fric ? Appelle avant midi. Ou sors et ne reviens pas. Étienne.* Un numéro de mobile en bas du mot. Stephanie arracha le bout de papier, quitta l'immeuble et trouva une cabine téléphonique boulevard de Clichy.

— Oui ?

Du bruit à l'arrière-plan et la communication était mauvaise.

— Étienne ?

— Il est plus que temps, bordel. Où es-tu ?

— C'est Étienne Lorenz ?

Une hésitation.

— Qui le demande ?

— J'appelle de la part de Leonid Golitsyn.

— Lisez pas les journaux ? Il est clamsé, le vieux con.

Elle décida d'adopter le même ton.

— C'est pour ça que tu me parles, connard.

— Qui êtes-vous, bordel de merde ?

— Une de ses amies.

— Qu'est-ce que vous voulez ?

— À ton avis ?

Dans le silence qui suivit, elle comprit qu'il était en voiture, avec Eminem en fond sonore.

— Bon... vous voulez toujours l'acheter ?

— Je ne téléphone pas pour prendre rendez-vous. T'es pas mon genre.

— Même prix.

— Ça dépend.

— De quoi ?

— Il ne m'a jamais donné le montant.

— Dix.

— Beaucoup trop cher.

— Dommage.

— D'accord. À plus...

— Attendez.

— Quoi ?

— Combien vous offrez ?

— Cinq, répondit Stephanie en se demandant quel était l'objet de la transaction.

— Va te faire foutre.

— Très bien. Laisse tomber.

— Sept cinq ?

À son tour d'hésiter. Mais pas trop longtemps.

— À voir. Quand ?

— Je peux pas aujourd'hui. Si on disait demain ?

— Ici ?

— Où êtes-vous ?

— Rue André-Antoine.

Nouveau silence.

— Non. Place de Vénétie. Vous connaissez ?

Il lui donna des instructions et ils fixèrent une heure. Elle suivit le boulevard de Clichy en direction de la place Blanche.

— Je peux faire quelque chose pour toi, chérie ?

Il était planté sur le seuil d'un sex-shop. La cinquantaine, petit et minable, dans un sweat moutarde sale et un jean fané avec un pli blanchi. Dans la vitrine, des DVD de tournantes, des slips en PVC écarlate ouverts à l'entrejambe et un choix de vibromasseurs noir mat monstrueux.

Stephanie lui adressa son plus gentil sourire.

— En fait, oui.

Inverness, midi cinq

L'avion privé était garé à gauche du terminal. Le temps qu'on transfère Rosie Chaudhuri et Iain Boyd de l'héliport au Falcon 2000, ses moteurs tournaient déjà.

Boyd avait formé plus d'opérateurs de Magenta House que quiconque mais son association avec l'organisation avait pris fin dès l'instant où Stephanie avait tué Alexander dans la Zoo Station à Berlin. Alexander était entré en contact avec Boyd aux débuts de Magenta House. Récemment démobilisé, Boyd tentait alors de créer un centre d'activités en plein air pour des entreprises dans les Highlands. À court d'argent, il avait été une proie facile. Le centre serait une couverture idéale, avait plaidé Alexander, lui fournissant une activité légale dans une partie du pays à l'écart des regards indiscrets. Pour sa part, Magenta House financerait le projet, se chargeant des coûts initiaux puis de « réservations d'entreprise » de temps à autre.

Alexander avait toujours laissé entendre à Boyd qu'il l'avait personnellement choisi. À l'origine, Magenta House avait été créé par un petit groupe secret baptisé le « Edgware Trust ». Les membres anonymes de l'Edgware Trust qui appartenaient aux services de sécurité avaient supervisé la création et le financement de Magenta House. L'un des administrateurs initiaux, ainsi que les membres finirent par être désignés au sein de Magenta House, avait été sir Richard Clere, un homme que Boyd connaissait bien depuis son passage dans les Special Forces. Et c'était Clere qui, dans un moment d'inattention, avait appris à Boyd que c'étaient les administrateurs et non Alexander qui avaient décidé de l'engager pour former les assassins de Magenta House. Ils voulaient un outsider, un homme installé loin de tout. Clere lui-même avait recommandé Boyd. Alexander s'était contenté d'exécuter leurs ordres en le recrutant.

Boyd ignorait le nombre actuel des administrateurs. Pour ce qu'il en savait, peu des membres initiaux étaient encore là. Il n'en avait jamais croisé que trois : sir Richard Clere, à présent décédé, Maurice Hammond et Elizabeth Manning. Clere avait été une figure essentielle à Bletchley Place pendant la Seconde Guerre mondiale et avait ensuite dirigé le MI6.

Boyd savait que les administrateurs d'origine n'avaient pas été très chauds pour fonder Magenta House. Ce n'était pas l'illégalité qui les préoccupait. Mais l'éthique. Ils considéraient la création de Magenta House comme un pacte avec le diable. En revanche, de nouvelles menaces dans un monde nouveau exigeait des contre-mesures nouvelles. Finalement, on décida que l'unité serait maintenue à l'écart des services de sécurité établis, condition respectée depuis. Maintenant, en regardant Rosie Chaudhuri, Boyd se demandait qui étaient les administrateurs actuels et si leur charte avait été modifiée depuis les jours sombres de la désintégration d'Alexander.

Le Falcon 2000 accéléra sur la piste avant de s'élever dans le ciel. Il vira à droite au-dessus du Moray Firth.

— Je croyais que vous aviez laissé tomber les cours d'activité en plein air.

— J'ai effectivement arrêté après Berlin.

— Pourquoi ?

— Cela ne me plaisait guère. Pas mon type d'hommes.

— Et l'argent ?

— Quel argent ? J'étais endetté.

— Et maintenant ?

— Maintenant ça va.

— Alors les gens que j'ai vus sur la plage – un nouveau projet ?

— On peut dire ça.

— J'ai l'impression que vous donnez toujours dans l'entraînement pourtant.

— Peut-être.

— Et que cela vous rapporte.

— Comment cela ?

— Les 4 × 4 neufs devant votre pavillon. La nouvelle route menant à votre maison.

Ils s'y étaient arrêtés une demi-heure, le temps que Boyd se change et rassemble quelques affaires.

— Vous n'y êtes jamais venue.

— Je ne suis pas sans ressources, monsieur Boyd.

— On a aussi vérifié mes comptes en banque ?

— Pas encore. Mais maintenant que vous en parlez...

Il se rendit compte avec surprise qu'il commençait à l'apprécier.

— Davantage d'argent, comme vous l'avez dit, et davantage mon type de gens. Un meilleur arrangement à tous les égards.

— Qui sont-ils ?

— Vous l'ignorez ?

— J'ai été un peu préoccupée ces dernières vingt-quatre heures.

— Je donne dans les contrats privés à présent.

— Des contrats privés *militaires* ? Vous exploitez les contacts de jadis ?

— Et plus récents. Ceux que vous avez vus sur le rocher, ils seront dans le Colorado la semaine prochaine pour un entraînement en haute altitude. Dans trois semaines, en Colombie.

Une destination qui ouvrait une multitude de possibilités.

— Qui est le client ?

— Paragon Ressources.

Rosie ne le connaissait que de nom.

— Où opèrent-ils ?

— Dans l'ancienne Union soviétique, au Moyen-Orient, en Extrême-Orient, en Amérique latine.

— De quoi s'occupent-ils ?

— Pétrole, gaz, pierres précieuses, métaux précieux.

— Lucratif à première vue.

— Très.

Rosie lui donna le dossier actualisé qu'on lui avait remis à son départ de Magenta House. Boyd le lut deux fois. Lorsqu'il le lui rendit, ils approchaient de la côte belge.

— Je pige pas. Du jour où j'ai fait sa connaissance, elle a toujours cherché une porte de sortie. Parlez-moi des rumeurs.

— Elles n'ont jamais cessé. Avant Berlin, après Berlin.

— Et vous n'avez pas pensé qu'il soit possible qu'elle puisse effectivement devenir Petra ?

— Franchement, non. Et vous ?

— Non. Je ne le pensais pas. Et je ne le pense toujours pas.

— Mais c'est elle.

Boyd regarda par le hublot.

— Et l'argent ?

Rosie secoua la tête.

— Elle en avait gagné énormément avant Berlin. Entre trois et cinq millions, selon nos estimations. Certainement assez pour une nouvelle vie.

— Par votre biais ?

— Non. En indépendante.

— Dites-moi quelque chose : pourquoi s'embêter ? Qu'est-ce que son sort peut bien vous faire ? Elle ne travaille plus pour vous. Elle est de l'histoire ancienne.

— Deux raisons. Un : ses souvenirs. Elle en sait plus long que quiconque sur Magenta House. Franchement, si elle était de l'histoire ancienne, elle ne poserait pas de problème.

— Et deux ?

— DeMille.

Boyd hésita.

— DeMille Corporation ?

— Étant donné votre nouvelle orientation, vous devez en savoir plus que moi sur leur compte.

— Je n'en doute pas. Quel est le rapport ?

— Ils la cherchent eux aussi.

— Pourquoi ?

— Leonid Golitsyn. Nous ne sommes pas sûrs de la raison exacte mais il semble y avoir eu un lien entre Golitsyn et DeMille.

Boyd se demanda si Stephanie savait combien de chasseurs elle avait à ses trousses. Les autorités françaises, DeMille Corporation et maintenant Magenta House. Trois poursuivants, trois programmes. Il comprenait l'inquiétude de Rosie Chaudhuri. Les autorités françaises et lui étaient des entités connues, mais DeMille était plus difficile à évaluer. Clandestin et vaste, DeMille était une arme du commerce américain, non de l'État.

Quarante minutes plus tard, les champs bruns du nord de Paris apparurent. Rosie consulta sa montre. Dans deux heures, elle serait de retour dans son bureau dominant la Tamise.

— Permettez-moi une précision avant votre départ. Si on en arrive là, je tiens à ce que vous voyiez les choses sous l'angle suivant : elle n'est peut-être plus la femme qu'elle était, ce qui est une tragédie car plus que tout, elle était une amie. Pour nous deux.

Stephanie arriva place Vendôme par la rue de Rivoli. Ginzburg était à un angle, à côté de Dior, à une centaine de mètres de la banque Damiani. Quarante-huit heures plus tard.

La porte, des courbes baroques de fer forgé sur du verre gravé, était fermée à clé. Elle appuya sur le bouton en laiton, entendit le déclic et se retrouva face à une armoire à glace vêtu de l'uniforme tape-à-l'œil des portiers contemporains ; costume italien noir et piercing à l'oreille superflu. Malgré cela, Ginzburg était un joaillier de la vieille école. Pas de rangée de spots halogènes. Mais de la tapisserie en soie bordeaux, de lourdes tentures en damas, du marbre vert veiné de crème. Des présentoirs traditionnels pour les saphirs, les émeraudes et les rubis. Toutefois, Ginzburg était surtout le spécialiste du diamant. Ils ont les deux tailles, avait plaisanté Kostya un jour, les gros et les énormes.

Une femme s'avança pour accueillir Stephanie ; mince, la quarantaine, des cheveux blonds montés comme de la crème à la vanille fouettée.

— Mme Ginzburg est-elle là ? demanda Stephanie.

La femme la dévisagea froidement.

— Pas aujourd'hui. Je suis désolée.

— J'ai un message pour elle de la part de Konstantin Kamarov.

Cinq minutes plus tard, on faisait entrer Stephanie dans un somptueux salon du premier étage donnant sur la place Vendôme avec des bustes en marbre entre les portes-fenêtres, deux toiles de Frans Hal sur le mur de gauche et, à droite, une cheminée en albâtre surmontée d'un portrait d'Aleksandr Ginzburg.

Natalya Ginzburg était assise dans un fauteuil à dossier haut près de l'âtre ; minuscule, osseuse, des yeux verts perçants sous des cheveux blancs relevés en chignon. Ses pommettes extraordinaires avaient jadis été un signe de beauté. Maintenant elles menaçaient de déchirer sa peau parcheminée.

Vêtue d'un tailleur noir, elle terminait une cigarette roulée sans filtre. La fumée était jaune, l'odeur du tabac épaisse et douceâtre. Comme un caramel inhalé. Elle l'écrasa dans un cendrier en stéatite. À son cou, un diamant unique au bout d'un collier en platine ; en forme de poire, vingt-huit carats, sans un défaut, la larme Ginzburg était un célèbre cadeau de son mari.

— Vous avez un message de Kostya pour moi ?

Un français impeccable prononcé par une voix étonnamment basse.

— Seulement dans des termes des plus vagues, je le crains.

— Votre nom ?

Une question qui posait toujours un problème à Stephanie.

— Petra. (Pas de réaction.) Ou Stephanie.

Un sourcil dessiné au crayon se haussa. Ginzburg inclina la tête d'un côté et d'un autre, prenant son temps.

— Alors... c'est vous. Je n'ai jamais pensé que je vous rencontrerais un jour.

— Vous savez qui je suis ?

— Qui vous êtes et ce que vous êtes. Vous n'êtes pas tout à fait telle que je vous imaginais.

Une femme revêche aux cheveux teints en roux avec une coupe masculine fut convoquée et renvoyée. Elle revint avec un plateau laqué sur lequel étaient disposés un samovar ancien en laiton, deux verres hauts dans des supports en argent filigrané, un sucrier en argent et un ravier en argent présentant des tranches de citron.

138

Ginzburg attendit qu'elles soient de nouveau seules pour reprendre :

— Je sais que vous n'êtes pas ici pour un quelconque message de Kostya, alors que voulez-vous ?

— Je suis ici à cause de Leonid Golitsyn. Je l'ai vu avant-hier. Juste après sa mort.

— Juste après ? Vous pouvez préciser ?

— Disons qu'apparemment, je suis censée être celle qui l'a tué.

Son hôtesse prit un étui à cigarettes en nacre.

— C'est ennuyeux.

Ses cigarettes étaient courtes et ovales, le papier empesé et sépia. Elle en glissa une entre des lèvres cramoisies et l'alluma avec un briquet Cartier en or. Des veines bleues se gonflèrent sur sa main grêle.

— Comment connaissez-vous... Comment connaissiez-vous Leonid ?

— Je n'avais encore jamais entendu parler de lui il y a deux jours. Mais nous devons avoir un lien.

— Et vous êtes venue me voir parce que vous pensez que je le connais peut-être ?

— Vous vous connaissiez bien.

— Vous croyez ?

Stephanie lui tendit la facture avec le message au dos.

— Oui, je le crois.

Ginzburg examina la facture.

— Vous la lui avez prise ?

— Il était déjà mort.

Elle m'enveloppa d'un regard glacial interminable.

— Leonid et moi avons mené des vies parallèles. De la même génération, nous avons grandi à Moscou. Nous avons perdu le contact pendant la guerre ; j'étais infirmière au siège de Leningrad, Leonid s'est battu pour défendre Moscou en 1941, puis il a servi sous les ordres de Zhukov qui a libéré l'Ukraine et la Crimée. Après la guerre, nous nous sommes retrouvés avant d'être de nouveau séparés.

— Comment ?

— La raison habituelle. Le goulag. (Dit comme un trait d'esprit, mais la gravité était là.) J'ai passé sept ans à Vyatlag, non loin de Perm. Leonid a été condamné à quatre ans à Minlag dans le Nord, puis à cinq à Dalstoï dans l'Est.

— Pourquoi ?

— Vous imaginez qu'une raison était nécessaire ?

— Et les secondes retrouvailles ?

— En 1957. Ici, à Paris. Vous vous rendez compte ! Chacun pensait que l'autre était mort dans les camps. Et se rencontrer dans cette ville, entre toutes.

— Que faisiez-vous ?

— J'étais arrivée de Suisse en 1953, le jour même de la mort de Staline. Le temps que je revoie Leonid, j'étais fiancée à Aleksandr.

— Comment Golitsyn a-t-il débarqué ici ?

— Il ne me l'a jamais dit. Je lui ai posé la question un jour mais il a refusé de s'expliquer. Il est des questions qu'on ne pose qu'une fois. À l'heure actuelle, on vous encourage à parler de tout tout le temps. Mais il vaut mieux taire certaines choses.

— Je suis d'accord avec vous.

— Leonid avait déjà enterré son passé quand il est arrivé ici. Pour nous, notre histoire était un vilain secret. Nous murmurions en privé et gardions le silence en public. Je n'ai jamais rien dit à Aleksandr. Il a grandi ici. L'Occupation n'était pas comparable. Il en était conscient. Et il avait l'intelligence de ne pas se montrer inquisiteur. Je n'aurais eu aucun mérite à lui raconter ce que j'ai dû faire ne serait-ce que pour avoir assez de pain pour survivre.

— Vous êtes d'une franchise incroyable avec moi.

— Seulement parce que je sais que vous comprenez.

— Des diamants ou du pain ? Nous seuls savons.

— Exactement. Dans le cercle de relations prospères que nous nous sommes créé au cours des années suivantes, seuls Leonid et moi savions ce qui était le plus précieux. C'était notre petite plaisanterie. Et un rappel de la seule chose valable que nous ayons rapportée des camps.

— À savoir ?

— Dans chaque circonstance, faire ce qui est nécessaire. Dans mon cas, je parle de la matière la plus dure qui soit connue de l'homme. (Elle toucha le diamant à son cou.) Pas ça, mais une femme. Regardez-moi. Qu'est-ce que vous voyez ? Une vieille femme ? Une femme riche ?

— Je suppose, oui.

— Aristocratique, d'une certaine façon ?

— Oui.

Elle sourit.

— Illusion. Pareil pour Leonid. Dans les camps, nous avons fait ce qu'il fallait pour survivre. Aussi simple que ça. Après les camps, nous sommes devenus ce que nous avions besoin d'être afin de mener la vie de notre choix.

— Je comprends.

— Bien sûr que oui. Kostya m'a parlé de vous.

— Vraiment ?

— Vous avez l'air surprise. Peut-être le pensiez-vous plus discret.

— Peut-être.

— Ne lui en veuillez pas. Cela en révèle plus long sur notre relation que sur la vôtre.

— A-t-il dit que je n'avais pas choisi ma vie ?

— Pédantisme que cela. Vous avez mené votre vie en étant ce que vous aviez besoin d'être à un moment donné. Pourquoi croyez-vous que j'ai accepté de vous recevoir ? Parce que vous avez prétendu avoir un message de lui ? Bien sûr que non. En cinq secondes, je peux le joindre au téléphone. J'ai accepté de vous ouvrir ma porte parce que je suis curieuse. Je voulais voir à quoi pouvait ressembler une version plus jeune de moi-même à l'heure actuelle.

— Quoi ?

Amusée, elle secoua la tête.

— Non, non, je n'ai jamais fait ce que vous faites. Mais j'ai mené une vie qui n'en est pas moins inhabituelle. J'ai menti pour survivre. J'ai menti pour progresser. J'ai utilisé mes atouts à fond. Quand j'ai rencontré Aleksandr ici à Paris, je l'ai rendu amoureux de moi, comme je l'avais fait avec d'autres. Je me suis transformée en quelque chose qu'il ne pouvait défier. Je n'ai rien laissé m'arrêter. Leonid était pareil.

Nous sommes dans son bureau privé à présent, un petit cube avec une fenêtre mais pas de vue. Voilà la vérité à propos de Natalya Ginzburg : une femme de quatre-vingts ans bien sonnés qui travaille chaque jour, comme elle l'a toujours fait. Elle dirige une entreprise faisant le commerce des plus belles pierres précieuses du monde. Elle s'habille à la perfection et projette une image de défi aristocratique impénétrable. Pourtant, son bureau est sombre, petit et terne. C'est là que le travail se passe. Tout tourne autour du travail. Malgré sa noblesse, elle est la putain la plus âgée de cette ville. Elle travaille Paris au corps depuis qu'elle est descendue du train.

Elle m'a amenée ici pour me montrer des photos de Leonid et d'elle. Elle me tend un cliché sépia rayé d'eux devant la cathédrale de Christ-le-Sauveur à Moscou. Ce sont des enfants ; Golitsyn est en pantalon court, Ginzburg, légèrement plus âgée, en robe pâle.

— La cathédrale d'origine, souligne-t-elle. Ce devait être en 1929 ou 1930. Avant que ce paysan crotté de Staline ne la détruise. Il avait l'intention de construire un palais des Soviets à la place, mais il n'est jamais passé à l'acte. Typique. Finalement on y a construit une piscine après sa mort. Maintenant on a reconstruit la cathédrale. Pas une réplique exacte, mais pas loin.

— Je l'ai vue.

— Vraiment ? Je n'y suis jamais retournée.

— Elle est très impressionnante.

— Et importante. Quelle arrogance — seul un Géorgien pouvait croire qu'on pourrait aussi aisément écraser la religion.

— Vous connaissiez Anders Brand ?

Sans lever le nez de son tas de photos écornées, elle opine du chef.

— Saviez-vous que Golitsyn et lui ont dîné ensemble il y a quatre jours ?

— Non.

— Mais vous savez qu'il est mort.

— Bien entendu. Je dois dire que j'ai été surprise.

— Je ne comprends pas.

— Qu'il se soit trouvé dans le Sentier.

— Pourquoi ?

— Ce n'était pas vraiment son... environnement.

— Que voulez-vous dire ?

— Évitez le mauvais goût.

Je choisis de ne pas insister.

— Étaient-ils amis et s'agissait-il seulement de relations d'affaires ?

— Les deux. Anders avait un excellent réseau. Il connaissait tout le monde. Un homme cultivé aussi. Leonid et lui se ressemblaient à bien des égards.

— Un homme agréable ?

— Très. Poli mais jamais ennuyeux.

— Golitsyn avait-il des intérêts commerciaux à Amsterdam ?

Elle hésite.

— À Amsterdam ?

— Oui.

— Pas à ma connaissance. Bien que je sois assez surprise par votre façon de poser la question. Dans quel contexte Amsterdam apparaît-il ?

— Il essayait de me dire quelque chose.

— Leonid ?

— Oui.

— Quand ?

— Quand je l'ai trouvé.

— Je croyais que vous l'aviez vu après sa mort.

— Il était à l'agonie. C'était déjà trop tard.

— Vous l'avez tué ?

Question posée avec le plus grand calme.

— Non. Il vivait encore quand je l'ai trouvé. Il est mort une ou deux minutes plus tard.

— Cela se passait à l'hôtel Lancaster ?

— Oui.

— Qu'est-ce que Leonid essayait de vous dire ?

— Je ne sais pas. Il n'a réussi à articuler que ce mot : Amsterdam. Je me demandais s'il avait des intérêts là-bas. Privés, professionnels, n'importe quoi...

— Vous pensez que cela a un lien avec cette ville des Pays-Bas.

— Je ne connais pas d'autre Amsterdam.

Regard méprisant.

— Leonid avait des liens avec le groupe Amsterdam.

— Ce nom ne me dit rien.

— Siège à New York. Ou serait-ce Washington ? Il me l'a dit, mais je ne me rappelle pas. Une société d'investissement privée. Ils n'engagent que les meilleurs et les mieux introduits. Je ne me souviens pas de la somme qu'ils gèrent, mais cela se chiffre en milliards.

— Les mieux introduits dans quel domaine ?

— Politique, surtout.

— Et il faisait partie de ce groupe ?

Elle secoue la tête.

— Il avait des rapports d'affaires avec eux, ça, c'est sûr. Mais je ne saurais dire s'il en était membre.

— Je croyais qu'il s'intéressait à l'art.

— Sur le plan privé, oui. Toute sa vie, il a aimé l'art. Mais Leonid *aimait vivre sur un certain pied. Il avait donc besoin d'argent. Et il aimait l'argent. Il aimait ce que cela lui apportait. Il aimait l'acquérir — conclure des marchés — et les portes que cela ouvrait.*

— J'ai entendu dire qu'il était proche de Brejnev, de Tchernenko, d'Andropov...

Cette révélation mineure paraît ennuyer Natalya Ginzburg.

— Gorbatchev, Eltsine, même Poutine, oui, oui, tous. Ils étaient pratiques pour les affaires.

— Était-ce un point auquel le groupe Amsterdam attachait de l'importance ?

— Bien entendu. À Moscou et ailleurs. Il faut que vous compreniez que Leonid n'avait pas un sou vaillant à son arrivée à Paris en 1957. Dix ans plus tard, il était riche. Et en 1970, il avait ce qu'il désirait vraiment. De l'influence. Un pouvoir silencieux. Tout ce que prise le groupe Amsterdam. Plus que tout, Leonid avait l'art de réunir des gens alors que d'autres en auraient été incapables. Il était en quelque sorte courtier en contacts. Et Amsterdam est une entreprise bâtie sur des contacts.

— Récemment Leonid s'était mis à distribuer de grandes parties de sa fortune. Surtout à des organisations charitables juives, dit Natalya Ginzburg de retour dans le salon.

Des flots de soleil couchant se répandaient sur le tapis. Ginzburg avait repris sa place dans son fauteuil préféré.

— Il était juif lui-même ?

— À moitié. Sa mère était une Russe orthodoxe.

— Quel genre d'organisations ?

— Il s'intéressait surtout aux juifs russes désireux d'émigrer en Israël. Il a créé une fondation à Moscou pour venir en aide à ceux qui n'avaient pas les moyens de faire face aux coûts légaux et pratiques. En Israël, il a fait construire deux lotissements à Tel Aviv et à Jérusalem, plus particulièrement destinés aux immigrants russes. Une initiative qui n'a pas fait l'unanimité.

— Non ?

— Non. Certains ont le sentiment en Israël que nombre des juifs qui émigrent de Russie sont — comment dire — le fond du panier.

— Il ne devait pas être d'accord, je suppose.

— Je dirais qu'il ne voyait pas de mal à être le fond du panier. Après tout, nous venons de là. Ce n'est pas d'où vous

144

venez qui a de l'importance. C'est là où vous allez et comment vous y arrivez.

— Et la volonté.

— Exactement. (Elle sourit de nouveau, révélant des fragments de dents abîmées et tachées de rouge à lèvres.) Je ne crois pas que Kostya m'ait jamais acheté quelque chose pour vous, n'est-ce pas ?

— Non.

— Il a acheté des cadeaux pour d'autres femmes. Vous étiez au courant ?

— Non.

— Vous êtes déçue de l'apprendre ?

— Bien sûr que non.

Son mensonge était si transparent qu'il lui attira un regard de commisération.

— Pour celles qui aimaient les émeraudes, il achetait des émeraudes. Pour celles qui aimaient les diamants, des diamants.

Stephanie tenta de feindre l'indifférence.

— J'aurais dû lui dire ce que j'aimais.

— Vous savez de qui je parle. Les consentantes. Les belles mais creuses.

— Où voulez-vous en venir ?

— Vous devriez vous sentir flattée.

— Vraiment ?

— Je lui ai demandé un jour s'il souffrait que vous vous soyez quittés. Il a répondu que non. Cela m'a surprise. Il m'a expliqué que c'était parce que vous étiez toujours ensemble. Même quand il se trouvait en compagnie des vraiment belles avec leurs diamants. Il vous aimait parce qu'on ne pouvait pas vous acheter.

Stephanie sourit en espérant ne pas révéler sa tristesse.

— Cela aurait été bien qu'il essaie.

Natalya Ginzburg sourit aussi mais secoua la tête.

— Il faut vous mériter, Stephanie. C'est ce qu'il m'a dit.

Méritée par les bons, achetée par les méchants. C'était la douloureuse vérité.

Stephanie arracha le ruban adhésif collé sur sa bouche. Il ne souffrait pas de crampes cette fois. Tout comme il n'avait pas protesté lorsqu'elle l'avait bâillonné. Mais il était dans un sale état ; les yeux injectés de sang, les cheveux en désordre, une ombre de barbe sur le menton.

— Ça va ?

— Bien sûr. J'adore être attaché et bâillonné sous mon propre toit. Normalement il faut que je paie pour un service pareil fourni par une femme comme vous.

— À propos, je vous ai apporté un cadeau.

Elle sortit le sac en plastique bleu de la poche de son manteau et lui posa sur les genoux. Puis elle lui délia les mains.

— Qu'est-ce que c'est ?

— Regardez.

Il prit le sac prudemment, jeta un coup d'œil à l'intérieur et vérifia comme s'il n'avait pas bien vu. Finalement, il fourra la main dans le sac et en sortit une paire de menottes en cuir clouté, une longueur de chaîne en acier et un gros cadenas.

— Vous vous moquez de moi.

— À vous de décider. Mais ce sera moins douloureux que la corde à linge.

— Où avez-vous trouvé ça ?

Étant donné les circonstances, Stephanie jugea cela drôle.

— Dans un sex-shop à Pigalle. Devant la grimace de Newman, elle ajouta : voyez le côté positif. Au moins cela ne sort pas de chez Hilfinger.

Elle l'escorta jusqu'aux toilettes, attendit qu'il ait fini, puis le ramena à sa chaise, où elle lui passa les menottes, avant de quitter la pièce. Dans son bureau, elle alluma l'ordinateur.

Au centre de la page d'accueil grise du groupe Amsterdam s'affichait une image représentant un gratte-ciel impressionnant couvert de miroirs se détachant sur un ciel bleu foncé. Les zones d'opération défilaient comme un générique : Asie, Europe, Amérique du Nord.

LE GROUPE AMSTERDAM
DEMAIN C'EST AUJOURD'HUI

Elle absorba les données ; trois continents, dix-sept pays, près de quatre cents employés et plus de vingt-deux milliards de dollars confiés à sa gestion. Fondé en 1983, le groupe Amsterdam s'occupait actuellement de dix-huit comptes, dans ses secteurs préférés : l'énergie, la propriété, les télécommunica-

146

tions, l'aérospatial, la défense, la technologie. Il prétendait rassembler plus de six cents investisseurs issus de près de cinquante pays et avoir investi plus de huit cents millions de dollars de ses propres capitaux dans ses fonds.

Elle navigua dans le site. Comme on pouvait s'y attendre, elle eut droit à des faits arides, des photos pédantes, genre cadres bien propres sur eux donnant l'impression de n'avoir jamais consommé plus fort que de l'Évian. Les pages débordaient de clichés.

DANS UN MONDE DE CHANGEMENT, UN ASSOCIÉ PLEIN DE CONSTANCE. LES OCCASIONS DE DEMAIN, LES VALEURS D'HIER. BIENVENUE DANS LA PREMIÈRE FAMILLE FINANCIÈRE DU MONDE.

Il y avait un annuaire des employés, des hauts responsables aux nouvelles recrues. Leonid Golitsyn n'apparaissait pas sur la liste. Anders Brand non plus. Mais elle reconnut plusieurs autres noms : James G. Harris, ancien secrétaire d'État américain ; Albert Raphael, le baron de la presse écrite canadienne, à présent citoyen américain ; Allan Hunt, ancien chef de l'OTAN ; Vladimir Kravnik, longtemps directeur de Gazprom, la compagnie de gaz russe géante. Parmi les anciens politiciens figuraient deux Premiers ministres européens, un président de Corée du Sud et un vice-président du Venezuela.

La section des nouvelles donnait la liste des accords récents : l'acquisition de Ballentyne InterMedia pour soixante-dix-sept millions de dollars ; l'ouverture d'un nouveau bureau à Singapour coïncidant avec le lancement d'un nouveau fonds pour l'Asie du Sud-Est ; un accord signé par Kincaid Pearson Merriweather, une filiale, pour fournir à l'armée indonésienne le Reaper IV, système de missile défensif.

L'attention de Stephanie dériva. Sur le bureau, à côté de l'écran, quatre DVD étaient posés ; *Touch of Evil*, *Chinatown*, *Les Amants du Pont-Neuf*, *The Usual Suspects*. Sur l'étagère à côté, des photos encadrées : Newman avec dix ans de moins, serrant la main d'un Asiatique portant un uniforme militaire vert et des lunettes noires près d'un Gulfstream V ; Newman dans un bar avec des amis, des bouteilles de Tsingtao sur la table ; Newman sur un yacht avec un autre homme, riant tous les deux, bronzés tous les deux, avec un marlin suspendu à un hameçon entre eux.

Elle remarqua une photo en noir et blanc d'un homme et d'une femme avec deux garçonnets debout devant eux. À l'arrière-plan, un jardin, une ferme et un bois de pins. Elle examina les garçons de plus près. Il était le plus grand des deux. Peut-être pas plus de neuf ou dix ans, mais cela ne faisait aucun doute, il s'agissait de Newman petit.

Dans un simple cadre en bois, on voyait la même femme que sur l'unique photo posée sur le bureau. Stephanie prit le cliché plus petit de l'étagère pour le comparer à l'autre. Teint basané, épais cheveux bruns, yeux anthracite. La photo du bureau était un portrait. Sa bouche, la générosité même. Et elle semblait en être consciente. Quelque chose dans son regard promettait des ennuis tout en assurant que cela en vaudrait la peine.

Le petit cliché de l'étagère était pris sur une plage. La silhouette du modèle laissa Stephanie pantoise. Taille, poitrine, hanches, fesses. Elle était incroyablement sexy ; solide mais féminine. Un équilibre pas si facile à trouver.

Elle avait une allure méditerranéenne. Grecque ou Espagnole. Ou peut-être Italienne. Était-elle en train de contempler Carlotta, la femme qui lui avait offert la montre avec l'inscription : *À Robert, affectueusement, Carlotta.* Sur les deux photos, elle arborait un morceau de corail au bout d'un cordon en cuir. Le corail se trouvait dans un minuscule bol de verre bleu près de la lampe sur le bureau. Il était lisse et frais.

Un objet sentimental, un objet précieux.

New York, treize heures cinq

— Plus personne ne disparaît actuellement. Vous m'entendez ? Personne. C'est tout simplement... dépassé.

John Cabrini abrégea brusquement sa conversation téléphonique avec Steven Mathis en voyant Gordon Wiley, PDG du groupe Amsterdam, s'approcher de sa table. Il allait se lever quand Wiley lui fit signe de rester assis.

— Désolé de vous avoir fait venir ici mais je ne dispose que d'une heure.

— Aucun problème, monsieur.

Wiley eut un sourire pincé.

— J'espère que ce n'est pas la dernière fois que j'entendrai cette expression pendant notre conversation.

Ils étaient au Quatorze Bis, un bistrot français de la 79ᵉ Rue Est. Un serveur leur apporta deux menus.

— C'est bon, dit Wiley. Nous savons ce que nous prenons. Poulet frit, frites, salade verte. Il se tourna vers Cabrini. Faites-moi confiance. Vous ne serez pas déçu.

Cabrini eut l'impression qu'il venait d'avoir un avant-goût du tour qu'allait prendre leur conversation.

— Bien, soupira Wiley en vérifiant l'écran de son portable pour éviter tout échange de regards. Cela fait combien de temps ?

— Environ trente heures.

— Et comment nous débrouillons-nous ?

— Bien.

— Elle est morte ?

— Pas encore.

Nouveau sourire, tout aussi dénué d'humour.

— Je plaisante. Mais ce ne sera pas le cas dans trente heures.

— Je comprends, monsieur.

— Je l'espère. J'ai parlé avec Ellroy. Il était un peu évasif. C'est la raison de votre présence ici. C'est votre patron, mais je suis le sien, alors ne m'obligez pas à quémander, je ne suis pas d'humeur.

— Nous ne sommes pleinement opérationnels que depuis vingt heures.

— Quelle est la situation actuelle ?

— Nous resserrons l'étau autour d'elle.

— Vous savez où elle est ?

— Pas exactement. Mais nous en avons une assez bonne idée.

— Où ?

— Nous sommes assez sûrs qu'elle est toujours à Paris.

Wiley haussa un sourcil.

— Bon travail. Cela réduit les recherches à sept ou huit millions d'individus.

— Nous rassemblons encore des données.

— Vraiment ? Alors comment savez-vous que l'étau se resserre ? Elle pourrait bouger elle aussi. Se trouver à l'autre bout de la planète ??

— Nous la trouverons, monsieur.

— Vous ne travaillez plus pour le gouvernement, Cabrini. Vous êtes dans le secteur privé à présent. On vous paie pour livrer.

— Ma réputation parle d'elle-même.

— Exact. Mais il faut que vous compreniez dans quelle position nous sommes. Nos associés posent des questions. Ils perdent patience. Plus nous attendrons, plus cela s'envenimera. Il faut que ce soit fini dans cinq jours. Il consulta sa montre. Moins douze heures.

— C'est plus de temps qu'il n'en faut. Elle sera refroidie à ce moment-là. Vous avez ma parole.

— Vous voulez prendre une douche ? Vous changer ?

Il ne saisit pas l'offre. Cela avait l'air d'un piège. Elle parut surprise. Peut-être s'attendait-elle à le voir fondre de reconnaissance. Il s'efforça d'ignorer son épuisement douloureux et d'afficher le plus d'insouciance possible.

— Bien sûr. Pourquoi pas ?

Comme si c'était lui qui lui faisait une faveur.

Elle l'escorta jusqu'à la salle de bains, coinça le livre dans l'embrasure de la porte et tira le battant derrière elle. Newman se déshabilla lentement et se regarda dans le miroir : il accusait cinq ans de plus que l'avant-veille.

Il prit une douche aussi brûlante qu'il pouvait le supporter et, s'adossant au carrelage blanc, laissa l'eau lui dégouliner sur la tête, les épaules et le dos. Ses poignets le cuisaient. Une eau rose pâle disparut par la bonde. Lorsqu'il en eut terminé, elle lui accorda quelques secondes pour se draper une serviette autour de la taille avant d'entrer dans la pièce.

— Je peux me raser ?

Elle fut incapable de répondre. C'est seulement lorsqu'il commença à étaler de la crème à raser sur sa mâchoire qu'elle acquiesça. Il n'y avait pas que les poignets. Il avait des cicatrices sur son dos, sur ses côtes, sur ses épaules, le ventre et les jambes. Des profondes, des superficielles, des bien nettes et des irrégulières, des trous et des lacérations. Elle savait qu'elle le fixait mais elle ne pouvait s'en empêcher.

Newman était aussi habitué à cette réaction qu'aux cicatrices. Il lui fallait des occasions pareilles pour se rappeler à
quel point elles étaient visibles.

— Que vous est-il arrivé ?

— Vous ne lâchez jamais le morceau, hein ? Vous n'avez
pas encore compris le message ? C'est un sujet que je n'aborde
pas.

Il se rasa puis se brossa les dents. Il prit son temps, tirant le
plus de plaisir possible de ces gestes. Elle le suivit dans la
chambre où il choisit des vêtements propres avec autant de
lenteur ; un T-shirt marron qui avait viré au framboise ; un
sweat gris usé troué aux coudes et un jean fané qui paraissait
un peu grand pour lui.

Il enleva sa serviette et Stephanie se sentit étonnamment
gênée. Elle se détourna un peu de lui et prononça la première
phrase qui lui vint à l'esprit. N'importe quoi pour briser ce
silence, aussi maladroit que cela puisse être.

— Alors... comme ça vous aimez Norman Mailer.

— Quoi ?

— Norman Mailer. J'ai vu *Les Nus et les morts* et *Le Parc aux
cerfs* sur l'étagère dans votre bureau.

Il eut l'air vaguement amusé lorsqu'il se décida enfin à
répondre.

— Oui, j'aime Mailer. J'aime son style, j'aime ses points de
vue. Je ne suis pas toujours d'accord mais j'admire un homme
qui n'a pas peur de dire ce qu'il pense. Et qui a l'intellect et
les tripes pour défendre ses idées, quoi qu'il arrive.

— Mon père avait un exemplaire signé de *Les vrais durs ne
dansent pas*.

— Il l'a lu ?

Il la vit se mordre la langue et s'en voulut.

— Vous avez aussi *Les Fous du roi*. C'est le premier grand
roman américain que j'ai lu. Je n'avais jamais entendu parler
de Robert Penn Warren. Je devais avoir quinze ou seize ans.
Ensuite j'ai découvert Salinger, Steinbeck et Fitzgerald, mais
rien de ce qu'ils ont écrit ne m'a autant impressionnée.

— Vous avez vu le film ?

Elle secoua la tête.

— J'ignorais qu'on en avait tiré un.

— Il a remporté deux ou trois Oscars. Broderick Crawford a décroché celui du meilleur acteur.

— Jamais entendu parler de lui. Il jouait Willie Stark ?

Newman opina du chef.

— Crawford était un grande vedette à l'époque. Cela devait être en 1949 ou 1950.

— Oh. Très bien.

Là il comprit que le contact était rompu.

Nous sommes dans la cuisine. Une de ses mains est menottée à la tringle à torchons sur un côté de l'îlot central. L'autre est libre. De nouveau propre, il fait plus âgé qu'au Lancaster. Mais cela lui sied. Certains hommes portent l'expérience comme un aftershave subtil ; elle n'est pas envahissante, elle laisse simplement une trace qui invite à creuser davantage.

Il y a sept messages sur son répondeur, dont trois raccrochés. Je les efface et repasse les quatre autres.

9 h 59 : Bonjour, Robert. C'est Abel Kessler. Je viens bientôt en Europe, pour une dizaine de jours. Nous aurons beaucoup de choses à nous dire. Fais-moi savoir si tu es là. J'espère que tu vois toujours je ne sais plus qui ?

11 h 02 : *(première voix féminine)* Robert. Vous avez su ce qui s'est passé l'autre soir après notre départ. Je n'arrive pas à y croire. Téléphonez-moi s'il vous plaît. J'aimerais en parler avec vous.

17 h 29 : Robert, c'est de nouveau Jean-Claude Sardé. J'espère que vous avez eu mon message hier. J'ai appelé votre bureau aujourd'hui. Votre secrétaire m'a dit que vous n'étiez pas en forme. J'espère que ce n'est pas grave. Appelez-moi dès que vous vous sentez mieux. Merci.

18 h 01 : *(seconde voix féminine)* Salut, c'est moi. Je sais que ça fait un bout de temps mais... j'avais juste envie de parler. Tu dois être parti. Comme toujours. Moi aussi je suis partie. Je voulais juste... je ne sais pas... reprendre contact. Si tu es dans le coin... tu connais mon numéro.

Je repasse le deuxième message.

— *Qui est-ce ?*

— *Shéhérazade Zahani.*

— *Elle n'a pas laissé son nom.*

— *Et alors ?*

— Elle devait penser que ce n'était pas nécessaire. Comment la connaissez-vous ?

— Nous sommes proches depuis longtemps. Je connaissais son mari.

— Qu'est-ce qu'elle vous a dit ?

— Quand cela ?

— Au Lancaster. Lorsque vous êtes allé la rejoindre. Vous vous êtes retournés tous les deux pour me regarder. Elle vous a murmuré quelque chose qui vous a fait rire. De quoi s'agissait-il ?

— Elle m'a demandé si nous étions amants.

— Et vous avez répondu ?

— Non. Elle a ajouté qu'elle était sûre de vous avoir déjà vue.

— Et cela s'arrête là ?

— Oui.

— Cela a suffi pour vous faire rire.

Il me regarde, indifférent.

— Si vous le dites. Je ne m'en souviens pas.

— Et l'autre femme ?

— C'était Anna. Une ancienne petite amie.

— Une ex ?

— Oui.

— Elle n'avait pas l'air d'en être ravie.

— Vous auriez dû l'entendre quand nous étions ensemble.

— S'agit-il de je ne sais plus qui ?

Il m'adresse un demi-sourire.

— Quelle perspicacité !

— M. Kessler n'avait pas l'air trop ravi non plus.

— Il a la chance de vivre à l'autre bout du monde. Je peux vous poser une question ? Vous vous appelez vraiment Claudia ? Et vous venez vraiment d'Argentine ?

— Cela fait deux questions.

— Choisissez-en une.

Je choisis l'option la plus simple.

— Je ne viens pas d'Argentine.

— Alors vous ne devez pas vous appeler Claudia non plus.

— Probablement pas.

— Comment devrais-je vous appeler ?

— Comme vous voudrez.

— On croirait entendre une pute.

— J'ai été accusée de pire.

— Par commodité, pourquoi ne me fournissez-vous pas un nom ?

— Marianne, dis-je après un instant de réflexion.

— C'est votre vrai prénom ?

— Si on veut.

— Quelle drôle de réponse.

— C'est tout ce que vous obtiendrez. Bien, à mon tour. Vous avez déjà entendu parler du groupe Amsterdam ?

Une question qui représente une brusque accélération. Mais il s'adapte.

— Bien sûr.

Ce n'est pas la réponse que j'attendais, que ce soit ou non la vérité.

— Déjà travaillé avec eux ?

— Pas directement.

Je nous sers de l'eau. Il vide son verre, je le remplis. Je sors du saucisson sec du réfrigérateur et le découpe sur une plaque en bois à côté de l'évier.

— Qu'est-ce que vous savez d'eux ?

— Ils sont basés à Washington, ce qui les rend légèrement atypiques. La plupart des sociétés d'investissement − ce qu'ils sont − ont leur siège à New York. Mais comme ils sont très politiques, c'est assez logique.

— En quoi ?

— Pas mal de leurs investissements dépendent de contrats d'État. Ils consacrent beaucoup de temps et d'argent à courtiser les gens qu'il faut dans les commissions qu'il faut au Congrès. Ils sont en plein dedans.

— En plein dans quoi ?

— Le triangle de fer.

— Qui est ?

Mon ignorance le surprend.

— Un rapport à trois entre la politique, les grosses sociétés et l'armée. C'est du copinage à grande échelle parce que c'est du business à grande échelle. Pendant l'ère Reagan, par exemple, avant les fameux dividendes de la paix de la guerre froide, le Pentagone dépensait plus de vingt-cinq millions de dollars par heure, chaque heure de l'année.

— On comprend déjà mieux.

Je dispose les rondelles de saucisson sur une assiette que je place entre nous. Je remplis mon verre.

— Les dépassements budgétaires dans ces contrats sont normaux et la plupart des budgets ont des marges bénéficiaires intégrées dedans parce que les sociétés répondant aux appels d'offres savent que la décision finale ne dépendra que rarement du coût. Presque toujours, elle est déterminée par l'influence et les relations.

— Ce que les Chinois appellent le guanxi.

— Exactement. Malgré tout, il y a des filets de sécurité. Comme les *projets noirs. Ce sont des accords qu'on garde secrets parce qu'un contrôle public mettrait la sécurité nationale en danger. C'est du moins l'argument avancé. Les juristes et les médias détestent les projets noirs. Ils soupçonnent que la plupart ne sont classés secrets que pour les protéger d'un examen du Congrès.*

— *C'est vrai ?*

— *Tout à fait.*

D'une main, il tente de retirer la peau des tranches de saucisson, mais je ne vais certainement pas lui proposer de le faire à sa place.

— *Bien, ce triangle de fer, comment ça marche ?*

— *Sans trop de problèmes parce qu'ils profitent de la disposition prévue par la Constitution qui assure le jeu harmonieux des trois pouvoirs. Sociétés, politique, armée : les gens qui dirigent cette alliance n'ont pas tous leurs œufs dans le même panier. Ils sont codépendants. Et c'est là leur meilleur atout. Vous vous rappelez que j'ai parlé de Richard Rhinehart ce matin ?*

— *Le Pentagone ?*

Il opine du chef.

— *Il siège à la Commission de politique de défense du Pentagone. Ce qui fait de lui un militaire. Mais il joue également un rôle important à l'American Partnership Foundation, un groupe de réflexion politique de droite. Voilà comment ça marche : Rinehart a une vision du monde. Une vision partagée par ses confrères de l'APF. Et à cause de l'influence de Rhinehart et de ses pareils, c'est actuellement une vision reproduite par l'administration. Et ce sont eux qui distribuent les contrats qui génèrent l'argent.*

— *Et Amsterdam ?*

— *C'est la manifestation sur le plan des affaires de sa philosophie politique.*

— *Comment cela ?*

— *Plus d'un membre du conseil du groupe d'Amsterdam est un membre de l'APF. Ou du Potomac Institute, un autre groupe de réflexion très écouté. Donc ils sont politiques. Mais ils sont militaires aussi ; ils possèdent Kincaid Pearson Merriweather, un des plus gros fournisseurs de l'armée des États-Unis.*

— *Et le pétrole ?*

— *Ils ont un puissant secteur énergétique. Et ils sont présents dans tous les secteurs dans lesquels investissent les pays pétroliers. Ensuite, il y a les investisseurs privés du groupe Amsterdam ; vous ne pouvez pas leur demander de but en blanc d'investir cinquante mille ici ou cent mille là.*

155

En tant que client privé, il faut que vous soyez invité à investir avec le groupe Amsterdam. Ce qui signifie que vous devez être très riche.

— Riche en pétrole.

— Exactement. Voilà donc un autre rapport : Amsterdam, le triangle de fer, l'industrie pétrolière. La synergie est évidente.

— Parce que l'administration américaine actuelle est dirigée par des intérêts pétroliers ?

— Quand quatre pour cent de la population mondiale consomment un quart du pétrole mondial, je crois qu'on peut dire que toutes les administrations américaines sont dirigées par des intérêts pétroliers.

Je sors une baguette d'un sac en papier, la romps en deux et lui en offre une moitié. Il réclame du beurre, que je prends dans le réfrigérateur. Puis je lui passe un couteau. Il ne me vient pas à l'idée qu'il puisse s'en servir pour autre chose que beurrer son pain. Bien sûr, il est menotté, mais il y a quarante-huit heures — voire vingt-quatre — je n'aurais pas été aussi blasée. Nous évoluons.

— Et votre position dans tout cela. C'est arrivé comment ?

— Par le mari de Shéhérazade Zahani.

— Le milliardaire du pétrole saoudien ?

— Je travaillais pour lui. Je suis au courant pour Amsterdam parce qu'il a été un de leurs premiers investisseurs. Il connaissait Gordon Wiley depuis longtemps. Il a amassé beaucoup d'argent grâce à Amsterdam.

— Qui est Gordon Wiley ?

— Un des fondateurs d'Amsterdam.

— Est-ce que Shéhérazade Zahani fait partie des investisseurs actuellement ?

— Je l'ignore. Je n'en serais pas surpris. Elle a tout hérité de son mari. Dont ses investissements. Bien entendu comme elle est elle-même un investisseur avisé, elle a peut-être eu d'autres idées depuis.

Je m'adosse au four et croise les bras.

— On dirait une gigantesque théorie de complot.

La suggestion le fait sourire ; il l'a déjà entendue.

— Exact, n'est-ce pas ? Mais cela ne veut pas dire que ce soit vrai.

— Qu'en pensez-vous ?

Il hausse les épaules.

— Je connais ces gens. Je les rencontre à Washington. Je les rencontre à Riyad. À Jakarta et à Shanghai. Ils ne s'intéressent qu'à l'argent.

— Et vous ?

— Je suis pareil. C'est pour ça que je le sais.

Je trouve deux raisons de ne pas le croire : le fait qu'il le dise et le fait que je devine qu'il passe sous silence quelque chose de plus important.

— Est-ce que le climat ne change pas ?

Il a l'air perplexe.

— Que voulez-vous dire ?

— Selon la couleur de la présidence.

— Vous voulez dire républicaine ou démocrate ?

— Oui.

— Cela ne fait aucune différence.

— Pourquoi ?

— Parce que l'Amérique n'est pas une démocratie. Mais une pluto-cratie. Quel que soit le parti qui fait entrer son candidat à la Maison Blanche, l'entourage est pratiquement toujours le même. Les mêmes hommes de pouvoir avec le même programme.

— Qui est ?

— Eh bien ils ont une idée bien précise de la façon dont le monde devrait être dirigé au XXIᵉ siècle. Ils estiment qu'il devrait être dirigé à leur manière. À la manière américaine. Ils considèrent le XXIᵉ siècle comme un siècle américain.

— On dirait que vous n'êtes pas d'accord.

— Le XXᵉ siècle a été le siècle de l'Amérique. Je ne sais pas à qui appartiendra le XXIᵉ — à la Chine ou à l'Inde, peut-être — mais pas à l'Amérique. Les empires sont comparables à des innovations en technologie ; la prochaine version est plus rapide que la dernière. L'empire romain, plusieurs centaines d'années. L'empire britannique, à son apogée, disons, cent ans. L'empire soviétique, environ soixante-dix ans. Celui de l'Amérique est déjà en déclin. Mais elle ne le sait pas encore.

Sixième jour

New York, une heure quarante-cinq

Steven Mathis dormait sur l'un des deux lits de camp dans la zone de repos. Helen Ito était à son bureau, mais John Cabrini doutait qu'elle fût réveillée, bien qu'elle eût les yeux ouverts.

Cabrini connaissait le phénomène. Pendant ses années à la NSA, il avait dirigé de nombreuses opérations où les heures s'étaient lentement transformées en jours. Dans les salles d'opération stériles de Crypto City, les nuits avaient cessé d'exister dans un monde de lumière artificielle. À l'époque, il tenait à coups de thé vert et de gélules protéinées.

Il aimait le sentiment de dissociation que créait ce type de travail. À ses yeux, ce n'était pas plus illogique que de faire ses huit heures dans une pizzeria de Harlem ; les deux environnements étaient aussi surréalistes l'un que l'autre.

Sur les écrans devant lui s'affichaient les noms. Tous en Europe, encore au courant de rien mais disponibles, certains employés à plein temps, d'autres indépendants, tous figurant dans les fichiers de DeMille. Douze heures s'étaient écoulées depuis son déjeuner avec Gordon Wiley. Pendant ce laps de temps, pas le moindre signe de Petra Reuter. Pas la moindre trace.

Cela avait inévitablement éveillé des doutes. Peut-être avait-elle quitté Paris. Mais Cabrini était peu disposé à y croire. Il avait eu accès à un dossier SIS de Londres. Selon leur portrait, elle serait du genre à garder profil bas, à attendre que l'orage soit passé, puis à essayer de réunir le plus de renseignements possible, avant de choisir entre deux solutions : faire payer celui qui l'avait donné ou disparaître. Dans cet ordre.

La patience sous la pression, la marque d'une pro. En examinant le document SIS, une chose était claire ; Reuter n'était pas du style à perdre son sang-froid. Voilà pourquoi Cabrini était convaincu qu'elle se trouvait toujours à Paris, bien que la bombe du Sentier datât de près de quatre jours. Il avait espéré localiser et éliminer Petra Reuter à l'aide d'une équipe interne de DeMille avant que les autorités françaises ne lui mettent la main dessus. Ou quelqu'un d'autre. Mais cela ne s'était pas produit et cela faisait à présent plus de quarante-huit heures que Leonid Golitsyn était mort.

Cabrini avait passé le plus clair de sa vie à livrer des guerres lointaines à partir de salles de contrôle hermétiques, pour le gouvernement, puis pour le monde de l'entreprise américain. Il y avait des similitudes − les modes d'opération, la dissociation physique qui poussait si facilement à opérer des choix cruels et à commettre des erreurs coûteuses − et des différences. La plus grande concernait la réglementation. Dans le monde de l'entreprise, on ne risquait guère des enquêtes judiciaires, ni un réexamen du Congrès. Si nécessaire, on pouvait déplacer une opération en terrain neutre. Les notions encombrantes de légalité étaient contournées dans l'intérêt de préoccupations plus pratiques. Cela s'étendait au marché libre du recrutement d'indépendants, ce qui permettait de soumissionner à une adjudication des contrats concernant des individus.

Il était temps d'élargir le piège.

Newman eut l'air incrédule.

— Vous voulez que je fasse quoi ?

— Je veux que vous m'organisiez un rendez-vous avec Shéhérazade Zahani.

— Pas question.

— Ce n'est pas une requête.

— Pourquoi accepterait-elle de vous rencontrer ?

— Parce que vous le lui demanderez.

— Je ne la connais pas assez bien pour ça.

— Ce n'est pas l'impression que j'ai eue l'autre soir au Lancaster. Vous paraissiez très proches tous les deux.

Newman était allongé sur un matelas par terre dans la

chambre d'amis. Stephanie l'avait tiré d'un des deux lits une place. Il disposait d'un oreiller et d'une couverture. Les menottes en cuir étaient attachées par leur chaîne au radiateur. Ces nouvelles dispositions lui avaient permis de faire une nuit complète. Stephanie avait dormi sur le lit le plus proche de la porte sans toutefois réussir à fermer l'œil plus de deux heures.

Elle avait passé la plus grande partie du temps à réfléchir. Le mari de Zahani avait été l'un des premiers investisseurs privés du groupe Amsterdam. Golitsyn avait eu lui aussi une sorte de lien avec Amsterdam. Et tous les deux avaient été au Lancaster. Comme Newman. Elle l'avait revu au bar. Puis avec Zahani. Puis dans l'Audi, remontant la rampe du parking. Elle ne parvenait toujours pas à se convaincre que c'était une coïncidence. Ou que cela n'en était pas une.

— J'aurais besoin d'une raison.

— Trouvez-en une. Mais je vais la voir d'une façon ou d'une autre. Agissez comme je l'entends et je vous donne ma parole qu'il ne lui arrivera rien de fâcheux.

Il la dévisagea pendant plusieurs secondes.

— Salope.

— Je sais.

Le moment venu, ils se rendirent dans son bureau. Son portable était sur la table. Il brancha le haut-parleur.

— Allez-y. Composez le numéro. Son numéro privé.

Shéhérazade Zahani décrocha à la quatrième sonnerie.

— Robert. Comment allez-vous ? Vous avez eu mon message.

— Oui.

— Vous êtes donc au courant pour Leonid.

— Je viens de l'apprendre. Je ne suis pas à Paris.

— Où êtes-vous ?

— À New York. Je n'étais pas joignable.

Un mensonge, une vérité ; Stephanie avait du mal à les distinguer.

— Mon Dieu, mais quelle heure est-il chez vous ?

— Deux heures et demie. Je rentre à l'instant.

— On mène la grande vie à Manhattan ?

— Si seulement...

— Où êtes-vous descendu ?

— Chez de vieux amis.

Nouveau mensonge énoncé le plus naturellement du monde.

— Vous ne m'avez pas parlé de New York l'autre soir.

— Cela s'est décidé à la dernière minute. Vous savez ce que c'est.

— Robert, le cachottier.

— Ne le sommes-nous pas tous ?

Zahani rit doucement.

— Très vrai, si vrai. Quand rentrez-vous ?

— Je ne sais pas trop. Dans quelques jours.

— La police vous a contacté ?

Newman et Stephanie échangèrent instinctivement un regard. Du doigt, elle lui fit signe de poursuivre.

Newman opina du chef.

— Non. Pourquoi ? Ils vous ont contactée ?

— Oui. Enfin par l'intermédiaire de Balthazar en fait...

Newman articula le mot « avocat ».

— Qu'est-ce qu'ils voulaient ?

— Poser quelques questions, c'est tout. Pour voir si je pouvais leur être d'une aide quelconque. Je crains que cela n'ait pas été le cas.

Stephanie l'encouragea de nouveau du geste.

— Vous avez dit que vous m'aviez vu ?

Un silence.

— Non.

— Ils ne m'ont pas laissé de message. Je ferais bien de les rappeler à mon retour.

— Vous feriez bien de me téléphoner à moi aussi.

— Comptez sur moi. Nous dînerons ensemble.

— Tant mieux. Vous n'imaginez pas combien cette mort m'a bouleversée.

— C'est un grand choc, confirma Newman.

— Merci de votre coup de fil, Robert. Vous devriez dormir un peu.

— Avant, voici la raison de mon appel : j'ai un service à vous demander.

La résidence Sienne se dressait, tour sinistre, place de Vénétie, à l'est de l'avenue d'Italie. La place elle-même, grande comme un mouchoir de poche, se réduisait à une étendue de béton. Les rares touffes d'herbe et les arbres rachitiques ne voyaient pas le soleil à cause des gratte-ciel voisins. L'entrée était coincée entre une laverie automatique et un restaurant vietnamien. Stephanie s'adressa à un interphone qui grésillait de parasites.

— Je viens voir Étienne Lorenz.

— Les portes de l'ascenseur ne s'ouvrent pas au quatorzième étage. Montez jusqu'au quinzième et descendez à pied.

L'homme maigre qui lui ouvrit portait un pancho tilleul, un pantalon de cuir noir avec de grands clous argentés sur chaque jambe et des Ray-Ban. Il sentait la came et la crasse.

— Étienne Lorenz ?

— Il dort.

— Qui êtes-vous ?

— Pico. Et vous ?

— Il a accepté de me voir.

— Aujourd'hui ?

— Maintenant.

Pico la conduisit dans une salle de séjour à l'arrière. Stephanie observa la place de Vénétie de la fenêtre. Des gens entraient et sortaient d'un grand supermarché, dont le néon d'un rouge écarlate et d'un vert criard était la seule source de lumière en cette matinée lugubre.

Sentant un mouvement derrière elle, elle se retourna. Il portait un peignoir gris foncé sur une peau gris pâle. Il bâilla, se gratta les parties génitales à travers le tissu éponge, puis la regarda.

Et en resta bouche bée.

Ses yeux s'écarquillèrent, révélant des blancs injectés de sang. Mais il ne pipa mot. La surprise se mua en curiosité avant de se transformer en quelque chose d'insondable. Stephanie assista à la transformation sans commenter. Elle avait toujours préféré les silences tactiques.

Étienne Lorenz tapota en vain ses deux poches avant de repérer un paquet de Merit sur la table en verre fumé. Il alluma une cigarette, fut pris d'une quinte de toux, essuya ses yeux larmoyants, puis tira deux bouffées aussi longues que le lui permettaient ses poumons.

Comment Lorenz avait-il pu dériver dans l'orbite raffinée de Golitsyn ?

— Nous nous connaissons ?

Elle haussa les épaules.

— À vous de me le dire.

— C'est moi qui pose les questions, poupée

— Je ne crois pas.

Il jeta un coup d'œil à Pico qui venait d'entrer dans la pièce et s'était adossé au mur près de la porte.

— Elle ne croit pas.

Pico sourit. Révélant deux dents en or et des chicots brunâtres.

Le choc initial d'Étienne Lorenz laissa place à une sorte de jubilation sournoise.

— Ben alors, poupée – comment ça se fait que vous connaissiez le vieux ?

— C'est une longue histoire.

— Z'avez rencontré certains de ses amis ?

Une question étrange, se dit Stephanie, qui décida de jouer franc-jeu.

— Non.

— Z'en êtes sûre ?

— Je crois que je m'en souviendrais.

— Vous avez été modèle ?

— Quoi ?

— Jamais été modèle ?

— Très drôle.

— Je suis sérieux. Z'avez l'air en forme.

— Je le suis.

— Devriez y songer. À condition de vous arranger un peu la tronche...

Pico ricana dans son coin.

— Je suis sûre que nous sommes tous très occupés, si on en venait au fait ?

Lorenz haussa les épaules, feignant la déception.

— D'accord. Je demandais, c'est tout. Vous voulez du café ?

— Seulement si vous en préparez pour vous.

La cuisine donnait sur un petit balcon envahi par un féroce molosse, un *fila brasileira* avec un collier étrangleur en acier inoxydable. Le chien se mit à aboyer à la vue de Stephanie, pressant sa gueule contre la porte vitrée qui vibra sous l'assaut.

— Du calme, Giselle, murmura Lorenz avant de se tourner

163

vers Stephanie avec un rictus. Heureusement que vous êtes une amie, hein ?

Stephanie lui adressa un sourire sans conviction.

— Bon, dans quel domaine travaillez-vous ?

— Vous savez pas ?

— C'est pour ça que je pose la question.

— Je suis photographe. Je croyais que vous étiez passée au studio hier.

— Cela aurait pu être un atelier d'artiste.

— Dans un sens, c'est le cas. Je suis un artiste de la photo. Surtout.

— Surtout.

— J'ai d'autres intérêts. Propriétés commerciales, locations bon marché. Je possède deux cafés avenue d'Italie et des participations dans deux boîtes de nuit. Une à Montreuil, l'autre à Saint-Denis.

— Un homme très actif.

— C'est pour ça que j'ai du personnel, poupée.

— Pico, par exemple ?

— Pico sait des trucs sur Paris que personne d'autre ne connaît.

— J'imagine.

— Pour répondre à votre question, je suis un entrepreneur. Un imprésario.

— Affaires que vous dirigez à partir de ce bureau très impressionnant ?

Lorenz vira sur lui-même, sa bonne humeur envolée.

— C'est chez moi ici, poupée.

— Désolée. Je n'avais pas compris que vous étiez du genre susceptible.

Il repoussa l'insulte d'un geste.

— Mon bureau est de l'autre côté du périphérique, au Kremlin-Bicêtre.

Sur le seuil, Pico roulait une cigarette entre des doigts crochus. Giselle continuait à grogner de l'autre côté de la vitre, lâchant des flaques de salive luisante sur le béton.

Lorenz versa l'eau bouillante dans la cafetière.

— Z'avez pas le genre de la salope à être amie avec le vieux.

— Vous non plus.

— C'est parce que je ne l'ai rencontré qu'une fois et que c'était pour affaires. Cette affaire...

— Puisque vous évoquez le sujet... parlons-en.

Lorenz sortit de sa poche un DVD dans une enveloppe en plastique.

— Là. Faites-vous plaisir.

Elle prit le DVD et le suivit dans la salle de séjour. Rien n'était noté dessus.

— C'est ça ?

— Vous vous attendiez à quoi ? À quatre-vingt-dix minutes de soixante-dix millimètres ?

Stephanie empocha le DVD.

— Vous avez quelque chose pour moi ?

Elle lui tendit un billet de cinq euros, deux pièces de deux euros et une de cinquante centimes.

— Sept cinquante, exact ?

— Hilarant. Alors c'est où ?

— C'est le prix dont nous sommes convenus.

— Sept mille cinq cents, poupée.

— Vous êtes malade ? Pour un DVD ?

Il tendit la main.

— D'accord : rendez-le-moi.

— Prenez l'argent, Étienne. Et soyez reconnaissant.

Elle feinta sur sa gauche. Pico qui venait de lui plonger dessus perdit l'équilibre, entraîné par son élan. Stephanie lui balança un revers du bras droit ; son coude atterrit dans ses dents. On entendit un craquement. Il s'effondra par terre.

Lorenz bondit en arrière.

— Merde !

Pico se plaqua les mains sur le visage. Du sang coulait entre ses doigts.

— Pas par terre, Pico. La moquette est neuve. Dégage.

Lorenz la chargea. Stephanie l'évita, saisit la cafetière et le frappa avec. L'objet se cassa, l'inondant de café brûlant.

Piégée sur le balcon de la cuisine, Giselle se mit à hurler. En se jetant contre la vitre. Lorenz secouait ses mains ébouillantées. Pico rampait vers le carrelage en lino, laissant des traînées de sang et des bouts de dent derrière lui.

Stephanie l'enjamba et lança à Lorenz :

— Gardez la monnaie.

Lance Grotius fréquentait l'Adonis depuis un an. Il avait essayé d'autres clubs, plus proches de chez lui, mais ils grouillaient d'amateurs incapables de se dépasser. L'Adonis, c'était du culturisme de haut vol. Il n'avait pas envie d'être entouré de vieux machins sur des tapis de jogging, ni de bonnes femmes en body pratiquant la méthode Pilates. Il voulait des poids, des muscles en feu, des grognements et le parfum âcre de la sueur. Tout ce qui existait en abondance à l'Adonis.

Dans le vestiaire, son portable sonna. Il plongea la main dans son sac de sport. Un texto envoyé comme une pub :

À SAISIR ! POUR TOUS LES ABONNÉS !
Offre lucrative, disponibilité immédiate.
Téléchargements sécurisés
Confirmer candidature par retour de courrier.

Il envoya une réponse muette.

Chargements sécurisés. Deux mots qui le firent frissonner d'impatience, le mot déclencheur étant « sécurisé ». En d'autres termes, il n'était pas question de télécharger les renseignements. Il faudrait se déplacer pour les obtenir. Ce qui signifiait qu'ils étaient trop sensibles pour être acheminés par le net. Le temps qu'il sorte de la douche, un autre texto l'attendait.

Collecte prête.
Endroit habituel.
Offre terminée à 12 heures.

Grotius consulta sa montre. Dix heures cinq. Pas de problèmes. Il prit le métro jusqu'aux Sablons, puis remonta à pied l'avenue Charles-de-Gaulle vers l'Arc de triomphe. Il pénétra dans un immeuble banal dont le rez-de-chaussée était occupé par un concessionnaire de voitures. Dans l'entrée sombre, des boîtes à lettres étaient accrochées sur le mur de droite. Grotius ouvrit la 3C. Une enveloppe matelassée et scellée l'attendait à l'intérieur.

Trois étages plus haut, l'appartement C était vide. Il le savait ; il avait vérifié une fois par curiosité, et quarante-cinq minutes plus tard, il descendait la rue Saint-Honoré sous un soleil éblouissant quand son portable avait sonné. Un homme lui avait doucement marmonné à l'oreille :

— Ce sera votre unique avertissement. Vous collectez dans l'entrée. Vous n'errez pas dans les étages. Recommencez et, soixante minutes plus tard, vous êtes mort.

Sans lui laisser le temps de présenter des excuses, on avait coupé la communication. Pourtant pas du genre trouillard, Grotius n'avait jamais été tenté de répéter cette transgression.

Il lui fallut moins de dix minutes pour rentrer dans son appartement du sixième étage de l'avenue des Ternes entre le boulevard Pereire et la place du Général-Koenig. Il abandonna son sac de sport dans l'entrée, prit une bouteille de jus de betterave et de carotte dans le réfrigérateur et entra dans la salle de séjour où il ouvrit l'enveloppe.

Comme toujours, elle ne contenait que deux éléments ; une feuille de papier et une seconde enveloppe plus petite renfermant une description de la cible. Grotius la mit de côté pour s'intéresser à la feuille et au détail le plus important qui figurait dessus.

Il le trouva à sa place habituelle, en bas. Avant, on lui avait proposé un cinq. Avec des zéros derrière. Mais jamais au nombre de six.

Cinq millions de dollars US.

Il regarda les conditions, juste en dessous de l'instruction ordonnant de brûler la feuille au plus vite.

Statut : ouvert.

Il n'était pas le seul sur le coup. C'était un appel d'offres. Qu'est-ce que cela signifiait ? Combien étaient-ils ? Qui méritait ça ?

Il lut le reste du texte – procédures contractuelles, procédures de requête, une série laconique d'instructions – puis enflamma la feuille à l'aide d'une allumette. Dans l'enveloppe des renseignements, cinq pages agrafées, plusieurs photos et un CD.

Le premier cliché était très mauvais, du noir et blanc flou, pris de l'autre trottoir d'une rue très fréquentée. Une femme. On ne pouvait guère en dire plus. La qualité du deuxième cliché laissait aussi à désirer. Elle était assise dans une voiture. Une photo prise au téléobjectif à travers un rideau de pluie au crépuscule.

Il regarda en haut de la première page et vit le nom.

Reuter, Petra.

Lance Grotius siffla. D'admiration. Il avait hâte de s'y mettre.

Dans le bureau de Robert, je glisse le DVD d'Étienne Lorenz dans le lecteur. Un salon luxueux apparaît sur l'écran : deux canapés, des fauteuils, de lourdes tentures entourant des portes-fenêtres. L'appartement d'une personne riche ou peut-être une chambre dans un grand hôtel. Trois personnes, un homme et deux femmes, une Blanche, une Noire. Ils boivent du champagne servi dans des flûtes. La bouteille est dans un seau à glace, une serviette blanche empesée drapée autour du goulot.

L'homme, la cinquantaine, est grand et mince avec un visage agréable. Il porte un pantalon en toile, des mocassins et une chemise bleu pâle aux manches retroussées. La femme blanche a des cheveux bruns courts. Elle est vêtue d'un jean noir et d'un haut turquoise. La Noire, qui mesure dix bons centimètres de moins, extrêmement séduisante, arbore une robe noire moulante. Elle a déjà retiré ses chaussures.

Pas besoin d'être un génie pour prédire ce qui va suivre.

Le premier détail remarquable, c'est que personne ne paraît conscient de la présence de la caméra. Le langage corporel ne colle pas. Ce qui signifie qu'au moins une personne est sur le point de se faire piéger. Presque sûrement l'homme. Je le contemple avec une certaine compassion quand un second détail me saute aux yeux.

Il s'agit d'Anders Brand.

Ce doit être une erreur. Le trio entre dans la chambre. Une nouvelle série de caméras les attend.

Pas d'erreur. C'est lui.

Elles portent les verres, Brand la bouteille. Qu'il pose sur une table de nuit. La Blanche déboutonne son jean. Lorsqu'il se retourne, Brand arbore un sourire penaud. Bientôt, c'est tout ce qu'il arbore ; avec plus ou moins d'imagination, les trois se déshabillent entièrement.

J'ai l'impression d'observer un accident de voiture au ralenti. Trois véhicules perdant le contrôle, l'issue inévitable, l'enchevêtrement, une simple formalité.

La qualité de la plupart des films clandestins laisse à désirer. Ce n'est pas le cas de celui-ci. Maintenant que nous sommes dans la chambre, plusieurs caméras tournent, certaines bougent, toutes sont capables de zoomer. Le son est aussi clair que l'image. Je vois et entends tout. Dont les gémissements sirupeux de la Noire qui s'agenouille au pied du lit pour faire une pipe à Brand. Il embrasse l'autre fille en lui caressant les seins.

Tout le monde passe sur le lit. Un temps Brand laisse les filles faire l'amour pendant qu'il sirote une flûte de champagne. Puis il les rejoint.

Anders Brand, le Chuchoteur, l'ancien diplomate suédois. L'ancien négociateur de l'ONU. Un homme bénéficiant d'une confiance et d'un respect universels. Allongé sur le dos avec la tête prise en étau entre deux cuisses noires musclées, le pénis perdu entre deux cuisses blanches musclées. Pas exactement l'image que conserve Kofi Annan de lui, assurément.

Golitsyn a accepté d'acheter ce DVD à Étienne Lorenz. La veille du soir de la mort de Brand passage du Caire, Golitsyn et lui ont dîné ensemble à l'hôtel Meurice. En ont-ils parlé ?

Brand prend à présent la Noire par-derrière avec une vigueur impressionnante. Il est apparemment fasciné par le va-et-vient de son pénis. Des gouttes de sueur coulent de son front sur les reins de la fille. Elle a le visage enfoui entre les jambes de la Blanche. Leurs gémissements et leurs grognements sont comiques, comme un mauvais spectacle donné par un trio privé d'oreille musicale.

Il est temps de changer ; la Blanche se met en position et attend que Brand la pénètre. C'est là que je remarque quelque chose sur son épaule gauche. Une sorte de défaut. D'abord je prends cela pour un tatouage. Mais lorsqu'il l'attire vers lui, je comprends qu'il s'agit d'une cicatrice. Irrégulière et ronde, de deux centimètres de diamètre. Quand il l'a complètement pénétrée, je vois l'arrière de son épaule gauche, où il y a une autre cicatrice, même forme, même taille.

La similitude est époustouflante.

Que cela n'ait pas encore retenu mon attention est époustouflant.

Peut-être parce que je savais que ce n'était pas moi. Peut-être parce qu'elle a les cheveux plus courts. Peut-être parce que j'ai été si surprise de découvrir Anders Brand à l'écran.

Peu importe. Maintenant que je sais qui elle est, la ressemblance est frappante. Je l'observe — elle ou moi ? — pendant quelques minutes en quête de différences. Au départ, il ne semble pas y en avoir. Progressivement, une ou deux se dessinent. Elle a une silhouette plus épanouie peut-être. Ses seins sont un peu plus gros. Peut-être est-elle plus sexy, je ne sais pas.

Et je ne m'en soucie pas vraiment. Je suis bien au-delà de ça.

La réaction d'Étienne Lorenz en me voyant commence à prendre un sens. Son air ébahi en me découvrant. Les questions sournoises que Pico et lui ont trouvé si amusantes à poser.

Vous avez déjà travaillé comme modèle ?

D'abord, Stalingrad, maintenant ça.

Suis-je en train de regarder la femme qui est censée vivre dans cet appartement ? Un appartement payé par Leonid Golitsyn, l'homme qui a accepté d'acheter ce DVD.

J'ai la bouche sèche. La nausée me guette.

Golitsyn. Brand. Moi. Ou plutôt, elle. Ni Stephanie, ni Petra, mais la troisième d'entre nous.

Pourquoi ?

Le crescendo sexuel atteint son paroxysme bruyant et luisant de sueur en trois exemplaires et cela me rappelle un reportage que Robert et moi avons vu à la télévision. Aux informations. Les puissants de ce monde pleurant la mort d'Anders Brand. Lui rendant des hommages solennels. Un de ses anciens collègues de l'ONU commentant : « Son plus grand talent était de réunir des gens différents. »

Rien de plus vrai.

À deux heures moins cinq, la BMW 750 vert foncé de Pierre Damiani l'attendait devant le 16, place Vendôme. Quand son chauffeur lui ouvrit la portière devant l'entrée de son appartement donnant sur le parc Monceau, il était presque deux heures et quart.

Damiani préférait l'escalier à l'ascenseur, une petite concession quotidienne à la mode de l'exercice. L'appartement de cinq pièces se trouvait au deuxième étage ; de grandes pièces, hautes de plafond, avec vue imprenable sur le parc. Damiani l'adorait. Pourtant, en l'absence d'Alia et des enfants, il lui paraissait aussi dénué d'âme qu'un plateau de cinéma abandonné. Il entra, lança ses clés dans le bol en porcelaine sur la console en marbre. Il disposait de quinze minutes.

Du coin de l'œil droit, il perçut un mouvement. Le coup atterrit juste au-dessus de sa tempe droite, le projetant par terre. Une main puissante l'attrapa par le col de son veston et le tira sur le sol. Sur toute la longueur de l'entrée, puis à droite, dans le salon où elle le lâcha au pied d'un fauteuil de style rococo.

— Relevez-vous et asseyez-vous.

Chancelant, Damiani s'agrippa au fauteuil damassé de vert et s'effondra dedans. L'homme portait une polaire noire à la fermeture Éclair remontée jusqu'au menton, un jean et des bottes de marche. Dans sa main droite, une arme, dans son regard, la volonté de s'en servir.

L'adrénaline effaça la douleur mais non la peur.

— J'attends ma femme d'un instant à l'autre. Ma femme et mes deux enfants.

— Votre femme est à Gstaad. Dans votre chalet. Avec votre petit garçon, votre fille et vos beaux-parents.

— Qu'est-ce que vous voulez ?

— Vous devez les rejoindre dans cinq jours. Après votre voyage à Pékin. La raison de votre passage ici, le temps de prendre un sac et quelques papiers. (L'homme consulta sa montre.) Vous avez quatre-vingt-dix minutes ; le vol AF128 d'Air France décolle de Charles-de-Gaulle à quatre heures moins cinq. Votre siège réservé est le 2A.

— Qui êtes-vous ?

— Vous allez rater cet avion. À moins que vous n'ayez beaucoup de chance.

Les questions de Damiani se pressaient dans son esprit, mais il garda le silence. Il connaissait son rôle ; fournir des réponses.

— Il y a trois jours, Stephanie Schneider est entrée dans votre banque, continua Iain Boyd.

— Qui ?

Boyd tira.

Pierre Damiani sursauta.

La balle s'enfonça dans le cadre en bois du fauteuil à côté de l'épaule gauche de son occupant. Qui frémit sous l'impact. Des éclats de bois s'éparpillèrent jusque devant la fenêtre derrière lui.

— Je n'ai pas le temps de déconner. Cela signifie que vous non plus. Bon... elle y a un coffre, n'est-ce pas ?

Damiani ne répondit pas sur-le-champ. Boyd leva son arme.

— Qu'est-ce qu'il y a dans le coffre ?

— Je l'ignore.

— Mais elle possède bien un coffre.

Son expression le trahit. Damiani tenta de se rattraper et secoua la tête.

— Je n'en ai aucune idée.

Boyd s'approcha et le frappa au visage. Sous son oreille droite, sa peau se déchira.

— Tôt ou tard, je vais perdre patience. Probablement plus tôt que tard. Et là, je me servirai de nouveau de mon arme. Et je ne viserai pas votre putain de fauteuil. C'est compris ?

Damiani déglutit.

— Je ne peux pas vous aider.

Boyd secoua la tête, dégoûté.

— Vous autres banquiers...

— Vous ne comprenez pas.

— Bien plus que vous ne le croyez. Elle est entrée dans la banque par la place Vendôme. Mais elle a emprunté une autre sortie.

— Et alors ?

— C'est normal ? Est-ce que tous vos clients entrent par la façade et sortent par-derrière ?

— Écoutez, je ne sais rien...

— Qui sont-ils ?

Damiani effleura l'égratignure près de son oreille.

— De qui parlez-vous ?

— Vous le savez. Ceux qui l'ont piégée. Ceux qui vous ont piégé.

— Mais qui êtes-vous ?

— Quelqu'un qu'elle connaissait dans le temps.

Boyd ne s'attendait pas à ce que Damiani le croie sur parole. Le banquier prit son temps pour décider comment jouer sa partie. Peu importait à Boyd, pourvu qu'il prenne la bonne décision.

— Vous pouvez me menacer autant que vous voudrez, mais je ne peux rien vous dire au sujet des clients de la banque.

— Je ne vous le demande pas.

Damiani hocha légèrement la tête. Ils se comprenaient.

— L'homme qui est venu à mon bureau était américain.

— Nom ?

— Ellroy. Paul Ellroy.

— Continuez.

— Je ne l'ai rencontré qu'une fois.

— Que s'est-il passé ?

— Il a pris un rendez-vous. Il s'est présenté sous un faux prétexte, se faisant passer pour un client potentiel. Il a minutieusement vérifié nos procédures de sécurité. Je me suis personnellement occupé de lui. Puis il m'a expliqué qu'il s'intéressait à l'un de nos clients. Bien entendu, je ne lui ai rien révélé. Quand il a insisté, je l'ai prié de partir. À son départ, il m'a prévenu que nous pouvions nous attendre à une visite des autorités.

172

— Qu'avez-vous fait ?

— Rien.

— Que s'est-il passé ?

— Deux représentants de la gendarmerie nationale ont débarqué. Ils ont demandé des renseignements au sujet de Stephanie Schneider.

— Que leur avez-vous dit ?

— Rien.

— Rien ?

— Depuis quand la gendarmerie nationale est-elle aux ordres des Américains ? Je leur ai conseillé de revenir avec un ordre émanant de plus hauts responsables. De *la plus haute* autorité. Ils n'en ont rien fait.

— Cela ne vous a pas inquiété ?

Damiani n'aurait pu avoir l'air plus dédaigneux.

— Mon famille est dans la banque privée depuis trois siècles. D'abord à Beyrouth, puis ici. C'est la confiance qui nous guide, non la paperasserie légale. Quand nous donnons notre parole, nous ne revenons pas dessus. Il faudrait davantage qu'un quelconque service gouvernemental pour changer cela.

— Vous préféreriez mettre votre vie en danger ?

— Que la coupe de mon costume ne vous trompe pas. Je suis un paysan. Je n'attache pas tant de valeur que cela à ma peau. La seule chose précieuse que j'ai, c'est ma parole. Sans elle, je n'ai rien.

— Ensuite ?

— Un problème de téléphone.

Boyd opina du chef. Une ruse aussi vieille que Graham Bell.

— Et les ingénieurs de France Télécom sont venus frapper à votre porte.

— Bien entendu. Armés de documents en ordre.

— Et vous leur avez dit d'aller se faire foutre ?

— Pardon ?

Malgré lui, Boyd sourit.

— De partir.

Damiani secoua la tête.

— Au contraire. Nous les avons laissés entrer. Nous les avons laissés faire leur travail.

— Pourquoi ?

— Vous connaissez le dicton : soignez vos amis, mais encore

plus vos ennemis. Nous avons nos propres dispositifs clandestins à la banque. Nous avons pu les regarder installer leur équipement censé nous surveiller. À choisir, nous avons estimé préférable de les amener à croire qu'ils avaient réussi. Et connaître ainsi la limite de leur imagination.

Boyd secoua la tête, admiratif, puis baissa son arme.

— Le temps va vous manquer.

Damiani fronça les sourcils, perdu.

— Si vous voulez attraper votre avion pour la Chine.

Damiani tira un mouchoir en soie de sa poche et tapota son égratignure. Lorsqu'il se leva, il titubait légèrement.

— Écoutez-moi bien, lui dit Boyd. Si vous la voyez ou que vous ayez des nouvelles d'elle, dites-lui simplement la chose suivante : Iain la cherche. Et décrivez-moi. Si elle doute encore, ajoutez : Laxford Bridge. Elle comprendra.

Avenue Foch, l'immeuble de Shéhérazade Zahani était à deux pas de l'Arc de triomphe. L'un des deux portiers en uniforme escorta Stephanie jusqu'à l'ascenseur où se mêlaient les odeurs de deux produits d'entretien différents, l'un pour le laiton, l'autre pour l'acajou.

L'appartement avec terrasse de Zahani était un duplex. Carrelage noir et blanc dans le hall d'entrée. Deux gardes du corps lui firent traverser une longue salle de réception. Stephanie compta cinq échiquiers, avec sur chacun une partie en progression. L'entrée était-elle une variation sur le même thème ?

Ils entrèrent ensuite dans une pièce à l'opposé de la précédente : pas de fenêtres, des murs laqués de rouge foncé, un éclairage tamisé venant de spots encastrés braqués sur des cibles précises : tableaux, sculptures, objets. Shéhérazade Zahani se trouvait à l'autre extrémité de la pièce en compagnie d'une Chinoise. Elles discutaient très sérieusement d'une frise de marbre accrochée au mur.

Stephanie n'avait pas de stratégie. Mais elle avait une idée. Shéhérazade Zahani et Golitsyn avaient quelque chose de concret en commun.

Zahani vint vers elle. Vêtue d'un simple chemisier crème et d'une jupe en lin noir, elle ne portait pas de bijoux. Tout en sobriété, mais on ne risquait pas de se méprendre sur sa classe sociale. Elle n'était pas grande – Stephanie la dépassait de quinze bons centimètres – **ni** aussi mince que l'étaient souvent les femmes possédant sa fortune. Il émanait d'elle une sorte d'assurance sexuelle que Stephanie reconnut aussitôt : le propre des femmes qui avaient prospéré dans un univers à dominance masculine.

Des yeux gris pâles – pers[1] – et une bouche aussi généreuse que celle de Stephanie, en un peu plus large. D'épais cheveux bruns à l'épaule.

Shéhérazade Zahani ne lui tendit pas la main.

— Marianne, c'est ça ?

Stephanie acquiesça.

— Madame Zahani, merci d'avoir accepté de me recevoir.

— Je connais Robert depuis longtemps.

Un silence s'installa. Stephanie se considérait comme une experte dans ce domaine mais elle trouva son égale en Zahani. Une femme capable de sourire agréablement, sans dire un mot, sans se sentir gênée pour autant.

Ce fut Stephanie qui, pour enchaîner, se lança dans des banalités, en se méprisant aussitôt pour cette marque de faiblesse.

— Impressionnant... cet appartement... cette pièce.

— Ma pièce chinoise. Tout ce que vous voyez ici vient de deux dynasties : la T'ang ou la Sui. Je conserve ces objets ici pour des raisons sentimentales. La plus grosse partie de la collection est prêtée. Le British Museum, le Shodo à Tokyo, le Museum of Fine Arts de Boston. Nous sommes en train d'accrocher une nouvelle œuvre. Une frise du bouddha cosmique Vairocana datant du VIIe siècle.

— Vraiment ?

Une réflexion révélant de façon définitive son ignorance.

— Un des cinq bouddhas célestes, expliqua Zahani.

Elles passèrent dans une petite bibliothèque donnant sur l'avenue Foch. Une domestique apparut. Vêtue d'un uniforme en soie violet : veste Mao, boutonnée jusqu'au cou, pantalon étroit et pantoufles assorties. Elle apportait du café sur un plateau en argent. Elle les servit toutes les deux.

---

1. En français dans le texte.

— Je vous ai déjà vue, dit Zahani lorsqu'elles se retrouvèrent seules. Je crois.

Mi-affirmation, mi-question. Stephanie fournit une réponse.

— À l'hôtel Lancaster.

— Ah oui ! Cela me revient à présent.

Sauf que ce n'était pas cela dont elle se rappelait. Stephanie le comprit immédiatement. Parce que Zahani s'était arrangée pour que le sous-entendu soit évident.

— Bon, racontez-moi. Vous êtes une amie proche de Robert.

Stephanie mesura alors à quel point ses termes vagues au téléphone avaient pu prêter à confusion. *C'est une amie, Shéhérazade. Une bonne amie. Et oui, elle est... eh bien, vous verrez vous-même.*

— Une vieille amie ?

— Pas vraiment.

— Une amie récente ?

— Si on veut.

— Une amitié nouée au Lancaster ce soir-là, peut-être, poursuivit Zahani, l'œil rieur.

— Peut-être.

— Vous n'aviez donc pas de rendez-vous avec lui ?

— Je devais voir quelqu'un d'autre.

— Un autre ami ?

Taquinerie, provocation : il était temps pour Stephanie d'abattre son atout.

— Un ami à vous, je crois. Pas un des miens.

— Comme c'est curieux.

— Et cela ne s'arrête pas là. J'étais là-bas pour rencontrer l'homme qui a été tué.

— Deux hommes ont été tués, précisa-t-elle.

— Je venais voir Leonid Golitsyn.

Elle ne parut pas surprise. Stephanie n'aurait jamais cru que sa réponse pût être aussi prévisible.

— Et l'avez-vous vu ?

— Oui. Mais il était mort.

— Alors cela ne compte pas vraiment, n'est-ce pas ? L'aviez-vous rencontré auparavant ?

— Non.

— Mais vous connaissiez Anders, bien sûr.

Le rapport. Ou plutôt, la confirmation d'un rapport.

Stephanie faillit nier. Mais l'instinct prit le dessus ; Zahani ne tâtait pas le terrain. Elle pensait le savoir. Et lentement Stephanie prit conscience que c'était effectivement le cas.

Lorsqu'elle avait demandé à Newman ce que Zahani lui avait dit au Lancaster, il avait répondu que cette dernière avait cru la reconnaître. Cela correspondait au début de la conversation actuelle. *Je vous ai déjà vue, je crois.* Stephanie sut alors que Zahani ne faisait pas allusion au Lancaster. Elle songeait à autre chose.

Le DVD. *Mais vous connaissiez Anders, bien sûr.*

Progressivement, presque douloureusement, Stephanie comprit que Shéhérazade Zahani croyait parler à la femme du film. Et pourquoi pas, si elle l'avait vu ? Stephanie elle-même avait eu du mal à repérer les différences entre les deux versions d'elle-même.

Pas étonnant que l'idée de Stephanie devenue une amie de Newman l'amusât autant. Une vieille connaissance à elle batifolant avec... quoi, exactement ? *Une actrice ?* Seulement au sens le plus vague du terme.

Une fois le brouillard de la surprise dissipé, Stephanie se dit que l'hypothèse de Zahani venait de lui fournir une option toute neuve et inattendue : être la troisième femme. Elle choisit de la prendre. De jouer le jeu. De rougir.

— Pas la peine de faire la timide, Marianne. Que s'est-il passé au Lancaster ?

— Je suis montée le voir mais il était mort. Ils étaient morts tous les deux. Je suis descendue. Robert partait. C'était une coïncidence. Il m'a demandé s'il pouvait me déposer quelque part et j'ai accepté.

— Comme ça ?

— Comme ça.

— Vous lui avez raconté ce que vous veniez de découvrir.

— Je ne lui ai rien dit. Je l'ai laissé m'emmener.

— Chez lui ?

Elle acquiesça.

— Le lendemain matin, il était déjà debout. Il préparait un sac. Il m'a dit qu'il devait partir pour l'Amérique.

— Qu'est-ce que vous avez fait ?

— Je suis rentrée chez moi. Des gens m'y attendaient.

— Qui ?

— Je ne sais pas. Mais ils m'ont agressée. Je peux vous montrer les bleus, si vous voulez.

— Ce ne sera pas nécessaire. Où habitez-vous, Marianne ?

— À Stalingrad.

— Votre appartement ?

Stephanie éluda la question.

— Une location. Un vrai taudis.

— Vous y êtes retournée depuis ?

— Non, j'ai dormi dehors. J'y suis habituée. Pas de quoi en faire un plat. J'ai vécu trois ans dans la rue.

— Et après leur avoir échappé, qu'est-ce que vous avez fait ? Vous avez appelé Robert ?

— J'ai essayé. Je suis même allée chez lui.

— Tout en le sachant en Amérique ?

— Je ne savais pas quoi faire d'autre. Je lui ai laissé des messages. Et puis j'ai enfin réussi à le joindre – hier soir – et il m'a dit qu'il essaierait de faire quelque chose.

— Qui vous attendait chez vous, à votre avis ?

— Je ne sais pas. Ceux qui ont tué Golitsyn, je suppose. Et Anders.

— Ces deux-là et vous ? Cela a tout du complot.

Le ton de Zahani semblait changer. Moins amusé, moins critique.

— Qu'allez-vous faire ?

Stephanie haussa les épaules.

— Disparaître, je pense.

— Où irez-vous ?

— Peu importe. N'importe où.

— Alors pourquoi avez-vous besoin de moi ? Vous voulez de l'argent ?

L'hypothèse la plus évidente.

— Non, mais cela ne ferait pas de mal.

— Quoi, alors ?

— Il est plus facile de fuir quelque chose si on sait de quoi il s'agit.

— Qu'est-ce qui vous fait croire que je le sais ?

— Rien. Je me suis contentée de suivre la suggestion de Robert. Mais il me semble que vous connaissiez ces deux hommes. Et que vous m'avez déjà vue. Peut-être que vous aurez une idée. N'importe quoi...

Zahani se leva en lissant sa jupe du plat de la main.

— Attendez ici.

Stephanie resta seule pendant vingt minutes. Elle resta debout près de la fenêtre à regarder les voitures soulever des gerbes d'eau avenue Foch. La chaussée était à bonne distance de l'immeuble qui en était séparé par un ruban de terre, un ruban d'herbe et un écran d'arbres.

À son retour, Shéhérazade Zahani tendit un petit sac en cuir à Stephanie.

— Ce n'est pas grand-chose. Du moins pour moi. Ce qui aurait plus de valeur peut-être, c'est ce que je pourrais vous dire. Mais cela risque aussi de ne vous avancer à rien.

— Me permettrez-vous une question d'abord ?

— Je vous en prie.

— Vous connaissiez bien Golitsyn ?

— Pas si bien que ça. Du moins, pas personnellement.

— Pourtant il était ici deux jours avant sa mort.

Elle se raidit, tenta de le dissimuler, mais le mal était fait. Elle venait de confirmer l'intuition de Stephanie. Elle se rappelait la note de Golitsyn dans son agenda le jour où il était arrivé de New York. *Déjeuner, av. Foch, 13 heures.* Ce soir-là il dînait avec Anders Brand au Meurice. Il n'y avait ni nom, ni numéro, mais dès que Newman lui avait révélé l'adresse de Zahani, elle avait fait le rapprochement.

— Comment le savez-vous ?

— J'ai pris son agenda dans sa chambre d'hôtel.

Silence glacial.

— Vous avez aussi embarqué son portefeuille ?

— Oui.

— Alors peut-être n'avez-vous pas besoin de mon argent après tout.

— J'ai paniqué.

Zahani inclina la tête de côté.

— Ça, j'en doute.

— J'ai pris ce que j'ai pu. C'est un réflexe chez moi.

— Je n'en doute pas.

— Savez-vous pourquoi Golitsyn a été tué ?

— Non. Et je ne sais pas non plus pourquoi Anders l'a été. Ni même pourquoi quelqu'un en voudrait à votre vie.

— Mais vous avez vu le film, n'est-ce pas ?

— Oui.

— Comment ?

— Leonid m'en a montré une copie.

— Vous saviez donc qu'il négociait son achat ?

— Oui.

— Je croyais que vous ne le connaissiez pas si bien que ça.

L'impertinence de Stephanie fut accueillie par un nouveau silence, suivi d'un hochement de tête des plus secs.

— J'achetais de l'art à Leonid. Je le connaissais sur le plan professionnel. Mais les années passant, nous sommes devenus plus ou moins amis. J'étais plus proche d'Anders, que j'ai rencontré grâce à mon défunt mari, que de lui.

— Je peux vous demander pourquoi Golitsyn vous a montré ce film ?

— Il s'inquiétait pour Anders. Ils étaient bons amis. Et comme Anders et moi étions proches, Leonid voulait discuter avec moi de ce qu'il convenait de faire.

— Anders était-il au courant de l'existence de ce film ?

— Non. Et vous ?

— Moi, quoi ?

— Étiez-vous au courant ? Pendant que vous... tourniez dedans ?

Stephanie dut s'extraire de sa léthargie mentale pour reprendre son rôle.

— Pas au début. Je l'ai découvert par la suite et cela m'a mise en colère. Mais il y avait de l'argent à la clé, alors...

— En tout cas, vous y étiez. Comment est-ce arrivé ?

Le moment de mentir.

— L'autre fille m'a demandé. C'était son truc. J'en ignorais tout. Elle m'a décrit le projet − sans jamais mentionner le film − et m'a offert deux mille euros. Bien entendu j'ai sauté sur l'occasion.

— Bien entendu.

— On n'avait jamais travaillé ensemble. On s'entend bien. Je lui fais confiance, plus ou moins.

Zahani eut du mal à dissimuler son dégoût.

— Comment a-t-elle décroché ce travail ?

— Elle ne me l'a jamais dit et je n'ai pas posé la question. Pour deux mille euros, vaut mieux pas.

— Vous lui avez reparlé depuis ?

Stephanie secoua la tête.

— Elle est partie.

— Où cela ?

— Je ne sais pas. Et je préfère ne pas l'imaginer.

Zahani acquiesça, sombre.

— Je comprends.

— Est-ce qu'on faisait chanter Anders ?

— Je ne doute pas une seconde qu'on en avait l'intention. Pourquoi aller jusqu'à de telles extrémités sinon ? Mais pour ce que j'en sais, il ne connaissait pas l'existence du film quand il est mort.

— Qui l'aurait utilisé contre lui ?

— Vous jouez aux échecs, Marianne ?

— Non, mentit Stephanie. Mais c'est votre cas apparemment. Vous possédez beaucoup d'échiquiers.

— J'en ai neuf dans cet appartement. Chacun avec une partie différente.

— Toutes en cours ?

— À mon avis, les échecs sont avant tout un jeu de pression. Vous avez une stratégie. À l'intérieur de cette stratégie, des pièces précises, ou des cases précises sont soumises à divers degrés de pression. Parfois une seule case − occupée ou non − peut se retrouver sous la pression de nombreuses pièces. Une pression multiple. Le genre qu'Anders subissait. Le film n'aurait été qu'un élément de la pression dont il était victime.

Stephanie s'entendit dire :

— Cela ne se voyait pas.

Malgré elle, Zahani jugea cela drôle.

— Quelle que soit votre opinion d'Anders, Stephanie, c'était un homme remarquable. Charmant. Et talentueux. Il était capable de convaincre Dieu et le diable de s'asseoir à la même table. Récemment, il avait consacré beaucoup de temps en Irak à tenter de jouer les médiateurs entre les Irakiens et les Américains.

— Un défi d'une tout autre envergure.

— Il aurait été d'accord avec vous, je crois.

— Il ne m'a jamais parlé de ce qu'il faisait.

Zahani lui sourit avec bienveillance.

— Vu les circonstances de votre rencontre, ce n'est probablement pas si surprenant.

— Quel rapport avec moi ?

— Aucun. C'est en rapport avec Anders et l'Irak.

— Pourtant, ils me traquent moi aussi.

— Je suis désolée, Marianne, mais vous n'êtes qu'un détail. Un détail qu'il faut supprimer.

— Je n'ai jamais mis les pieds en Irak.

— Ce n'est pas le moment de commencer.

— Quel genre de pression subissait-il ?

— Il refusait de me le dire, bien que nous fussions amis. La seule personne à être au courant, c'est Leonid et il est mort.

— Alors vers qui puis-je me tourner ?

Zahani haussa les épaules.

— Vers quelqu'un qui connaissait Leonid bien mieux que moi. Et au risque de vous offusquer, Marianne, je doute que vous rencontriez quelqu'un qui relève de cette catégorie. Et même si c'était le cas, il pourrait ne pas vouloir discuter de ce genre de choses avec quelqu'un comme vous. Désolée si je vous parais trop abrupte.

Abrupte mais franche. Stephanie acquiesça, l'air un peu triste.

— Je vous ai dit tout ce qui était susceptible de vous aider. Peut-être plus que je n'aurais dû. Toutefois, voilà ce que je vous conseille : prenez l'argent et disparaissez. Recommencez de zéro très loin d'ici.

Je descends l'avenue Foch sous une bruine que je sens à peine. Le chuintement des voitures qui passent noie les autres bruits de la ville. Chaque fois que je pense au film, j'ai un nœud au creux de l'estomac. Sur l'écran dans ma tête, Anders fait l'amour, non plus avec mon clone, mais avec moi. Je suis une femme qui a deux corps. Voire trois. Ou suis-je trois femmes occupant un seul corps ? C'est de plus en plus dur à dire.

Quand je pense à elle – l'autre moi – cette violation me rend amère mais elle m'inquiète aussi. Je suis censée être morte. Cela veut dire qu'elle aussi devrait être morte. Est-ce que la sentence s'étend à la femme qui a interprété le rôle, ou s'arrête-t-elle au personnage sur l'écran ?

D'après Zahani les réponses viendront d'Irak. Qu'elle dise ou non la vérité, cela ne change pas grand-chose ; si je dois les trouver, il faut qu'elles soient moins loin que ça. La femme du DVD est un point de départ. Il faut que je la trouve pour me trouver moi-même. J'ai besoin de savoir si elle est vivante ou morte.

Je rentre à la maison. La maison. Quelle drôle de façon de considérer l'appartement de Robert. Un abri peut-être mais guère plus. Je n'y suis que depuis moins de soixante-douze heures. Pourtant l'endroit me paraît familier. Et sûr.

Zahani, Golitsyn, Brand. Où Robert se place-t-il là-dedans ? A-t-il sa place ? Je ne sais pas, mais il me vient à l'esprit que j'ai négligé un détail.

Il dort à mon retour et je ne le réveille pas. Son portable est toujours sur le bureau. Le seul appel qu'il ait passé avec depuis que je suis montée dans sa voiture est celui de ce matin, destinée à Shéhérazade Zahani. Je vérifie l'appel précédent et me rappelle ce qu'il m'a dit : l'homme avec qui il avait rendez-vous avait téléphoné pour annuler. Je vérifie l'heure de l'appel. 20 h 28. Cela correspond. J'appuie sur le bouton bis.

— Bonjour, c'est Robert Coogan. Laissez votre nom et votre numéro, je vous rappellerai. Merci.

Un Américain. Le nom ne me dit rien.

J'ouvre le sac que m'a remis Zahani. Dix mille euros en coupures de vingt et de cinquante. Ce n'est pas grand-chose. Du moins pour moi. Je cherche ensuite le mot scotché à la porte du studio de Lorenz à Pigalle. Je le retrouve en boule dans la poche arrière du jean que je portais. Le numéro y figure. Je le compose. L'homme qui décroche ne ressemble pas à Lorenz. Il pourrait s'agir de Pico. Lorenz est absent, à Marseille. Il rentre demain. Il sera au Kremlin-Bicêtre. C'est là que je pourrai apporter l'argent.

Elle avait l'air inquiet quand elle entra dans la pièce et s'agenouilla près de lui pour le libérer des menottes en cuir. Newman s'étira sur le canapé, puis frotta ses poignets à vif. Il était perclus de douleurs, notamment dans les épaules et le long de la colonne vertébrale. Le matelas était plus confortable que la chaise mais sans ses séances quotidiennes d'étirements, les muscles et les tendons abîmés se rappelaient vite à son mauvais souvenir. Il se leva lentement avec raideur, en s'appliquant à rester impassible.

— Comment ça s'est passé avec Shéhérazade ? Elle vous a aidée ?

— Elle m'a donné des conseils. Et de l'argent.

— Combien ?

— Dix mille euros.

— Comme ça ?

Stephanie acquiesça.

— Peut-être que je devrais lui demander moi aussi.

— Qui est Robert Coogan ?

— Coogs ? Un vieux copain, pourquoi ?

Un éditeur de New York de passage à Paris pour deux jours avant de se rendre en Suisse. Ils avaient décidé d'aller au Lancaster parce que « Coogs » voulait essayer le restaurant dirigé par un chef étoilé au Michelin dont Stephanie n'avait jamais entendu parler.

Pas le moindre rapport, apparemment. *Sauf que Newman avait tout de même reconnu Zahani.* Stephanie n'arrivait pas à l'oublier bien que les rencontres fortuites fussent un phénomène courant. John Peltor et elle-même, par exemple, qui étaient tombés nez à nez à deux reprises, à des milliers de kilomètres de distance, alors pourquoi pas Newman et Zahani ? Ils habitaient tous les deux Paris, après tout. Statistiquement, cela tenait debout ; même si cela paraissait invraisemblable.

Ils allèrent dans le salon. Une tasse de thé l'attendait sur la table. Il la remercia, la prit et s'assit sur le canapé.

Il faisait nuit dehors. Une autre journée de passée. Il avait surtout envie d'air frais. Un vent froid contre sa peau, avec de la pluie ou du soleil. N'importe quoi de revigorant.

Newman trouva Stephanie moins vigilante que la veille. En allant dans le salon, elle était passée devant lui. S'adoucissait-elle ou était-elle simplement distraite ? Lors de sa deuxième sortie, elle ne l'avait pas bâillonné. Assise à côté de lui sur le lit, elle avait pris le rouleau de ruban adhésif, en avait déchiré une bande de quinze centimètres avec les dents. Puis elle avait hésité en se penchant vers lui.

— Si je m'abstiens, est-ce que vous crierez ?

Il avait secoué la tête – comment réagir autrement – et elle avait roulé le ruban en boule avant de le jeter.

— Je vous crois.

Il avait entendu la porte d'entrée se refermer et avait décidé d'attendre. C'était un piège. Un test. Elle n'était pas sortie ; elle le guettait, planquée quelque part. Dès l'instant où il ouvrirait la bouche, elle réapparaîtrait, c'était sûr.

Cinq minutes passèrent. Toujours rien. Il écouta les bruits de la ville ; des sirènes dans le lointain, des voitures avançant au pas quai d'Orléans, un couple se disputant dans la rue. Cinq minutes de plus. Et encore cinq. Progressivement il avait compris deux choses. Un : elle n'était pas dans l'appartement. Deux : elle n'avait pas tort de lui faire confiance.

Il n'allait pas crier. Il ne savait pas trop pourquoi. Chaque fois que la logique parlait pour l'accusation, l'instinct prenait le camp de la défense. Cela n'avait aucun sens ; il ne lui devait rien. Mais c'était ainsi.

Comment avait-elle deviné ? Avait-elle simplement misé dessus ?

Il finit par s'endormir. À son réveil, elle était de retour. Et elle n'avait pas du tout l'air surpris que rien n'ait changé. Du moins, en ce qui le concernait. Parce qu'un changement semblait s'être opéré en elle.

Pour la première fois, Newman crut détecter un fort sentiment de doute.

— J'ai faim.

— D'accord. Je vais nous préparer quelque chose. Qu'est-ce qui vous ferait plaisir ?

— Sortir. Dîner dehors.

— Vous voulez dire sortir de l'appartement ?

— Oui, j'ai envie de marcher sous la pluie. De respirer l'air frais. D'un repas digne de ce nom.

Impossible. Ce fut sa première réaction.

— Je crois pas que cela puisse marcher.

— Vous ne me faites pas confiance ?

— C'est risqué.

— Allons ! Personne ne sait où vous êtes. Et il y a plein de petits restaurants discrets dans le coin.

À leur retour, à minuit moins cinq, Newman était allongé sur son matelas, attendant ses menottes. Stephanie se sentait affreusement mal à l'aise. Ils avaient gentiment bavardé pendant le dîner et elle lui avait même confié qu'elle s'appelait Stephanie, et non Marianne.

Il perçut son embarras.

— Si vous pensez que cela vous permettra de mieux dormir, mettez-les-moi. Mais dans le cas contraire, je ne tenterai rien.

— Pourquoi ?

— Je ne sais pas trop. J'ignore qui vous êtes et ce que vous avez fait, mais je ne crois pas que vous ayez tué Leonid Golitsyn et l'autre type.

— Et Anders Brand ?

— Si vous dites que vous y étiez, ce doit être vrai. Pourquoi iriez-vous inventer un truc pareil ?

— Exactement.

— Je marche à l'instinct, c'est tout.

— Alors nous sommes deux, dit Stephanie en éteignant la lumière.

Septième jour

Il est six heures moins cinq et les conduites d'eau chaude craquent. Je visionne de nouveau le DVD sur son ordinateur, en coupant le son. C'est moi, c'est elle, c'est moi de nouveau. Elle me ressemble tellement, les différences sont si infimes, qu'il faudrait nous examiner de près pour nous distinguer. Et Anders Brand ? Est-ce bien lui ? Ou s'agit-il aussi d'un faux ?

— *Qu'est-ce que vous regardez ?*

Planté sur le seuil, il est encore à moitié endormi.

— *Rien. (Je cherche à cliquer sur l'icône Arrêter. Je rate mon coup, j'atterris sur celle du son — ce qui a pour effet de le rebrancher — avant d'essayer encore une fois, affolée. Je ne réussis qu'à attirer l'attention sur moi. Le bruit de la machine éjectant le disque déchire le silence. Je rattrape l'objet.) À la fin de la journée, je serai partie.*

Une remarque destinée à changer de sujet qui énonce également une réalité.

— *Où allez-vous ?*

— *Est-ce bien important ? Vous ne m'aurez plus dans les pattes. Vous pourrez retrouver votre vie normale.*

— *Je croyais que c'était déjà fait.*

— *Une vie complètement normale.*

— *Peut-être que je n'y tiens pas.*

— *À vous de voir.*

— *Qu'est-ce qui a changé ?*

— *Presque rien. Voilà pourquoi il faut que je parte.*

— *Je ne vous suis pas.*

— *Je ne peux pas rester ici éternellement.*

— *Quand partez-vous ?*

— *Ce soir. J'ai deux personnes à voir d'abord.*

Il se frotte la figure, dans une tentative de mieux se réveiller.

— *Disons que c'est... abrupt. Qu'est-ce que je fais ?*

— *Ce qui vous chante.*

— *Et aujourd'hui ? Vous allez encore me menotter avant de sortir ? Ou avons-nous franchi ce cap ? Et si tel est le cas, qu'est-ce que je peux faire ? La télé mais pas le téléphone ? L'ordinateur mais pas Internet ? Libre de mes mouvements à condition de ne pas ouvrir la porte ou sortir sur le balcon ?*

Pas idiot. En plus je n'y avais pas songé. Peut-être devrais-je le menotter après tout. Sinon, autant parler dans le vide.

— *C'est vrai quoi, vous êtes encore la patronne, me rappelle-t-il, n'est-ce pas ?*

Elle traversa le périphérique à la porte d'Italie pour rejoindre le Kremlin-Bicêtre dans le grondement de la circulation montant des voies embouteillées. Kremlin-Bicêtre ne devait pas avoir l'air plus affriolant sous un soleil éclatant. Pas un seul visage rayonnant, une enfilade de boutiques minables sur l'avenue de Fontainebleau : des cabines de téléphone à carte pour l'étranger ; des magasins de vêtements nord-africains, le Resto Istanbul, une sandwicherie turque. Rue du Général-Leclerc, Stephanie jeta un coup d'œil par-dessus son épaule et aperçut les tours de la place de Vénétie, à l'est de l'avenue d'Italie. À quinze minutes de marche, mais elle doutait qu'Étienne Lorenz eût jamais fait le trajet à pied.

L'immeuble se trouvait à l'angle de la rue du Quatorze-Juillet, quatre étages s'élevant au-dessus de la brasserie L'Ambassade, un marchand de journaux et un magasin de jouets aux vitrines couvertes de poussière. Elle passa deux fois devant l'entrée, traîna devant La Maison du Couscous pour voir si des hommes de main ne rôdaient pas dans le coin, puis entra. La moitié des rampes manquait dans l'escalier. Comme la porte du dernier étage n'était pas munie de sonnette, elle tambourina sur le panneau de zinc fixé dessus. À côté, une plaque annonçait : Zénith Production SA.

Accueillie par Pico, toujours vêtu de la même tenue, elle ne perdit pas de temps : elle tira son Smith & Wesson de son manteau.

Pico l'escorta jusqu'au bureau de Lorenz. Dans le plus pur style maquereau : deux canapés de cuir noir, un bureau en forme de haricot avec plateau de verre fumé sur structure en chrome, trois peaux de zèbre par terre. Un énorme système stéréo qui hurlait. Derrière le bureau, une fenêtre, condamnée par des planches, avait été peinte en gris métallisé. Elle était flanquée de deux grandes vitrines pleines de DVD et de VHS, sur les couvertures desquels s'exhibaient des starlettes nues. La moitié des titres était en français, les autres en anglais ou en allemand.

— Vous êtes venue m'apporter le reste de mon fric ?

Elle contempla les vitrines et secoua tristement la tête.

— Étienne Lorenz, producteur de porno. J'avais raté ça quand vous m'avez dressé la longue liste de vos occupations.

— J'aime bien compartimenter. De toute façon, je ne suis pas un producteur de porno, poupée. Je tourne des films. Il tapota une pile de manuscrits sur le bureau pour souligner ses dires. Certains ont un contenu très érotique, c'est vrai. Mais je ne fais pas que ça.

— Bon, venons-en à l'essentiel. Parlez-moi du DVD. Je veux savoir où il a été filmé. Qui a organisé la séance.

— Au George V.

— L'hôtel ?

— Non, le monastère. Bien sûr l'hôtel. Dans une des suites.

— Qui l'a organisé ?

Lorenz haussa les épaules.

— Je ne sais pas. Mais le type qui m'a payé m'a convoqué la veille pour installer les caméras. Il a dit qu'il voulait du boulot bien fait.

— Qui était-ce ?

— Écoute, poupée, quel est le problème ? Vous vouliez le DVD. Vous l'avez.

— J'ai dit, qui était-ce ?

— Je l'avais jamais vu. Un grand mec. Qui parlait comme une chasse d'eau.

— Pas français ?

— Non, à moins qu'il ait fait semblant.

— Nationalité ?

— Comment je le saurais, poupée ?

— Vous n'avez pas reconnu son accent ?

— J'ai l'air d'un expert ?

— Pourquoi Golitsyn avait-il votre numéro ?

Lorenz inclina la tête de côté.

— Comment se fait-il que vous l'ayez ? Voilà la question. Pointant sur elle un doigt accusateur, il fit tomber la cendre de son joint sur ses genoux. Peut-être que vous avez quelque chose à voir avec sa mort, hein ?

Stephanie le menaça de son arme.

— Vous tenez à le savoir ?

Lorenz se tortilla dans son fauteuil mais Pico ne réagit pas. Derrière ses lunettes, ses pupilles devaient être grosses comme des têtes d'épingle.

— D'accord, d'accord, on se détend, poupée.

— Arrêtez de m'appeler poupée.

— Salope, ça vous irait ?

— Bien mieux.

— Qu'est-ce que vous voulez de toute façon ? Vous avez tout eu pour rien.

— Est-ce que Golitsyn en était l'organisateur ?

Lorenz ricana.

— Pas du tout. Il voulait juste le DVD.

— Pourquoi en voulait-il une copie ?

— Une copie ? Il voulait l'original.

— Et c'était l'original.

Lorenz secoua la tête.

— Mais il l'a cru.

— Exact. Pauvre connard de Russe.

— Qui a l'original ?

— Je ne sais pas. Le grand type, sûrement. J'ai dû envoyer le truc à une adresse à Vienne.

— À quel nom ?

— Pas de nom. Un numéro de boîte postale.

— Et vous l'avez fait ? Sans poser de questions ?

— Sans poser de questions.

— Vraiment ? Un trouduc comme vous a toujours un motif. C'est pour cette raison que vous avez menti à Golitsyn.

— À Golitsyn, je pouvais lui mentir. Mais pas à celui-là. Il a affirmé qu'il serait capable de reconnaître l'original.

— Pourtant vous en avez fait une copie.

— J'en fais toujours. Deux, en général. Une par sécurité, l'autre au cas où une occasion se présenterait.

— Ce qu'a été Golitsyn ?

— Exact.

Lorenz tira sur son joint, retint la fumée dans ses poumons le plus longtemps possible, puis exhala lentement. Il l'offrit à Stephanie. Devant son refus, il le passa à Pico.

— Qui était la Noire ?

— Angeline.

— Ne vous arrêtez pas en si bon chemin, Étienne. Vous avez le vent en poupe.

— Une fille que je connais, c'est tout.

— Personnellement ou professionnellement ?

Lorenz s'empoigna les parties.

— Les deux.

Pico gloussa avant d'être pris d'un accès de toux grinçante.

— Une femme facile à satisfaire, alors. Et l'autre ?

Lorenz se renfrogna.

— Vous voulez parler de celle qui vous ressemble trait pour trait ?

Ils se dévisagèrent un moment.

— Étienne, siffla-t-elle. Faites-vous une faveur. Pas de ce petit jeu.

— Je ne la connaissais pas. C'était la première fois que je travaillais avec elle.

— Du coin ?

— Non. Pas une Française. Mais elle habitait ici.

Stephanie haussa un sourcil.

— Ici avec vous ?

— Non. À Paris.

— Où ?

— À Stalingrad. C'est ce qu'elle a dit. Vers l'avenue de Flandre, je crois. Elle ne m'a jamais donné l'adresse.

— Mais vous la lui avez réclamée.

— Bien sûr. Pourquoi pas ? On a pris un verre ensemble. C'était sympa. Le sourire malsain revint. Vous avez vu : elle a ça dans le sang. Elle pourrait baiser un mec jusqu'à ce que mort s'ensuive et il crèverait le sourire aux lèvres. Je pensais que nous pourrions travailler ensemble.

— Travailler ?

191

— Et nous faire plaisir. Dans mon domaine, le travail est un plaisir.

— Vous êtes vraiment classe, Étienne.

— J'aimerais pouvoir en dire autant de vous.

— Donc elle habitait Paris. D'où venait-elle ?

— De Vienne.

Une erreur, c'était sorti tout seul.

— L'endroit même où vous avez envoyé le DVD.

— Une coïncidence.

— Vraiment ? Elle vous a donné un numéro ?

— Non.

— Une adresse ?

— Non plus.

— Comment étiez-vous censé la contacter ?

— C'était pas prévu. Elle ne voulait pas me voir.

— Je croyais que vous étiez sortis. Que c'était sympa.

— J'ai trouvé ça sympa, poupée, confirma-t-il avant de feindre la tristesse. Mais elle, non. Alors...

— Où est-elle ?

Stephanie tira trois fois, une fois après chaque mot.

L'ampli se transforma en un déluge d'étincelles et d'éclats de plastique noir. Lorenz recula, son fauteuil alla heurter la planche bouchant la fenêtre. Pico ne bougea pas.

— Pauvre dingue !

— Fallait pas m'appeler poupée. Stephanie avança en pointant l'arme sur son crâne. Je ne poserai pas la question poliment la prochaine fois. Où puis-je la trouver ?

— Au Club Nitro.

— À Vienne ?

— Oui.

— Comment s'appelle-t-elle ?

— Je ne connais pas son vrai nom.

— Je perds ma putain de patience, Étienne, marmonna Stephanie sans desserrer les dents.

— Elle a dit qu'elle s'appelait Petra.

— Merci de me recevoir si vite, dit Stephanie.

— Je dois avouer que votre appel ne m'a pas surprise. J'avais l'intuition que nous nous reverrions. Même si j'espérais plutôt le contraire.

Elle portait un tailleur noir avec des chaussures assorties. Une grosse broche ornait le revers gauche de sa veste, une spirale d'émeraudes taillées en carré enchâssée dans des diamants. Stephanie ne put s'empêcher de la fixer, fascinée.

— L'esprit de Mercure, expliqua Natalya Ginzburg. Une pièce créée à l'origine par mon mari pour Audrey Hepburn. (Elle était assise dans le fauteuil le plus proche de la fenêtre donnant sur la place Vendôme.) J'avais bêtement imaginé que vous auriez la sagesse de disparaître. Il faudra que vous soyez brève. Je n'ai pas beaucoup de temps.

— Je me demandais si Anders Brand aurait pu considérer Golitsyn comme un confident. Je sais qu'ils étaient très proches ; vous l'avez dit vous-même.

— C'est une idée à vous ?

— Oui.

— Elle ne vient pas de Shéhérazade Zahani alors ?

Stephanie ne put masquer sa surprise.

— J'entends des choses que je ne devrais pas entendre. Mon mari, Aleksandr, vendait des pierres précieuses mais aussi une marchandise bien plus rare : le renseignement.

— Comme Golitsyn.

— Exactement. Et comme moi, à ma modeste manière.

Stephanie sortit la première chose qui lui vint à l'esprit.

— Vous connaissez Stern ?

— J'ai entendu parler de lui, bien sûr. Mais je ne l'ai jamais rencontré. Du moins à ma connaissance.

— Vous savez ce qu'il m'a dit ? *Golitsyn flotte au-dessus du monde.*

Ginzburg haussa un sourcil dessiné au crayon.

— Vraiment ? Pas mal pour un homme qui a si peu de panache. Voire exact. Il vous a dit ça quand ?

— Il y a quatre jours.

Ginzburg eut l'air de se remémorer des temps bien plus anciens.

— Leonid vivait au milieu de gens pour qui les règles normales ne s'appliquent pas. Ils sont trop riches pour payer des impôts. Ils vivent dans de trop nombreuses maisons pour avoir un vrai foyer. Ils laissent les contraintes de la loi à ceux qui peuvent se permettre d'engager les meilleurs avocats.

— Vous flottez aussi au-dessus du monde ?

Elle eut un sourire froid.

— Je préfère me considérer comme quelqu'un qui occupe un environnement unique et solitaire.

— Vous avez dit que vous entendiez des choses que vous ne devriez pas entendre. Qu'avez-vous entendu au sujet de la bombe du Sentier ? Ou de Brand ? Voire de Golitsyn ?

Elle lâcha un soupir théâtral.

— Supposons un instant que vous trouviez les réponses à vos questions – une hypothèse peu raisonnable, à mon avis – qu'en ferez-vous ? Que vous apporteront-elles ?

— Je veux connaître la raison.

— Mais vous connaissez déjà la réponse en l'occurrence ; c'est parce que vous êtes Petra Reuter.

— J'ai besoin de savoir qui est responsable.

— Pour vous venger de manière sanglante du petit dérangement que vous avez subi.

— Ce qui s'est passé au Sentier est plus qu'un petit dérangement selon moi.

Ginzburg prit une de ses cigarettes turques roulées main dans un coffret en argent posé sur le guéridon à sa gauche.

— Et votre *alter ego* – Petra –, comment le considérerait-elle ?

Comme un simple dérangement ; apparemment Ginzburg comprenait ses deux facettes.

— J'ai changé. Ou je suis en train de changer. L'un ou l'autre, je ne sais pas trop.

Ginzburg alluma sa cigarette et contempla Stephanie à travers d'épaisses volutes de fumée dorée.

— J'ai vu Leonid le matin de sa mort.

Stephanie sentit son cœur s'emballer.

— Vous ne me l'aviez pas dit. Où vous êtes-vous rencontrés ?

— Ici. Quand il m'a téléphoné dans la matinée, il avait l'air très mal en point. Je lui ai proposé de le rejoindre, mais il a refusé. Il a insisté pour venir me voir. *Cela paraîtra normal* – c'est le prétexte qu'il a avancé. Une visite à une vieille amie ; quoi de moins suspect ?

— A-t-il dit qu'il se rendait au Lancaster ce soir-là ?

— Non.

— A-t-il évoqué Shérérazade Zahani ?

— Non.

— Et Robert Newman ?

— Qui cela ?

— Un homme d'affaires américain.

— Non, je ne crois pas. Ce nom ne me dit rien.

— Que savez-vous de Zahani ?

— Outre ce qu'on lit dans les journaux, seulement la chose suivante : qu'elle est très intelligente. Et qu'elle est d'une habileté scientifique.

— Une habileté scientifique ?

— Les environnements hostiles ont toujours réussi à Zahani, qu'ils soient physiques, politiques, commerciaux ou culturels. Elle est douée d'une stupéfiante capacité d'analyse. Qu'il s'agisse d'un pays ou d'un individu, cela ne change rien pour elle. Elle joue aux échecs à la perfection – c'est sa passion – et, à bien des égards, elle mène sa vie sur un échiquier de soixante-quatre cases. Une femme aux options infinies.

On frappa à la porte. Un homme trapu en costume noir et chemise blanche apparut. Il hocha très légèrement la tête et disparut sans dire un mot.

— Il faut que je parte pour l'aéroport. Si vous le désirez, vous pouvez m'accompagner un bout de chemin comme ça nous pourrons continuer à bavarder.

La voiture était une limousine Zil noire. Avec des rideaux à moitié tirés aux fenêtres. Sur la plage arrière, une rose rouge dans une coupe en argent. Une vitre épaisse séparait la banquette arrière du chauffeur.

— Un cadeau de Leonid Brejnev à mon mari, expliqua Ginzburg. Ou plutôt un cadeau du peuple reconnaissant de l'Union soviétique. Aleksandr l'a aussitôt expédiée à Stuttgart pour la faire réaménager. En d'autres termes, elle n'est pas ce qu'on croit.

Elles quittèrent en douceur la place Vendôme et prirent la direction du boulevard des Capucines.

— Que vous a dit l'autre Leonid ?

— Nous avons évoqué le dîner qu'il avait partagé avec Anders au Meurice le jour de son arrivée de New York. Anders était dans un état consternant. Très abattu, très distrait. Et d'une pâleur de mort.

— Il s'est expliqué ?

— L'Irak. Le va-et-vient entre Bagdad et les États-Unis

devenait éprouvant. Anders vivait sous la pression du département d'État, du Pentagone, même de la Maison Blanche.

— Quel genre de pression ?

— Vous connaissez Butterfly ?

— Non. De quoi s'agit-il ?

— C'est un programme de reconstruction pour l'Irak, centré sur la ville de Mossoul, au Nord. C'est surtout un projet d'assistance, avec des principes directeurs qui rappellent assez le programme pétrole contre nourriture institué sous Saddam. La différence, c'est que les revenus doivent être administrés par une tierce partie afin de s'assurer que l'argent atteint ses cibles.

— Au risque de paraître naïve, cela me paraît une bonne idée.

— Je le pensais aussi.

— Quel est le problème ?

— Anders ne voyait pas les choses sous cet angle, d'après Leonid.

— Pourquoi pas ?

— Il avait le sentiment – non, il estimait – que l'on trompait le peuple irakien.

— Je dois avouer que je n'ai jamais vraiment compris en quoi son opinion avait tant d'importance.

— Anders était un homme qui jouissait de la totale confiance de l'administration américaine actuelle, bien qu'il soit européen et malgré sa longue association avec l'ONU. En même temps, en Irak, il était l'homme – le seul Occidental – en qui les Kurdes, les Sunnites et les Chiites avaient confiance. Vous voyez quelqu'un d'autre dont on pourrait dire ça ? Vous imaginez qu'un tel être puisse exister ?

— Probablement pas.

— Alors vous commencez à comprendre dans quelle position il se trouvait : son patronage était essentiel. Les Américains estimaient qu'ils pouvaient compter sur son appui pour Butterfly et qu'une fois le projet lancé, tout le monde pourrait en voir les profits, puisque d'énormes investissements étaient générés pour l'infrastructure sociale de l'Irak.

— Un exercice de relations publiques sur une grande échelle.

— Une échelle sans précédent. Mais avec le bonus de l'intégrité.

196

— Que s'est-il passé ?

— Il ne voulait même pas proposer le projet aux Irakiens.

— Pourquoi ?

— Anders disait qu'il pouvait convaincre les différentes factions mais il précisait aussi que s'il devait agir en toute bonne foi — être le courtier honnête que les Américains attendaient — il recommanderait à toutes les parties de rejeter Butterfly.

— Pourquoi ?

— Selon lui, c'était un écran de fumée.

— Qui dissimulait quoi ?

— Il a refusé de le dire à Leonid. Cela lui aurait fait courir des risques.

— Pourquoi n'a-t-il pas confié le soin aux factions irakiennes de prendre leur propre décision ? Je suis sûre qu'elles auraient accueilli la proposition avec le scepticisme voulu.

— Je suis encline à être d'accord avec vous. Mais lui non.

— Ainsi, après la mort d'Anders, Leonid est venu vous voir parce qu'il avait besoin de quelqu'un à qui parler.

— Oui.

— Si vous me permettez, pourquoi vous ?

Ginzburg afficha un amusement hautain.

— Cela vous surprend ?

— Franchement, oui.

— Leonid a toujours été franc avec ceux à qui il faisait confiance. Mais il n'a jamais été avare de confiance.

Est-ce que Ginzburg était au courant pour Brand et les *call-girls* ? Probablement. Après tout, c'était une femme qui entendait davantage de choses qu'elle ne le devrait.

— Y a-t-il autre chose que je devrais savoir ?

— Butterfly devait être ratifié dans quatre jours.

— Devait ?

— Anders était censé être présent. Comme garant de bonne foi, pourrait-on dire. Je suppose que sa mort a jeté une ombre sur Butterfly. Quant à savoir si cela va changer quoi que ce soit, je l'ignore.

— Où la signature devait-elle avoir lieu ?

— À Vienne. Pendant la conférence.

— Quelle conférence ?

— Petrotech. Une sorte de forum pétrolier, je crois. Leonid

m'a expliqué, mais je dois avouer que je n'y ai guère prêté attention. Cela paraissait très ennuyeux.

Vienne. Pour la deuxième fois de la matinée.

Un petit tableau de contrôle en écaille était encastré dans l'accoudoir près de Ginzburg. Elle appuya sur un bouton rouge et la Zil se rangea en douceur le long du trottoir à côté de la bretelle du périphérique à la porte de la Chapelle.

— Je vous ai dit tout ce que je savais en ce qui concerne Leonid et Anders. À vous de décider ce que vous ferez de ces renseignements. Mais avant de faire votre choix, il faut que vous sachiez autre chose : vous faites l'objet d'un contrat.

Stephanie la fixa pendant quelques secondes.

— Comment le savez-vous ?

— Pourquoi à votre avis Brejnev a-t-il fait cadeau de cette voiture à Aleksandr ? (Un sourire dénué d'humour se dessina sur son visage parcheminé.) Non parce qu'ils étaient amis. Ce n'était pas le cas. Mais parce que chacun détenait ce que l'autre voulait. Et quand le prix était le bon, ils échangeaient. Je me suis renseignée sur vous. En faisant appel à de vieilles connaissances.

— Pourquoi ?

— Vous le savez, Stephanie. Nous sommes pareilles, vous et moi.

Elle ne pouvait le nier mais cela ne l'empêcha pas de livrer le fond de sa pensée.

— Cela suffit ?

— À mon âge ? Sans aucun doute. J'ai le sentiment que je peux être aussi indulgente que je le souhaite.

— Comme c'est libérateur.

— Effectivement. Très libérateur. J'espère que vous vivrez assez longtemps pour en faire l'expérience.

— On ne sait jamais.

Ginzburg dissimulait quelque chose. Stephanie en était sûre. Petra en aurait fait autant.

— Cinq millions de dollars.

— Pardon ?

— Le prix sur votre tête, répondit Natalya Ginzburg. (Elle lui accorda le temps de digérer l'information puis hocha la tête avec sympathie.) Je sais ce que vous devez ressentir. Cela doit plus tenir de l'insulte que de la menace.

— Qui paie ?

— Je n'ai pas pu l'établir. Mais c'est ouvert. Premier arrivé, premier servi. Une course, ouverte à tous.

Stephanie tendit la main vers la poignée.

— Bon... Merci en tout cas.

— Ne me remerciez pas. Écoutez-moi plutôt. Vous ne pouvez pas les voir. Vous ignorez combien sont à vos trousses. Et la qualité de leur réseau de relations. Ginzburg se pencha vers elle et lui prit la main. Fuyez, Stephanie. Soyons réalistes, c'est la seule chose à faire.

Il pleut toujours quand je sors de la station Châtelet-Les Halles, mais cela m'est égal. J'ai toujours aimé la pluie ; elle me donne le moral. Je descends le boulevard de Sébastopol et tourne sur le quai de Gesvres.

Natalya Ginzburg a raison bien sûr. Je l'ai vue et j'ai vu Étienne Lorenz et je me retrouve avec plus de questions que de réponses. Ce soir, je vais donc partir pour l'Italie. Je connais un faussaire à Turin, un autre apprenti de Furst. D'Italie, je m'envolerai pour les États-Unis où je me fondrai dans une grande ville. Los Angeles, très certainement. L'endroit idéal pour se perdre. Je traînerai avec les épaves vagabondes aux lisières de la ville. Et au bout de semaines d'incertitude, un plan à long terme se formera. L'Australie, peut-être. Ou la Nouvelle-Zélande. Le plus loin d'ici possible. D'ici et d'elle.

Je n'ai pas besoin de trouver l'autre Petra à présent parce que je ne m'y intéresse plus. J'ai eu mon compte. Je ne veux plus de cette existence. Et surtout, je n'en ai pas besoin. Quelle que soit la maladie dont je souffrais, je suis guérie.

La police pourrait très bien m'attendre dans l'appartement du quai d'Orléans, puisque je n'ai pas menotté Robert avant de sortir. Pourtant je n'hésite pas à rentrer. Une part de moi lui fait confiance, l'autre s'en fiche. Je n'appellerais pas cela une pulsion de mort. Plutôt du fatalisme. Ce qui est une preuve, si c'était nécessaire, du déclin de l'influence de Petra.

Elle est en train de passer de la réalité au souvenir. C'est un cliché dont les couleurs ont fané avec le temps. Bientôt, elle ne sera plus qu'une tache indistincte sur un arrière-plan vide.

Robert est dans le salon. Les rideaux sont ouverts, les lampes sont allumées. Il lit The Economist. *Il porte un vieux jean et une chemise en coton crème bien repassée avec les manches retroussées. Ses cheveux sont encore humides après la douche. Il est rasé de près et pieds nus. Techni-*

quement, il reste un otage, mais pour un observateur peu attentif, je pourrais être une femme qui rentre retrouver son mari.

— Vous avez l'air détendu.

— Pour un prisonnier, je me sens plutôt détendu. Vous avez obtenu ce que vous cherchiez ?

— Oui. Et vous ?

— J'ai traîné ici, c'est tout. J'ai parlé à Marie.

— Votre secrétaire ?

— J'ai pensé qu'il le fallait. Je suis censé être malade après tout, pas en déplacement. Et puis j'ai appelé Yvette. Elle vient après-demain.

— Vous n'êtes pas sorti ?

— Vous m'avez demandé de ne pas le faire.

— Je sais.

Il voit l'absurdité de notre situation.

— Écoutez, Stephanie, la façon dont cela a tourné... Je ne sais pas à quoi je m'attendais quand vous avez sauté dans ma voiture, mais ce n'était certainement pas ça.

— Bienvenue au club.

— Je n'ai pas vu l'intérêt de tenter quelque chose. Pas maintenant. Pas quand vous partez.

— Merci.

— Il y a une chose, toutefois.

— Quoi ?

Son expression se situe quelque part entre l'embarras et la douleur.

— Je suis allé dans mon bureau vérifier mon mail.

— Vous avez bien fait.

Il évite de me regarder en face.

— Le DVD était à côté de l'ordinateur. Celui que vous regardiez ce matin.

Plus que tout, je suis déçue. Non pas par lui. Mais par moi. Même si ce n'est pas moi. Je ne veux pas qu'il ait cette idée de moi. Je lui dis que ce n'est pas moi, mais je vois bien qu'il ne me croit pas.

— Elle me ressemble parce qu'elle est censée me ressembler.

— Je n'aurais pas dû le visionner, d'accord ? Je suis désolé.

— Si vous êtes très attentif, vous repérerez les différences.

— Ça va, Stephanie. Je vous crois.

Le mensonge ne fait qu'aggraver les choses. Il veut me croire mais il sait ce qu'il a vu. Ce qui est précisément la raison pour laquelle ce DVD a été tourné. Je pourrais le lui prouver si je le voulais. Mais cela exigerait que je m'assoie à côté de lui pour le regarder, et je ne suis pas sûre d'avoir *le cran nécessaire. Pas maintenant. Et dans une heure ou deux, quand je serai partie, quelle différence cela fera-t-il ?*

Stephanie prépara du thé et l'apporta dans le salon. Elle posa le plateau sur la table basse devant Newman.

— Avez-vous déjà entendu parler d'un projet baptisé Butterfly en rapport avec l'Irak ?

— Non. De quoi s'agit-il ?

— Un programme de rénovation basé à Mossoul. Un projet pétrole contre liquide.

Newman eut un doux rire sarcastique.

— Né à Washington ?

— Je crois bien. Pourquoi ?

— Je ne sais pas. Je regrette simplement que ceux qui imaginent ces trucs ne prennent pas le temps d'aller voir à quoi ressemble la vie sur place.

— Vous parlez de l'Irak ou en général ?

— Les deux.

Elle lui tendit du thé dans une tasse bleue.

— Vous n'approuvez pas ce qui s'est passé en Irak ?

— À vous entendre, on dirait que vous pensez que je le devrais.

— Vous êtes un pétrolier.

— Un : je ne suis pas un pétrolier. Il se trouve juste que je conclus des marchés avec des pétroliers. Deux : non, je n'approuve pas ce qui s'est passé en Irak.

— Vous ne pensez pas que les raisons de faire la guerre étaient bonnes ?

— Je ne sais plus ce que je pense. À l'exception d'une chose : le monde est un endroit meilleur sans Saddam et ses fils. Le seul argument légitime pour aller en Irak, c'était l'aide humanitaire. Et personne ne s'en est soucié jusqu'à ce que toutes les autres raisons soient discréditées.

— Vous connaissez bien l'Irak ?

— Pas vraiment. J'y allais dans les années 1980. Entre les guerres, je n'y ai mis les pieds que deux fois. Depuis, jamais. Je connais beaucoup mieux d'autres pays de la région.

— Vous n'en avez pas moins un point de vue.

— Certainement et le voilà : c'est le bordel. Et il n'y a pas d'issue.

— Sauf de partir bien sûr.

— Ce n'est pas une porte de sortie. Ce n'est pas pour ça que ça s'arrêterait.

Stephanie se servit du thé et alla s'asseoir sur l'autre canapé. Elle retira ses chaussures et replia ses jambes sous elle.

— Comment pouvez-vous en être aussi sûr ?

— Parce que l'Amérique veut la démocratie en Irak. Si elle réussit à l'y établir, l'Irak deviendra encore plus que cela ne l'est déjà un paratonnerre régional pour les militants anti-américains et anti-démocratie. Et si la démocratie échoue en Irak, l'Amérique aura échoué aussi. Et elle n'aura réussi qu'à laisser un héritage de haine intensifiée.

— Vous croyez que la démocratie est vraiment possible en Irak ?

— À long terme, peut-être, mais probablement pas.

— Pourquoi ?

— Fondamentalement, l'Islam et la démocratie sont incompatibles, si vous acceptez que la démocratie donne le pouvoir au peuple. Dans l'Islam, c'est à Dieu seul que le pouvoir appartient.

— Toute tentative d'établir la démocratie en Irak − ou ailleurs dans le monde arabe − est donc vouée à l'échec.

— Cela dépend : dans quelle mesure l'Irak sera-t-il islamique ou démocratique ? Mais il est naïf et insultant de supposer que la société irakienne ne peut pas tirer son épingle du jeu sans démocratie. Ou de penser que les musulmans sont généralement incapables d'établir des sociétés non démocratiques réussies. Historiquement, ils y sont parvenus. En revanche, à l'exception de la Turquie, presque tous les États musulmans du monde actuel sont des échecs despotiques. Mais ce n'est pas la faute de l'Islam. C'est celle des dirigeants de ces pays.

— Je suppose que vous estimez que Butterfly n'est rien de plus qu'un exercice de cynisme ?

Newman but une gorgée de thé.

— Fiez-vous à quelqu'un qui connaît cette industrie. L'Irak, c'est un problème de pétrole. Rien de plus, rien de moins. Même si l'industrie pétrolière le nie.

— Cela me paraît assez normal, non ?

— Oui. Mais ils ont aussi raison.

— Maintenant vous vous contredisez vous-même

— Pas vraiment. Écoutez, les compagnies pétrolières se sont opposées à la guerre en Irak. Elles ont averti que cela mènerait à des troubles régionaux, à l'instabilité en Arabie saoudite et à des augmentations du brut. Ce qui est arrivé. Mais cela n'a pas empêché les politiciens de foncer. Cela a été pareil quand les Britanniques ont déclenché le conflit de Suez en 1956. Cela a directement entraîné la montée du nationalisme arabe qui a débouché sur la formation de l'OPEP et la crise du pétrole de 1973.

— Donc tout tourne autour du pétrole.

— Oui. Mais au niveau gouvernemental, pas au niveau des entreprises, comme les théoriciens du complot aimeraient à le faire croire. Les États-Unis veulent − *ont besoin* − d'avoir un pied permanent dans la région. Si une meilleure alternative se présentait, les États-Unis l'adopteraient immédiatement parce qu'ils se foutent royalement de tout le monde.

— Vous savez, parfois j'ai du mal à croire que vous soyez américain.

— Pourquoi ? Parce que je n'agite pas un petit drapeau étoilé ? Parce que je ne suis pas le papa américain typique ? Épargnez-moi votre condescendance, Stephanie.

— Allons. Vous n'êtes pas vraiment l'Américain moyen.

— Soit. J'ai vécu à l'étranger pendant près de la moitié de ma vie. J'ai eu la chance de ne jamais avoir dû me fier à Fox News pour avoir accès à de vraies informations. Mais cela n'en fait pas moins de moi un Américain.

— Peut-être pas.

— Peut-être que je ne suis pas très conforme au courant dominant. Je suis peut-être un petit peu trop... tangentiel.

Tout comme elle. Étaient-ils semblables ? Si l'on grattait le vernis professionnel − le costume, l'arme − que restait-il ?

— Tangentiel. C'est un bon terme. Vos rapports avec Solaris, ils sont tangentiels aussi ?

— Maintenant que vous en parlez, oui, effectivement.

— Qu'est-ce que c'est Solaris exactement ? Vous ne me l'avez jamais dit.

— Vous ne m'avez pas vraiment posé la question. (Il posa sa tasse sur la table basse.) Techniquement, c'est un cabinet juridique international. Son siège est à Zurich et il possède des études dans cinq continents.

— Techniquement ?

— Solaris est plus qu'un cabinet juridique. Ou moins, si vous êtes puriste. Je dirais que cela se situe entre le cabinet juridique et une société d'investissements.

— Qui donne dans le commerce du pétrole.

— Pas exclusivement. Bien qu'aux États-Unis, le travail de Solaris tourne surtout autour du pétrole. Dans le monde, il porte plusieurs chapeaux. Il lance et gère des fusions et des acquisitions. C'est un organisme de lobbying. Une société de stratèges de l'industrie. Une société de financiers. Un cabinet juridique. À vous de choisir.

— Qu'est-ce que vous êtes alors ? Un avocat ?

— D'abord condescendante, maintenant agressive. Et après ? Non, je ne suis pas avocat.

Elle se rappela qu'il n'avait pas non plus répondu à la question au Lancaster. Au moins il était cohérent.

— Un stratège ?

— Non. Et je ne suis pas non plus un financier. Pas vraiment. Je suis simplement quelqu'un qui met les gens en contact.

— Un peu vague, non ?

— Ce doit être pour ça que je suis un consultant pour Solaris et non un employé.

— Pourtant vous avez une secrétaire.

— Vu l'argent que j'ai fait rentrer dans les caisses de Solaris, je devrais avoir droit à un jet privé. Mais je suis heureux de me contenter de Marie. Elle met de l'ordre dans une vie chaotique.

— J'aimerais bien la voir essayer maintenant.

— Vous marquez un point.

— Mais vous venez du pétrole, n'est-ce pas ? C'est ce que vous avez dit.

— J'ai travaillé pour des compagnies pétrolières quand j'étais plus jeune. Aux États-Unis et au Moyen-Orient. Voilà pourquoi Solaris m'a sollicité. Ils voulaient surtout exploiter mes contacts qui étaient − et sont encore − plutôt bons.

— Et cela ne vous ennuie pas ? D'être exploité ?

— Pourquoi cela m'ennuierait-il ? Les contacts sont une monnaie d'échange, rien de plus, rien de moins. Comme d'échanger des dollars contre des euros. C'est une transaction simple dont le taux de change dépend du degré d'urgence.

204

C'était si vrai. N'était-ce pas ainsi que Stern s'était conduit ? Et si ce principe restait vrai, où Natalya Ginzburg se plaçait-elle ? Elle lui avait fourni des renseignements. Pourquoi ? Pour que Stephanie puisse disparaître, comme elle l'avait suggéré un peu tardivement ?

Peu vraisemblable.

Elle emporta une paire de ciseaux et un journal dans la salle de bains. Elle ferma la porte, se déshabilla puis remplit le lavabo d'eau chaude. Elle plongea la tête dedans, s'assura que ses cheveux étaient bien mouillés, puis les peigna. Elle contempla son reflet ruisselant dans la glace et s'efforça de décider où couper. À l'épaule ou plus courts ?

Petra avait eu les cheveux plus courts que Stephanie. Elle était du genre à changer de couleur et de style – dont un crâne complètement rasé à une occasion – tandis que Stephane préférait le naturel ; brun et épais avec quelques boucles lorsqu'elle les laissait assez pousser. Toutefois, ces derniers mois, c'est Petra qui avait eu les cheveux longs.

Elle les coupa court et jugea que cela lui durcissait les traits. Excellent. Elle avait besoin d'être Petra à présent. Rien que pour un jour ou deux, le temps qu'elle devienne quelqu'un d'autre. Ensuite, elle l'enterrerait et s'occuperait du reste de sa vie.

Cela devait être bizarre de ne mener qu'une vie à la fois. La dernière fois que cela lui était arrivé, elle avait dix-huit ans. Depuis, elle avait compartimenté. Adulte, elle n'avait jamais vécu autrement. Serait-elle capable de s'adapter à une réunification ?

Elle enveloppa les mèches humides dans un journal, le fourra dans la poubelle, et prit une longue douche pour se débarrasser des petits cheveux.

Dans la chambre elle enfila les vêtements qu'elle avait préparés : des sous-vêtements noirs, un treillis olive, un t-shirt noir, une chemise en coton turquoise, des baskets, des chaussettes de tennis. À côté des vêtements, attendait le petit sac contenant le liquide donné par Shéhérazade Zahani. Dans l'entrée, un pull épais et un manteau. Voilà. Elle n'emportait rien de Golitsyn, à part son liquide. Cela ne servait à rien. Plus maintenant. Il valait mieux voyager le plus léger possible.

À son retour, Newman était toujours assis sur le canapé. Ayant terminé *The Economist*, il feuilletait *The New Yorker*.

— Radical, dit-il en la voyant.

Elle passa une main dans ses cheveux mouillés.

— C'est l'apparence que je suis censée donner.

— Alors c'est réussi.

— Et si vous me rencontriez dans un bar ? Au Lancaster, par exemple.

— Cela vous irait toujours. Mais pas à Claudia Calderon. C'était un autre genre de femme.

— Certes. Classe, raffinement et élégance.

— Elle était transparente.

— Dans mon domaine, être transparent peut être un bon point.

Il lui sourit.

— Puisque vous partez, je vais vous faire un aveu : malgré tout, vous allez me manquer, Stephanie.

— Pas du tout. C'est une version de moi qui n'existe que dans votre imagination qui va vous manquer. Vous ne me connaissez pas.

— Je sais ce que vous n'êtes pas. Vous n'êtes pas la femme qui est montée dans ma voiture.

— Ne vous attendrissez pas, Robert. Je n'en vaux pas la peine.

Neuf heures et quart. Stephanie entra dans la cuisine. Newman était debout près de l'îlot central. Branchée sur la chaîne Bloomberg, la télévision suspendue au dessus du plateau en ardoise affichait des listes de cours de la Bourse. Il se servit un Glenlivet puis lui tendit la bouteille.

Elle secoua la tête.

— Je ne bois pas quand je conduis.

— Conduire ?

Elle lui sourit gentiment.

— J'ai besoin de votre voiture, Robert.

— Bien sûr. Pourquoi pas ? Vous ai-je jamais refusé quoi que ce soit ?

— Je suis sûre que votre compagnie d'assurance aura pitié de vous.

Elle posa une casserole d'eau sur un brûleur à gaz et ouvrit un paquet de spaghettis. Du carburant. Pas la peine de quitter le sanctuaire de l'appartement de Newman le ventre vide. Elle prit une bouteille d'huile d'olive vierge sur l'étagère à droite de l'évier, la posa à côté de la planche en bois et entreprit de découper un oignon.

Il s'assit sur un des tabourets.

— Où irez-vous ?

— Ce soir ? En Hollande. J'ai des contacts là-bas. Après, qui sait ?

Elle n'avait pas envie de lui mentir. Pas maintenant. Mais il fallait bien qu'ils se chicanent un peu.

— J'ai besoin de quelques heures, Robert.

Il regardait toujours l'écran plat.

— De combien ?

— Autant que vous pouvez m'en accorder.

— Vous voulez que j'attende jusqu'à demain matin ?

— Vous accepteriez ?

Il hocha la tête, puis contempla le fond de son verre.

— Si vous vous apprêtez à partir, je vais passer quelques coups de fil.

Stephanie se raidit, puis se sentit tour à tour honteuse, inquiète et perdue.

— Pour affaires, la rassura Newman. Je pourrais attendre une demi-heure si vous préférez. Mais j'aimerais joindre New York avant quatre heures.

— Vous avez eu toute la journée pour passer ces coups de fil mais vous avez attendu ?

— J'ai promis de ne pas téléphoner quand vous m'avez prié de ne pas le faire.

— Vous savez ce que je veux dire.

— Quand je donne ma parole, je la tiens.

— Un homme honnête.

— Chaque fois que c'est nécessaire.

— Et vous avez eu le sentiment d'y être obligé même sous la contrainte ?

— Quelle contrainte ?

— Allez-y. Vous êtes de nouveau chez vous.

Il sortit de la cuisine. Pour Dieu sait quelle raison, elle crut qu'il allait se retourner. Pour ajouter quelque chose. Il n'en fit rien.

Elle fit glisser l'oignon dans une poêle avec un peu d'huile, écrasa la gousse d'ail dans le presse-ail et versa le tout avec l'oignon qui commençait à grésiller. L'eau bouillonnait. Elle la sala et jeta les spaghettis dedans.

Après avoir mis fin à tant de vies, elle terminait l'une des siennes. Elle était déjà dans les limbes, coincée entre le monde de Petra et un univers post-Petra. Quand elle sortirait de l'appartement, Petra commencerait à se désintégrer. Plus elle accumulerait les kilomètres entre Paris et elle, plus la désintégration s'accentuerait.

L'avenir, immense et vide, était à la fois séduisant et inquiétant. Elle s'imagina plus douce. Elle s'imagina seule. Ou avec des amis qu'elle ne s'était pas encore fait. Mais elle savait qu'il resterait des parties de Petra qu'elle n'éliminerait jamais.

C'est la raison pour laquelle l'instinct la rattrapa un instant avant le bruit.

Un bruit sourd, étouffé – elle l'entendit à peine avec la télévision en marche. Comme un objet qu'on renverse. Un bruit fréquent dans une maison.

Mais elle *sut*.

On ne le lui avait pas appris. Boyd l'avait prévenue. Cela se manifestait une fois l'enseignement terminé. Cela venait avec l'expérience. Il n'y avait pas de raccourci possible.

Elle fut tentée de crier, pour localiser Newman, mais elle résista. Elle ne baissa pas non plus le volume de la télé. Où était le pistolet ? Dans le salon, la direction d'où avait semblé venir le fameux bruit. Elle tendit l'oreille. Silence total.

Elle saisit le couteau à découper, puis examina les autres dans le bloc et choisit un couteau à éplucher comme seconde arme.

La cuisine avait deux portes. La principale ouvrait sur le couloir. L'autre menait à la buanderie, une voie sans issue. Elle ne pouvait ni traverser le couloir ni le longer. Pas si un flingue l'y attendait.

Elle perçut un mouvement. Un couinement. Des semelles en caoutchouc sur du carrelage ?

Elle vida la bouteille d'huile d'olive par terre. Puis battit en retraite au fond de la pièce. Elle chercha du désinfectant sous l'évier. Rien.

Dans la buanderie, elle trouva une bouteille en plastique

d'eau de Javel. Et le compteur électrique. Laissant tomber l'eau de Javel, elle coupa le courant.

Les commentateurs de Bloomberg furent réduits au silence. Elle se glissa hors de la buanderie. La cuisine n'était baignée que de la seule lueur bleutée des brûleurs. Elle s'accroupit près de l'îlot central, la tête à la hauteur de la hanche, le couteau à découper dans une main, le couteau à éplucher dans l'autre.

Le vacarme de la ville envahit la pièce : voitures roulant sur le quai d'Orléans, sirènes couinant dans le lointain, de la musique montant d'une péniche. Elle perçut un léger mouvement.

La glissade produisit un bruit de succion. Une voix masculine grogna. Un corps heurta le sol, l'arme partit. Un éclair, un bruit de percussion amorti – *un silencieux* – et une balle vint se ficher dans le mur.

Elle se déplaça dans la pièce. L'intrus aussi. Avec une vélocité incroyable, déjà sur un genou, braquant l'arme sur elle. La seconde balle la frôla au point qu'elle sentit le déplacement d'air près de son épaule gauche. D'un coup de pied, elle le désarma. Puis elle se jeta sur lui, ses lames en avant. Et rata son coup.

Il se mouvait tel un fantôme, disparaissant un instant, réapparaissant ailleurs l'instant d'après. Dans l'obscurité bleutée, elle aperçut un reflet sur de l'acier. Un poignard, plus long que son couteau à découper, deux fois plus large, à double tranchant.

C'était un homme de grande taille. Un mètre quatre-vingt-dix, bonne forme physique, tout en noir, jusqu'à la cagoule. Il tendit brusquement son bras armé du poignard vers elle. Elle recula, brandissant le couteau à découper, gardant l'autre pour terminer le travail.

Quand son talon droit toucha l'huile d'olive, il perdit l'équilibre. Stephanie lui bondit dessus, mais il s'écarta tout en tentant de l'atteindre. Elle se tourna pour éviter le couteau, glissa. Entraînée par son élan, elle s'écrasa contre lui.

Dans la chute, seule Stephanie réussit à conserver son couteau à éplucher. Il para son coup de son avant-bras, puis lui saisit le poignet gauche, et l'écrasa dans sa main. De son poing libre, il la bourra de coups.

Elle se pencha pour mordre la main qui lui enserrait le poignet, ses dents traversant le gant, la peau, le tendon. Il ouvrit le poing un instant. Elle lui fila un coup de tête en pleine figure.

Sous la cagoule, le nez céda. Avec un bruit de ballon de football tombant sur du gravier. Stephanie profita du fait qu'il était momentanément étourdi pour lui balancer un coup de coude dans la bouche. Elle s'éloigna en rampant et récupéra le couteau à découper. Il roula sur lui-même, saisit son poignard et se redressa d'un bond. Il plongea, elle vira sur elle-même. L'extrémité de la lame s'écrasa contre l'ardoise et grinça sur le plan de travail.

Dans la lueur bleutée, elle vit un cercle humide se former juste en dessous des fentes de la cagoule. Il l'attaqua de nouveau, le fait de n'avoir qu'une lame contre deux ne semblant pas le démonter. La lame d'acier aveugla Stephanie. Elle dévia l'assaut, métal contre métal, puis tenta de l'attaquer avec son couteau à éplucher. Il l'envoya valdinguer d'un revers du bras gauche.

Cela la déséquilibra. Il bondit de nouveau. Elle tenta de se dégager, mais fut trop lente. Elle sentit la lame lui pénétrer le flanc gauche, si aiguisée qu'elle s'enfonça sans problème dans la chair.

Une chaleur humide et collante.

Le coup suivant la rata, mais il était assez près d'elle pour lui balancer un coup de pied dans le genou. Elle s'effondra, son poignet heurta le coin du plan de travail, le couteau à découper s'envola dans l'obscurité.

Il plongea sur elle. Elle recula, ignorant la douleur, repoussant de ses semelles deux coups de couteau. Pataugeant dans le sang qu'elle laissait par terre, il s'approchait d'elle, l'arc de sa lame toujours plus proche, son assurance revenue.

Un peu trop.

Elle cessa de reculer. Il avança. Elle lui expédia un pied dans les testicules avec une puissance telle qu'il décolla du sol.

Elle n'attendit pas sa réaction mais entendit sa respiration sifflante. Elle se redressa tant bien que mal. Les couteaux étaient hors de portée. Ignorant sa douleur, il revint à la charge. C'est là qu'elle lui vida la casserole d'eau bouillante sur la tête.

Il hurla. Stephanie tendit la main vers le bloc à couteaux et saisit le premier qui se présentait. Un couperet.

Plus lent à présent, moins agile, il tenta de lui sauter dessus. Elle fit un pas de côté, saisit le manche du couperet à deux mains et l'enfonça dans son flanc droit, juste en dessous des côtes, la violence du coup le projetant contre l'évier. Elle lâcha prise. Laissant le couperet en place. Il tituba, dérapa sur son sang et chuta.

Elle repéra son pistolet sous l'îlot central à côté de la poubelle. Lorsqu'elle se pencha pour la récupérer, elle sentit sa blessure se rappeler à son mauvais souvenir.

Un Heckler & Koch USP muni d'un silencieux. Le vernis anti-corrosion sur le polymère synthétique donnait à l'arme des reflets argentés dans la pénombre. Elle le pointa sur la nuque et pressa la détente.

Mais rien qu'un peu. Elle avait besoin de lui vivant. Du moins, pendant un temps.

Stephanie repoussa son poignard du pied, enjamba son corps prostré, et lui arracha sa cagoule.

Une grosse tête carrée apparut. Peau rougeaude, cheveux blonds coupés court, pas vraiment laid au premier coup d'œil, si l'on faisait abstraction du nez écrasé. Et pas inconnu non plus.

— Grotius, murmura-t-elle. Lance Grotius.

J'appuie sur le bouton du compteur électrique. La lumière revient, l'émission de Bloomberg repart. Grotius est dans un sale état, mais il reste stoïque. Il réussit à sourire à travers un rideau de dents brisées et de spaghettis fumants.

— Salut, Petra, gargouille-t-il. Ça fait un bail. On pourrait toujours prendre ce verre si vous voulez.

— Un verre ? Ce n'est pas ce que vous m'avez promis, Lance.

Ancien soldat de l'armée d'Afrique du Sud, Grotius était né pour le combat. Il avait servi en Namibie et en Angola avant de quitter l'Afrique du Sud pour une vie de mercenaire ; la Sierra Leone, la RDC, la Somalie, les Balkans.

Nous nous étions rencontrés dans un bar à Chypre — le Mistral — il y avait plus d'un an maintenant, peu après ma réincarnation. Boissons minables, éclairage minable, un air humide à peine dérangé par les pales d'un ventilateur. J'avais rendez-vous avec trois trafiquants d'hommes russes.

Grotius m'avait abordée en se présentant : « Je m'appelle Lance. » Avant d'enchaîner avec un « Putain, ce que vous êtes belle ».

Difficile d'imaginer à quel point ces mots m'avaient paru laids. Encore maintenant, leur souvenir me répugne. Ce qui rend ma tâche à venir un peu plus facile. Son accent guttural de mitrailleuse, la bouffée d'odeur corporelle sous l'after-shave bas de gamme, la main qu'il avait pressée sur une de mes cuisses, puis sur l'autre, puis entre les deux — je n'ai rien oublié.

La troisième chose qu'il m'avait dite, c'était : « Devinez un peu pourquoi on m'appelle Lance ? »

— *Parce que vous travaillez en free-lance ?*

Dérouté, il avait froncé les sourcils, ce qui avait assombri son regard.

Surexcité, sans la moindre retenue, il n'avait pas arrêté de me tripoter. Au début, il avait été simplement persévérant. Ensuite, le sang infecté par l'alcool, il s'était fait insistant. Il m'avait attirée contre lui, embrassée dans le cou, puis il avait glissé sa langue au creux de mon oreille avant de me murmurer : « Encore un verre et je te ramène chez moi. Je te veux. Regarde. » Sous la table, il m'avait collé la main sur sa braguette durcie.

— *Tu en chialeras, tu verras.*

Je ne pouvais pas réagir violemment, pas avec les Russes assis à la table. Mais quand Grotius avait titubé en direction de l'urinoir, j'avais filé. De retour à mon hôtel, je m'étais frotté le corps sous la douche jusqu'au sang : j'y avais échappé de peu, mais je me sentais toujours contaminée. Plus tard, je compris pourquoi. Ce n'était pas moi. C'était la pensée des autres anonymes. Celles qui avaient dû se retrouver dans la même situation. Celles qui n'y avaient pas échappé. Celles qui n'avaient pas eu le choix.

C'est à cela que je pense quand je lui demande :

— *Qui est avec vous, Grotius ?*

— *Je suis seul. (Malgré la douleur, il affiche un rictus.) Comme toi, Petra.*

Je tire. La balle s'enfonce dans sa cheville gauche. Tout son corps se convulse. L'air qui s'échappe de ses poumons siffle comme une bouilloire. Des éclats d'os vont se coller sur l'îlot près de son pied détrempé.

— *Qui est avec vous ?*

Je vise ses couilles meurtries.

— *Personne, halète-t-il. Je le jure, bordel. Personne.*

Je le laisse se tordre de douleur sur le carrelage de la cuisine. Robert est par terre dans le salon. Il tente de se mettre à quatre pattes. Je m'agenouille près de lui.

— *C'est moi. Ça va ?*

Il s'étrangle, de la salive lui coule de la bouche, ses yeux s'embuent.

— *Super bien.*

— *Que s'est-il passé ?*

Il ouvre la bouche, essaie de parler mais sa voix râpeuse ne lâche que des borborygmes.

Je vois l'engin gisant près du canapé. J'en retire la cartouche en plastique opaque et la tourne ; de l'Avrolax, de la kétamine trafiquée, instantanément efficace. La drogue commence à se diffuser dès l'instant où elle pénètre dans le corps.

— *Allongez-vous et ne bougez pas. Concentrez-vous sur votre respiration. Vous allez peut-être vomir mais cela va s'estomper, je vous le promets.*

En l'aidant à se coucher sur le flanc, je remarque la peau décolorée au-dessus de son oreille droite et sur la tempe.

— *Ça va aller. Je reviens dans une seconde. Ne bougez pas.*

Dans la cuisine, Grotius s'est traîné le long de l'îlot, le couperet dépassant encore de son flanc. Je lui marche sur la main.

— *Des questions, Lance. (Je ramasse le couteau à éplucher par terre et je m'accroupis près de lui.) J'appuie l'extrémité de la lame contre sa cheville ensanglantée. Qui vous a envoyé ?*

Il serre les dents.

— *Personne.*

J'enfonce la lame entre ses os. Il s'efforce de ne pas crier. En vain.

— *Rendez-vous service. Nous savons comment ça marche. Si nos positions étaient inversées, vous feriez pareil avec moi.*

— *Pas question, marmonne-t-il dans une grimace. Je vous aurais avant.*

— *C'est mieux qu'après, je suppose.*

— *Ça dépend.*

— *Arrêtez ce petit jeu, Lance, et je promets de faire vite.*

— *Ils cesseront jamais de vous chercher, Petra.*

— *Qui cela ?*

— *Le plus beau, c'est que j'en sais rien.*

— *Eh bien ils peuvent toujours essayer. Ils ne me trouveront pas.*

— *Un jour, si.*

— *Comment avez-vous eu le contrat ?*

— *À la manière habituelle.*

— *Cachette électronique ?*

Il réussit à secouer un peu la tête.

— *Texto et courriel.*

Il me faut un moment pour comprendre.

— *Vous ne travaillez plus en free-lance ?*

— *Pour vous, je suis... engagé.*

— Par ?

— Vous n'écoutez pas. Je vous ai dit, j'en sais rien.

— Vous êtes sur les listes de quelqu'un mais vous ne savez pas qui ?

— Mieux pour tout le monde.

Cela paraît plausible mais il ment.

— Ça fait combien de temps que vous êtes à Paris ?

— Dix-huit mois.

— Où est-ce qu'ils vous envoient ?

— En Afrique. Au Moyen-Orient. En Asie du Sud et en Asie centrale.

— Et moi ?

— Faites l'objet d'un appel d'offres.

— J'en ai entendu parler. Cinq millions. Cela ne m'a pas fait plaisir. Comment m'avez-vous trouvée ?

Il faut quelques incitations douloureuses pour obtenir la réponse : un film de caméra de surveillance qui a échappé à l'attention de la police. Installée au-dessus de l'entrée d'un joaillier, objectifs braqués dans deux directions, l'un d'eux couvrant le carrefour de la rue de Berri et de la rue du Faubourg-Saint-Honoré. Dommage que nous ne soyons pas directement partis rue d'Artois. Il m'explique comment il a récupéré la bande avec une joie non dissimulée, qu'il a réussi à réduire les recherches à cinq véhicules, et qu'il a envoyé les plaques minérologiques pour identification. Le nom et l'adresse de Robert sont sortis, ce qui est la raison pour laquelle on lui a donné le feu vert.

— Félicitations, Lance, en resserrant ma prise sur le couteau à éplucher. Quel effet ça fait d'être plus riche de cinq millions de dollars qu'il y a une heure ?

Stephanie fourra le Sigma Smith & Wesson sous la ceinture de son pantalon et fit le tour de l'appartement avec le Heckle & Koch USP au poing. Grotius avait dû entrer par la porte ; son exploration ne lui fournit aucun signe d'une alternative possible ou de la présence d'un complice.

Dans le salon, Newman assis sur le canapé était plié en deux au-dessus d'une corbeille à papiers.

— Comment vous sentez-vous ?

— Fabuleux. Une autre question idiote ?

Elle lui tendit un verre d'eau.

— Buvez ça. Lentement.

Lorsqu'il releva la tête, ses yeux s'écarquillèrent, révélant des blancs injectés de sang.

— Merde, ça va ?

— Ça va.

— Vous êtes... en sang.

Stephanie lui lança un regard Petra.

— Tout n'est pas à moi.

— Bon Dieu... est-ce qu'il est...

— Vous en faites pas pour lui. Il est dans la cuisine drapé de mes spaghettis.

Elle alla dans la salle de bains. Le côté gauche de sa chemise était trempé. Elle la déboutonna et la retira. La coupure faisait une bonne quinzaine de centimètres de long. Grotius aurait facilement pu atteindre la colonne vertébrale ; une cible en mouvement, une question de centimètres. Le sang coulait à flot. Elle se rinça les mains et explora la lacération de l'index. Le tiers central était plus profond qu'elle ne l'aurait cru.

Elle explora l'armoire à pharmacie : du Nurofen, une boîte à moitié pleine de sparadrap, une plaquette périmée d'anti-inflammatoires, une boîte intacte de lingettes antiseptiques.

Elle retourna voir Newman.

— Vous avez une trousse de premier secours ?

Il avait les yeux fixés sur l'entaille entre son soutien-gorge et son treillis olive, dont la ceinture avait viré au noir à cause du sang.

— Répondez, Robert.

— Euh... non. Je ne crois pas. J'ai des pansements...

— Je les ai trouvés. À part ça ?

— Rien. Désolé.

— Ce n'est pas aussi grave que cela en a l'air. Vous avez vomi ?

— Non.

— Alors vous ne vomirez probablement pas. Pas maintenant. Buvez un peu d'eau. Cela vous aidera.

Elle trouva une serviette d'invités blanche dans un placard à linge et deux cravates en soie dans l'armoire de sa chambre. De retour dans la salle de bains, elle retira son treillis, rinça le sang, utilisa trois lingettes pour nettoyer la coupure, puis pressa la serviette contre la blessure et la maintint en place avec les cravates.

En matière de soins de fortune, elle avait connu pire. Un jour, en Roumanie, elle avait dû se servir de superglue pour

215

refermer une entaille à l'arrière de son mollet droit. Trois jours s'étaient écoulés avant qu'elle ne réussisse à se faire admettre dans un hôpital de Constanta. L'intervention du médecin avait été plus douloureuse que la blessure elle-même.

Elle enfila un jean propre, une des chemises de Newman, puis un gros pull bleu marine et une veste en cuir.

— Ça va mieux ? demanda-t-elle à Newman.

— Si on veut. Je me sens complètement groggy.

— Vous pouvez conduire ?

Sa peau luisante de sueur était grise, son souffle court et rauque. Au bord du malaise, il ne l'avait pas entendue. Elle répéta sa question avec plus d'insistance.

— Pouvez-vous conduire ?

— Je crois, oui.

— Parfait. Nous partons.

— *Nous ?*

— J'ai besoin de vous pour me conduire.

— Mais je croyais...

— Eh bien non. On n'a pas le temps. Je sais ce que j'ai dit et je le pensais. Mais là, il faut qu'on file d'ici.

— Où allons-nous ?

— Rassemblez vos affaires.

— Quelles affaires ?

— Tout l'argent que vous avez. Des vêtements, si vous voulez.

— Attendez une minute...

— Nous n'avons pas une minute à perdre. Exécution.

En route vers l'appartement de Grotius, ils s'arrêtèrent dans une pharmacie ouverte vingt-quatre heures sur vingt-quatre où Stephanie acheta le nécessaire pour panser convenablement sa blessure.

— Vous êtes déjà venue ici ? demanda Newman lorsqu'ils se garèrent avenue des Ternes devant une agence du Crédit Agricole.

— Bien sûr que non.

— Je croyais que vous le connaissiez.

— Je l'ai croisé une fois. Mais pas ici.

— Vous êtes sûre que c'est chez lui ?

— C'est l'adresse qu'il m'a donnée.

— Peut-être qu'il a menti.

— Si c'est le cas, c'était seulement au début.

Les platanes frissonnaient dans le vent. Ils restèrent un moment dans la voiture à observer l'entrée de l'immeuble.

Le comportement de Newman avait changé dès l'instant où il avait vu Grotius par terre dans la cuisine. Il n'avait pas réagi, les yeux fixés sur le corps révulsé, le sang et les couteaux. Ensuite, il avait pris ses affaires et l'avait suivie dehors sans dire un mot.

Elle appuya sur le bouton au nom de Sturgess, celui que Grotius lui avait donné. Pas de réponse, bien. Elle tapa le code, un sept trois six, et la porte s'ouvrit sur un hall sombre et humide. Ils prirent l'ascenseur jusqu'au sixième étage. Le numéro que lui avait fourni Grotius était dans un couloir à droite. Elle colla l'oreille contre la porte, rien. La télé hurlait dans l'appartement voisin, un sitcom, plaisanteries douteuses, rires en boîte.

Stephanie regarda à droite et à gauche, puis sortit la clé et l'arme. À l'intérieur, elle tâtonna en quête d'un interrupteur et ferma la porte derrière eux. Cela puait le renfermé, comme si c'était inoccupé depuis des mois, et pourtant le fond de la cafetière en verre près de la cuisinière était tiède.

La chambre et la salle de bains étaient à droite. Vingt ans de négligence : une tapisserie en lambeaux sur du plâtre moisi, des abat-jour décolorés, une moquette en nylon vert foncé constellée de brûlures de cigarette.

Des haltères sur un râtelier triangulaire contre un mur. Dans la salle de bains, des flacons de compléments alimentaires pour favoriser le développement musculaire. Scotchée au mur une photo arrachée à un magazine : Jennifer Lopez en bikini. Stephanie étala ses achats sur un placard près du lavabo et s'apprêtait à retirer sa chemise quand Newman l'appela.

— Ici.

Il était dans la chambre. Stephanie prit l'arme. Il l'attendait devant une armoire ouverte.

— Je fouillais dans ses affaires quand la tringle a cédé. Elle est montée sur un gond.

Il lui montra : quand on tirait dessus, l'arrière de l'armoire s'ouvrait. À l'intérieur du compartiment secret, il y avait trois

217

étagères pour l'équipement professionnel de Grotius : des boîtes de munitions 45F ACP pour le pistolet, qu'elle prit, deux passeports, un australien, un américain, tous deux au nom de Walter Sturgess ; une dizaine de fléchettes en acier miniatures, deux portables, un choix de couteaux, une autre arme – un Star Megastar espagnol ; des coups de poing américains en laiton ; trois bombes au poivre et une de gaz CS, une boîte contenant dix recharges d'Avrolax.

Les deux étagères du bas révélaient le vrai Grotius : une trentaine ou une quarantaine de revues porno écornées ; sept DVD et une dizaine de cassettes vidéo, le tout avec des couvertures pornographiques ; une longueur de corde plastifiée, une boîte contenant des lubrifiants et des vibromasseurs ; une trousse de toilette en plastique transparent avec une seringue neuve et quatre petites fioles contenant un liquide incolore avec deux bouts de coton hydrophile, souillés de taches de sang brun rouille.

— Quel amour, ce mec, dit Newman en secouant la tête.

Stephanie acquiesça.

— Peut-être que je l'ai laissé s'en tirer à trop bon compte.

— Des armes et de la pornographie. En Louisiane, il serait gouverneur.

Dans la salle de bains, elle refit son pansement. Puis elle fouilla le living. Les armoires et les tiroirs ne révélèrent rien, mais il y avait un ordinateur portable Toshiba relié à un téléphone mobile Nokia sur la table à côté du réfrigérateur. Elle toucha le clavier et l'appareil émergea de son état de veille.

Newman revint avec les deux passeports et des documents.

— J'ai des factures de France Telecom et des relevés du Crédit Lyonnais au nom de Wayne Sturgess. Mais le gaz et l'électricité sont au nom d'Émeline Duprée.

— Une sous-loc, peut-être.

— Ou une petite amie ?

— J'en doute. Je ne vois pas de traces de présence féminine ici.

Stephanie entreprit de trier les fichiers de l'ordinateur. Comme on pouvait s'y attendre, les courriels avaient été effacés. Elle examina le mobile ; pas de numéros en mémoire. Elle tenta de récupérer les dix derniers numéros composés et les dix derniers reçus. Tous effacés. Elle essaya la touche bis. Rien.

— Nous devrions nous tirer d'ici, dit Newman.

— Je ne peux pas partir les mains vides.

— Je croyais que vous vouliez disparaître.

— C'est le cas. Mais j'ai besoin de savoir.

— Savoir quoi ?

Elle n'était pas sûre. Peut-être simplement parce qu'il s'agissait de Grotius.

Ils commencèrent par la kitchenette. Dans le réfrigérateur, Newman trouva deux kilos de bœuf, quatre sacs d'épinards en feuille et une demi-douzaine de cartons de lait de soja protéiné.

— Étonnant qu'il ne se soit pas tué avec un régime pareil.

Elle vérifia sous le canapé et le fauteuil, sous le tapis vert, sous les lames du plancher. Newman dévissa le panneau de la baignoire, examina le réservoir de la chasse d'eau, les placards de la salle de bains, le conduit d'aération. Il retourna le lit, découpa le matelas.

— Trouvé quelque chose ? lui lança Stephanie de la kitchenette.

— Des tonnes de soie noire... je ne sais pas comment on appelle ça... un genre de... strings.

— Pour femme ?

— J'aimerais dire oui. Mais je ne crois pas.

Le voisin éteignit sa télévision. Stephanie consulta sa montre. Onze heures dix. Elle regarda par la fenêtre. Il s'était remis à pleuvoir.

— Vous aimeriez peut-être jeter un coup d'œil à ça.

Elle se retourna. Newman lui montrait deux DVD.

— Ils étaient sur une des étagères. Il n'y a aucune inscription dessus.

Stephanie glissa le premier dans le Toshiba, en craignant le pire : du « fait maison » par Grotius. Le portable ronronna et une fenêtre apparut sur l'écran, révélant un grand répertoire de données. Les dossiers étaient codés en couleurs : rouge, vert, bleu. On en comptait neuf. Elle entra dans quatre d'entre eux au hasard et fit défiler les fichiers. La plupart des noms était des combinaisons de lettres et de chiffres. Inintelligibles pour elle, ils avaient manifestement un ordre. Elle s'intéressa de plus près à une partie d'entre eux. Des courriels sauvegardés, des téléchargements de renseignements, des photos, certaines datées et situées, d'autres non.

— Vous avez une idée de ce que cela peut être ? demanda Newman.

— Si je devais faire une supposition, je dirais qu'il s'agit d'une police d'assurance.

Dans un dossier, Stephanie trouva des fichiers de transactions bancaires. Des dépôts de liquide, des transferts électroniques, même des chèques, tous versés dans une série de comptes, puis transférés. Elle connaissait bien le procédé. Des dollars sales retrouvaient leur virginité, des commissions étaient payées, des bénéfices investis.

Un autre dossier contenait des documents scannés ; des factures médicales, des contrats immobiliers, trois demandes d'indemnité et plusieurs factures de transport. Elle en ouvrit une, émise par Calloway Transport Inc. de Trenton dans le New Jersey, adressée à une société de Paris du nom de Duprée. L'adresse de facturation correspondait à l'appartement de Grotius. À l'attention de Wayne Sturgess, elle dressait la liste de conteneurs transportés par mer jusqu'à Rotterdam, puis par voie de terre jusqu'à Paris. Étaient facturés le transport par bateau, les frais de manutention, les droits d'importation, et les taxes locales. On ne précisait pas ce que renfermaient les conteneurs.

— Regardez-moi ça, murmura Newman. Calloway et DeMille.

— Calloway et DeMille ?

Il se pencha au-dessus d'elle et revint en arrière jusqu'à ce qu'il tombe sur un fax échangé par deux sociétés. L'une d'elles, Red Line Aviation, exigeait une compensation pour un retard de paiement d'une société du nom de Gilchrist Marine Services à Miami, Floride. Red Line réclamait soixante-quinze mille dollars pour transport en avion et hélicoptère privés en Indonésie. Elle exigeait un règlement immédiat et complet adressé aux bureaux de sa filiale, la DeMille Corporation à Houston, Texas.

Newman désigna le numéro de référence du fax, puis la référence correspondante sur la facture de Calloway Transport.

— Regardez. RW/434/DeM/CTI. DeM, c'est DeMille. Cela figure sur les deux.

— DeMille, cela me dit quelque chose.

— La DeMille Corporation. Des fournisseurs d'armements

privés pour ceux qui ont les moyens de se les offrir. Comme la famille royale d'Arabie saoudite. DeMille a contribué à la création de SANG, la garde nationale saoudienne et l'a dirigée. Ils ont aussi formé l'armée indonésienne.

— Et Calloway ?

— Calloway Transport est une filiale appartenant exclusivement à DeMille. DeMille est la propriété exclusive de Kincaid Pearson Merriweather. KPM est l'un des plus gros fournisseurs de l'armée des États-Unis qui appartient au groupe Amsterdam. Le PDG de KPM, Kenneth Kincaid, est un poids lourd politique. Membre de l'American Partnership Foundation à Washington, c'est un ami du président, du dernier président, de *tous* les présidents.

— C'est donc une chaîne alimentaire ?

— Exact. En partant du sommet : Amsterdam – KPM – DeMille – Calloway.

— Et au bout de la chaîne, on passe de Calloway à Grotius.

— On dirait.

— Mais Calloway est une société de transports.

— Bien sûr. Et la Voice of America est une station de radio du service public.

— Comment êtes-vous au courant pour DeMille ?

— Regardez où ils opèrent. Arabie saoudite, Indonésie, Nigeria, Venezuela.

— Pétrole ?

Il opina du chef.

— Ils ne sont pas directement impliqués dans le pétrole. Mais ceux qui le sont ont tendance à être ceux qui ont les moyens de s'offrir – et s'offrent – les services de DeMille. Ce n'est pas un secret. Mais ils *sont* secrets. Ils ont été les pionniers de la privatisation militaire. Personne n'est aussi doué ni aussi gros qu'eux.

— Ils doivent employer pas mal de gens.

— Ils ont *accès* à pas mal de gens. C'est un peu comme de diriger une agence de mannequins. Les modèles ne vous appartiennent pas. Ils figurent dans vos dossiers et vous leur trouvez du travail. Contre honoraires.

— Combien ?

— Des milliers. Vingt, trente. Voire plus.

— Une armée, quoi.

— Plusieurs armées.

— Comment une entreprise aussi importante peut-elle être aussi... discrète ?

— Parce qu'elle opère à un micro-niveau, par le biais de petites sociétés comme Calloway. Des entreprises qui n'ont pas de locaux. Des entreprises qu'on peut faire disparaître en enfonçant une touche.

— Des entreprises qui ne peuvent pas être directement reliées à DeMille ?

— Exact. Sauf quand quelqu'un comme votre ami décide de garder un renseignement pour lui.

— Ce qui donne de la crédibilité à ma théorie voulant que ce DVD soit une assurance.

Stephanie se plongea dans d'autres dossiers.

— Pourquoi ne pas embarquer le portable et le DVD ? Je ne pense pas qu'il en aura besoin.

— Une minute.

Elle ouvrit le second DVD. Le répertoire révélait les transferts les plus récents ; trois dossiers copiés sur le disque à quatre minutes d'intervalle, moins de soixante-douze heures plus tôt. Elle en ouvrit un. Il contenait quatre fichiers. Des noms, des numéros et des adresses se matérialisèrent sur l'écran.

Newman parlait toujours mais elle ne l'entendait plus.

Les yeux fixés sur le premier nom, elle se sentit prise de nausées. Elle regarda le suivant, puis les autres. Elle les connaissait tous.

Mark Hamilton, Konstantin Komarov. Pas seulement des connaissances. Des hommes qui avaient de l'importance pour elle. Le générique de sa vie. À l'exception de Cyril Bradfield et d'Albert Eichner. Mystérieusement absents.

Elle regarda l'adresse de Komarov : Kutuzovsky Prospekt, Moscou. Son adresse quand ils étaient amants. Elle se souvint de leur première nuit là-bas, combien elle s'était montrée imprudente et combien cela avait été bon. Il y avait trois autres adresses pour Komarov à Moscou ; son bureau, l'orphelinat d'Izmaïlovo et une troisième qu'elle ne reconnut pas. Ulitsa Pyatnitskaya. Un nom et un numéro de téléphone l'accompagnaient : Ludmilla Ivanova.

Une géologue parlant couramment quatre langues et la femme peut-être la plus belle que Stephanie eût jamais vue.

Dans ses moments de cafard, elle s'était imaginé que Komarov était passé à autre chose. Enfin plus exactement, elle l'avait espéré. Mais pourquoi le ferait-il ?

Mark Hamilton habitait toujours Queen's Gate Mews à Londres. Le numéro de téléphone était le même.

Elle avait la tête qui tournait.

Ses doigts se posèrent sur le tapis de la souris. Une nouvelle page de renseignements s'afficha. Un océan de noir sur un blanc électronique. Elle n'y comprit rien. Sauf une chose. Aux deux tiers du bas de la page, se trouvait une série de lettres et de chiffres : M-E-1-1-6-4-R-P.

Son code d'identification à Magenta House.

Huitième jour

Péage de l'A6 au sud d'Auxerre. Newman conduisait l'Audi gris métallisé. Stephanie était assise à l'arrière, le portable posé à côté d'elle sur la banquette en cuir. Elle savait qu'elle finirait par s'extraire de sa torpeur, mais cela n'en prenait pas le chemin. Pour l'instant, elle se sentait complètement perdue et elle n'essayait pas vraiment de lutter.

De toutes les surprises récentes – l'appartement de Stalingrad, le film clandestin – la vue de son code d'identification de Magenta House était la plus choquante parce que c'était plus qu'un simple dispositif de sécurité. C'était l'ADN de Petra Reuter. Et qui d'autre aurait pu le fournir sinon Magenta House elle-même ?

Quelqu'un de l'intérieur.

Petra Reuter se réduirait-elle à présent à un fantôme ? Une légende bien pratique pour débusquer des cibles potentielles. Possible. Sauf que, bien sûr, grâce à Stephanie, Petra avait dépassé tout ce que Magenta House avait pu imaginer.

Ironiquement, l'existence même du code pourrait bien mener à la conclusion que Petra Reuter n'avait jamais existé. Mais quid d'Otto Heilmann ? Qui l'avait tué ? Après Magenta House, Stephanie avait autorisé la vie à imiter l'art. Puis à l'améliorer.

Mais pourquoi ? Les yeux perdus dans l'obscurité, elle se rendit compte qu'elle était incapable de s'en souvenir.

Ils se dirigeaient vers la Suisse, avant d'entrer en Italie, d'où elle s'envolerait pour les États-Unis. Où irait Newman après ?

Comment se sépareraient-ils ? Pourquoi étaient-ils encore ensemble ?

Elle tenta de mettre de l'ordre dans les événements de Paris : la bombe du passage du Caire, le Lancaster, l'appartement de Stalingrad, le film. Puis Grotius. Elle était censée être morte dans le Sentier. Ayant survécu, elle avait été piégée pour qu'on l'accuse du meurtre de Golitsyn. Ayant survécu à cela, on avait de nouveau essayé de la tuer.

Ses pensées dérivèrent vers Newman. Il avait reconnu tous les noms sur le portable de Grotius : DeMille, Calloway, KPM. Il savait qu'ils appartenaient au groupe Amsterdam. Il avait été au Lancaster. Et dans la voiture remontant la rampe. Il prétendait tout ignorer de Butterfly mais il connaissait très bien l'arrière-plan géopolitique. Elle ne pouvait le soupçonner de rien de précis. C'était juste une impression générale. Ou peut-être était-ce dû à sa fatigue. Cela devenait de plus en plus difficile de faire la part des choses.

Elle appuya son visage contre la vitre.

Newman l'observait dans le rétroviseur.

— Ça va ? On pourrait peut-être s'arrêter pour prendre un café. J'aurai besoin de faire le plein dans moins de quatre-vingts kilomètres.

Elle ne répondit pas et il n'insista pas. Il avait des questions à poser — des questions qu'il avait besoin de poser — mais ce n'était pas le moment. Quand il obtiendrait des réponses, il faudrait qu'elles soient cohérentes.

Il ne parvenait pas à chasser l'image du corps dans la cuisine. Le sang, les couteaux, les blessures. Pendant ces jours passés ensemble, il y avait eu des moments où il avait douté de sa capacité de se montrer vraiment violente. Une illusion qu'il avait entretenue ? Maintenant il savait.

New York, vingt heures cinquante

Paris-2, le Sud-Africain Lance Grotius s'était vu confier le contrat d'élimination peu après 21 h 05 CET. John Cabrini avait tenu compte du fait qu'il attendrait peut-être une heure tardive pour envoyer une confirmation, mais à Paris il était à présent trois heures moins dix du matin et il ne s'était toujours pas manifesté.

225

Quand Grotius avait demandé des renseignements sur les plaques minéralogiques, Cabrini s'était attendu à tout sauf à trouver un rapport. Mais si : Robert Newman, un consultant de Solaris. Cette description l'avait fait frémir ; dans son univers le terme de « consultant » recouvrait un vaste éventail d'options, aussi peu tentantes les unes que les autres.

Solaris avait joué les conseillers officieux pour des sociétés contrôlées par le groupe Amsterdam, mais pas pour Amsterdam lui-même. Newman y avait personnellement participé à deux reprises. Une fois à Kuala Lumpur, l'autre à Caracas. Mais cela s'arrêtait là. Il n'y avait pas d'autres pistes à suivre. Jusqu'à la plaque minéralogique du véhicule.

Je sors des toilettes. Un bras sur le dossier de sa chaise, Robert bavarde avec un homme assis à la table voisine. Un homme vêtu de bleu marine. Un homme accompagné de trois amis, aussi vêtus de bleu marine. Un homme avec une arme dans son étui sur la hanche. Un homme qu'une réflexion de Robert fait éclater de rire.

Toute la tablée l'imite.

Nous sommes à l'aire de service du Chien-Blanc. À quatre heures moins dix du matin, c'est à la fois sinistre et accueillant. Un havre après l'obscurité de la route balayée par le vent, mais sans âme, le personnel squelettique se déplaçant sous un éclairage qui rendrait exsangue le visage le plus chaleureux.

Le réflexe Petra offre deux solutions. Un : tourner les talons et partir. Mais Robert a la clé de l'Audi et, à cette heure matinale, les solutions de rechange viables ne se bousculent pas sur le parking. Deux : sortir le flingue de ma veste en cuir, descendre tout le monde, prendre la clé et filer.

Heureusement, comme je ne suis plus exactement la femme que j'étais, je ne fais ni l'un ni l'autre. Robert me voit et me sourit. Un homme détendu sans un souci au monde, tant que vous ne posez pas de questions au sujet de la vilaine estafilade au-dessus de son oreille droite. Qu'en se tournant vers moi, il colle sous le nez de son nouveau copain, le flic.

Il me présente sous le nom d'Anna. Il a l'œil qui frise. Les flics me serrent la main, on échange des plaisanteries. Je m'assois et la conversation reprend. Tout le monde est d'excellente humeur. J'imagine qu'avec leurs yeux aux rayons X ils voient le Heckler &Koch USP à travers la bosse de ma poche, les coupures ainsi que les hématomes qui m'ont décoloré la peau.

Lorsqu'ils se lèvent pour partir, je n'ai aucune idée du temps qui vient de s'écouler. Échange de poignées de main, ils nous souhaitent un bon voyage et s'en vont. Je les regarde rejoindre les deux voitures de patrouille à l'extérieur, m'attendant à ce que cela tourne mal.

Rien.

Je lance à Robert un regard censé être agacé.

— *Anna ?*

Il hausse les épaules.

— *C'est le seul nom qui me soit venu à l'esprit.*

— *C'est encore pire.*

— *Il aurait mieux valu que j'utilise le vôtre ?*

— *Il aurait mieux valu que vous n'engagiez pas la conversation avec la gendarmerie du coin.*

— *Qu'est-ce que je devais faire ? Partir m'installer à une autre table ?*

— *Vous auriez pu les ignorer.*

— *Même quand ils m'ont adressé la parole ?*

— *Qu'est-ce qu'ils voulaient ?*

— *Le journal.*

— *Quel journal ?*

— *Il y avait un exemplaire de* France-Soir *sur notre table. L'un d'eux me l'a demandé. On a bavardé et il a remarqué mon accent. Je lui ai dit que j'étais américain et il a répondu qu'il adorait* New York. *Un des autres avait une sœur qui a épousé un dentiste de San Francisco.*

— *Pourquoi riaient-ils ?*

Robert se tortille sur sa chaise, gêné.

— *Eh bien... je leur ai dit que vous étiez ma secrétaire. Et que nous partions quelques jours.*

Une explication partielle s'il en est.

— *Continuez.*

— *L'un d'eux a demandé où je vous emmenais.*

— *Et vous avez répondu ?*

— *Au septième ciel.*

Je suis trop abasourdie pour articuler un mot.

— *Vous plaisantez.*

Mais non. En plus, il a l'air de trouver ça drôle. Je secoue la tête, histoire de montrer ma désapprobation.

— *Au septième ciel, hein ?*

— *C'est tout ce qui m'est venu à l'esprit sur le moment.*

— *Vous aggravez votre cas.*

Quatre heures et quart, mon café est froid, mais j'en bois tout de même une gorgée.

— *J'ai toujours besoin de votre voiture, Robert. Et si vous pouviez m'accorder une heure ou deux le temps que j'arrive au péage, ce serait bien. Vous pourriez reprendre une tasse de ce délicieux café.*

— *Quelle agréable perspective.*

Nous nous regardons un moment, sans éprouver le besoin de parler. Nous avons dépassé ce cap.

— *Avant de vous voler votre voiture, je tiens à vous remercier.*

— *Pourquoi ?*

— *Pour avoir rendu la chose intéressante. Pour avoir rendu les choses beaucoup plus faciles que cela n'aurait pu l'être.*

— *Vous étiez armée.*

— *Vous savez ce que je veux dire. Avec la police à l'instant.*

Il n'a pas l'air fou de joie. Ni même soulagé. Juste fatigué.

Je tripote ma tasse de café, en évitant de croiser son regard.

— *En parlant de la police, vous devriez aller la voir.*

— *Si seulement vous l'aviez dit il y a dix minutes...*

— *Je suis sérieuse. Racontez-leur ce qui s'est passé.*

— *Tout ?*

— *Oui. Ce que vous voudrez. Ce qui vous arrange.*

Il jette un coup d'œil dehors.

— *Et cela s'arrête là ?*

— *Oui.*

Maintenant que le brouillard de Paris s'est dissipé, c'est la conclusion à laquelle je suis arrivée. Grotius avait raison : ils vont probablement me trouver. Généralement, c'est un risque que je prendrais. Mais ce que j'ai lu sur le CD a tout changé. Ce n'est plus seulement ma vie qui est en jeu.

Robert secoue la tête.

— *Pas question.*

— *Pardon ?*

— *Vous m'avez fourré dans ce merdier. Maintenant vous allez m'en sortir.*

— *Vous ne comprenez pas. J'ai changé de plan.*

— *À cause du CD ?*

— *En partie.*

— *C'est à ça que vous avez réfléchi depuis Paris ?*

— *Oui. Je ne peux pas prendre la fuite. Pas maintenant. Il faut que j'aille à Vienne.*

228

— *Alors nous irons ensemble.*

— *Vous avez perdu la tête ou quoi ? Vous avez oublié ce qui s'est passé dans votre appartement ?*

Il a l'air vexé.

— *À votre avis, qu'est-ce que je fais depuis Paris ?*

— *Vous avez conduit.*

— *Je sais que je ne suis rien qu'un mec, Stephanie, mais je peux faire deux choses à la fois.*

— *Félicitations. On est en train d'évoluer.*

— *Je ne peux pas rentrer chez moi.*

— *Bien sûr que si, dis-je sur une impulsion. Puis histoire de rattraper ma gaffe, je l'aggrave. Allez voir la police.*

— *La police qui a essayé de vous tuer passage du Caire ?*

— *Allons. Il y a des milliers de flics à Paris.*

— *Comment je suis censé reconnaître les bons ? Et est-ce vraiment important ? Dès l'instant où j'entrerai dans un commissariat et où je déclinerai mon identité, il y aura des fuites, non ? D'une manière ou d'une autre, tôt ou tard.*

Difficile de le nier.

— *Combien de temps cela prendra-t-il à votre avis ? Une heure ? Une journée ? Je vais vous dire un truc. Si vous pensez que je peux rentrer à Paris sans rien risquer, je vous laisse trois heures d'avance. Ensuite je téléphonerai. Il suffit que vous me disiez que cela marche.*

Je ne pipe mot...

— *Ou que vous opiniez du chef.*

Ni ne bouge.

Ils montèrent dans l'Audi. Le parking était pratiquement désert. Newman mit la clé de contact et s'interrompit.

— Avant qu'on y aille, il faut que vous sachiez quelque chose. Cela ne va pas vous plaire mais comme nous sommes dans la même galère maintenant...

— Quoi donc ?

— Le Lancaster. J'avais rendez-vous avec Shéhérazade.

Stephanie hocha lentement la tête.

— Et votre ami Robert Coogan ? Celui qui vous a appelé ?

— Coogs m'a effectivement téléphoné. Mais cela n'avait rien à voir avec un rendez-vous.

— Donc vous avez menti.

— Bien sûr.

Stephanie se passa les mains sur le visage.

— Écoutez, je suis désolé. J'aurais peut-être dû dire quelque chose. Mais j'ignorais qui vous étiez. Vous n'étiez qu'une femme armée.

— Et vous vouliez protéger Shéhérazade.

— Je voulais me protéger, moi.

— Laissez tomber. Parlez-moi du Lancaster.

— J'y suis allé pour la retrouver.

Stephanie refit défiler la scène mentalement. Zahani entrant dans le bar, Newman s'excusant pour aller la rejoindre, les deux plaisantant.

— Vous étiez partis quand je suis descendue.

— Nous allions voir Golitsyn.

— Vous alliez voir Golitsyn ?

— Voilà pourquoi je n'ai rien dit. En ce qui me concernait, vous veniez de le tuer.

— Alors vous le connaissiez.

Newman secoua la tête.

— Shéhérazade devait nous présenter.

— Pourquoi ?

— Leonid avait un bon réseau de relations. Moi aussi. Elle pensait que nous pouvions nous entendre.

— Et c'est tout ?

— Oui. C'était une bonne amie pour lui et pour moi.

— Mais plus proche de vous.

Elle regretta aussitôt son commentaire. Newman eut l'air agacé mais ne releva pas.

— Que s'est-il passé ?

— On l'a appelée pour lui dire que Golitsyn ne serait pas au rendez-vous.

— Golitsyn lui-même ?

Newman réfléchit.

— Je ne crois pas. Elle n'a pas précisé.

— Et alors ?

— Ce n'était pas la peine de s'attarder. J'ai suggéré qu'on prenne un verre, mais elle n'a pas voulu. Elle avait des projets pour plus tard. Cela ne me gênait pas. Elle n'avait pas eu l'intention de rester après avoir fait les présentations de toute façon. Alors nous sommes partis.

230

Stephanie digéra lentement cette révélation en revivant les événements tels qu'elle se les rappelait. Elle ne trouva rien qui contredise l'aveu de Newman. Au contraire. Son explication tenait davantage debout qu'une supposée coïncidence.

— C'est elle qui a organisé la rencontre ou était-ce Golitsyn ?

— Je ne sais pas. Mais nous devrions trouver.

Une autre pensée traversa l'esprit de Stephanie : quelqu'un d'autre était au courant de la rencontre à moins que Zahani n'ait été responsable des meurtres de Leonid Golitsyn et de Fyodor Medvedev. Qui cela pouvait-il bien être ? Quelqu'un qu'elle avait déjà croisé ? Ou quelqu'un de nouveau ? En d'autres termes, quelqu'un d'invisible. Elle rejoua la scène. Du barman lui tendant le téléphone intérieur à l'Audi sur la rampe – combien de temps ? Cinq minutes ? Probablement moins.

— Comment est-elle rentrée ?

— Elle a un chauffeur.

— Ben voyons. (Stephanie sourit dans l'obscurité.) Tout comme moi. Démarrons.

Boyd reçut l'appel à quatre heures et quart. Quatre-vingt-dix minutes plus tard, il était sur les lieux. Magenta House lui avait fourni le code de l'immeuble. Boyd crocheta la serrure de la porte d'entrée. Les lampes étaient allumées. Il ferma la porte et tira le Browning BDA9 de la poche intérieure de son manteau.

Il resta une bonne minute dans l'entrée, à s'adapter au silence, à guetter des sons, puis avança sans bruit. La cuisine fut la quatrième pièce dans laquelle il pénétra. Du sang partout, séché, réduit à une croûte noire.

Il vérifia le reste de l'appartement, puis revint. Il ne reconnut pas le cadavre tout de suite. C'est seulement quand il s'accroupit à côté qu'il vit qu'il devait s'agir de Lance Grotius. Salement défiguré.

Il l'avait rencontré une fois. À Kinshasa, en 1992. Boyd l'avait tout de suite détesté ; d'une arrogance immense sans aucun fondement. Il n'avait pas été surpris d'apprendre sa condamnation pour détournement de mineur à Anvers. Ni son évasion de prison. Grotius était un dur qui ne manquait pas de ressources.

Il avait été ébouillanté. Il portait une perruque de spaghettis, desséchés à présent. Un couperet était encastré dans son flanc droit, mais cela n'avait pas été la blessure fatale. On lui avait tranché la gorge. Le couperet se serait peut-être révélé fatal si on l'avait extrait de la plaie. Sa présence avait ralenti l'hémorragie. Boyd se demanda si c'était délibéré, en tenant compte des autres blessures, notamment à la cheville gauche et au visage. On pouvait s'attendre à un nez et à des dents cassés, mais il y avait des blessures plus sinistres, aucune *post-mortem* pour ce qu'il pouvait en juger.

Boyd sut aussitôt qui avait fait le coup. La tueuse de Grotius avait procédé comme il le lui avait enseigné. Il vérifia les vêtements du mort. Rien, pas même un trousseau de clés. Elle avait tout pris, comme il le fallait.

Il sortit de l'appartement peu avant six heures, longea le quai d'Orléans, prit la rue des Deux-Ponts où il monta dans sa Renault de location et sortit le téléphone IMMARSAT portable de la boîte à gants. Depuis peu, lui avait expliqué Rosie Chaudhuri, Magenta House utilisait des téléphones personnalisés qui transmettaient par le biais du vaisseau spatial appartenant à l'International Maritime Satellite Organization. Très utile, avait répondu Boyd, en descendant du Falcon 2000 quatre jours plus tôt, si vous êtes sous les étoiles en Afghanistan. Plutôt superflu à Paris. Elle était tombée d'accord avec lui et ils avaient souri tous les deux.

Rosie était déjà à son bureau à Londres.

— C'est elle ?

— C'était. Elle a filé.

— Et l'Américain, Robert Newman ?

— Pas la moindre trace de lui. Et Paul Ellroy ? Vous avez quelque chose sur lui ?

Après sa confrontation avec Pierre Damiani, Boyd avait envoyé le nom d'Ellroy à Magenta House pour une enquête en profondeur. Il s'était attendu à une réponse rapide, mais il n'avait pas eu de nouvelles pendant les soixante heures suivantes.

— Nous avons des résultats, mais rien d'utile pour vous. Pas encore, du moins. Nous vous préviendrons. Autre chose de votre côté ?

— Un cadavre.

— Quelqu'un de notre connaissance ?

— Quelqu'un de ma connaissance. Grotius, Lance, ancien de l'armée d'Afrique du Sud.

— Ancien ?

— La dernière fois que j'en ai entendu parler, il était mercenaire. Je suis surpris de le trouver à Paris mais il était en Belgique il y a deux ans.

— Une indication laissant penser que Stephanie a souffert ?

— Pas que je sache. De toute façon, Grotius a amplement souffert pour deux.

Boyd raccrocha et resta un moment assis à réfléchir à Grotius et à la société DeMille. Bien assortis, sur pas mal de plans. Un psychopathe *border line* sur les registres d'une entité complètement amorale. Dans ce domaine, cela payait rarement de jouer les moralisateurs, mais de temps à autre une occasion se présentait.

— Vous avez déjà été otage, n'est-ce pas ?

Le visage de Newman rougeoyait à la lueur émise par le tableau de bord. Aucune réaction. Ce qui était au moins cohérent avec son silence.

— Je prends ça comme une confirmation.

Descendant vers Lyon, ils doublèrent deux semi-remorques dont les roues puissantes soulevaient des gerbes de pluie. Plus il faisait moche, plus Stephanie se sentait à l'abri dans la voiture. Cela lui rappelait son enfance dans la campagne accidentée du Northumberland, non loin de la frontière de l'Écosse. Une météo déchaînée était chose commune, surtout pendant les longs hivers. Elle se souvenait de ces soirées bien au chaud dans la cuisine, le parfum, les craquements et la danse du feu.

Récemment encore, elle évitait ce genre de souvenirs heureux. Ils donnaient l'impression d'être volés ; des rêves arrachés à la vie d'une autre femme. Maintenant, quand elle songeait à cette époque, elle ne se rappelait que le meilleur, et elle se disait que cela annonçait peut-être un changement en elle ; peut-être que son heure arrivait.

— Vos cicatrices.

Newman lâcha un soupir irrité.

— Oui, et alors ?

— Notamment celles de vos poignets. Ce sont des traces de

liens. Quand je vous ai attaché les mains dans le dos, les liens se confondaient avec vos cicatrices.

— Vraiment ?

— Pas approximativement. *Exactement.*

— Vous y allez au pif.

Stephanie secoua la tête.

— Au cours des quatre derniers jours, seul l'un d'entre nous savait ce qu'il fabriquait. Connaissait la procédure. Les ficelles. Et ce n'était pas moi.

— Beyrouth. 1985, dit Newman.

Plus de dix minutes venaient de passer. Si le silence pouvait être douloureux, il l'avait été.

— Vous deviez être très jeune.

— Proche de la trentaine.

— Vous étiez l'un d'eux ? McCarthy, Anderson, Waite...

— Non. Pas du tout.

— Mais avez-vous été un otage ?

— Oui, mais pas comme eux.

— Pourquoi non ?

— C'est juste que... ce n'était pas pareil.

— Pourquoi ?

— Ils étaient... impliqués. Tous, d'une manière ou d'une autre.

— Et vous non ?

— Pas de la même façon.

— Quelle était la différence ?

— Je n'étais pas censé être là.

— Comment cela ? Vous étiez politique.

Il eut un rire teinté de regrets.

— C'est ce que je croyais. Je pensais avoir tout compris. En fait, je n'étais qu'un touriste. Rien qu'un môme naïf.

Je n'ai fait que lire des trucs à propos de cette période au Liban.

Il rit de plus belle.

— Ben voyons. Vous deviez être un bébé à l'époque.

— J'étais à l'école, merci beaucoup.

— Et vous y faisiez quoi ?

— Je faisais semblant d'apprécier Stendhal, je fumais, j'écoutais les Clash. John Taylor me faisait fantasmer en secret.

— Qui ?

— Duran Duran.

— Duran Duran du film ?

— Quel film ?

— *Barbarella.*

— Non, le groupe de rock. Les nouveaux romantiques.

— Ah oui. J'avais oublié.

Oublié ou il ne s'en souvenait pas du tout ?

— Ils sont de nouveau à la mode.

— Je suis vraiment largué.

Stephanie sourit. Parfois l'écart d'âge fondait, parfois il se renforçait.

— J'avais raison pour les cicatrices ?

Newman hocha la tête.

— Désolée.

— Ce n'est rien. Je ne sais pas pourquoi je ne vous l'ai pas dit. En vérité, elles ne me gênent pas trop. Les cicatrices physiques. La douleur à leur origine, leur aspect, je peux relativiser. C'est le reste qui est plus dur.

— Quoi donc ?

— Je fais de la claustrophobie. Même maintenant, vingt ans après. Et ce truc avec ce sparadrap sur ma bouche, c'est une séquelle de ce qui s'est passé.

— Comment ça ?

— Vous n'avez pas envie de le savoir.

— Racontez.

Il n'était pas mécontent de devoir garder les yeux sur la route.

— C'est quand ils m'ont collé un sparadrap sur la bouche que je suis passé le plus près de la mort.

— Pourquoi ?

— À cause d'un réflexe involontaire. J'ai vomi, puis je me suis étranglé. Et j'ai failli m'étouffer. Sans raison particulière. C'est arrivé, c'est tout. Et cela s'est reproduit. Chaque fois qu'ils recommençaient. J'ai fini par apprendre la seule chose à faire. J'ai avalé.

Stephanie eut envie de lui présenter des excuses, mais cela aurait paru trivial.

— Très longtemps, je n'ai pas supporté l'obscurité ; pendant des mois j'ai été enfermé dans un sous-sol pratiquement sans lumière. Après avoir été libéré, je ne pouvais dormir qu'avec la lumière allumée. Je me souviens d'être allé chez des amis dans le Maine, juste à côté de Bar Harbour, environ un an après mon retour. Il y a eu une coupure de courant pendant la nuit ; j'ai eu l'impression d'être... de nouveau là-bas. (Il claqua des doigts.) Comme ça. Dans l'obscurité. Les poignets entravés. Le bruit de rats que je ne pouvais pas voir. L'odeur de ma merde.

— Comment vous en êtes-vous remis ?

— Pas mal de thérapie. C'est ce que tout le monde recommandait. Et cela m'a aidé. Je pense que le temps a fait son œuvre aussi. Mais cela me retombe dessus, encore maintenant. Pas souvent, mais c'est d'autant plus choquant quand cela se produit.

— Comme lorsqu'une dingue saute dans votre voiture et vous colle une arme contre l'oreille ?

— Cela suffit en général.

Stephanie secoua la tête.

— De tous ceux que j'aurais pu kidnapper, il a fallu que je tombe sur un ancien otage. Pourquoi étiez-vous au Liban de toute façon ? Ce n'était pas vraiment une destination touristique au milieu des années 1980.

— C'est justement la raison pour laquelle j'y étais. Parce que j'avais des idéaux. Parce que j'étais un con.

Ils entrèrent dans Lyon et se garèrent sur la place des Célestins à côté du théâtre qui était en rénovation. Une fois sur le trottoir mouillé, Stephanie s'étira, cambra le dos jusqu'à ce que la douleur la rappelle à l'ordre. Il faisait froid et humide.

La Brasserie des Célestins : murs de pierres nues, poutres et un serveur avec un visage gris et osseux

— C'est quoi Petrotech ?

Newman bâilla.

— C'est la conférence annuelle de l'industrie des services pétroliers.

— Services pétroliers par opposition au pétrole ?

— Oui. Ingénierie, conception, marine, aviation, construction de pipelines, plates-formes, terminaux, ressources humaines, services juridiques, comptabilité, sécurité. Tout sauf le produit. Chaque année Petrotech est organisé dans une ville différente.

— Vous savez où cela a lieu cette année ?

Stephanie le vit faire le lien.

— C'est pour ça que nous allons à Vienne ?

— Une des raisons. Vous avez déjà assisté à Petrotech ?

— Trois fois. À Dubaï, Caracas, Las Vegas. Mais toujours en invité. Solaris n'est pas représenté.

— DeMille le sera-t-il ?

— Je n'en sais rien. Mais d'autres de cette industrie le seront.

— C'est un univers dont j'ignore tout.

— Jusqu'il y a peu, ce n'était pas un univers connu de beaucoup. Mais c'est devenu une industrie à croissance massive. On a les acteurs établis comme Kroll, DeMille, DynCorp et Armor-Corp. Puis les plus petites structures, parfois de cinq à six personnes seulement.

— De quel genre d'argent parle-t-on ?

— Cela dépend. Vous voulez engager une équipe de quatre ex-SAS ? Cela vous coûtera cinq mille dollars par jour. Une société comme DynCorp doit gérer environ un milliard de contrats en général. Le portefeuille de DeMille est plus important mais plus diversifié. Badgad a été la ville en plein essor pour l'industrie. Les Britanniques, notamment, en ont profité, surtout parce que les anciens soldats du SAS ont une bonne réputation. Le secteur britannique gagnait environ trois cents millions de dollars par an avant l'Irak. Maintenant cela frise les deux milliards.

— Comment cela fonctionne-t-il sur le terrain ?

— En Irak, la plupart des structures travaille sur trois niveaux. En bas, on a les Irakiens du cru. Ils touchent environ cinq cents dollars par mois. C'est la piétaille. Ensuite, on a les « ressortissants du tiers monde » – Fidjiens, Ukrainiens, Russes – payés entre deux mille cinq cents et quatre mille dollars par mois. Au sommet, on a les « internationaux » ; les Britanniques, les Américains. Ils touchent environ quinze mille dollars par mois. Par exemple, les fournisseurs américains comme Bechtel et KBR sont protégés par des Ghurkhas fournis par ArmorGroup.

— Lucratif, on dirait.

— C'est l'euphémisme de l'année. Le US Program Management Office gère le budget d'assistance pour l'Irak. Cela représente près de vingt milliards de dollars. Au moins dix pour cent de cette somme seront consacrés à la sécurité. Sans compter les dépassements de budget prévus de vingt-cinq pour cent. Et ce n'est que pour l'Irak.

Leur serveur cadavérique revint avec des croissants. Stephanie réclama du beurre, ce qui lui valut un regard désapprobateur. Newman leur servit du café.

— Déjà entendu parler d'une société appelée Erinys ?

Stephanie secoua la tête.

— Créée par un Britannique. Il a décroché un contrat pour la protection des installations pétrolières en Irak et en Jordanie. On parle d'un peu plus de cent millions de dollars employant quatorze mille personnes. Nos analystes estiment qu'il y a plus d'anciens soldats de la SAS en Irak aujourd'hui qu'il n'en reste dans le régiment lui-même.

— Et Londres est le centre de cette industrie, c'est ça ?

— Londres et Washington. Mais la main-d'œuvre vient de partout.

— Et l'armée conventionnelle, qu'est-ce qu'elle en pense ?

— Elle est partagée. Notamment quand leurs zones d'opération convergent. Mais des gens comme Donald Rumsfeld ne le voient pas de cet œil. Il pense que l'armée devrait se spécialiser et sous-traiter tout le reste. Le problème est d'ordre juridique. Les soldats de carrière sont soumis à la loi. La cour martiale, ou le droit international. Mais personne ne semble savoir avec certitude quel genre de lois s'appliquent à ces sociétés. En général, ce n'est pas le droit local. Et probablement pas le droit américain non plus. Quant au droit international, malgré les efforts déployés par la Croix-Rouge internationale, il est trop flou sur ce plan.

— N'est-ce pas là une partie de l'attrait ?

— Bien sûr. Vous sous-traitez pour faire économiser de l'argent au contribuable et, en même temps, cela vous permet de vous laver les mains de toute responsabilité. Passez au cran au-dessus et vous confiez à ces sous-traitants privés ce que vous ne voudriez pas faire vous-même.

Stephanie comprenait parfaitement ce principe. C'était la raison de l'existence de Magenta House. Pour effectuer les tâches que les services de sécurité conventionnels préféraient éviter.

Elle songea à Grotius. D'abord, il avait soutenu qu'il ignorait pour qui il travaillait, que l'anonymat était dans l'intérêt de toutes les parties. Mais la lame lui avait tiré les vers du nez avant qu'il ne meure.

Grotius était un employé de DeMille. Payé par Calloway Transport sur un compte au nom de Wayne Sturgess ; des importations fantômes facturées. Il avait admis avoir été recruté par un ami de l'armée d'Afrique du Sud pendant qu'il jouait les mercenaires en Bosnie.

Le beurre arriva enfin. Le serveur parut surpris, puis agacé qu'elle ait attendu. Elle lui sourit, ce qui parut aggraver son cas.

— Comment se place DeMille par rapport à ces autres structures ?

— Plus gros, meilleur. Et plus riche. À l'origine, dans les années 1960, c'était une entreprise du bâtiment. Basés à Chicago, ils participaient à de gros projets civils – aéroports, hôpitaux – mais ils ont toujours eu un pan militaire. Ils ont construit au moins trois bases de l'armée de l'air. Vers la fin des années 1960, ils se sont faits plus discrets et ont cessé de prendre des contrats civils. Cela n'a pas empêché l'entreprise de continuer à prospérer. Les rares fois où le nom était cité en public, c'était généralement en liaison avec des projets étrangers. Des pistes d'atterrissage au Vietnam ou au Congo, ce genre de trucs. Mais en 1976, elle a été impliquée dans un scandale qui a fait couler beaucoup d'encre et révélé ce qu'étaient vraiment ses activités.

— À savoir ?

— Promouvoir la vente de services militaires à l'étranger.

— Promouvoir ?

— Nous ne parlons pas de sociétés américaines vendant de l'équipement à l'étranger. Nous parlons d'entraîner des hommes au combat à l'aide de tactiques et de matériel américains. Des hommes susceptibles, à un moment ou à un autre, d'utiliser cette formation contre les États-Unis ou leurs alliés. DeMille a signé deux contrats au départ ; avec l'Iran pour environ soixante millions de dollars et avec l'Arabie saoudite pour environ quatre-vingts millions de dollars.

— Et les commentaires ?

— Il y en a eu beaucoup, mais aucun positif. Des articles

dans les médias, des documentaires télé, des questions au Congrès. Surtout quand on a prétendu que DeMille avait accepté de n'employer aucun juif pour ces contrats.

— C'était vrai ?

— Oui. Bien que cela n'ait jamais été prouvé. L'accord avait été verbal. Et à long terme, cela s'est révélé être un mal pour un bien.

— Pourquoi ?

— L'hystérie autour de la discrimination antisémite a détourné l'attention du vrai problème : l'activité que DeMille était vraiment en train de créer.

— Que s'est-il passé ?

— Ce qui se passe toujours. DeMille a été sauvé par la baisse progressive de l'intérêt du public pour cette affaire. Quand cela a cessé de le passionner, les médias ont laissé tomber et l'orage est passé. Et les gens de DeMille se sont assurés qu'ils tireraient les leçons de leurs erreurs. Ils étaient déjà des maîtres du profil bas. Le scandale les a beaucoup gênés. Après, l'entreprise a atteint de nouveaux niveaux de discrétion et de silence. C'est assez paradoxal d'une certaine manière, plus ils sont devenus gros, plus ils sont devenus invisibles. Et ils dépensent des millions de dollars par an pour s'assurer que cela ne change pas.

— C'est curieux d'accroître sa réputation en la dissimulant, murmura Stephanie en établissant un parallèle avec la carrière professionnelle de Petra.

Newman bâilla de nouveau.

— Pardon. À l'heure actuelle, ils recrutent dans le monde entier mais les services qu'ils offrent s'inspirent du modèle militaire américain. Les dernières tactiques en date, les dernières armes, les derniers instructeurs. Tout ce que le client a les moyens d'acheter. En d'autres termes, à peu près tout, puisque la plupart des clients de DeMille sont des États pétroliers.

— Et cela appartient au groupe Amsterdam.

— Techniquement, oui. DeMille est très secret. Bien entendu, ils ont un président et un PDG comme tout le monde. Mais personne ne croit qu'ils dirigent vraiment l'entreprise. Ou qu'Amsterdam ait vraiment voix au chapitre. L'important, c'est ça : DeMille ne peut se permettre de jouer la transparence.

Mais tant qu'ils livrent, personne ne fera de vagues. Ce n'est pas pour ça qu'ils n'ont pas leurs problèmes.

— Comme ?

— Ils ont tendance à opérer dans des environnements instables. Et leur travail attire l'attention. Vous vous rappelez les attentats coordonnés en Arabie saoudite en avril dernier ?

— Rafraîchissez-moi la mémoire.

— Trois bombes en l'espace de cinq minutes. La première a explosé dans une enceinte du champ pétrolifère de Ghawar, la deuxième, près de Thirty Street à Riyad, la troisième a démoli un immeuble de bureaux à Djedda. Vingt-cinq morts, une centaine de blessés. Dix-sept des morts étaient des Américains, des employés de Elkington McMahon, un conglomérat de services pétroliers basé à Houston.

— Et alors ?

— Elkington McMahon, DeMille, Calloway Transport : du pareil au même. Ils sont tous sous la protection du groupe Amsterdam. DeMille se sert d'entreprises comme Elkington McMahon pour faire entrer des hommes dans des pays où se posent des problèmes de tolérance. L'Arabie saoudite est l'exemple type. Ils y débarquent comme mécaniciens, ingénieurs, personnel de soutien.

— Une ruse courante. Comme d'être attaché culturel dans une ambassade, tout le monde sait que vous êtes un espion.

Newman se pencha pour remplir sa tasse.

— Et maintenant ? Vienne ?

— Pas tout de suite. Il nous faut une nouvelle voiture d'abord.

— Qu'est-ce que vous reprochez à la mienne ?

— Quelqu'un savait où vous habitiez. Cela veut dire qu'on sait ce que vous conduisez.

— Alors pourquoi l'avoir prise ?

— Parce que la nuit nous protégeait. Ceux qui ont envoyé Grotius vont probablement attendre un moment avant de chercher à se renseigner sur son sort. Mais ils n'attendront pas éternellement. Nous avons eu notre période de répit, mais nous devrions partir du principe qu'elle est terminée. Quand ils retrouveront la voiture – et cela arrivera – il faut que nous ayons réfléchi à l'endroit où l'abandonner. Au message que cela envoie.

— Je ne vous suis pas.

Stephanie sourit.

— Ce n'est pas nécessaire. Laissez-moi faire. Je vais la larguer quelque part et m'en procurer une nouvelle. Nous nous retrouverons plus tard.

— Vous ne voulez pas que je vous accompagne ?

— Il vaut mieux que je m'en charge seule. Retrouvons-nous devant l'église Saint-Nizier. À partir de dix heures, à chaque heure passée de cinq minutes. Ou au carrefour de la rue Dubois et de la rue de Brest, trente-cinq minutes après l'heure.

Stephanie trouva un cybercafé non loin de là, Connectik, sur le quai Saint-Antoine, où elle vérifia les mails AOL et Hotmail de Petra. Il y en avait plusieurs de Stern, toujours la même formule – *il faut qu'on parle* – et un autre de Cyril Bradfield.

>J'étais en voyage. Mauvaises nouvelles mais ça va. Je n'ai eu aucun contact de J ou de M avant. Aucun contact pendant des mois. Rien d'inhabituel ailleurs. Que puis-je faire ?

Stephanie avait initié Bradfield aux mails et à l'art de la brièveté électronique. Il avait résisté aux deux. Elle sentit le soulagement l'envahir et se demanda si son absence de contacts avec les Furst ne l'avait pas sauvé.

>Rien. Ne vous fiez à aucun message venant de moi. Pas de téléphone, pas de mots, pas de mails. La prochaine fois que nous entrerons en contact, ce sera en personne. Je viendrai vous voir. Jusque-là, soyez prudent. Et oubliez-moi.

Elle conduisit l'Audi de Newman à la Croix-Rousse, prit le sac en cuir dans le coffre et l'abandonna. Elle repartit à pied vers le centre ville, puis emprunta un tram jusqu'au centre d'échange de la gare de Perrache où elle prit un bus pour l'aéroport Saint-Exupéry où elle arriva cinquante minutes plus tard. Elle adressa deux fois la parole au conducteur, une fois pour lui demander la durée du trajet, une autre pour savoir s'ils auraient du retard. Chaque fois, avec un sourire charmeur.

Elle se rendit au P5, le parking longue durée, où elle attendit, ignorant tous les véhicules qui y étaient garés puisqu'il n'y avait pas moyen de savoir quand leurs propriétaires reviendraient. Elle assista à un défilé de voitures, aucune ne convenant vraiment, quand, peu avant onze heures, une berline Peugeot bleu marine se présenta à l'entrée. Avec un homme d'une cinquantaine d'années au volant. Stephanie l'observa de loin. Il se gara. Il prit un attaché-case sur le siège avant et récupéra une valise dans le coffre. Il verrouilla la portière et lâcha ses clés dans la poche droite de sa veste marron avant de se diriger vers le terminal.

Stephanie pressa le pas. Lorsqu'il entra dans le terminal 2, elle n'était plus qu'à deux mètres derrière lui. Quand il rejoignit la queue à l'enregistrement pour le vol Air France de onze heures pour Paris, elle le bouscula, se tourna pour s'excuser – pardon, monsieur – et continua sans s'arrêter. Un autre gentil sourire, qu'on lui rendit cette fois, et elle fourra les clés qu'elle avait au creux de la main dans sa propre poche.

Elle sortit du terminal et attendit encore cinquante minutes près du parking. L'homme ne revint pas. De retour dans le terminal, elle vérifia le tableau des départs. À onze heures cinq, le vol Air France avait décollé.

Moins de vingt minutes plus tard, elle aussi s'était envolée.

Ils prirent l'A42 et l'A39 vers le nord, puis empruntèrent l'A36 vers Besançon et Mulhouse. Stephanie conduisait, juste en dessous de la limite autorisée. La radio marchait. Ils écoutèrent les informations, sans dire ni l'un ni l'autre ce qu'ils pensaient : *est-ce qu'ils vont parler de nous ?* Les bulletins météo annonçaient des orages venant de l'est.

Stephanie fouilla dans les CD.

— Les Doors. Je n'y crois pas.

— Pourquoi ?

— Vous auriez dû voir l'homme qui est descendu de cette voiture. On aurait dit un comptable. Ou un entrepreneur de pompes funèbres.

En tout cas, c'était un fumeur. Stephanie avait vidé le cendrier en revenant à Lyon mais la Peugeot sentait toujours le tabac froid.

— Vous connaissez l'expression : l'habit ne fait pas le moine ?

— J'en connais une autre : la crise de la cinquantaine. Je ne vous aurais jamais pris pour un fan de David Bowie, par exemple.

— Pardon ?

— En fouillant votre bureau, je suis tombée sur vos albums. Tous ces 33t...

— Je ne les écoute plus. Mais je suis content de les avoir. Qu'est-ce que vous reprochez à Bowie ?

— Rien. Mon Dieu, rien du tout. J'aime Bowie.

— D'accord. Qu'est-ce qui cloche chez moi ?

— Regardez où vous habitez. Votre style de vie, ce que vous faites. Tout.

— Quand j'étais ado, il était le top. J'ai eu le bon âge à la bonne époque. J'aimais sa musique, son look, son attitude. Et surtout j'appréciais que la plupart le détestent.

— À New York ? Là, je suis surprise.

— J'ai surtout grandi dans le Maine. Le *Thin white duke*[1] passait à Manhattan mais pas à Bangor ou à Bar Harbor. En fait, c'est encore plus étrange que *vous* connaissiez la musique de Bowie. Quand j'achetais ses albums, ils étaient neufs. Vous l'achetez comme moi j'achète Tchaïkovski.

— Ou comme je me documente sur le Liban ? Parce que c'est un pan de l'histoire ?

— Aïe !

— Vous ne m'avez jamais dit pourquoi vous y êtes allé.

— Pour toutes les mauvaises raisons. Mais surtout à cause de mon vieux.

— Que voulez-vous dire ?

— Peu importe.

— Vous ne pouvez pas lâcher un truc pareil sans vous expliquer.

— Pourquoi ?

— C'est contraire à la... *morale*.

— Contraire à la morale ? Vous mettez ça sur le même plan que ce que vous avez fait au type dans ma cuisine.

— Ce n'était pas contraire à la morale. C'était inévitable.

— Bon, c'est une longue histoire.

— La route est longue.

— D'accord. Mon père était professeur de politique à Harvard. Un libéral universitaire. Un socialiste, je dirais, bien qu'il

---

1. Surnom donné à David Bowie (N.d.E.).

n'ait jamais aimé ce terme. Il était également un féroce critique d'Israël. Non pour son droit d'exister, mais pour sa conduite en tant qu'État. Et il était tout aussi critique vis-à-vis du soutien inconditionnel de l'Amérique à Israël et du préjugé pro-israélien dans les médias. Il estimait absurde qu'on ne puisse pas critiquer Israël sans se faire taxer d'antisémitisme. Il a résumé tout cela dans un article en 1980 : « La maladie de l'intérieur ». Sur le plan professionnel, c'était une lettre de suicide de trente-sept pages.

— Ce qui a prouvé ce qu'il avançait à propos de la presse ?

— Ironiquement, oui ; ils lui sont tombés dessus à bras raccourcis et l'ont accusé d'être antisémite. Exactement comme il l'avait prédit. Ils l'ont diffamé et cela lui a coûté son poste.

— J'aurais cru qu'à Harvard...

— La pression. Financière, politique, venant du sommet invisible. Même un endroit comme Harvard n'est pas à l'abri. On sait que ça peut arriver. Tout le monde est au courant. Et il a encaissé le coup. Il a dit qu'il ne voyait pas l'intérêt de faire partie d'une institution qui n'avait pas le cran de s'opposer à la tyrannie.

— Une position courageuse.

— Non. Une position faible présentée comme courageuse.

— Qu'est-ce qu'il a fait ?

— Il est rentré dans le Maine. Dans la maison où j'ai grandi. Dans la maison où ma mère était morte d'un cancer l'été précédent. Et le dernier jour d'octobre, il s'est suicidé.

— Parce que des abrutis de journalistes l'avaient descendu en flammes ?

Newman secoua la tête.

— C'est ce que j'ai cru à l'époque. Maintenant, je pense que ça n'avait rien à voir. Je crois qu'il s'est tué parce qu'il avait le cœur brisé.

— Et pourtant vous avez tout de même échoué au Liban à cause de lui ?

— Exact. Je voulais être journaliste. Je voulais rétablir l'équilibre d'une manière ou d'une autre. Être les Woodward et Bernstein du Moyen-Orient.

Stephanie leva les yeux au ciel.

— Un croisé au Liban ? Judicieux. C'est un truc génétique, ce combat pour les causes perdues ?

— Peut-être, je suis encore avec vous.

— Très drôle.

— L'ennui, c'était que j'étais incapable d'écrire un article.

— Embêtant. Qu'est-ce que vous avez fait ?

— Je suis devenu reporter photographe.

— Comme ça ?

— Ma mère était photographe. De portraits. Plutôt connue dans son domaine. Je savais donc où se trouvait l'ouverture du diaphragme. Pour le reste, je n'avais rien d'une flèche. Mais cela m'a permis d'être engagé par une agence qui m'a confié une mission.

— Au Liban.

— Je serais allé n'importe où. Europe, Extrême-Orient, Afrique. Mais le Liban s'est présenté. On était en 1982. Les Israéliens venaient d'envahir le pays. Papa était mort depuis moins d'un an. Les pièces du puzzle semblaient se mettre en place.

— Dans une zone de guerre ?

Newman sourit.

— J'ai pris ça comme une aventure.

— Je parie que vous n'avez pas été déçu sur ce plan.

— Et comment ! Je suis donc parti.

— Prendre des photos.

— Pour montrer la vérité. Pour être neutre.

— Et comment c'était ?

— Extraordinaire. Pas vraiment un autre pays. Plutôt un autre univers.

— Et vous avez réussi à rester neutre ?

Il eut un rire à la fois las et nostalgique. Comme les pattes-d'oie aux coins de ses yeux, c'était une cicatrice de l'expérience pour laquelle il n'y avait pas de raccourci.

— Bien sûr que non. Personne sur place n'était neutre. Cela ne voulait pas dire que vous deviez prendre un parti quelconque. On ne pouvait pas être neutre, point barre. J'étais touché par les gamins israéliens de dix-huit ans enrôlés de force dans l'armée pour faire une guerre qu'ils ne comprenaient pas. J'étais touché par les Palestiniens. Mais surtout, j'étais touché par les Libanais. Pris entre deux feux – littéralement et politiquement – leur pays réduit à un tas de ruines par un conflit entre deux camps extérieurs. Vous n'imaginez pas le bordel que c'était.

— On dirait que l'adrénaline coulait à flots.

— Exact. Je ne me suis jamais ennuyé. Je n'ai jamais pu me détendre, je ne l'aurais pas voulu. D'un jour à l'autre, on ne savait jamais ce qui nous attendait. On avait beau résister, on était aspiré. Tôt ou tard, on était condamné à l'erreur. C'était inévitable.

— Quelle a été la vôtre ?

— Tomber amoureux de la femme à fuir.

New York, neuf heures quinze

— La bande de l'aéroport Lyon-Saint-Exupéry devrait arriver d'un instant à l'autre, monsieur, dit Steven Mathis. Cinq, quatre, trois, deux et... voilà. Nous sommes dans le terminal 2.

La configuration d'écran active au fond de la salle était divisée en quatre, les lignes entre les écrans étant presque invisibles. Chaque écran montrait un angle différent. L'heure figurait dans les coins inférieurs droits. Les images dataient de près de cinq heures. Depuis leur enregistrement, Cabrini avait appris la mort de Grotius ; Paris-1 l'avait confirmée. On n'avait pas trouvé la moindre trace de Newman dans l'appartement du quai d'Orléans.

— Je ne la vois pas.

— En haut à droite. Elle traverse, devant le taxi. Derrière l'homme en costume marron. Elle porte un sac en cuir à deux anses.

— D'accord.

— Maintenant elle est à l'intérieur. En bas à gauche. On la voit entrer dans le terminal, vers nous. On dirait qu'elle est pressée.

Cabrini la regarda jusqu'à ce qu'elle disparaisse en bas de l'écran.

— En haut à gauche, reprit Mathis. De droite à gauche, sous le tableau des départs... là.

« Décidément pressée », se dit Cabrini. Où allait-elle ? Se frayant un chemin à travers la foule de passagers, elle bouscula l'homme au complet marron à l'instant où il rejoignait la queue devant le bureau d'enregistrement n° 25. Elle s'excusa sans s'arrêter. Elle fonça vers l'autre extrémité du bâtiment et disparut.

Sur les quatre écrans apparurent quatre images prises d'angles différents. Cabrini la repéra facilement cette fois ; le jean ; la veste en cuir, la vitesse de déplacement. Mathis offrit le commentaire qui n'était plus nécessaire. Lorsqu'elle disparut de l'écran du haut à droite, elle ne réapparut pas. Cabrini demanda ce qui suivait.

— Rien, répondit Mathis. On n'a que ça. On examine la liste des passagers à l'instant même.

« Comme elle devait s'y attendre », songea Cabrini.

— Partons du principe qu'elle est venue en voiture à l'aéroport. Pouvons-nous trouver la voiture de Newman ?

— On cherche.

— Et le kidnapping à Paris ? Des précisions là-dessus ?

— Non, monsieur. Personne n'y a assisté.

— Pas de caméras ?

— Seulement ce que Grotius a volé. Rien du parking.

Cabrini se cala contre le dossier de sa chaise. Comment cela s'était-il passé ? Pourquoi Newman ? Il ne pouvait s'agir d'une coïncidence. Pas avec ses relations.

— On a raté quelque chose.

— Peut-être que c'est le premier sur qui elle soit tombée ?

— Et elle est montée dans sa voiture ? Comme ça ? Sa voiture, entre toutes ? Renseignez-vous sur lui. Nous savons pourquoi elle se trouvait au Lancaster. Mais pourquoi y était-il ?

Ils étaient coincés depuis plus de deux heures. Quelque part devant eux dans la nuit qui tombait, il y avait eu une collision entre deux camions. L'un s'était renversé, l'autre s'était mis en travers. Une dizaine d'autres véhicules étaient venus s'encastrer dedans. La route était coupée. Des hélicoptères emportaient les blessés à l'hôpital. Trois se trouvaient dans un état critique. Stephanie éteignit la radio.

Au début, elle avait failli céder à la panique : on n'avançait pas, mais il fallait qu'ils avancent. Peut-être devraient-ils abandonner la voiture ? Bien sûr que non. Dès l'instant où ils en sortiraient, ils attireraient l'attention sur eux. Qu'est-ce qui pouvait être plus anonyme qu'une attente dans des kilomètres de véhicules à l'arrêt ? Et si on reconnaissait la plaque minéralo-

gique ? Qui ? Il ne faisait presque aucun doute que le propriétaire ignorait qu'on lui avait volé sa voiture. En outre, comme
ils étaient pare-chocs contre pare-chocs, personne ne pourrait
lire le numéro.

Elle tournait en rond. Au bout d'un moment, elle s'obligea
à ne plus y penser.

— Je vais dormir, annonça-t-elle à Newman quand la radio
eut confirmé le carnage devant eux. Je vous suggère d'en faire
autant.

Elle fut surprise de constater qu'elle avait réussi à dormir
plus d'une heure. À son réveil, elle avait pensé à l'autre Petra.
Étienne Lorenz avait dit qu'on pouvait la trouver au Club Nitro
à Vienne. Elle espérait que c'était vrai. Son nœud au creux de
l'estomac lui suggérait le contraire. Les femmes comme elle
pouvaient toujours être sacrifiées.

Il était six heures passées. Plus une trace de jour dans le ciel.
Les pots d'échappement les entouraient de brouillard, les
conducteurs faisant tourner leur moteur pour rester au chaud.

— Si vous deviez vous choisir une autre vie, quelle serait-
elle ? demanda Stephanie.

— Celle que j'avais.

— De photo-journaliste ?

— Oui.

— Avec la femme à fuir ?

— Oui.

— Elle ne devait pas être si mal que ça.

— Et vous ?

Quelle question ! Il était impossible d'imaginer la tournure
qu'aurait pu prendre sa vie. Une carrière universitaire poursuivie jusqu'au bout ? Un bon boulot, puis un mari et des
enfants ? Ce devait être le destin qu'avait connu la majorité de
ses contemporains. Aurait-il été le sien ? Impossible à dire
maintenant. Elle était bien trop éloignée de la fille qu'elle avait
été pour faire cet effort d'imagination. Mais en théorie...

— Comme vous, la vie que je menais.

— Qui était ?

Elle regarda par la vitre. Les premiers flocons tombaient. Ils
étaient flous.

Vers sept heures et demie, ils redémarrèrent au pas. Près de Mulhouse, ils s'arrêtèrent dans une aire de service pour faire le plein et manger un morceau. Ils reprirent l'A35 juste après dix heures en direction de Strasbourg. Vitesse réduite à trente kilomètres à l'heure par endroits, la neige dansant devant le pare-brise, un vent violent balayant la plaine. Tous les bulletins recommandaient d'éviter les déplacements. Juste après Colmar, ils virent une voiture sur la voie d'en face partir en tête-à-queue avant de disparaître de la chaussée.

— Nous courons trop de risques. Il vaut mieux attendre que cela se calme. Nous ne pouvons pas nous permettre une collision.

Ils sortirent de l'autoroute et continuèrent jusqu'à Ribeauvillé au pied des Vosges. Stephanie traversa le centre pittoresque. Des vitrines de restaurant brillaient dans l'obscurité. De la lumière filtrait entre des rideaux tirés. Les trottoirs étaient déserts. Au bout de la ville, Stephanie prit la direction de Sainte-Marie.

— On ne s'arrête pas ?

— On ne peut pas prendre de chambre.

— Où allons-nous ?

— Aucune idée.

Ils s'engagèrent sur une route qui montait en serpentant entre des pentes raides couvertes de forêts. Malgré tout, Stephanie jugea les conditions légèrement meilleures ; les accidents de terrain les protégeaient des bourrasques de vent. De gros flocons tombaient verticalement dans le faisceau des phares. De temps à autre, des maisons émergeaient brièvement de l'obscurité tels des bateaux dans le brouillard. Ils croisèrent des carrefours, certains avec des panneaux, d'autres non. Au bout de huit kilomètres, elle quitta la route.

Elle se retrouva sur un chemin à peine carrossable, cerné par une falaise d'un côté, un à-pic de l'autre, avec partout des arbres croulant sous le poids de la neige.

— Vous savez où on est ? demanda Newman après dix minutes d'obscurité totale.

— Non. Mais voyez les choses du bon côté : si nous l'ignorons, il est peu probable que d'autres le sachent.

— J'aime les femmes pour qui le verre est toujours à moitié plein.

— Et vous ? Vous êtes du genre pour qui le verre est à moitié vide ?

— Normalement, non. Qu'est-ce qu'on cherche ?

— Rien.

— Je croyais que ça, on l'avait déjà trouvé.

Après un virage serré, une cabane apparut, de la lumière perçant entre des volets cassés, de la fumée s'élevant d'une cheminée. À côté, une 2CV rouillée posée sur des briques, un réfrigérateur mis au rebut et une baignoire retournée.

On pouvait à peine parler d'un hameau. Quelques maisons délabrées de chaque côté du chemin, reliées par des poteaux télégraphiques. Ils avançaient au pas, le chemin tournant à angle droit après chaque habitation.

Une croix apparut. Un autel ; un crucifix en bois sur lequel brillait le corps blanc du Christ. Dix mètres plus loin, un autre : une boîte en bois fermée par une vitre, Marie tenant l'Enfant Jésus dans ses bras, à la lueur vacillante de cierges. Malgré le mauvais temps, quelqu'un avait été persévérant. Stephanie compta sept autels et une dizaine de maisons.

Ils négocièrent un nouveau virage serré et se retrouvèrent dans le noir total. Comme si le hameau n'avait été rien d'autre qu'un mirage.

Cinq minutes plus tard, ils aperçurent une grange en ruine dans une petite clairière. Stephanie éteignit les phares, coupa le moteur, alla chercher le sac dans le coffre. Elle tendit le Smith & Wesson à Newman et garda le Heckler & Koch.

— Vous avez déjà utilisé un truc comme ça ?

— Tout le temps. Ils sont très utiles en salle du conseil.

— Pas même dans votre passé animé ?

— Jamais, mais je sais comment procéder. À condition qu'il y ait un cran de sûreté, bien sûr.

— Bien sûr.... Je vais inspecter la grange.

Elle en fit deux fois le tour, jetant un coup d'œil entre les planches. Pas de bétail, ni de machines agricoles. La porte à deux battants était fermée par une poutre reposant sur deux crochets. Elle retira la poutre et chercha à ouvrir les portes, mais la neige les bloquait. Elle réussit à se glisser dans l'entre-bâillement. L'endroit paraissait relativement chaud car il était à l'abri du vent. Quelques flocons tombaient du toit par des insterstices. Pas le moindre signe d'une utilisation récente.

À l'aide de planches qu'ils arrachèrent, ils pelletèrent suffisamment de neige pour dégager les portes. Le temps qu'ils terminent, ils avaient les mains rougies, les doigts engourdis. Newman fit entrer la voiture à reculons dans la grange et Stephanie referma les portes.

— *Comment s'appelait-elle ?*
— *Qui cela ?*
— *La femme à fuir.*
Cela fait une demi-heure que nous sommes ici. Je ne m'attends pas à ce qu'il réponde. Il a évité de parler d'elle chaque fois que je lui en ai donné l'occasion. Mais il me surprend.
— *Gabriella.*
— *Italienne ?*
— *Espagnole.*
Je la reconnais aussitôt.
— *La femme de la photo sur votre bureau ?*
— *C'est ça.*
— *Eh bien !*
Il hausse un sourcil.
— *Eh bien quoi ?*
— *Elle occupe toujours une place de choix vingt ans après. Très impressionnant.*
Il n'a pas de réponse à cela.
— *Comment l'avez-vous rencontrée ?*
— *Dans le bar de l'hôtel Commodore à Beyrouth. L'abreuvoir des journalistes.*
— *Elle était journaliste ?*
— *Pour Associated Press. Je travaillais pour l'agence SIPA. Dès l'instant où je l'ai vue au bar, j'ai su.*
Le soupir qui m'échappe est plus mélancolique que je ne l'aurais voulu.
— *Vous avez connu ça, vous aussi ?*
— *Une fois À New York. Il était russe.*
— *Alors vous comprenez. C'est une sensation qu'on n'oublie pas.*
— *Et qu'on ne peut pas feindre. C'était censé être un ennemi, mais s'il m'avait demandé de faire l'amour sur-le-champ, j'aurais accepté.*
Robert opine du chef et regarde ses mains.
— *En fait, Gabriella n'était pas espagnole. Ni même journaliste. Elle s'appelait Rachel et elle était israélienne.*
— *Ah !*

Ma réaction est totalement inadaptée, mais rien d'autre ne me vient à l'esprit.

Robert me regarde.

— *Mais en définitive, ça n'a pas changé grand-chose.*

— *Pourquoi vous a-t-elle dit qu'elle était espagnole ?*

— *Elle était moitié espagnole, moitié israélienne.*

— *Un demi-mensonge, alors. En fait, pas vraiment un mensonge. Plutôt une omission. Et la partie journaliste ?*

— *Elle était une taupe du Mossad. Sa nationalité espagnole lui permettait de paraître impartiale. En attendant, ses papiers — qu'elle rédigeait parfois, parfois non — étaient repris par des journaux aux États-Unis. Superficiellement, elle semblait douée pour ça. Mais elle récoltait bien plus de renseignements que ne l'imaginaient les autres journalistes. Le Mossad voulait des informations sur l'ensemble de la presse étrangère à Beyrouth.*

— *Dont vous ?*

— *Les écrivains étaient les cibles principales.*

— *Et vous avez avalé ça ?*

— *Je suis tombé amoureux. Elle aussi. Ni elle ni moi n'avons avalé ça. Nous l'avons mis de côté, c'est tout.*

— *C'est vraiment faisable ?*

— *Quand rien d'autre ne compte, bien sûr. Pourquoi pas ?*

C'est tellement vrai. Assis dans l'obscurité, nous écoutons le vent qui fait gémir toute l'ossature de la grange.

— *C'est pour ça que vous ne vous êtes jamais marié ? Personne ne lui arrivait à la cheville.*

— *Il y a de ça, je crois.*

— *Pas d'enfants, pas d'ex-femmes, mais plein de copines comme Anna.*

— *La vie que je mène ne favorise pas la stabilité familiale. Pendant vingt ans, je n'ai pas défait mes valises. J'ai passé plus de nuits à trente-cinq mille pieds que dans mon lit. Un couple n'y survivrait pas. Des enfants non plus.*

— *Il suffit de changer de boulot.*

— *Si j'avais rencontré la femme idéale, je l'aurais fait.*

— *Le vrai cercle vicieux, hein ?*

— *Peut-être. Mais je ne me plains pas. Malgré tout ce que j'ai raté, j'ai eu de la chance.*

— *Et personne n'a jamais le beurre et l'argent du beurre.*

— *Exact. Et vous ? Vous avez été mariée ?*

J'éclate de rire.

— *Grands dieux, non.*

— *Qu'est-ce que cela a de drôle ?*

— *Rien. Rien du tout.*

— *Et les enfants ?*

— *Je vous en prie.*

— *Vous n'y avez jamais songé ?*

— *Bien sûr que si. C'est juste que...*

— *Juste que quoi ?*

— *Peu importe. Vous ne me croiriez pas.*

— *Essayez toujours.*

— *Quoi que vous pensiez de moi, dis-je en évitant de le regarder, je suis en fait plutôt conventionnelle. (J'attends un ricanement incrédule qui ne vient pas.) Alors sans mari...*

Je conclus par un haussement d'épaules. Il est un peu gêné. Il acquiesce pensivement, puis se montre tellement maladroit qu'il aggrave tout.

— *Vous avez encore amplement le temps.*

— *Que vous est-il arrivé à Rachel et vous ?*

— *Cela n'a pas marché.*

— *Pourquoi ?*

Il réfléchit un moment.

— *L'étoile qui brille deux fois plus s'éteint deux fois plus vite. Nous menions des vies intenables. De vrais drogués. Il nous fallait notre dose. Nous avions perdu la tête.*

— *La vie dans une zone à risques. Continuellement sous adrénaline ?*

— *C'est ça. Nous pensions être les seuls au monde à comprendre.*

— *Je connais.*

— *C'est incomparable, non ?*

New York vingt heures trente-cinq

Quand John Cabrini revint à son bureau, Steven Mathis l'attendait.

— Nous avons les résultats.

— Et ?

— Seules trois voitures sont entrées dans le parking longue durée de l'aéroport Lyon-Saint-Exupéry ce matin pour en sortir à 15 heures CET. L'une d'elles était une erreur : une touriste italienne qui s'est garée dans le mauvais parking. La deuxième était une femme de la région – Marie Sylvain – qui devait partir pour Londres. Elle était à l'enregistrement chez British Airways quand son bureau de Lyon l'a rappelée. Un problème

254

interne, rien d'important pour nous. La troisième voiture appartient à Alain Fabius, un chirurgien esthétique de la clinique Morgenthau à Lyon. Il a pris un avion Air France pour Paris avec une correspondance pour Chicago où il assiste à une conférence.

Mathis tendit une photo à Cabrini. Un homme émacié et sinistre. L'homme au costume marron. Celui qu'elle avait bousculé. Meurtrière mais aussi pickpocket.

— Il a eu sa correspondance ?

— Oui.

— Et sa voiture ?

— Elle a quitté le parking pendant que son vol l'emmenait à Paris. Nous avons une identification positive.

— Comment cela ?

— Elle n'avait pas de ticket pour le véhicule. Elle a raconté à l'employé qu'elle l'avait perdu. Elle a dû payer le tarif maximum. Elle n'a pas protesté, ce qui n'est pas la réaction habituelle. Le type s'en est souvenu.

— Elle était seule ?

— Oui. Nous avons une autre identification positive du chauffeur du bus qu'elle a pris de la gare Perrache à l'aéroport.

— Elle a donc commencé par se débarrasser de la voiture de Newman. Probablement quelque part en ville.

— Apparemment, oui.

— Elle était seule dans le bus.

— C'est ce qu'a dit le chauffeur.

Très conventionnel, tout cela. Cabrini se sentait mal à l'aise ; Reuter n'était pas du genre à respecter les règles. Ni à laisser une piste.

— Nous n'avons donc ni Newman, ni sa voiture. Ce qui soulève un certain nombre de possibilités.

— Ils ont pu se séparer.

— Possible.

— Ou Newman pourrait se trouver dans sa voiture.

— Effectivement. Mort ou vif.

— Vous croyez qu'elle aurait fait une chose pareille. Après ce que les flics ont dit d'eux ?

Il y avait eu une identification préalable. Quatre gendarmes avaient rencontré Reuter et Newman à l'aire de service du Chien-Blanc sur l'A6 aux petites heures du matin. Interrogés ensuite par des agents de la DST, ils avaient déclaré que l'Américain avait fait la conversation. Ambiance joviale, rires. Bien que la femme ait paru légèrement tendue, aucun des deux n'avait éveillé de soupçons.

Ce récit avait intrigué Cabrini. Seul avec les policiers, Newman n'avait rien dit. Ou Newman et Reuter étaient de mèche, ou ils avaient noué des liens. Possibilité qui le ramenait à sa théorie initiale : Newman était impliqué d'une manière ou d'une autre. Quelle autre explication plausible pouvait-il y avoir ?

D'un autre côté, impliqué ou non, il risquait toujours d'être sacrifié par une femme comme Reuter.

— Elle a tué Grotius, souligna Cabrini. Sauvagement.

— Oui, peut-être. Je pense qu'une fois que Newman cessera de lui être utile...

— Dans quelle voiture se trouve-t-elle maintenant ?

— Une Peugeot bleu marine. Voilà le numéro d'immatriculation.

— Fabius est arrivé à Chicago ?

— Il y a environ quatre-vingt-dix minutes. La sécurité l'attendait à O'Hare. Le CPD lui a parlé, puis le FBI a pris le relais.

— Il en est sorti quelque chose d'utile ?

Mathis se ragaillardit. Son heure de gloire venait de sonner.

— En fait, oui. Une chose...

Neuvième jour

Finalement ils étaient trois. Au départ, pourtant, ils avaient pensé n'en envoyer qu'un seul. Ce qui aurait amplement suffi si Stephanie avait dormi.

Mais elle n'arrivait pas à fermer l'œil : elle avait trop froid et son esprit fonctionnait à plein régime. Newman somnolait à l'avant. Dans l'obscurité, elle avait perçu un mouvement. La porte de la grange s'était entrebâillée, laissant entrer une bourrasque de neige. Très lentement elle s'était penchée vers Newman et lui avait touché l'épaule.

— Ne bougez pas. Ne dites rien. Nous avons de la compagnie.

C'était Newman qui avait eu l'idée d'allumer les phares après que Stephanie avait jailli par la portière arrière, armée du Heckler & Koch. Cette brusque lumière aveuglante lui avait donné une précieuse avance.

Mouvements et coups de feu. Elle ne se rappelait pas la suite exacte des événements. Le deuxième homme avait dû entrer quand le premier s'était effondré. Elle avait senti sa présence avant de le voir, puis une lourde botte lui avait arraché l'arme des mains. Elle n'avait pas bougé puis quand il avait tiré, elle avait réussi à dévier son bras au dernier moment et des balles étaient allées se perdre dans le toit de la grange.

Il y avait eu un corps-à-corps. Elle était tombée, il lui avait balancé un coup de pied, à l'endroit exact où Grotius l'avait blessée, faisant sauter ses points de suture. La douleur l'avait paralysée une seconde. Puis ils avaient lutté par terre. Elle avait entendu des cris dans une langue inconnue. Puis des coups de feu venant de l'extérieur de la grange, une pluie d'échardes, de nouveaux cris.

Elle avait attaqué son agresseur aux yeux. Instinctivement, il avait levé les mains pour se protéger le visage. Elle en avait profité pour lui prendre son arme et le descendre à bout portant.

Un instant plus tard, un ultime coup de feu. Qu'elle n'avait pas tiré.

Un corps gisait près des portes. Newman était figé à côté, le Smith & Wesson Sigma dans la main.

Le troisième agresseur était mort. Une balle dans la tête, du sang partout. Newman n'arrivait pas à en détacher les yeux. Jusqu'à ce que Stephanie roule sur le flanc et l'appelle.

— Vous êtes touchée ?

— Non, c'est la blessure, marmonna-t-elle sans desserrer les dents.

Le deuxième agresseur était mort lui aussi. Sa gorge ressemblait à un rhododendron cramoisi en fleurs. Le premier agresseur, et le seul à avoir reçu plus d'une balle, vivait toujours. Enfin presque.

L'interrogatoire fut bref. Au début, Stephanie ne réussit pas à le comprendre. Elle essaya le français, l'anglais et l'allemand. Rien. Il enchaîna dans un russe approximatif, mais cela ne dura pas longtemps. En moins d'une minute, il avait sombré dans l'inconscience.

— Qui est-ce ? demanda Newman.

— Un Albanais.

— Bon Dieu.

— L'un d'eux est son frère. Le troisième est turc.

— Quoi d'autre ?

— Rien.

— Allons, Stephanie, il en a dit davantage.

S'adossant à la voiture, elle s'efforça de retrouver son souffle.

— Il a dit qu'ils attendaient.

— Qui cela ?

Stephanie haussa les épaules et grimaça de douleur devant l'élancement que ce geste occasionna.

— C'étaient ses dernières paroles. Je vais sortir vérifier.

— Je viens avec vous.

— Non. Vous restez ici. Là, dans le coin. À mon retour, je

vous appellerai avant d'entrer. Si quelqu'un d'autre débarque, tirez. N'attendez pas de voir qui c'est.

Il lui fallut dix minutes pour retrouver leurs traces de pas. Il ne neigeait plus mais il faisait un froid mordant. Le sol paraissait phosphorescent sous la lune. Une légère brise murmurait dans les arbres. Son haleine glacée lui enveloppait la tête de nuages.

Elle traversa un terrain accidenté, s'enfonça dans une forêt dense et arriva dans une clairière. Les trois traces de pas s'arrêtaient à côté d'empreintes de pneus. De larges roues. Un 4 × 4. Apparemment le véhicule était arrivé, avait déchargé sa cargaison, avait fait demi-tour et était reparti.

Ce qui signifiait qu'il y avait au moins un autre individu. Et si on devait en croire l'Albanais, peut-être davantage.

Mais où ?

— Ça va ? demanda Stephanie.

Newman opina du chef. Malgré l'obscurité, elle vit que ce n'était pas le cas. Il ne la regardait pas, il avait les yeux rivés sur le cadavre derrière elle. Avait-il seulement bougé pendant les dix minutes qu'avait duré son absence ? Elle consulta sa montre. Cinq heures vingt.

— Il faut qu'on y aille.

Il hocha de nouveau la tête.

— Robert, regardez-moi. Je sais ce que vous pensez. Mais il faut que nous partions sur-le-champ. J'ai besoin de vous. De vous en totalité.

— Ça ira.

— Bien. Alors aidez-moi.

Ils tirèrent le troisième cadavre dans la grange pour dégager la sortie. Newman parut se remettre, mais elle se dit que l'état de choc reviendrait plus tard. C'était généralement le cas. Ils montèrent dans la voiture. Stephanie s'accrocha au volant pour se glisser à l'intérieur mais ne put réprimer un gémissement.

— C'est grave ?

— Ça va. Ça fait mal, c'est tout.

— Vous voulez que je conduise ?

Elle haussa un sourcil.

— J'espère que ce n'est pas par réflexe macho.

— Je sais conduire sur la neige.

— Et vous pensez que j'en suis incapable ?

— D'après ce que j'ai vu hier soir...

— C'est un spécialiste qui m'a appris.

— Dans mon cas aussi.

— Ah oui ? Et où ?

— En Finlande. Près de Rovaniemi. Et vous ?

— En Écosse. À Sutherland.

— Qui vous a initiée ?

— Un ancien membre des services spéciaux. Et vous ?

— Un ancien champion du monde de rallye.

— Conneries.

— Je ne plaisante pas.

— Bon... vous n'êtes pas en état de conduire. Regardez-vous. Vous tremblez.

— Et vous, vous saignez. Poussez-vous. Et attachez votre ceinture.

Newman fut le premier à repérer les phares. Ils n'étaient pas encore parvenus au hameau.

— Merde.

— Quoi ?

— En face à gauche. Au milieu des arbres, descendant le chemin.

— C'est peut-être quelqu'un d'autre.

Newman enfonça l'accélérateur.

— C'est sûr.

Plus ils se rapprochaient, moins cela paraissait plausible. L'autre véhicule prenait de la vitesse. Sur une surface enneigée, c'était dangereux.

— S'ils arrivent au carrefour avant nous, on est baisés.

— Alors empêchez ça.

— D'autres conseils judicieux ?

— Oui. Ne leur facilitez pas le travail.

Newman accélérait toujours, bien que la voiture commençât à chasser.

— Robert...

— Je sais, je sais.

Ils arrivèrent les premiers au carrefour. L'autre véhicule rata l'arrière de leur véhicule d'un mètre, partit en glissade et échoua dans une congère avant de redresser le cap. Une Range

Rover noire qui se mit en pleins phares. Newman tourna le rétroviseur.

Ils arrivèrent au hameau. Une ou deux lumières, de la fumée s'échappant d'une cheminée. La Range Rover les rattrapait. Newman bataillait avec le volant. La voiture dérapa vers la gauche, puis vers la droite. Il se servit d'un monticule de neige pour ralentir, puis vira à gauche, devant la première maison. L'arrière chassa. Ne pouvant rectifier le tir, il laissa partir la voiture. Il accéléra de nouveau quand ils heurtèrent une barrière. L'impact lui permit de redresser. La Range Rover perdit un peu de terrain, puis se rapprocha.

Newman se servait de tout ce qu'il trouvait : ornières, talus, une baignoire renversée, une souche d'arbre. Jetant un coup d'œil par-dessus son épaule, Stephanie vit la Range Rover s'écraser contre un des autels. Pluie de verre et de bois dans les phares.

— Ils perdent du terrain.

— Ce type ne sait pas conduire. Mais il est équipé de pneus neige. Dès que nous serons sur une ligne droite, il nous talonnera.

Ils accrochèrent l'angle d'une maison en essayant de négocier un virage à angle droit. La Peugeot heurta une congère. Un rétroviseur extérieur sauta. De la neige recouvrit le pare-brise. Le moteur cala.

Newman remit le contact. Rien. La Range Rover leur fonçait dessus.

— Robert...

Nouvel échec. Stephanie s'agrippa à la poignée.

— *Robert...*

Le moteur démarra, la Peugeot bondit en avant. Le conducteur de la Range Rover tenta un virage trop serré. Ses roues perdirent leur adhérence et le véhicule fonça droit dans la haie. Partit en tête-à-queue.

Newman sortit du hameau. Ils étaient de nouveau dans une obscurité totale, entre un talus escarpé à gauche et un à-pic à droite. La Range Rover réapparut derrière eux, éclairant l'habitacle de la Peugeot.

— Qu'est-ce que nous allons faire ? Stephanie regarda de nouveau par-dessus son épaule : Oh ! mon Dieu...

La Range Rover les rattrapait. Le premier choc les propulsa

vers le ravin à droite. Newman compensa. La voiture fit une embardée. Il accéléra. Puis dut immédiatement freiner à cause d'un brusque virage à gauche. La Range Rover les heurta de nouveau. Ratant son virage, Newman tourna sur le volant pour faire glisser la Peugeot de côté. Ils percutèrent l'arbre latéralement.

Sous le choc de la collision, Stephanie sentit une douleur lui transpercer le flanc gauche. Newman revenait sur la route quand la Range Rover les poussa de nouveau.

— Nom de Dieu ! s'écria Stephanie. On n'arrive pas à les distancer.

— Attendez, bordel.

— Quoi ? Un miracle ?

— C'est ça.

Ils dérapèrent le long d'une longue courbe qui se terminait par une ligne droite. Newman écrasa l'accélérateur. La Range Rover gagnait sur eux. Dans les phares, Stephanie vit le virage devant eux. Un virage à gauche en épingle à cheveux qui arrivait trop vite.

— Robert...

— Accrochez-vous.

Ils ne pouvaient plus freiner. Elle ne vit plus qu'un flou de troncs d'arbres et d'obscurité.

— Robert... Oh ! mon Dieu... non !

Ils venaient de quitter la route. Newman avait foncé à gauche dans le fossé. La voiture rebondit sur des pierres et des souches. Sous l'effet du ralentissement brutal, Stephanie fut projetée en avant, sa ceinture de sécurité lui cisaillant l'omoplate.

Puis ils virèrent droit dans la Range Rover qui les doublait malgré elle. Le choc arrêta l'élan de la Peugeot. Le chauffeur de la Range Rover perdit le contrôle de son véhicule. Il tenta d'écraser le frein, mais ses pneus neige ne lui servirent à rien. Arrivé dans le virage, il s'envola dans l'obscurité.

Nous traversons de nouveau Ribeauvillé en silence. Des vignobles enneigés dans le lointain. On dirait des barbelés : des sarments enroulés autour de kilomètres de fil entre des milliers de poteaux en bois.

Ce n'est pas seulement dans la neige que nous avons laissé des traces, mais aussi dans mon esprit et je ne peux pas les recouvrir. Le soupçon persiste.

— *Nous devrions manger un morceau.*

— *Nous serons bientôt à Strasbourg.*

— *Avant.*

— *Ça ne va pas ?*

— *Si, si. Mais me restaurer ne me ferait pas de mal.*

— *Vous avez besoin d'un médecin.*

— *Chaque chose en son temps. Ça va, vous ?*

— *Moi, ça va.*

Le mensonge est si évident que nous sourions tous les deux. Malgré la pénombre, je vois bien qu'il est affreusement pâle. Il avait meilleure mine en contemplant les restes de Lance Grotius. Il a beau serrer le volant de toutes ses forces, cela n'arrête pas ses tremblements.

— *C'est normal.*

— *Cela vous est arrivé ?*

— *Oui. La première fois.*

— *Jamais depuis ?*

On ne perd sa virginité qu'une fois. C'est ce que je lui dirais si je répondais à sa question. Et quand cela se répète trop souvent, on prend l'habitude.

Il fait encore nuit quand nous entrons dans Obernai, à environ trente-cinq kilomètres au sud de Strasbourg. Nous nous dirigeons vers le centre ville et garons la Peugeot sur la place du marché, devant le magasin Arc-en-Ciel. Nous traversons la place pour rejoindre l'hôtel La Diligence. Ma blessure me fait tellement mal que je boite.

La neige est pratiquement immaculée. Le silence est tel que l'air semble voler en éclats quand un chien se met à aboyer dans le lointain.

À la réception de l'hôtel, une femme à l'air las compte les minutes la séparant de la fin de son service.

— *C'est possible de prendre un petit déjeuner ?*

— *Vous êtes des clients ?*

— *Non.*

— *Désolée. Nous ne sommes pas ouverts pour le petit déjeuner.*

Pas pour nous en tout cas. Nous ne devons pas offrir un spectacle bien réjouissant. Je m'efforce de me redresser pour cacher que je suis blessée.

— *Vous savez où nous pourrions trouver un café à Obernai ? enchaîne Robert. Nous avons conduit toute la nuit.*

Ses yeux s'écarquillent.

— *Avec cette tempête ?*

— *Nous arrivons directement de Rotterdam, répond-il, imperturbable.*

Je suis impressionnée. Il apprend. Mais pourquoi devrais-je croire qu'il puisse apprendre quoi que ce soit de moi ? Peut-être sommes-nous égaux. Peut-être est-il meilleur que moi.

Du coin de l'œil, je perçois un mouvement. Robert parle toujours à la femme de la réception qui commence à fondre. De l'autre côté de la place, une silhouette fait une fois, puis deux fois le tour de la Peugeot. Vêtue de sombre, un sac à dos noir sur l'épaule droite.

Pas encore. Ce n'est pas possible. Pas déjà.

L'homme s'éloigne de la voiture ; j'ai dû me tromper. Il s'approche de la Mercedes garée devant notre voiture, paraît sur le point de monter dedans, regarde autour de lui, et revient vers la Peugeot. Il fait semblant de lâcher quelque chose par terre pour s'accroupir. Il s'appuie d'une main à la Peugeot. De l'autre main, il tire quelque chose du sac. Impossible de voir ce que c'est. Ce n'est pas nécessaire. Il tend la main sous la Peugeot, touche la caisse et disparaît. Le tout en moins de cinq secondes : un objet magnétique, à tous les coups.

J'effleure le bras de Robert.

— *Je vais à la voiture, chéri. Je reviens tout de suite.*

Sans lui laisser le temps de demander pourquoi, je suis dehors. Des empreintes fraîches traversent la place en diagonale jusqu'à l'angle à ma gauche. Je file vers la droite, m'engage dans la rue de la Paille, ce qui me permet de contourner la place par l'extérieur. Rue Dietrich, je m'approche du carrefour et je jette un coup d'œil. Plusieurs véhicules sont garés le long du trottoir de la rue Sainte-Odile. Tous couverts de neige. Sauf un. Une BMW X5 noire aux vitres teintées.

Elle est rangée devant une petite librairie, ce qui lui permet de jouir d'une vue partielle de la place. La Peugeot est visible mais non l'entrée de l'hôtel La Diligence. Je mémorise le numéro et m'enfonce dans l'ombre.

Trois menaces avant l'aube. Assez flatteur d'un certain côté.

L'offensive de charme de Robert n'a rien donné. Il bavarde toujours avec la réceptionniste, mais pas de perspective de petit déjeuner.

— *Ce n'est pas grave, nous trouverons autre chose, dis-je avec un grand sourire.*

Dehors je le prends par le bras et l'entraîne vers la droite.

— *Où allons-nous ?*

— *À la gare.*

— *Pourquoi ?*

— *On abandonne la voiture, il y a un truc collé en dessous.*

— Nous aurions dû récupérer le sac dans le coffre.

— Non. Pas question de nous y risquer. Nous ignorons de

quel dispositif il s'agit. Une minuterie ou un détecteur de mouvement. Ou une commande à distance. La vue était parfaitement dégagée entre les deux voitures.

Newman contempla le paysage que le jour levant teintait de bleu marine. Ils étaient à bord du train régional, de six heures quarante-sept pour Strasbourg, accompagnés d'une poignée de voyageurs matinaux assis à l'autre bout du wagon.

Stephanie sentait le poids du Heckler & Koch dans la poche de son manteau.

— Vous avez le Smith & Wesson ? lui souffla-t-elle.

— Non, je l'ai mis dans le coffre. Avec le sac.

— Qu'est-ce que vous aviez dans ce sac ?

— Des vêtements, de l'argent. Vous avez le liquide que vous a donné Shéhérazade ?

— Ici, dit Stephanie en tapotant sa veste.

— Comment ont-ils fait pour nous trouver ?

— Je ne sais pas. Vous n'avez pas de portable sur vous, si ?

— Non.

— Quelque chose d'électronique.

— Non. À part l'ordinateur.

— Je ne l'ai pas allumé depuis que nous avons changé de voiture à Lyon.

— Peut-on le suivre à la trace ?

On lui avait dit que la technologie permettant de localiser les portables éteints existait déjà, mais n'était pas encore opérationnelle.

— Je ne sais pas. Peut-être.

— Alors nous ferions bien de nous en débarrasser. Histoire d'être sûrs. C'était ça la raison à Obernai ?

— C'était juste une impression. Une intuition.

— Vous auriez pu en parler. Et qu'est-ce que votre intuition vous dit maintenant ?

— Qu'il faut qu'on opère judicieusement.

Le train arriva à Strasbourg à sept heures vingt-sept. Ils laissèrent le portable sous le siège. Stephanie vérifia que les CD se trouvaient bien dans sa poche, trouva une cabine téléphonique et appela la police.

— Place du marché, à Obernai. Il y a une Peugeot bleu marine garée devant le magasin Arc-en-Ciel. Elle a une bombe collée sous la caisse, commandée à partir d'une BMW X5 noire rangée dans la rue Sainte-Odile. Peut-être y est-elle encore. Sinon, le numéro d'immatriculation est le...

Elle raccrocha.

Une demi-heure plus tard, ils quittaient Strasbourg à bord d'une vieille Saab grise volée dans le parking sous la place de la gare. Des serviettes en papier trouvées dans les toilettes de la gare protégeaient la blessure de Stephanie. Newman conduisait. Ils traversèrent le Rhin à Kehl et prirent la direction de Mannheim.

De Mannheim, ils attrapèrent un train à grande vitesse pour Munich. Leur wagon était à moitié vide. Dehors, des bourrasques de neige filaient devant la fenêtre. À l'intérieur, il faisait chaud et c'était calme. Stephanie se sentait nauséeuse et épuisée. Sachant que son corps avait besoin d'un remontant, elle avait acheté un sandwich, mais elle ne pouvait se résoudre à le manger.

— Comment avez-vous rencontré ce champion du monde de rallye ?

— Un ancien champion.

— Ce n'est pas pour ça que cela paraît plus plausible.

— La vérité ne vous convaincra pas plus alors : je lui ai emprunté sa petite amie pendant quelques mois.

— En fait, ça, je serais portée à le croire. C'était gentil de sa part de vous la prêter. J'espère que vous l'avez rendue dans l'état dans lequel on vous l'a confiée.

— Il n'était pas au courant de mon existence.

— Vous étiez au courant de la sienne ?

— Non plus.

— Ce n'est pas Anna, si ?

— Non. Carlotta.

— Je me demandais quand elle ferait son apparition. Que s'est-il passé ?

— Elle a laissé traîner son agenda. J'étais chez elle quand il a débarqué.

— Ça fait désordre.

— Tout s'est très bien terminé. Nous sommes partis ensemble et il a suggéré qu'on prenne un verre. Vous savez, le genre, sans rancune.

— Et cela s'est arrêté là ?

266

— Pas exactement. Comme il est finlandais, nous avons fini par boire tout le week-end. Nous sommes amis depuis. Il habite Monaco maintenant mais nous nous voyons une ou deux fois par an.

— Et c'est lui qui vous a appris à conduire comme ça ?

— Exact. Il avait une maison en Finlande près de Rovaniemi. Il y organisait de longs week-ends, avec plein d'amis venus de partout, des repas succulents, de l'alcool à volonté, pas le temps de dormir. Nous conduisions sur des lacs gelés. Ou dans les bois. À n'importe quelle heure du jour ou de la nuit.

— On dirait que vous vous êtes plus amusé avec lui qu'avec Carlotta.

— C'est vrai. Et en retour, je l'ai aidé à placer l'argent qu'il avait gagné. Aujourd'hui ses investissements lui rapportent plus que ce qu'il a jamais gagné au volant.

Stephanie leva sa tasse.

— À Carlotta, alors ! Sans elle, nous aurions probablement fini dans un arbre.

Newman l'imita.

— À Carlotta !

— Je parie que vous n'auriez jamais pensé dire une chose pareille un jour.

Le train sortait de la gare de Stuttgart.

— À quoi pensez-vous ?

— J'ai une question à vous poser.

— D'accord.

— Vous êtes sûre ?

— Allez-y.

— Bon. Qui êtes-vous ? Qu'est-ce que vous faites dans la vie ?

— Ça fait deux questions.

— Vous m'avez déjà fait le coup. Ne soyez pas mesquine.

— Je vous l'ai déjà dit.

— Vous m'avez dit que vous travailliez pour le gouvernement.

— C'est vrai.

— C'est une réponse. Pas *la* réponse. Les receveurs des impôts travaillent pour le gouvernement. Les enseignants aussi.

— Vous avez vu de quoi je suis capable.

— J'ai vu beaucoup de choses. Mais je suis toujours aussi dans le vague. C'est pour ça que j'aimerais vraiment avoir une réponse franche à présent.

Elle avait toujours détesté ce genre de formulation. Cela donnait l'impression d'être un mensonge. Voire pis, une vantardise. Bref, un truc qui n'avait rien à voir avec elle.

Elle choisit de ne pas donner dans la fioriture

— Je suis un assassin.

Ni indignation, ni surprise. Il s'attendait à cette réponse visiblement. Peut-être même l'espérait-il, une confirmation valant mieux que le doute.

— Pour le gouvernement britannique ?

— Oui. Mais pas officiellement.

— Cela arrive que ce soit officiel ?

— L'organisation pour laquelle je travaillais n'existe pas. Elle n'a jamais existé.

— Mais vous avez rendu votre tablier ?

— J'ai essayé.

— Qu'est-ce que vous voulez dire ?

— Je préférerais ne pas en parler.

Sa réponse type chaque fois qu'une situation difficile se présentait.

— Cela ne me surprend pas.

Cela l'agaça.

— Vous allez jouer les pères la morale ?

— C'est nécessaire ?

Stephanie réfléchit puis le regarda en face.

— Jusqu'il y a à peu près deux ans, j'ai passé toute ma vie d'adulte à jouer les esclaves hautement entraînés. J'obéissais aux ordres. Lesquels ordres se concluaient généralement par un meurtre. On n'en sort pas indemne. Au début, cela vous use. Après, cela vous consume parce qu'il ne vous reste plus que ça. C'est ce que vous êtes devenu. Mais je n'ai jamais cessé de rêver d'une vie après. Et j'ai fini par avoir ma chance. Il s'est passé quelque chose à Berlin. Ensuite, on m'a offert ma liberté. On n'a pas été obligé de me le dire deux fois.

— Vous avez tout lâché ?

— Oui. Et cela aurait dû en rester là. J'avais ce que je voulais depuis le début. L'occasion de recommencer à zéro.

— Qu'est-ce que vous avez fait ?

— D'abord, j'ai voyagé. J'ai pris de longues vacances. Asie du Sud-Est, sac au dos comme une étudiante, le nez au vent. La mer sur la peau, le soleil dans les cheveux. Le pied. J'ai lu des livres, pris des trains, j'ai dormi, mangé, grossi. Je me sentais détendue, sexy, heureuse. Tout ce dont je rêvais quand je me gelais au fond d'un égout à Grozny.

— Je regrette de ne pas vous avoir rencontrée à cette époque.

— À Grozny ?

— En Asie du Sud-Est.

— Cela ne vous aurait pas plu.

— Pourquoi ?

— Pas de voyages en première classe, pas d'hôtels cinq étoiles.

— Parce que nous sommes en première classe ? Et la nuit dernière, cela n'avait rien du Ritz. Racontez-moi ce qui s'est passé.

Elle se rendit compte qu'il fallait qu'elle réfléchisse avant de répondre.

— J'ai dû déraper. Régresser. Je ne sais pas comment c'est arrivé mais je sais pourquoi. Peu avant que je ne le tue, Alexander m'a dit que je ne serais jamais capable de vivre une vie normale.

— Qui était Alexander ?

— Mon boss.

— Et vous l'avez tué ?

— Dans des toilettes à Zoo Station à Berlin.

Newman haussa un sourcil.

— La loyauté de l'employé n'est plus ce qu'elle était.

— Je ne lui devais rien. Il répétait toujours qu'il m'avait sauvée. Dans un sens, c'était vrai. Il m'a transformée : d'une épave, je me suis muée en instrument de haute précision. Superficiellement, c'était une amélioration. Mais au moins je ne faisais de mal qu'à moi-même quand j'étais une épave.

— On s'apitoie sur son sort ?

— Peu m'importe ce que vous pensez. Alexander disait que ce n'était pas tuer qui me manquerait. Mais ce qui allait avec. La poussée d'adrénaline que vous avez connue à Beyrouth. Pareil, en surmultiplié. Tout. Les missions, la préparation, l'exécution, la disparition. Puis les temps morts ; des tranches bien nettes de vie civile. Généralement juste assez longs pour se détendre sans que l'ennui vous rattrape. En vérité, quand on excelle dans un domaine, on en crève quand on laisse tomber.

— Il avait donc raison.

Stephanie acquiesça.

— J'étais la vedette sportive qui ne peut vivre sans la foule. (L'analogie ne la satisfit pas.) En fait, j'étais plutôt une alcoolique. Quand j'ai plaqué Magenta House, je suis entrée en cure de désintoxication. Mais je n'ai pas tenu. J'ai commencé à faiblir. Et j'ai replongé.

— Comment ?

Elle haussa les épaules.

— Comme tous les alcooliques, je suppose. Une gorgée suffit. La chose la plus bête du monde. J'étais à Barcelone. Tard dans la nuit, j'ai été agressée par quatre hommes. J'étais terrifiée – terrorisée, comme toute personne normale – et j'ai cru que je ne pourrais pas me défendre. Je me croyais guérie. Mais tout est revenu d'un coup. C'était si facile. Si simple. Et cela faisait du bien. Tant au niveau physique qu'émotionnel.

— Et ça a tout déclenché ?

— C'est comme ça que ça a démarré. Sauf que cette fois, c'était encore mieux parce que je n'étais l'esclave de personne. J'étais la parfaite machine à tuer sans le fardeau et la contrainte d'une entité qui me contrôle. C'est un truc de replonger. Mais découvrir qu'on n'a plus jamais la gueule de bois...

— Et maintenant ?

Elle soupira.

— Maintenant je suis confrontée à la vérité.

— À savoir ?

— C'était une illusion. Un moyen de se dissimuler la vérité. Je n'ai besoin ni des assassinats, ni de la vie qui va avec. J'ai juste besoin de temps pour m'adapter. La femme que j'étais en Asie du Sud-Est, c'était moi, c'était vraiment moi. Je n'ai pas su le reconnaître, c'est tout.

New York, six heures cinq

John Cabrini dormait profondément quand l'appel était arrivé et il tentait toujours de reprendre ses esprits. Steven Mathis lui passa l'appareil quand il s'assit sur son lit de camp.

Il avait la bouche sèche à cause de l'air artificiel qui circulait dans la salle des opérations.

Une voix lui hurla à l'oreille.

— Où en sommes-nous ?

— Paris-1 l'a localisée.

— Où cela ?

— Au sud de Strasbourg. J'ai donné le feu vert à une interception. On procède à une évaluation en ce moment même.

— Quand pouvons-nous espérer un dénouement ?

— D'ici une heure. Pas plus de deux.

— Vous êtes sûr ?

— Positif, monsieur.

— Vous savez d'où j'appelle ?

Cabrini regarda Mathis qui articula la réponse.

— Paris ?

— Exact. De Charles-de-Gaulle. J'attends un vol. Il a été retardé. Avec toute la neige que nous avons eue...

— Vous m'en voyez désolé, monsieur.

— Cela m'a permis de me mettre au courant des dernières nouvelles. Je suis d'ailleurs justement en train de regarder les informations. Sur une télé dans la salle d'embarquement.

Cabrini eut une drôle de sensation au creux de l'estomac. Il entendit l'annonce d'un vol en français dans le lointain. Il se raccrocha à un commentaire neutre.

— J'espère que vous ne serez pas retardé trop longtemps, monsieur.

— Ah oui ? J'espère que ce sera aussi le cas de Paris-1.

— Pardon ?

— J'espère qu'il ne sera pas retardé trop longtemps.

— Je crains de ne pas comprendre, monsieur.

— Il est en garde à vue, connard. Je suis en train d'admirer sa BMW noire. Elle passe à la putain de télé, entourée de gendarmes qui ont l'air aussi heureux que moi. Qu'est-ce que vous trafiquez, bordel, Cabrini ? Paris-1 est dans un commissariat de Strasbourg et il faut que je l'apprenne par France 3 ?

Cabrini arpentait la salle en s'efforçant de mettre de l'ordre dans ses idées.

— Nous... nous examinons... euh... la situation, monsieur.

— Non, Cabrini. C'est moi qui l'ai sous les yeux. Vous ne seriez pas foutu de retrouver votre queue avec une équipe de recherche de six hommes. Ils ont coincé Paris-1 dans une petite ville de merde. Des cordons de police partout. Une voiture piégée, nom de Dieu ! On n'est pas en Israël, Cabrini. Qui est Paris-1 d'ailleurs ?

— Gavras, monsieur. Raphael Gavras.

— Le Cubain ?

— Oui, monsieur.

— Putain, Cabrini ! Vous avez choisi un Cubain pour s'attaquer à Reuter. D'abord un Sud-Africain, maintenant un Cubain. À qui le tour ? Cette enfoirée de Gwyneth Paltrow ?

— Gavras ne nous a encore jamais fait faux bond, monsieur.

Il y eut un nouveau silence, plus long. Quand la voix revint en ligne, sa fureur était tout aussi vive mais maitrisée, ce qui la rendait d'autant plus menaçante.

— Assurez-vous qu'il n'ait plus jamais l'occasion de nous faire faux bond.

Stephanie dormait mais son sommeil n'avait rien de paisible. Elle s'agitait. Newman l'observait en sirotant une tasse de café. Dehors, le paysage restait d'un blanc provocateur. Il songea au coup de feu, au sursaut, au corps qui se convulsait. Il n'avait jamais sérieusement envisagé de tirer sur quelqu'un. Pas même à Beyrouth. Et voilà que, vingt ans plus tard, il venait de passer à l'acte et ce qui le dérangeait le plus, c'était sa torpeur. Ce sentiment d'irréalité.

Peut-être que si sa victime avait crié... Mais elle n'en avait rien fait ; elle s'était effondrée en silence. Peut-être que si sa victime n'avait pas été aussi anonyme... Mais elle l'était ; en noir de la tête aux pieds, sans traits sur lesquels se concentrer. Un personnage de jeu vidéo.

Là il vivait le véritable état de choc. Les tremblements avaient disparu et il ne restait rien.

Stephanie se réveilla en sursaut. Et étouffa un cri. Son mouvement brusque avait réveillé la douleur. Un instant, elle eut l'air complètement perdu. Puis elle se détendit en le voyant.

— Où sommes-nous ?

— À environ une heure de Munich.

— Qu'est-ce que vous avez fait ?

— Rien. J'étais perdu dans mes pensées.

Elle se redressa avec difficulté.

— Parlez-moi du Liban. De Rachel.

— Vous avez vraiment envie de savoir ?

Elle lui assura que oui. Terminée son indécision à ce sujet. À présent elle avait le sentiment qu'elle voulait savoir.

Elle s'attacha aux détails. Le goût d'un café dans un petit bistrot. La chaleur dans la salle des arrivées du terminal démoli à l'aéroport de Beyrouth. Le contrebandier français qui travaillait à partir d'un appartement de la rue d'Australie. Les longs déjeuners avec des amis dans le Chouf. Les personnages du bureau de Rachel à l'AP — des catholiques grecs, un sunnite palestinien, un Irlandais, un Arménien, un Iranien, un maronite — tous entassés dans un dédale de pièces dans les étages d'un immeuble décrépit. Les dîners de *mezze* avec des confrères journalistes au restaurant Grenier.

— Un jour elle m'a emmené voir les cèdres. C'était l'hiver ; il y avait de la neige sur les sommets du Sannine. Nous sommes montés dans la chaîne du Liban. À mille mètres environ, plus d'arbres. La route est devenue plus accidentée. Nous avons atteint les deux mille mètres. Un froid mordant. Que de la roche. Puis nous avons franchi un virage en épingle à cheveux et ils étaient là, mille mètres plus haut que les derniers de leurs congénères. Vieux de quinze cents ans. Plantés au milieu des cèdres, nous avons contemplé le pays à nos pieds. Rachel était heureuse. Elle a dit que, quoi qu'il arrive, nous survivrions.

Stephanie vit Newman remonter le temps. On était le 18 septembre 1982 et il arpentait le camp de Chatila, enjambant les corps mutilés des femmes et des enfants assassinés par la phalange avec l'autorisation et les encouragements des forces israéliennes complices. Cela avait été son baptême du feu. Puis, le 23 octobre 1983, il avait utilisé des rouleaux et des rouleaux de trente-cinq millimètres prenant des photos des ruines fumantes de la base des marines US. Fini le novice, une année l'avait aguerri.

Il lui décrivit ses temps morts. Qui ne ressemblaient en rien à ceux que Stephanie avait connus. Les plaisirs de Petra avaient été orchestrés, selon des règles mécaniques. Lui, il avait sauté sur la moindre occasion de se détendre.

— Fin 1984, début 1985, la menace a changé. Les Occidentaux sont devenus la cible du djihad islamiste. Il y a eu des

273

meurtres, des kidnappings. Au début, nous ne nous sommes pas trop inquiétés. Deux des quatre premiers ont été relâchés indemnes. Puis c'est devenu sérieux. Quand William Buckley, le chef de la CIA à Beyrouth, a été enlevé et torturé à mort, cela nous a ramenés à la réalité. Au moment où Terry Anderson s'est fait kidnapper, les gens partaient déjà. Charles Wallace du *Los Angeles Times*, l'équipe de NBC, Levin de CNN. Lorsque SIPA m'a ordonné de m'en aller, nous en avons discuté Rachel et moi et nous avons décidé qu'il valait mieux obéir. Nous ne voulions pas être séparés mais elle bénéficiait d'appuis, moi non. Et nous savions que je ne pourrais jamais compter sur eux parce qu'elle n'avait pas révélé notre histoire à ses supérieurs.

Je suis donc parti. D'abord à Paris, puis à New York où j'ai attendu une nouvelle mission. Au début, j'étais soulagé. Mais une fois à New York, je n'avais plus qu'une envie : y retourner. Comme vous, j'ai replongé. Finalement, je ne suis resté absent que dix semaines. Dès l'instant où cette merde de MEA 707 a touché le sol, j'étais de nouveau chez moi.

— Vous avez prévenu votre agence que vous y retourniez ?

— Non. Je les ai plaqués. J'étais indépendant. Comme vous. Et toujours comme vous, j'ai trouvé ça libérateur. Mais en fait j'étais déjà repéré.

— Comment cela ?

— Deux semaines avant que je ne quitte Beyrouth, nous sommes allés voir un dirigeant du djihad à Bourj al-Barajneh, un des quartiers pauvres de Beyrouth. Nous y attendait l'habituel service d'ordre débile ; des gamins agressifs brandissant des AK-47. En tout cas, ce sont eux qui m'ont kidnappé à mon retour.

— Ils avaient dû se dire qu'ils avaient laissé passer leur chance quand vous étiez parti pour Paris.

— Oui.

— Et qu'ils avaient touché le gros lot en vous voyant revenir.

— Sauf que je n'étais pas un billet gagnant.

— Pourquoi ?

— J'étais un Américain mais je n'avais aucune valeur. Je n'étais pas censé être là. De sorte que personne ne se souciait de mon sort. J'étais juste un pauvre idiot pris au piège. Mais ce n'est pas comme ça qu'ils ont vu la situation.

— Pourquoi ?

— Ils ont donné une autre interprétation au fait que personne n'était au courant de ma présence au Liban.

Elle comprit immédiatement.

— Ils vous ont pris pour un agent secret.

— Exact.

— Combien de temps leur a-t-il fallu pour se rendre compte que ce n'était pas le cas ? demanda-t-elle en songeant à ses cicatrices.

— Je ne me rappelle pas.

— Comment c'est arrivé ?

— J'étais sur la route de l'aéroport ; j'allais chercher un de nos amis. Un Libanais qui arrivait de Jordanie. La route de l'aéroport était le lieu de prédilection pour les embuscades mais comme je conduisais une voiture empruntée, je me croyais à l'abri. Tout à coup, ces types se matérialisent sur la route, leurs armes pointées sur moi. Je savais que, si je m'arrêtais, je serais sérieusement dans la panade, alors j'ai essayé de les semer. Ils ont tiré dans mes pneus et j'ai perdu le contrôle de ma voiture. Ils m'ont extrait de l'épave et m'ont jeté dans le coffre d'une Datsun. Une fois le coffre refermé, je n'ai plus revu la lumière du jour pendant un an.

Le train commença à ralentir. Ils approchaient de Munich.

— Vous savez où vous avez été détenu ?

— Partout. Tyr et Sidon. À Beyrouth même. Dans la vallée de la Bekaa. Généralement dans un sous-sol ou dans une cave. Toujours attaché à quelque chose de résistant. Quand ils me déplaçaient, ils me collaient les bras au corps avec du ruban adhésif, j'avais l'impression de porter une camisole de force. Puis c'était au tour des chevilles, des genoux et enfin la bouche et les yeux. Ils laissaient une fente dans le ruban adhésif pour me permettre de respirer par le nez. Ensuite ils me balançaient à l'arrière d'un véhicule et roulaient comme des dingues. Je suis sorti de chaque transfert couvert de bleus et de coupures. Mais j'y étais habitué. Au bout d'un moment, cela a commencé à glisser sur moi. Comme les passages à tabac. On finit dans une sorte d'état cataleptique. On sent la douleur sans la sentir.

— Vous avez été détenu avec d'autres otages ?

— À deux reprises. Une fois dans la Bekaa. C'était un Allemand. Et une fois à Baalbek. Un Hollandais. Chaque fois, pendant quelques jours. La première, cela a peut-être duré un peu plus longtemps. Je ne suis pas sûr. Je n'étais pas dans une forme éblouissante.

Leur arrivée imminente fut annoncée.

— Pourquoi vous ont-ils relâché ?

— J'y ai souvent réfléchi et franchement je n'en sais rien. À ce moment-là, ils avaient compris que je ne leur rapporterais rien. La seule conclusion que je peux en tirer, c'est qu'ils ne se sont même pas embêtés à m'achever. Je ne devais même pas valoir le prix de la balle qui me descendrait.

— Combien de temps avez-vous été détenu ?

— Vingt-deux mois et neuf jours.

— Et après ?

Robert se leva quand le train s'arrêta dans un sursaut.

— Quel après ? Le mal était fait.

Il faisait déjà nuit quand le train sortit de Munich à dix-sept heures vingt-trois. Ils passèrent en Autriche, firent halte peu après à Salzbourg, puis à Linz. Les touristes américains qui partagèrent leur compartiment de six places jusqu'à Salzbourg tentèrent d'engager la conversation, mais Stephanie et Newman leur répondirent en français en affichant une incompréhension hautaine. Après Salzbourg, ils se retrouvèrent seuls.

— Les gens que vous traquiez, dit Newman, c'était des politiques ?

— Dans la mesure où les terroristes le sont, oui.

— Ils étaient tous terroristes ?

— Presque tous. Ou des criminels avec des liens terroristes. Des financiers, des avocats, il y en a eu quelques-uns.

— Des membres d'Al-Qaïda ?

— Pas directement. Mais il y a eu un ou deux terroristes islamistes.

— Qu'est-ce que vous pensez de tout cela ? Le mouvement musulman.

— Pour moi, c'est un peu comme le problème juif : c'est déprimant. Mais quand je travaillais, je ne me suis jamais laissé influencer par ça.

— Vraiment ? Il n'y a pas des moments où vous aviez l'impression de rendre service au monde ?

— Je vois ce que vous voulez dire. Mais je ne me suis jamais autorisée à voir les choses sous cet angle. Je me disais que j'étais une avocate encombrée d'un client désagréable.

— Soit. Mais s'il fallait que vous descendiez un kamikaze juste avant qu'il ne déclenche sa bombe...

— Mauvais exemple.

— Pourquoi ?

— Si je devais ressentir quoi que ce soit pour un kamikaze, ce serait plutôt de la pitié.

— Vous n'êtes pas dupe ?

— Pas du tout. Le martyre n'est pas un sacrifice. Pas si vous croyez que votre vie n'a aucune valeur. Pas si vous proclamez aimer la mort. Dès lors, le martyre devient un raccourci vers une existence plus facile, plus agréable. Où est l'héroïsme ou la bravoure dans tout cela ? En fait, si vous acceptez que votre récompense sera l'éternité au paradis en compagnie de soixante-douze vierges, cela n'a plus rien d'un sacrifice. Cela réduit les opérations kamikazes à un acte d'intérêt personnel pur. Les criminels, ce sont les manipulateurs. Les imams, les professeurs, ceux qui réclament des martyrs mais qui n'ont pas la conviction nécessaire pour montrer l'exemple.

— Mais ces kamikazes sont des volontaires pour la plupart.

— Ça ne change rien. Ils restent manipulés, quoi qu'ils pensent. Vous devriez voir ceux qui ne vont pas jusqu'au bout et qui ne sont pas achevés ensuite par leurs geôliers. Ils sont désorientés. Il n'ont plus ni ferveur religieuse, ni certitudes. Ils ressentent de la culpabilité et de la honte mais ils sont trop perdus pour comprendre pourquoi. C'est du lavage de cerveau, comme dans les sectes. Les mêmes techniques, les mêmes victimes.

— Cela me paraît bien cynique.

— C'est un business cynique. Et c'est la même chose pour la vision coranique du paradis.

— Que voulez-vous dire ?

— C'est une question de dialecte et de traduction. Selon une interprétation traditionnelle du Coran, les soixante-douze vierges du paradis pourraient très bien être soixante-douze fruits exotiques. Tout est dans l'interprétation, et le discours fanatique le plus récent a privilégié le scabreux.

Newman réfléchit.

— Cela modifierait certainement le point de vue.

— Et comment. Vous imaginez à quel point ce serait décevant ? Vous vous faites exploser en pensant que vous allez passer l'éternité avec une bande de beautés mais vous vous retrouvez à revivre éternellement la même journée en dégustant une salade de fruits.

Stephanie triait le contenu des poches de sa veste en cuir. Elle en sortit tout sauf le Heckler & Koch : le ticket de bus de Perrache à l'aéroport, les clés de la Peugeot, celles de la Saab, les tickets de caisse de l'aire de service du Chien-Blanc et l'addition de la brasserie de la place des Célestins ; les billets de train et la monnaie ; le sac de liquide, le Nurofen acheté à Munich.

— Je me demande combien ils étaient dans la Range Rover, dit Newman.

— Peu importe.

— C'est comme ça que ça fonctionne dans votre univers ?

— Oui. Absolument. Nous sommes des sauvages, Robert. Des sauvages en costards, mais des sauvages tout de même. Ne vous y trompez pas.

Il n'insista pas et regarda les objets qu'elle avait étalés sur la table. Il examina les clés de la Peugeot auxquelles étaient attachés trois porte-clés : Peugeot, Nexus, Olympique Lyonnais.

— Au moins nous savons comment ils nous ont retrouvés.

— C'est-à-dire ?

— Nexus. C'est une société française qui assure la sécurité des voitures. Une puce dissimulée dans le véhicule. Dès qu'on signale son vol, on peut retrouver sa trace par satellite.

— Je connais cette technologie, merci. Je ne m'attendais pas à ce qu'elle soit sur cette voiture. J'avais délibérément choisi un vieux modèle.

— Il ne faut jamais sous-estimer l'affection de l'homme pour les gadgets.

— Et maintenant nous avons perdu l'ordinateur.

— Nous en avons besoin ?

— Peut-être pas. Bah ! Nous nous en sortons plutôt bien. Si nous étions partis d'Obernai sans rencontrer de problèmes, nous ne serions pas à l'abri à l'heure qu'il est. Ils nous suivraient encore. Prendre le train nous a rendus de nouveau invisibles. Pour un temps, en tout cas.

Cela me trotte dans la tête depuis que nous avons quitté Munich.

— *Quand vous avez dit que le mal était fait, qu'entendiez-vous par là ?*

Il lui faut un moment pour comprendre de quoi je parle. Et un autre pour décider s'il est prêt à m'expliquer.

— *Rachel était morte. Je ne l'ai pas découvert tout de suite. On m'a transféré dans une base en Allemagne. Darmstadt. Là-bas personne ne savait rien. Je ne l'ai appris qu'à mon retour à New York.*

Je ne suis pas surprise. Il m'a dit que l'étoile qui brille deux fois plus brûle deux fois moins longtemps. Ce n'était pas une explication pour la fin d'une relation. J'avais d'ailleurs eu un pressentiment sur le moment.

— *Comment ?*

Il inspire et exhale lentement.

— *Tuée.*

— *À Beyrouth ?*

— *Probablement.*

— *Quand ?*

Il fixe le sol.

— *Moins de six mois après mon enlèvement.*

— *Elle a aussi été enlevée ?*

Il hoche la tête.

— *Trois mois après moi.*

— *Comment l'avez-vous su ?*

— *J'ai été débriefé par la CIA à mon retour aux États-Unis. Procédure standard, vu les circonstances.*

— *Il m'ont dit que c'est moi qui l'avais trahie.*

— *Comment cela ?*

— *Je l'avais dénoncée à mes ravisseurs. Du moins, je le crois.*

— *Vous n'en êtes pas sûr ?*

— *C'est ce qu'ils ont prétendu.*

— *Vous n'irez pas bien loin si vous prenez pour argent comptant tout ce que raconte la CIA.*

— *Peut-être. Mais quand j'ai été torturé, c'est ce qu'ils voulaient savoir. J'étais un Américain mais je ne faisais pas partie de la presse normale. Ils ne sont focalisés là-dessus. Cela signifiait que j'étais un espion. Et cela signifiait qu'elle non plus n'était pas nette parce qu'ils la soupçonnaient déjà de ne pas faire partie de la presse espagnole.*

— *Vous n'êtes donc pas fautif en l'occurrence.*

Là il me regarde.

— *Ils l'ont renvoyée en Israël en morceaux. Au sens littéral.*

279

— *Vous avez raison. Je sais que vous avez raison. Mais cela n'a pas changé ce que j'ai ressenti alors. Ni ce que je ressens maintenant.*

— *Je comprends.*

— *Vraiment ?*

— *J'ai tué un innocent une fois. En fait, je l'ai sauvé d'une mort plus atroce. Il y serait passé de toute façon, cela ne fait aucun doute. Un assassinat humanitaire, si l'on veut. Mais ce n'est pas ainsi que je l'ai pris. J'ai considéré ça comme ce que j'avais commis de pire. Et pourtant, je n'ai jamais été un enfant de chœur.*

Newman contemple l'obscurité à l'extérieur.

— *C'est drôle. Je n'ai jamais parlé de ça à personne. Ni à mes amis, ni à ma famille. À personne.*

— *Pardon. Je n'aurais pas dû insister.*

— *Ce n'est pas grave. Je n'aurais pas répondu si je ne l'avais pas voulu. Ou si je ne m'en étais pas senti capable. Je ne sais pas. Peut-être est-ce parce que... vous êtes passée par là. Je ne connais personne d'autre comme vous.*

— *Tant mieux, croyez-moi.*

— *En vous racontant tout ça, j'ai l'impression d'évoquer deux personnes dont on m'a parlé dans le temps.*

— *Je connais cette sensation. Ma vie me donne l'impression d'appartenir à quelqu'un d'autre.*

— *À mon retour aux États-Unis, j'ai pris la décision de changer. Il le fallait. Je ne pouvais pas continuer à penser à ce qui était arrivé. À elle, à moi. J'avais besoin d'une nouvelle vie. D'une vie complètement différente. Et différente de celle que j'avais toujours imaginée.*

— *Une vie dans le pétrole.*

Il sourit.

— *En fait, oui. J'aurais pu travailler dans une banque d'affaires, ou dans des hôtels, ou encore dans l'acier. Mais c'est le pétrole que j'ai choisi.*

— *Pas exactement l'ultime bastion de l'altruisme libéral.*

— *C'est pour ça que c'est parfait.*

— *Aucun des vieux instincts n'a survécu ?*

— *Si, certainement. Mais je me suis jeté à corps perdu dans cette activité. Et très vite, j'étais tellement occupé que je n'avais plus le temps de penser. Et quand cela m'arrivait, il y avait toujours quelque chose pour me distraire.*

— *Anna, par exemple ?*

— *Oui. Et celles qui l'ont précédée. Et puis l'argent. Les voyages. Tout le reste. Ça ne manquait pas d'attrait.*

— *Manquait ?*

— *C'est probablement toujours le cas. Je ne sais pas. Cela fait vingt ans que je mène une vie de nomade. Sur un plan physique mais aussi émotionnel. Je m'y suis habitué et ensuite j'ai apprécié. Au point que je n'ai jamais supporté de me retrouver pieds et poings liés.*

— *Quand on a vécu deux ans de captivité, cela ne me surprend pas.*

Pas mal comme blague de mauvais goût. Il a la délicatesse de ne pas en prendre ombrage. Après un moment de flottement, il éclate de rire.

Un peu jaune.

— *Je ne sais pas ce qui se passera quand tout cela sera terminé, mais ma vie ne sera plus la même.*

— *Elle pourrait l'être.*

— *Possible. Mais je ne pense pas le vouloir. Je suis allé partout, j'ai tout vu. J'ai gagné plus d'argent que je n'en dépenserai jamais. Je ne compte plus mes belles maîtresses – j'ai oublié la moitié de leurs prénoms. Depuis que j'ai quitté le Liban, j'ai eu une existence superbe mais je n'arrive toujours pas à oublier les cèdres.*

Je sais exactement ce qu'il veut dire.

— *Pourquoi le voudriez-vous ?*

Nous avons emprunté des chemins différents mais nous sommes arrivés à la même destination.

Je me penche vers lui pour l'embrasser.

Vienne, vingt-deux heures dix. Le train entra dans West-bahnhof avec dix minutes de retard. Ils décidèrent de chercher un hôtel bon marché près de la gare. Un vent violent faisait tourbillonner des papiers gras dans la Felberstrasse qui dominait les voies. Ils choisirent l'hôtel Lübeck dans Pelzgasse, sa façade classique de deux étages donnant une première impression trompeuse.

Leur chambre au second étage ouvrait sur la rue. Stephanie tira de lourds rideaux cramoisis pour préserver le peu de chaleur ambiante. Un grand lit en acajou occupait presque tout l'espace. Ils firent mine tous les deux de ne pas le remarquer, et Stephanie se sentit aussi gauche qu'une adolescente. Mais pas l'adolescente qu'elle avait été.

Ils avaient été bien dans le train, au chaud dans leur wagon, isolés de l'obscurité glaciale de l'extérieur. Après le baiser, Newman l'avait serrée contre lui. Pendant un moment, ni l'un ni l'autre n'avait parlé. Et ce silence n'avait été ni embarrassant, ni forcé.

Stephanie alluma dans la salle de bains. Du carrelage blanc cassé par terre et sur les murs. Là où les carreaux avaient sauté, on avait comblé les vides avec un ciment peint à la va-vite. L'émail du lavabo était vert autour de la bonde. Elle retira son chemisier et décolla les serviettes en papier détrempées. Des bouts de points de suture arrachés saillaient de la coupure tels des cils monstrueux. Dans le miroir, elle vit Newman sur le seuil.

— Vous aviez raison. Il faut que je voie un médecin.

— Vous pourriez aller à l'hôpital.

— Non.

— Et où pensez-vous trouver un médecin à cette heure de la nuit ?

— Je n'ai pas dit que j'en avais besoin tout de suite. Cela peut attendre demain.

— Nous devrions peut-être nous restaurer et nous reposer.

— Effectivement. Mais il faut que je sorte.

— Nous venons à peine d'arriver.

— J'ai quelqu'un à voir.

— Qui ?

— Une femme de ma connaissance.

— Vous voulez que je vous accompagne ?

— Il vaudrait mieux que je la voie seule, je crois.

— Qui est-ce ? lui lança Newman à l'instant où elle s'apprêtait à sortir.

— Elle, c'est moi.

Il ne parut pas surpris.

— Ne le sont-elles pas toutes ?

Dès que Gordon Wiley eut pris possession de sa suite de l'Imperial Hotel dans Kärntner Ring, il commanda un repas dans sa chambre, se doucha et passa un coup de fil. Le dîner arriva ; saumon fumé, pain, salade mélangée, eau minérale. Il défit ses valises entre deux bouchées et disposa le contenu de son attaché-case sur le bureau près de la fenêtre. Faire ses valises, les défaire, les refaire ; depuis qu'il avait fondé le groupe Amsterdam, voyager était devenu aussi banal pour lui que de se laver les dents.

Cela n'avait pas toujours été le cas. Il avait commencé sa carrière en tant que conseiller en politique étrangère de Gerald Ford en 1975, coincé derrière un bureau dans une pièce sans fenêtre, contre quarante cinq mille dollars par mois. Pas une fortune, c'est sûr, mais plus qu'il ne lui en fallait puisqu'il consacrait à son travail dix-huit heures par jour sept jours sur sept. Quand il n'avait pas le nez dans ses dossiers, il dormait ou il s'entraînait pour le marathon. Sans qu'il ait jamais eu le temps de participer à un marathon !

Le groupe Amsterdam avait été fondé en 1983, juste à temps pour profiter de la marée de rachats d'entreprise par endettement qui avait dominé cette décennie. Dès le départ, toutefois, Wiley avait nourri des ambitions plus grandioses. Les profits rapides et un train de vie luxueux ne l'intéressaient pas. La longévité et la solidité étaient son credo : que sa création lui survive. Il rêvait de se bâtir une réputation.

Les excès des années 1980 lui avaient filé la nausée et il avait pris un malin plaisir à voir tomber en disgrâce des hommes comme Boesky et Milken. Il détestait les dépenses inconsidérées dans l'entreprise. Maintenant, quand il empruntait un des jets du groupe Amsterdam, c'était par souci d'économie, non pour une question de prestige. À moins que le prestige lui-même ne puisse être converti en dollars.

Amsterdam avait été l'une des premières institutions à recruter d'anciens fonctionnaires du gouvernement, fournissant ainsi un patronage commercial dans des domaines placés sous le contrôle direct du gouvernement fédéral. La logique était simple : l'argent, c'était le gouvernement fédéral qui l'avait. Et pendant l'ère Reagan, c'était surtout dans la défense que l'argent se trouvait. Ensuite, le groupe s'était diversifié dans le transport, la technologie, les soins médicaux, l'énergie, les services financiers et les télécommunications. Au moment où le rachat d'entreprise par endettement avait explosé, Amsterdam s'était développé en Europe, en Asie, ne recrutant que les gens les plus puissants, dotés d'excellents réseaux dans ces parties du monde. Une alchimie économique s'en était suivie, transformant ces relations en capitaux.

À cinq heures quarante-cinq, il prit l'ascenseur pour le rez-de-chaussée, traversa le hall en marbre et entra dans le bar Maria Theresia. Paul Ellroy l'attendait, sa large stature s'accommodant mal du fragile fauteuil du XIXe siècle viennois dans lequel il semblait coincé. Devant lui, une petite table ronde avec une bougie et les vestiges d'un Martini dry. Un serveur vint prendre la commande de Wiley.

— Un whisky de malt, sans glace, eau minérale plate.

Son seul vice alcoolique.

Ellroy demanda un autre Martini dry.

— Vous venez d'arriver ?

— Il y a une heure. Nous nous sommes posés à Paris cet après-midi. J'ai allumé quelques incendies avenue Kléber, puis nous avons redécollé pour ici. Quelle est la situation ?

— J'ai parlé à Cabrini un peu plus tôt. Je lui ai dit combien nous étions insatisfaits.

Wiley balaya le bar du regard, en quête de visages connus et fut surpris de n'en voir aucun. Il n'y avait pas une chambre libre à l'Imperial à cause de Petrotech XIX. Il se serait attendu à apercevoir au moins un ou deux participants cherchant à vérifier s'ils pouvaient encore gonfler leurs notes de frais par un passage au bar.

— Sayed et Fahad posent des questions. À propos de Paris, de Golitsyn, de ce qui s'est passé en Alsace aujourd'hui. Cinq morts et un en garde à vue ?

Ellroy fit un geste de dédain.

— Ne vous en faites pas. Pour l'Alsace, c'est réglé. C'est une affaire de drogues à présent. Des Turcs et des Albanais. Personne n'a envie d'en savoir plus.

— Et celui qui est en garde à vue ?

— On a un avocat qui y travaille. Une vraie pointure.

— Et ?

— Il va réclamer une liberté provisoire. Après, on s'en occupe.

— C'est le reste qui me cause des soucis.

— Je sais. Et je sais aussi que le temps manque. Mais nous nous en occuperons aussi.

— Vous feriez bien. Depuis Brand, ils sont nerveux. Et je ne peux pas les en blâmer.

— Comme je vous l'ai dit, quand l'heure sera venue de signer, tout sera réglé.

— Où est Reuter maintenant ?

— A priori, en Allemagne.

— A priori ?

— Depuis le Sentier, on a du mal à la cerner.

Wiley ne chercha pas à cacher son inquiétude.

— Elle pourrait donc être ici ? À Vienne ?

Ellroy rit.

— Cette garce a plus d'un tour dans son sac, mais ce n'est pas une idiote. Pourquoi serait-elle ici ? Si elle savait ce qui se prépare ici, elle ferait tout pour être ailleurs.

Dixième jour

Le taxi la déposa dans un tronçon sans âme de Wagramer-strasse ; des concessionnaires de voitures, un supermarché au bout de la rue, des hôtels borgnes. Un vent glacial soufflait sur le Danube. De l'extérieur, le Club Nico n'avait rien de prometteur ; une vaste cabane en béton peinte en jaune foncé avec un toit en tôle ondulée. Une enseigne en néon criarde la dominait : N-TRO. La lettre « I » était cassée. Le parking, une étendue de terre battue, était plein.

L'intérieur n'était pas plus attrayant, mais la clientèle, un curieux mélange de noctambules, d'ivrognes, de maquereaux et de dealers, ne semblait pas s'en soucier. Chaleur à crever, odeur âcre de sueur rance, nuage de fumée de cigarettes à couper au couteau. Deux bars, bondés, toutes les tables occupées. Surprenant, dans un lieu aussi dénué de charme. Mais en examinant les choses de plus près, Stephanie trouva une explication tellement prévisible qu'elle en devenait déprimante. Des jeunes filles, certaines belles, pour la plupart mortes d'ennui, et des hommes plus âgés, certains achetant, d'autres vendant : la plaie des Balkans qui se répandait partout. Dans les coins, où la direction avait la prévenance de tamiser l'éclairage au maximum, on négociait et on concluait rapidement des transactions.

Stephanie prit place sur un tabouret au moins fréquenté des deux bars. Le barman − près de deux mètres, un squelette en T-shirt coiffé à l'iroquoise avec une crête vert émeraude − s'approcha d'elle, ignorant une foule de mains tenant des euros tendues vers lui.

— Qu'est-ce que je vous sers ? cria-t-il pour couvrir un morceau de Paul Oakenfold assourdissant.

— Une vodka.

— Et ?

— Une vodka.

— Oh là là, fit-il avec un manque d'enthousiasme étudié. Vous êtes seule ?

— Est-ce que j'ai l'air d'être seule ?

Il regarda ostensiblement derrière elle.

— Vous ne devriez pas. Mais je ne vois personne avec vous.

— Alors je dois être seule.

— Si vous voulez de la compagnie, je peux vous aider.

— Je cherche Petra.

— Qui ?

— Petra. Environ ma taille, ma carrure.

— Connais pas.

— C'est ma sœur.

— Connais toujours pas.

Stephanie lui montra un tirage du DVD. Il lui jeta un coup d'œil rapide, puis le prit pour l'examiner de plus près dans le cône de lumière rouge qui tombait d'un spot placé au-dessus du bar.

— Elle n'a jamais parlé d'une sœur. (Impossible de dire s'il était trop bête pour se taire ou trop las pour continuer à faire semblant.) Mais je vois la ressemblance. Comment vous l'appelez déjà ?

— Et vous comment vous l'appelez ?

— Julia. Et elle n'est pas là.

— Vous êtes sûr ?

— Quand elle vient, elle passe toujours me dire bonjour.

— Petit veinard. Vous travaillez ici tous les soirs ?

— Six soirs par semaine.

— Vous savez où je peux la trouver ?

— Ça dépend.

— De quoi ?

Il lui adressa un sourire en coin. Ce qu'il avait de mieux, c'était les espaces entre ses dents.

— Si vous savez monnayer vos faveurs comme votre sœur.

— Hilarant.

— Je ne plaisante pas.

Paul Oakenfold fut remplacé par du hip-hop européen. Stephanie se fit enjôleuse.

— Je ne suis pas sa sœur pour des prunes. Je m'appelle Maria.

— Kurt.

— Quand est-ce qu'elle est passée pour la dernière fois ?

— Il y a trois ou quatre jours.

— Elle vient souvent ?

— Vous êtes sa sœur, mais vous avez pas l'air de la connaître très bien.

— Je ne vis pas ici. Mais à Hambourg. Ça fait un bout de temps que je ne l'ai pas vue.

— Sans déc'.

— On s'est disputées.

— C'est sa spécialité.

— Alors, souvent ?

— Ça dépend. Parfois trois ou quatre soirs par semaine. Parfois pas du tout pendant un mois. Vous savez ce que c'est.

Ils furent interrompus par le bruit d'une bouteille vide qu'on cognait contre le bar.

— Hé, trois bières par ici.

— Putain d'Albanais, marmonna Kurt. Des singes en costard.

— Il faut que je la trouve, Kurt. Notre mère est malade.

— Elle m'a raconté qu'elle a perdu sa mère quand elle était petite.

Stephanie lui adressa un sourire sarcastique.

— Elle vous a aussi dit qu'elle s'appelait Julia.

— Je sors à deux heures.

— Je n'ai pas le temps d'attendre.

— Alors je peux rien pour vous.

Stephanie se pencha vers lui.

— On ne vous accorde jamais cinq minutes pour une pause cigarette ?

Deux minutes plus tard, elle le suivait dans un couloir derrière le bar. Des casiers de bouteilles vides s'empilaient contre un mur, l'odeur de la bière éventée rivalisait avec une puanteur d'urinoir. Ils entrèrent dans un cagibi froid et exigu à côté d'une issue de secours condamnée. Kurt alluma le plafonnier, un tube au néon aveuglant, et ferma la porte.

288

Stephanie fit la moue.

— Alors Kurt, où est-ce que je peux la trouver ?

Il entreprit de déboutonner son treillis.

— Après.

— Pourquoi pas avant ? Je promets que ce sera encore mieux.

— Pas question. Pas si vous êtes vraiment la sœur de Julia.

— Nous sommes peut-être sœurs mais nous sommes différentes.

— Avant ou tu peux aller te faire foutre.

— Oh ! Kurt...

Quatre-vingt-dix secondes plus tard, de retour dans Wagramerstrasse, Stephanie respirait l'air glacial à pleins poumons pour se purger du Club Nitro. Kurt cherchait les vestiges de deux dents cassées sur le sol du cagibi.

Stephanie entra dans leur chambre de l'hôtel Lübeck peu avant deux heures. Newman dormait, allongé sur le côté entre les draps et le dessus-de-lit, le visage tourné vers le mur. Il avait posé son manteau sur le dossier de la chaise près de la fenêtre, ses chaussures et ses chaussettes traînaient par terre devant le radiateur. Pendant un moment, elle le regarda respirer.

Dans la salle de bains, elle trouva les indices d'une incursion à l'extérieur : un sac en papier dans la poubelle et quelques objets alignés sur l'étagère en verre au-dessus du lavabo. De la mousse à raser, un rasoir, du dentifrice, un peigne, deux brosses à dents. Le fait que la sienne soit plus petite et rose la fit glousser. Il avait aussi acheté des pansements, de la crème antiseptique et des compresses stériles. Ce geste la toucha et l'amusa à la fois, car tout cela n'était plus guère approprié. La blessure la faisait davantage souffrir et le temps des remèdes de fortune était terminé. Elle fit de son mieux pour la nettoyer et la panser.

Les rideaux n'étaient pas tirés. Peut-être Newman l'avait-il attendue. De la fenêtre, elle regarda une voiture de police patrouiller dans Pelzgasse. Elle ferma les rideaux, se débarrassa de son manteau, de ses chaussures. Elle résista à son envie de le réveiller. Ils manquaient tous les deux de sommeil et elle n'avait rien d'urgent à lui dire.

Elle enleva son pull, déboutonna son jean et le laissa tomber par terre. Vêtue d'un slip et d'un T-shirt, elle se glissa sous les draps froids et rêches.

— Robert ? murmura-t-elle.

Pas de réaction.

— Bonne nuit.

Newman sentit Stephanie remuer à côté de lui. Il dormait à son arrivée. Il pensait l'avoir entendue dans la salle de bains, mais il n'en était pas sûr. Des bruits semblaient se mêler à son rêve ; il s'imagina avoir entendu un rire étouffé. Puis il avait pris conscience de sa présence dans la chambre. Il avait entrouvert les yeux. Dos tourné, elle retirait son jean.

Il s'était dit qu'il devrait lui dire quelque chose. Mais quoi ? Et ce n'était peut-être pas le moment. Elle le pensait endormi, alors pourquoi ne pas entretenir l'illusion ? De plus, ils auraient les idées plus claires demain matin.

— Robert ?

Il faillit répondre.

— Bonne nuit, murmura-t-elle.

Il lui répondit sans articuler un son. Une demi-heure plus tard, il ne s'était toujours pas rendormi.

Elle prit d'abord conscience du poids de sa main. Puis de sa place : sur sa cuisse droite. Elle ouvrit les yeux. Il n'avait pas beaucoup bougé, contrairement à elle ; elle s'était rapprochée de lui pendant la nuit, repoussant presque tous les draps et les couvertures.

Elle resta immobile un instant, heureuse de ce contact physique. Il était sept heures et quart. Le bruit de la circulation montait de la rue. Quelqu'un passa en sifflotant – faux – devant leur porte.

Elle songea au baiser dans le train. Il lui avait paru aller de soi. Ce matin, son souvenir l'embarrasserait peut-être. Tout dépendait de lui. Elle n'avait aucun regret, ce qui était une surprise, mais elle se demandait ce qui allait maintenant se passer.

Lorsqu'il roula sur le flanc, Stephanie se leva. Quel effet cela faisait-il de perdre quelqu'un comme Rachel ? Quelqu'un qu'il n'avait toujours pas oublié au bout de vingt ans ? Quelqu'un dont il garderait probablement le souvenir toute sa vie ?

Dorotheergasse, une petite rue sinueuse bordée de magasins d'antiquités au cœur de l'*Innere Stadt*. L'enseigne au-dessus de la boutique – un seul mot écrit en lettres gothiques dorées sur du bois noir, Kleist – avait l'air ancienne mais Stephanie savait que ce n'était pas le cas.

Le magasin scintillait littéralement. Des lampadaires, des plafonniers en forme de coupe, des lampes de chevet, des lustres, des appliques, des bougeoirs, brillant de tous leurs feux. Une jungle de lumière, créant une chaleur suffocante ; les surfaces horizontales disparaissaient sous les pieds de lampe, le plafond, sous un enchevêtrement de câbles.

Au fond, à côté d'une petite table, un vieux couple bavardait avec Bruno Kleist. Il avait maigri. Il était à présent presque aussi mince qu'au temps de la redoutée Stasi. Stephanie avait vu des photos de lui à l'époque ; allure sportive, cheveux bruns raides coupés court, yeux noisette enfoncés.

À ses débuts à la Stasi, Kleist avait dirigé un réseau d'espionnage couvrant l'Europe occidentale. Stephanie était au collège à ce moment-là. Pendant que Kleist gérait des agents à partir de Paris et de Bonn, elle fumait des cigarettes volées dans les vestiaires entre les cours.

Quand Josef Kanek avait été assassiné à Londres, Stephanie se préoccupait surtout de savoir quel petit ami choisir. Cela n'avait pas été trop difficile. Elle avait jeté son dévolu sur le plus impopulaire, ce qui avait fait grincer des dents, jusqu'à ce qu'on découvre qu'il était excellent footballeur, et que tout le monde se l'arrache. Elle s'en était aussitôt désintéressée. Pendant ce temps, Bruno Kleist passait six mois à Moscou, le temps que l'affaire Kanek se tasse.

Il avait été l'un des agents les plus efficaces de la Stasi, se forgeant sa réputation dans les années 1970 en Pologne, Tchécoslovaquie et Hongrie, avant de s'installer à l'Ouest en 1981. En 1989, il était parmi les mieux placés pour tirer son épingle du jeu du chaos à venir.

Ses cheveux blancs clairsemés révélaient des taches de vieillesse. Autour du cou, il portait une paire de demi-lunes en écaille au bout d'un ruban bleu.

Personne de la Stasi n'avait aussi minutieusement effacé son passé que Kleist à la suite de la chute du régime communiste en Allemagne de l'Est. Et aucun ancien agent n'avait tiré profit avec autant de rapacité que lui des années de confusion qui avaient suivi. Sentant venir la désintégration, il avait décidé de ne pas perdre le bénéfice de trois décennies au service de l'État. Dans les derniers jours du régime, il avait pillé les archives de la Stasi. Méthodiquement. Tel un chirurgien, il avait adroitement prélevé un matériau soigneusement choisi.

Après une décennie lucrative dans le secteur privé, il s'était retiré des affaires, optant pour une vie tranquille à Vienne. À sa retraite, il s'était offert la boutique de Dorotheergasse, histoire d'assouvir sa passion pour les lampes anciennes.

Depuis, Stephanie lui avait rendu visite une fois. Il s'était montré méfiant au début, sachant qu'elle faisait partie de la clientèle de Stern. Stern et Kleist avaient été concurrents, malgré des manières de procéder très différentes. Kleist avait toujours traité face à face avec ses clients. Aucun de ceux de Stern ne l'avait jamais rencontré. L'activité au grand jour de Kleist aurait pu le rendre vulnérable aux fantômes du passé mais, contrairement à toute attente, elle avait joué en sa faveur. Dans l'univers tordu de la vente de renseignements, cela lui avait donné une réputation de fiabilité.

Je suis un homme facile à trouver.

Son accroche. Dans un secteur où la plupart se planquait, Kleist avait pris un malin plaisir à rester accessible. Son pari avait payé. Sauf une fois, quand le passé était entré en collision avec le présent afin d'effacer l'avenir. Les médecins qui avaient soigné ses blessures par balle n'avaient pas donné cher de sa peau. Six mois plus tard, les ayant fait mentir, il avait décidé de quitter le métier.

Le couple remercia Kleist et sortit. Stephanie s'avança.

— Je suis désolé, mais je ferme, lui annonça Kleist.

Sans un battement de cil. Comme s'ils ne se connaissaient pas.

— Ce n'est pas ce que dit la pancarte à la porte, répliqua-t-elle avec un sourire froid.

— Il faut que je sorte.

— Nous ne vous retiendrons pas longtemps.

— Je ne pense pas posséder quoi que ce soit qui puisse vous convenir.

— Avec tant de ravissants objets ? Pourquoi ne pas me laisser en juger ? Puis en anglais, Stephanie s'adressa à Newman. Verrouillez la porte, voulez-vous.

— Fichez le camp, d'accord ?

— Ne vous inquiétez pas. Nous ne nous attarderons pas.

Malgré lui, sa colère céda le pas à l'inquiétude.

— Qu'est-ce que vous faites ici ?

— Je suis une cliente, Bruno. Comme tous ceux qui franchissent ce seuil.

Il eut une expression peinée.

— Je pense à vous, Petra. De temps en temps. Je me dis que ce serait agréable de vous revoir.

— Comme c'est touchant.

— Puis je me souviens. Et je me ravise. Non, cela n'aurait rien d'agréable.

— Si j'étais différente, je me vexerais.

— Qui est votre ami ?

— C'est un... avocat.

— Il nous comprend ?

— Il ne parle pas allemand.

— Depuis quand la grande Petra Reuter éprouve-t-elle le besoin de faire appel aux services d'un avocat ?

— J'ai besoin de votre aide, Bruno.

— Je croyais que vous étiez une cliente de Stern.

— Plus maintenant. J'ai été piégée.

— Par Stern ?

— Oui.

Kleist eut l'air d'en douter.

— Vous en êtes sûre ?

— Je ne serais pas ici sinon.

— Pourquoi ?

— Pour de l'argent.

— Vous en êtes certaine ?

— Je sais que tout ce que fait Stern est motivé par l'argent.

Kleist parut songeur.

— On dirait que le milieu s'est dégradé depuis mon départ. C'était plus respectable à l'époque où je...

— Épargnez-nous le sermon, Bruno. L'empoisonnement de

Kanek à Londres ? Il a mis quatre jours à mourir. Cela a toujours été un domaine d'activité répugnant. De nouvelles allégeances évoluent, d'anciennes se dissolvent. Voilà le milieu. Depuis toujours.

— Qu'est-ce que vous voulez ?

— Celui qui a commandité Stern.

— Vous ne pensez pas que c'était son idée ?

— Non. Cela en ferait une affaire trop personnelle. Ce n'est pas le genre de Stern. Quelqu'un l'a payé pour me piéger. J'ai besoin de savoir qui et pourquoi.

Il était plus détendu à présent. Il se mit à tripoter ses demi-lunes.

— Je ne sais pas trop si je suis en mesure de vous aider.

— Ils me tombent dessus de partout, Bruno. Je suis dans le noir le plus total.

— Et je suis en retraite.

— Cela fait de vous un amateur et non plus un professionnel. Mais vous restez un homme facile à trouver.

L'expression le fit sourire. Par nostalgie, peut-être. Puis il se rappela où il se trouvait.

— À moins que vous ne cherchiez un lustre français du XIXe siècle.

— Allons, Bruno.

— Je n'ai plus les contacts nécessaires.

— L'Oracle ne parle plus à personne ? J'ai du mal à le croire.

— Pourquoi ? Parce que vous supposez que cela m'a été difficile de tirer un trait sur cette vie ? (Kleist remarqua qu'il avait touché une corde sensible.) Cela vous arrive de penser à la vie après, Petra ?

— Tout le temps.

— Croyez-en quelqu'un qui y a goûté. Tout ce qui paraissait important avant cesse d'exister.

— Pour être remplacé par de vieilles lanternes ?

Kleist gloussa.

— Oui. Exactement.

— J'ai croisé un de vos amis il y a peu. Otto Heilmann.

Il faillit nier le connaître, avant de comprendre que ce serait idiot. Ils avaient grimpé les échelons de la Stasi ensemble. Deux étoiles filantes suivant des trajectoires parallèles.

— Où cela ?

— Près de Saint-Pétersbourg.

— J'avais entendu dire qu'il était en Russie maintenant. Comment allait-il ?

— Je l'ai trouvé étrangement sans vie. (Elle laissa la remarque en suspens avant de préciser :) Pas au début, bien sûr. Non, il était dans une forme éblouissante. Mais quand nous nous sommes quittés...

Kleist humecta ses lèvres parcheminées.

— Quand nos chemins se sont séparés, il a suivi une voie très différente de la mienne.

— Pas si différente, Bruno.

— Écoutez...

— Le contrat m'a été confié par l'intermédiaire de Stern.

— Et alors ?

— Cela ne vous ennuie pas qu'un ancien concurrent vende des contrats concernant des anciens de la Stasi ?

— Une coïncidence.

— Quelqu'un que je connaissais dans le temps disait toujours que, dans notre domaine, une coïncidence est le fruit d'une négligence.

— Qui cela ?

— Peu importe. Il est mort. Comme Otto. Elle s'approcha de lui. Bon, vous allez m'aider oui ou non ?

Je suis assise sur une table d'examen dans une pièce exiguë sans fenêtres aux murs gris-vert, au troisième étage d'un bâtiment anonyme de Wallensteinstrasse, près de Nordwest-Bahnhof. C'est la clinique Fischer, bien que le terme de clinique fasse un peu trop chic pour les lieux.

C'est Kleist qui m'a indiqué le Dr Rudolph Fischer quand je lui ai demandé l'adresse d'un médecin discret. On ne pose pas de questions. On soigne les blessures, on pratique des avortements, on distribue des médicaments. Tout ce qu'on veut contre des espèces sonnantes et trébuchantes.

Il lui a fallu une demi-heure pour soigner convenablement la coupure. Il me regarde me rhabiller, sans chercher à dissimuler son plaisir. Je ne réagis même pas. Dans le bureau adjacent, où Robert m'attend, je paie et empoche les médicaments.

Nous nous arrêtons pour acheter des vêtements propres dans une rangée de boutiques proches de Franz-Joseph-Bahnhof. Puis nous prenons un taxi qui nous ramène à l'hôtel Lübeck.

— *Vous croyez que Kleist dégotera quelque chose au sujet de Butterfly ?* demande *Robert.*

C'est un des services que je lui ai demandés.

— *Possible. Il était très doué dans le temps. Stern avait une haute opinion de lui.*

— *Qui est Stern ?*

— *Quelqu'un à qui je croyais pouvoir me fier.*

— *Vous en parlez à l'imparfait ?*

— *Ce n'est plus vrai aujourd'hui.*

— *Mais pas mort ?*

— *Pourquoi serait-il mort ?*

— *On dirait que vous avez eu un différend.*

— *Je ne tue pas tous ceux avec qui je suis en désaccord, Robert. Sinon, ce continent serait jonché de cadavres. Inspecteurs des impôts, politiciens, garçons de café parisiens. Qui sait jusqu'où cela irait ? Vous-même...*

— *J'en doute.*

— *Vous êtes bien sûr de vous.*

— *Je n'ai jamais été aussi peu sûr de moi. Mais je commence à être sûr de vous.*

Ils se changèrent et quittèrent l'hôtel. L'Austria Center de Vienne se trouvait entre les gratte-ciel de Donau City et le quartier général des Nations unies. Il s'agissait d'un vaste centre de conférences hexagonal sur quatre niveaux dotés chacun d'une couleur différente. À l'arrivée de Stephanie et Newman, on installait un immense panneau au-dessus de l'entrée principale. Fond noir, lettres rouge sang.

PETROTECH XIX
LEUR AVENIR ENTRE NOS MAINS

Sur des banderoles flanquant l'entrée figuraient les dates de la conférence – trois jours à partir du lendemain – et une longue liste de sponsors.

Ils entrèrent dans le vaste hall. Dalles de pierre étincelantes, éclairage éblouissant, escalators, pas de sécurité. Le personnel de la réception les ignora. Des ouvriers et des techniciens s'agitaient dans tous les sens. La moitié des stands restait à construire.

À leur gauche, une longue enfilade de comptoirs ; billets, transport, renseignements, réservations d'hôtels et de restaurants, messages, groupes, entreprises. Newman s'arrêta devant le dernier. Une femme en uniforme bleu visiblement morte d'ennui tripotait des papiers.

Il lui adressa un sourire factice.

— Auriez-vous une liste des exposants ?

— Vous êtes accrédité ?

— Je suis journaliste. Je voudrais juste le dossier de presse.

— Un instant, s'il vous plaît.

— Très impressionnant, fit Stephanie.

— Pas si vous êtes déjà venu.

À son retour, la femme lui tendit une mince chemise en plastique noire revêtue des mêmes lettres écarlates que la pancarte à l'extérieur. Ils décidèrent de jeter un coup d'œil. Personne ne leur posa de questions. Dans ces lieux bourdonnant d'activité, on parlait une dizaine de langues.

Le niveau rouge, dernier étage du complexe, abritait un très vaste auditorium. Newman étudia le programme. Trois débats étaient prévus, un chaque jour de la conférence. Les sujets évoqués étaient prévisibles : les rapports de l'industrie des services du pétrole et l'environnement ; les rapports de l'industrie des services du pétrole et l'arrière-plan politique dans les zones où l'industrie était la plus présente ; l'avenir de l'industrie des services du pétrole.

Aux trois niveaux inférieurs – vert, jaune et bleu – on trouvait des salles de conférences, des bureaux et de grands foyers. Les événements prévus comprenaient des forums de discussion, des réunions privées, des conférences et des présentations de produits sponsorisés. Des stands de sociétés encombraient les espaces libres.

Les codes de couleur disaient quelque chose à Stephanie, mais elle n'arrivait pas à se rappeler quoi. Plus elle se concentrait, plus la réponse semblait lui échapper. Au moment où ils sortirent du bâtiment, elle remarqua un café sur la droite. Ils y entrèrent, commandèrent deux cappuccinos et s'installèrent à une table.

— Je sais comment nous pourrions obtenir des accréditations, dit Newman.

— Comment ?

297

— Abel Kessler.

— Rafraîchissez-moi la mémoire.

— Un des types qui a laissé un message sur mon répondeur à Paris.

— Et alors ?

— Il m'annonçait qu'il venait passer dix jours en Europe. Il voulait me voir à Paris.

— Continuez.

Newman fouilla dans le dossier de presse et trouva ce qu'il cherchait dans une des brochures.

— Abel travaille pour un cabinet d'avocats spécialisés dans le droit maritime à Singapour. Son domaine est le transport du pétrole. Ils ont toujours un stand à Petrotech. Ce doit être l'une des raisons de sa présence en Europe.

Il lui montra la publicité pleine page. McGinley Crawford, fondé à Houston en 1937, siège à Washington, DC, avec vingt-quatre bureaux disséminés aux États-Unis, en Europe et en Asie.

— Je pourrais l'appeler.

— Ce n'est peut-être pas une bonne idée.

— Je sais ce que vous pensez. Mais je suis la seule personne qu'il connaisse à Paris. Personne ne fera le lien. Je pourrais téléphoner à son bureau à Singapour, demander son numéro de portable et l'appeler d'une cabine ici.

— D'accord. Mais pas d'ici. Ailleurs, en ville.

L'adresse que Kurt avait donnée au Club Nitro se trouvait Mexikoplatz à côté du Reichsbrücke ; un quartier de boutiques sinistres vendant des montres de contrefaçon, de la vaisselle bon marché et des vêtements soldés. Malgré le crachin glacé persistant, les trottoirs grouillaient de Russes, d'Albanais et de Serbes. Stephanie et Newman firent une première fois le tour de la place, s'arrêtèrent devant le Krystyna, un magasin de figurines en porcelaine désuètes, puis ils refirent un tour. Stephanie comprenait les coups d'œil qu'ils attiraient aussi bien que les bribes de russe ; on n'était pas à Vienne dans cette partie de la ville. On était plus à l'est, au sud et au nord. Partout sauf à l'Ouest.

L'adresse de Julia correspondait à un immeuble de quatre étages vert pistache à l'angle d'Engerthstrasse, au-dessus de la boutique discount Aktionsmarket. L'appartement se trouvait au troisième étage, au milieu d'un couloir aux murs brun foncé et au sol couvert d'un lino moucheté de noir. Stephanie sonna trois fois et frappa deux fois. Pas de réponse. Elle colla l'oreille contre la porte ; silence à l'intérieur. Elle jeta un coup d'œil à la serrure, passa un doigt dessus, puis posa les deux mains à plat sur le battant et poussa. Sans résultat. Un visage apparut dans un entrebâillement de porte.

— Elle n'est pas là, dit dans un allemand hésitant une petite femme au teint basané. Elle portait un foulard imprimé de fleurs mauve et magenta. Derrière elle montait un chœur d'enfants en train de se disputer.

— Vous savez où elle est ?

La femme secoua la tête.

— Elle va. Elle vient. Différentes heures. Différents jours.

— Vous savez quand elle rentrera ?

— Plus tard.

— Aujourd'hui ?

— Oui. Peut-être.

— À quelle heure ?

— Je sais pas.

— Quand l'avez-vous vue pour la dernière fois ?

Elle haussa les épaules.

— Avant-hier. Ou la veille. Je me rappelle pas.

Stephanie se sentit frissonner ; elle était vivante, apparemment.

— Vous la connaissez ?

La femme ferma la porte.

— Parlez-moi de Petra.

— Quoi ?

— Kleist vous a appelée Petra. Plusieurs fois.

Ils déjeunaient au café Bräunerhof dans Stallburggasse. Un endroit calme, surtout à deux heures et demie, après la pause des bureaux. Des rideaux aux fenêtres protégeaient les convives des regards des passants. La fumée de cigarette du déjeuner ne s'était pas encore dissipée. Des bruits de couverts ponctuaient les conversations. Un serveur leur apporta des verres et une carafe d'eau.

— Ah ! Ah ! murmura Stephanie. Qu'est-ce que vous avez compris d'autre dans notre conversation ?

Newman eut l'air un peu surpris.

— À peu près tout.

— J'ignorais que vous parliez allemand.

Il s'adressa au serveur et lui demanda en allemand :

— Quel est le plat du jour ?

— Potage de chou-fleur suivi de poulet au riz.

— Ce sera parfait. Et une bière. Une Ottakringer, si vous en avez.

Stephanie commanda le potage suivi de spaghettis au jambon avec une bouteille d'eau minérale gazeuse.

— Vous ne me l'avez jamais dit.

— Vous ne me l'avez pas demandé.

— C'était nécessaire ? Nous sommes dans un pays germanophone depuis hier matin.

— Et je n'ai bavardé qu'avec vous. Et puis mon allemand n'est pas si bon que ça.

— Mais pas si mauvais. D'autres surprises ?

— Je crois que ce serait plutôt à moi de poser cette question. D'abord Claudia, puis Marianne, Stephanie et maintenant Petra.

— C'est différent.

— Certainement. Dissimuler que l'on parle un mauvais allemand est une peccadille. Fonctionner sous trois prénoms différents me paraît plus grave.

— Ne jouez pas au plus malin, Robert. Vous savez ce que je fais.

Newman acquiesça.

— Mais c'est quoi ce truc avec Petra ?

— Que voulez-vous dire ?

— Qui joue au plus malin ? *La grande Petra Reuter*. Voilà l'expression que Kleist a utilisée.

Le serveur apporta du pain.

— Toute ma carrière – si on peut l'appeler comme ça – a reposé sur un mensonge appelé Petra Reuter.

— Comment cela ?

— Elle n'a jamais existé. Elle n'était qu'un rôle créé pour moi.

300

— Vous n'avez jamais rien fait de ce que vous m'avez raconté ?

— Ne vous méprenez pas. Sous l'identité de Petra, j'ai fait plein de choses. Mais son histoire – sa réputation – tout a été fabriqué de toutes pièces. Comme un boy-band de seconde zone.

On leur servit leurs boissons. Stephanie avala des antibiotiques et des analgésiques. Newman prit un morceau de pain tout en observant Stephanie qui jeta un coup d'œil au reste des convives. À côté d'eux, un homme âgé se penchait pour offrir du feu à une femme plus jeune. Sa main tremblait. La femme la prit entre les siennes pour immobiliser la flamme. Un instant, elle crut voir une version plus jeune d'elle-même avec Albert Eichner.

— Ça va ?

— Très bien. Pourquoi ?

— Vous avez l'air un peu... triste.

Elle contempla les bulles dans son verre.

— En fait, je suis terrifiée.

— On ne le dirait pas.

— Ça, c'est Petra. Mais elle est en train de se désintégrer. Je ne suis pas la femme qu'elle a été. Je n'ai pas l'impression de maîtriser la situation. Je ne suis même pas sûre d'en avoir envie. Je veux simplement... m'arrêter.

Le serveur plaça deux bols de potage fumant devant eux.

— Ce n'est pas pour ça que vous êtes ici ? Que nous sommes ici. Pour que cela s'arrête ?

Elle opina du chef et se mit à manger.

— Qu'est-ce que vous me cachez, Stephanie ?

— Rien. Passons à autre chose.

À la fin du repas, Newman se rendit aux toilettes où il trouva une cabine téléphonique. Le temps qu'il revienne, on leur avait servi le café.

— Ça a marché ?

— Oui. Abel Kessler est ici à Vienne. Il nous a obtenu des accréditations par le biais de McGinley Crawford.

— Bien.

— Il y a mieux. Il nous invite à la réception. L'ouverture de Petrotech est toujours précédée d'un coktail. Sur invitation, exclusivement. À l'hôtel Bristol, ce soir à sept heures.

— Comment m'avez-vous présentée ?

— Comme une associée.

— Pas Anna de nouveau, j'espère.

— Non, pas cette fois.

L'hôtel Bristol. Pourquoi cela lui disait-il quelque chose ? Cela avait un rapport avec les couleurs des niveaux de l'Austria Center. Mais lequel ?

Il était cinq heures passées quand ils rentrèrent à l'hôtel Lübeck. Après le café Bräunerhof, ils étaient allés dans Graben acheter des tenues plus adaptées à une réception. Ils avaient réglé la note avec la réserve de liquide en baisse de Zahani.

Newman se débarrassa de ses chaussures et s'allongea sur le lit.

— Réveillez-moi dans une demi-heure.

Stephanie décida de prendre une douche. Elle protégea les nouveaux points de suture et passa dix minutes à se laver. Une fois la vapeur dissipée, elle s'examina dans la glace. Maintenant que la coupure était soignée, les hématomes attiraient l'œil. Sur son ventre, autour de sa fausse cicatrice, sur sa cuisse droite.

Elle songea à Julia. Cela aidait d'avoir un prénom. L'appartement de Mexikoplatz était-il un vrai foyer ou un plateau de cinéma comme celui de Stalingrad ?

Qui était Julia ? Se révélerait-elle ne pas être Julia ? Julia serait-elle aussi peu réelle que Marianne ? Rien de plus qu'un sas entre deux identités, une vraie, une fausse. Maintenant qu'elle la savait vivante, elle n'était plus si sûre de vouloir la retrouver. Était-ce ce que ressentait l'enfant adopté avant de rencontrer ses géniteurs ? De l'impatience mêlée de réticence ?

Elle se sécha et se brossa les dents. Elle avait un nœud au creux de l'estomac qui lui donnait légèrement la nausée. Ce qu'elle commençait à ressentir lui paraissait étrange. Sa vie avait été réglementée par d'autres. Même ses instincts étaient le produit d'un conditionnement. De ce fait, elle mit du temps à comprendre le sentiment qui la poussait : une spontanéité menaçante. Comme celle qu'elle avait connue dans le train en l'embrassant, mais en pire.

Son slip et son T-shirt gisaient sur le sol de la salle de bains. Elle les enjamba et entra dans la chambre.

Elle s'assit sur le bord du lit. Il ouvrit les yeux, vit qu'elle était nue et ne réagit pas. Elle déboutonna sa chemise. Il parut un peu hésitant. Elle caressa son torse et son ventre, des muscles qui n'échappaient pas à l'atteinte de l'âge et des cicatrices qui, elles, ne bougeaient pas ; elles ne s'étaient pas adoucies avec le temps. Puis elle vit que Newman regardait ses cicatrices à elle.

— Je croyais être le seul.

— Non, nous sommes partout. Nous existons incognito même chez les êtres parfaits. Jusqu'à ce que nous nous dénudions. Et là nous sommes vraiment à nu.

Elle l'embrassa. Dans le train, le baiser avait été empreint d'émotion. Là, il était étonnamment timide.

— Touche-moi, murmura-t-elle.

— Attends. Tu crois que c'est une bonne idée ?

Elle posa un doigt sur ses lèvres.

— Robert, j'ai juste envie de faire l'amour avec toi. Pas d'attaches, rien de compliqué.

Il fait nuit à l'extérieur. À l'intérieur aussi. Nous n'avons pas pris la peine d'allumer. Étendus l'un contre l'autre, nos corps s'apaisent lentement. Je consulte ma montre à la lueur blafarde des lampadaires. Il est six heures ; il reste une heure avant la réception.

— *Elles t'ennuient ?*

— *Quoi donc ?*

— *Tes cicatrices. Elles ne te rappellent pas de mauvais souvenirs ?*

— *Plus maintenant. Vingt ans de vie trépidante ont apaisé la douleur.*

Je ne suis pas sûre de le croire.

— *Tu as déjà songé à faire quelque chose ?*

— *Par exemple ?*

— *Je ne sais pas. La chirurgie esthétique, peut-être...*

— *Ce n'est rien qu'une nouvelle forme de cicatrice. Mais toi, continua-t-il en effleurant mon épaule, tu devrais me raconter.*

— *Elle est fausse.*

— *Comment cela ?*

Je m'explique.

— *C'est bien ce que je disais. La chirurgie esthétique est un mensonge. Je ne veux pas vivre comme ça.*

— *Tu as raison. Cela te ronge.*

— *Je n'aime pas mes cicatrices mais elles font partie de moi. Et c'est bien ainsi.*

— Alors je t'envie. De te sentir bien dans ta peau.

— Cela n'a pas toujours été le cas. Cela a pris du temps.

— Elles ne te donnent jamais de complexes ? Les miennes ne sont rien à côté des tiennes, mais il m'arrive de les détester cordialement.

— Je n'en suis conscient que devant les réactions qu'elles suscitent. (Il eut un sourire un peu gêné.) Bien sûr, quand on est nu, cela aggrave parfois les choses. J'en ai connu une ou deux qui ont eu du mal à s'y habituer. Et une autre qui les a trouvées sexy.

Je grimace.

— Combien de temps a-t-elle duré ?

— Elle n'est pas allée jusqu'au petit déjeuner.

Je glousse, puis je pose la question à ne pas poser.

— Et Shéhérazade Zahani ?

— Quoi ?

— Elle en a fait partie ?

— Pourquoi ?

— Je pensais à elle. En fait, je pensais à notre rencontre. Et j'essaie d'imaginer ce qui aurait pu se passer si ça avait été différent.

— Où intervient-elle là-dedans ?

— Nulle part. Pas dans ma nouvelle version. Elle n'est qu'un intrus de la réalité.

— Comment nous vois-tu maintenant ?

— Nous faisons connaissance dans un avion. Un espace clos mais pas comme ton appartement. C'est plus naturel, une rencontre due au hasard.

— C'en était une au Lancaster.

— Oui, mais ça, on laisse tomber. C'est la nouvelle version. Nous bavardons comme des gens normaux. Et arrivés à destination, nous décidons de nous revoir pour prendre un verre et nous échangeons nos numéros de téléphone.

— Et ça s'arrête là ?

— Non. Nous partageons un taxi pour regagner la ville.

— Quelle ville ?

— Peu importe.

— Il faut que ça paraisse vrai. Choisis-en une.

— D'accord. Madrid. Ou Nice. Attends, non, disons New York.

— Pourquoi New York ?

— La circulation. Le trajet de JFK à Manhattan est interminable.

— Et alors ?

— Nous passons davantage de temps ensemble dans le taxi.

— Ah.

— *Puis, arrivés dans le centre, nous décidons de prendre ce verre sans attendre.*

— *Pas mal.*

— *Cela aurait pu se passer comme ça pour nous.*

— *Peut-être, oui.*

— *Nous aurions eu notre chance.*

— *Nous ne sommes pas encore morts, Stephanie.*

— *Pas encore.*

Le silence qui suit n'est rompu que par le crépitement de la pluie.

— *Quoi qu'il en soit, plus on attend, meilleur c'est.*

Un quartette à cordes jouait dans un coin. Sous les chandeliers étincelants, le personnel de l'hôtel Bristol servait du Krug 1985 et des canapés. Stephanie estima qu'ils devaient être à peu près cent cinquante invités dans la Festsaal. Dont moins d'un sur dix était une femme. Newman prit deux verres sur un plateau, en tendit un à Stephanie et l'entraîna dans la foule.

— Robert ! Te voilà !

Un homme de petite taille avec des boucles brunes collées à un crâne qui s'éclaircissait au sommet s'avançait vers nous. Son léger strabisme était visible malgré ses épais verres teintés.

Newman lui serra la main.

— Abel. Ça fait plaisir de te voir. Ça fait un bail.

— Et comment. Jakarta, il y a deux ans, je crois.

— En fait, c'était Kuala Lumpur. Le Grand Prix. Petronas ?

— Bien sûr. Comment ai-je pu oublier ?

— Voici Marina Schrader. Marina, je te présente Abel Kessler.

Newman et Kessler se mirent à échanger les dernières nouvelles. Stephanie s'éloigna. Elle reconnut quelques visages. Albert Raphael, par exemple, le baron de la presse canadienne récemment naturalisé américain. Sa femme, la très mondaine Paula Kray qui se prenait pour une intellectuelle, l'accompagnait. Ils bavardaient avec Richard Rhinehart. Newman lui avait dit que Rhinehart était un membre de la commission de la politique de défense du Pentagone et un des phares de l'American Partnership Foundation. Stephanie se souvint alors que le nom d'Albert Raphael figurait sur la liste des directeurs du groupe Amsterdam qu'elle avait vue.

— Bonjour. Je m'appelle Elizabeth Weil. Je ne crois pas que nous nous connaissions.

Elle avait des traits lourds et une bouche encore plus pulpeuse que celle de Stephanie. Son superbe teint café au lait était fait pour l'or. Stephanie se sentit fade à côté d'elle.

— Je crois que je connais toutes les autres femmes de la salle.

— Je m'appelle Marina Schrader. Enchantée.

— Je déteste ce genre d'occasions, pas vous ? ronronna-t-elle avec un accent de la côte Est.

— Pourquoi êtes-vous venue ?

Weil repoussa une mèche de cheveux noirs qui tombait dans ses grands yeux anthracite.

— Je participe à un débat demain. Puis il faut que je prononce un discours après-demain.

— À Petrotech.

— Bien sûr.

— Quel est votre sujet ?

— La malédiction du pétrole.

— On dirait une blague. Qu'est-ce que vous faites en réalité ?

— C'est ce que ne cesse de me demander mon comptable. Je suis une universitaire, je crois. C'est du moins ce qu'on dit. Ou un parasite. Ça dépend de quel point de vue on se place. Je travaille pour l'Institut Potomac à Washington.

— Je crains de ne pas en avoir entendu parler, mentit Stephanie.

La définition de Weil différait de celle de Newman.

— Pour résumer, nous promouvons l'exportation de la démocratie responsable.

— La démocratie *responsable* ? Comme de s'en tenir à un verre au lieu de vider la bouteille ?

Elle réfléchit un instant.

— En fait, c'est une représentation assez juste de ce en quoi nous croyons. Surtout dans les régions du monde qui retiennent notre attention.

— À savoir ?

— Principalement le Moyen-Orient et l'Asie. Et vous, que faites-vous, Marina ?

Stephanie avait une réponse toute prête.

— Je suis rentière.

Weil rit.

— À votre place, je m'abstiendrais de le dire trop haut dans cette salle. Vous verriez des tas d'hommes sortir leur portefeuille.

— Je suis un investisseur. Privé.

— Dans cet environnement, c'est un moyen rapide de se faire des amis.

Elles bavardèrent une heure et rirent davantage que ceux qui étaient autour d'elles. Stephanie laissa Weil se nourrir d'un sentiment de solidarité qu'elle ne partageait pas. Mais elle lui plaisait et c'était facile de comprendre pourquoi elle se sentait isolée. Les autres femmes semblaient totalement dénuées d'humour ; des carriéristes trop occupées pour se rendre compte qu'elles étaient malheureuses.

Des gens s'approchèrent de Weil pour la saluer ou flirter : Brian Grabel, un cadre supérieur de chez Halliburton ; Azzam Fahad, numéro deux du ministère irakien du pétrole ; Lauren Dougherty, un cadre de Bechtel ; Jean-Claude Fernandez, propriétaire d'une entreprise française du bâtiment.

— Je crains de devoir vous laisser, lui dit Weil à neuf heures. J'ai un dîner à l'ambassade américaine et je suis très en retard. J'ai été ravie de vous rencontrer, Marina. Sans vous, j'aurais été à l'heure pour l'ambassadeur.

— Heureuse de vous avoir retardée.

— Vous serez à Petrotech demain ?

— Je pense, oui.

— Si vous êtes là dans l'après-midi, assistez au débat. Il devrait être animé.

— D'accord.

Weil sortit une carte de visite, nota le lieu et l'heure de la conférence au dos — hall B, niveau bleu, 15 h 30 — et la lui tendit.

Stephanie ne remarqua pas vraiment le départ de Weil. Elle fixait ce qui était écrit sur la carte et elle savait à présent où elle l'avait vu auparavant.

Leonid Golitsyn.

Son nom lui remit tout en mémoire. Les niveaux de couleur de l'Austria Center, l'hôtel Bristol, elle avait déjà vu tout cela. Les détails lui revinrent lentement. L'appartement du quai d'Orléans, quatre ou cinq jours plus tôt. Un mot d'un agent de voyage, un itinéraire. Un avion privé – Moscou-Vienne-Moscou – et une réservation pour une suite au Bristol. Elle n'arrivait pas à se souvenir de la durée de la réservation de Golitsyn.

Des brochures accompagnaient l'itinéraire. Elle ne réussissait à se rappeler que le contenu de l'une d'entre elles : Mir-3, un nouveau drone pour les pipelines conçu par une société russo-française dont le nom lui échappait.

Un bref programme y était joint : trois entrées, chacune avec un code couleur, chacune avec une heure. Et si elle ne pouvait jurer que « Hall D, niveau bleu, 15 h 30 » avait été l'une d'elles, son instinct lui soufflait que c'était le cas.

Elle trouva Newman, toujours en grande conversation avec Abel Kessler, et s'excusa. Au Lübeck, elle prit l'arme, marcha jusqu'à l'arrêt de tram, prit l'U3 de West-Bahnhof à Stephen-platz, puis l'U1 jusqu'à Vorgartenstrasse.

Mexikoplatz était presque déserte. La pluie ne tombait plus, mais un vent froid soufflait. Le temps que Stephanie arrive devant l'immeuble de la Engerthstrasse, elle avait les doigts engourdis. Elle contempla la façade pistache. Pas la moindre lumière.

La chaleur suffocante de l'entrée lui procura un vrai plaisir. Elle prit l'escalier jusqu'au troisième étage. À l'aide de deux petits bouts de métal prélevés sur un cintre du Lübeck, elle crocheta la serrure. Elle n'avait rien d'une spécialiste, mais ce ne fut pas nécessaire ; il lui fallut quarante secondes pour entrer.

Elle tira le Heckler & Koch de son manteau. La musique qui montait de l'étage en dessous était de la pop serbe. La kitchenette était équipée d'un chauffe-eau à gaz fixé au mur. Une flamme bleue éclairait faiblement un évier vide. Rien à manger dans le réfrigérateur, rien que du jus de fruits et du diet Coke. Dans la chambre, une couette bleue à carreaux était roulée en boule à une extrémité du matelas une place. Le sol était jonché de vêtements sales. Un carton renversé servait de table de nuit. Étaient posés dessus un exemplaire de *Vogue* alle-mand, un paquet vide de Marlboro light et cinq emballages de préservatifs, dont quatre ouverts. Contre un mur, une valise

noire bas de gamme. Se penchant pour regarder dedans
– encore des vêtements sales –, Stephanie remarqua un livre
aux pages gonflées par l'humidité de l'autre côté du carton.
Une édition russe d'une piètre histoire d'horreur par un auteur
anglais dont elle n'avait jamais entendu parler. Avec une photo
glissée dedans.

Elle l'examina. Les couleurs avaient passé. Les bords étaient
jaunes et il y avait une drôle d'auréole mauve au centre, comme
un hématome. Mais cela ne l'empêcha pas de voir ce qu'elle
représentait.

Curieusement, elle n'était pas choquée ; c'était presque un
soulagement.

Konstantin Komarov, debout à côté d'une Mercedes devant
l'hôtel Baltschug. L'hôtel dans lequel elle était descendue lors
de son premier séjour à Moscou. Cela faisait combien de
temps ? Quatre ans ? Cinq ? Elle regarda au dos de la photo.

Petra
Je t'aime. Aujourd'hui, demain, à jamais.
N'oublie pas.
Kostya.

Ce n'était pas son écriture. Mais cela y ressemblait. Rien
que de voir les mots écrits. Une déclaration d'amour d'un fantôme à un autre. Le comble du factice mais douloureux tout
de même.

D'abord Stalingrad, puis le film, et maintenant cette adresse
à Vienne. Petra, la troisième femme, le lien. Mais pourquoi le
second appartement ? Était-ce simplement un nouveau trem-
plin pour l'enquête posthume qui aurait dû être bien avancée
à présent ?

Elle entra dans le living. L'endroit avait l'air plus habité que
celui de Paris. Il y avait de la monnaie et des cartons de plats
chinois à moitié pleins sur la table basse. Sur le canapé, un
programme de télé périmé et un pull vert bouteille troué aux
coudes. Une dizaine de livres de poche sur une étagère maison,
neuf en russe, les autres en allemand.

Elle examina les CD. Bjork, Air, The Cardigans. Plus authentique que la musique qu'elle avait trouvée à Stalingrad.

Contrairement à la lettre qu'elle découvrit dans le courrier empilé sur la télé.

Elle venait de la banque Grumann dans Singerstrasse.

Nous avons le plaisir de vous confirmer les dispositions dont nous sommes convenus hier. S'il vous arrivait d'avoir besoin de nouvelles facilités ici à Vienne, ou à Bruxelles, ou bien ailleurs encore, nous serons ravis de pouvoir vous offrir nos services.
Bien amicalement,
Gerhard Lander.

La lettre était adressée à Marianne Bernard. Mais, sous cette identité, Stephanie n'était jamais venue en Autriche. Elle vérifia la date — 4 décembre — puis entendit un bruit métallique.

Une clé glissant dans la serrure.

Cheveux teints en noir coupés au carré. Malgré l'heure tardive, une grande paire de lunettes de soleil lui masquait un tiers du visage ; on aurait dit une mouche. Elle portait une mini-jupe écossaise, des collants noirs, des bottes noires, une veste en cuir noire. Elle serrait un sac en papier Kraft dans sa main droite barrée d'une égratignure. Un rouge à lèvres cramoisi faisait ressortir sa grande bouche.

Comme Stephanie attendait dans la kitchenette, la femme ferma la porte d'entrée et pénétra dans le living avant de la voir. L'arme était invisible, mais à portée de main, juste derrière la bouilloire.

— Qui êtes-vous ? qu'est-ce que vous fichez ici ?

Stephanie la regarda bien en face.

— Peut-être est-ce moi qui devrais poser la question.

— Sortez.

— Il faut qu'on parle.

— Comment êtes-vous entrée ?

— Comment vous appelez-vous ?

Elle fourra une main dans le sac en papier Kraft.

Stephanie saisit son arme.

— À votre place, je m'abstiendrais.

— Merde !

— Posez ce sac, lentement.

— C'est rien que des trucs qui viennent de la boutique d'à côté.

— Posez-le.

— Je cherchais des cigarettes.

— Je ne tiens pas à vous tirer dans la main. Mais si vous m'y obligez. *Posez-le.*

Elle s'exécuta.

— Maintenant enlevez vos lunettes.

— Pourquoi ?

— On est au milieu de la nuit.

— Et alors ?

— Je ne vous le redemanderai pas.

Quand elle obéit, Stephanie se sentit coupable. Elle avait l'œil droit gonflé et couleur arc-en-ciel.

— Que s'est-il passé ?

— C'est pas vos oignons.

— Comment vous appelez-vous ?

— C'est pas vos oignons non plus.

— Plus vite vous répondrez, plus vite je partirai. Mais je ne partirai pas avant d'avoir mes réponses. Et je les obtiendrai d'une façon ou d'une autre. Alors rendez-nous service. Comment vous appelez-vous ?

— Petra.

— Le monde est petit. Moi aussi.

Elle regarda Stephanie plus attentivement et elle commença à comprendre. Même visage, même stature. Son indignation s'évanouit mais la comparaison ne la rassura pas.

— Vous avez d'autres prénoms ?

— Julia. Et vous ?

— Un ou deux. Mais vous pouvez vous en tenir à Petra.

— Qu'est-ce que vous faites ici ?

— Retirez votre veste.

Elle portait un col roulé gris en dessous.

— Enlevez ça aussi.

Julia hésita.

— Je ne couche pas avec des femmes.

— C'est vrai ?

— En général, non.

— Déshabillez-vous.

— Vous allez me payer ?

— Non. Mais si vous êtes bien sage, je ne vous descendrai pas.

Elle se retrouva en soutien-gorge à imprimé léopard noir et cerise. La cicatrice était bien nette. Un petit cercle de peau fripée sur l'épaule gauche.

— Tournez-vous.

La blessure de sortie était la copie conforme de l'autre. Du travail d'amateur, mais cela suffisait pour un film clandestin. Stephanie remarqua d'autres marques. Deux grosses zébrures rouges, deux hématomes sur les côtes, des traces d'écorchures sur les reins.

Stephanie retira son manteau, posa l'arme près de la bouilloire et enleva son sweat, révélant sa propre cicatrice sur l'épaule gauche.

Julia siffla doucement.

— Nom de Dieu...

Stephanie remit son sweat.

— L'une de nous est une contrefaçon. L'autre est un assassin qui a reçu une balle dans l'épaule pendant un échange de coups de feu avec la police belge il y a environ huit ans. Savez-vous laquelle vous êtes ?

Julia tenta de sourire.

— Euh... c'est vous qui êtes armée. Où est-ce que vous avez récolté toutes ces coupures et ces bleus ?

— En France ? Et les vôtres ?

— Mieux vaut pas demander.

— Et les cicatrices ?

— Une opération.

— Je vais vous confier un secret. C'est aussi mon cas.

— Je ne comprends pas.

— Bien sûr que si. Tout est une question de fausse identité. Comme d'apparaître dans un film, de faire semblant d'être quelqu'un d'autre.

Julia gigota, gênée.

— Je peux fumer ?

— Oui.

— Mes cigarettes sont dans le sac.

— Montrez-moi d'abord.

Trois paquets de Marlboro light, une bouteille de vodka, du

pain et un tube de Pringles. Elle ouvrit un paquet et alluma une cigarette, le rituel lui redonnant un peu d'assurance.

— Vous pouvez remettre votre pull, si vous voulez.

— Vous êtes sûre ?

— Oui.

— Une autre fois, peut-être ?

Elle avait des formes plus épanouies que Stephanie. Le genre de silhouette que cette dernière avait joyeusement entretenue par un long été d'oisiveté. Cela lui avait fait plaisir tant que cela avait duré, mais la reprise d'un entraînement acharné à l'automne lui avait fait retrouver une musculature qui ne l'avait pas quittée depuis.

— Pourquoi avez-vous accepté l'opération ?

— Pour de l'argent. Quoi d'autre ?

— Vous avez accepté de vous faire charcuter pour de l'argent ?

— On m'a charcutée gratuitement, lâcha Julia, méprisante. C'était donc mieux.

— C'est bien.

— Et vous, pourquoi avez-vous accepté ?

— On ne m'a pas laissé le choix.

— Comment cela ?

Stephanie ignora la question.

— Combien d'argent ?

— Un tas. Suffisamment pour réparer les dégâts le moment venu. Et bien plus encore.

— Racontez comment cela s'est passé.

— Je suis allée dans une clinique ici à Vienne. La Verbinski. Vous connaissez ?

— Non.

— Le Dr Müller avait des photos d'une femme − vous, je crois − et elle a imité les cicatrices.

— Vous avez vu les photos ?

— Bien sûr.

— Et c'était moi.

— Oui. Enfin, je crois. C'était en octobre. Je me rappelle le visage parce qu'il ressemblait beaucoup au mien. Mais je n'ai pas reconnu l'homme.

— Quel homme ?

— Celui avec qui vous baisiez.

Stephanie prit le temps de mettre de l'ordre dans ses pensées.

— Je faisais l'amour avec quelqu'un ?

Julia opina du chef.

— Il devait y avoir six ou sept clichés. Et c'était ce que vous faisiez sur la plupart. Sur les autres, c'était juste avant ou après. En tout cas, vous étiez nue.

— Les cicatrices étaient donc visibles ?

— Oui. Devant et derrière. Plutôt médiocre, comme qualité. Il devait s'agir de photos tirées d'un film.

— Mais on en voyait assez ?

— Assez ? Beaucoup trop.

Quelles étaient les chances qu'il existe un autre clone de Petra avec les mêmes cicatrices ? Infimes. Pourtant comment cela aurait-il pu être elle ?

— Pour être franche, disait Julia. J'étais un peu jalouse.

— Pourquoi ?

— Le type avec qui vous étiez, il était beau. Je n'aurais pas dit non. Même avec tous ces tatouages.

Stephanie sentit son sang se glacer.

— Pardon ?

— Normalement, je n'aime pas les tatouages. Et je n'ai vu personne en être aussi couvert que votre ami. Pas en chair et en os, seulement en photo. Mais j'aurais bien couché avec lui.

Komarov, de nouveau. D'abord le mot dans le livre, maintenant ça. Lorsqu'elle l'avait rencontré, il arborait l'uniforme du cadre supérieur ; costumes de Brioni, chemises de chez Brooks Brothers, cravates de chez Hermès. Mais, sous la soie et le coton, il portait son histoire sur sa peau. Les tatouages dont il était couvert étaient les insignes des années que lui avait prises le système pénitentiaire soviétique.

Stephanie avait envie de dire à Julia qu'elle se trompait. Qu'il n'y avait pas de photos d'elle. Mais c'était faux. Un souvenir lui revenait peu à peu ; un film pris par des caméras dissimulées dans un appartement de Londres. Kostya et elle fixés sur la pellicule, au cas où un moyen de pression deviendrait nécessaire.

Un appartement de Magenta House. Et la femme qui lui avait montré le film n'était autre que Rosie Chaudhuri. Une simple employée à l'époque, travaillant pour Alexander.

Mais il était mort. Rosie dirigeait Magenta House à présent. Et Magenta House avait en sa possession davantage de son passé qu'elle n'en possédait elle-même.

Julia glousse.

— *C'est bizarre, non ? De près, il y a des différences entre nous — je veux dire, vous êtes plus âgée, non ? — mais nous nous ressemblons, non ?*

— *Exact. Mais pas quand on nous entend parler. Vous saviez que vous êtes censée être allemande ?*

— *On me l'a dit. Vous êtes allemande ? On le dirait.*

— *Je suis plus allemande que vous.*

Julia acquiesce.

— *C'est parce que je suis autrichienne.*

Je passe au russe.

— *Et moi je suis la Sainte Vierge. D'où venez-vous, Julia ? De Moscou ?*

Elle me fixe un long moment ; elle pèse le pour et le contre.

— *Nijni Novgorod, finit-elle par avouer. Mais j'ai vécu cinq ans à Moscou avant de venir ici. Qu'est-ce qui vous a mise sur la voie ?*

— *Votre accent. Il n'est pas mauvais, mais il n'est pas du cru.*

Elle accepte la critique en haussant les épaules.

— *En fait, je raconte généralement que je suis polonaise. Personne ne fait la différence.*

— *Vous préférez qu'on continue en russe ou en allemand ?*

— *En russe. Ça me manque.*

— *À moi aussi.*

— *Si on se tutoyait ? Tu veux boire quelque chose ? Une vodka-orange ? Une vodka avec du diet Coke ?*

— *Non.*

— *Je peux ?*

— *Bien sûr.*

Elle prend le sac en papier et se faufile à côté de moi. Il y a à peine de la place pour deux dans la kitchenette. L'arme ne semble pas l'impressionner. Rien ne semble l'impressionner, en fait. Quand je lui demande ce qu'elle fait à Vienne, elle répond : « Je suis une prostituée. » Ni mensonges, ni euphémismes maladroits.

Elle étudie ma réaction et poursuit.

— *Allons, tu t'attendais à quoi ?*

Elle débouche une bouteille de vodka de supermarché, en verse trois doigts dans un verre sale, puis ajoute du jus d'orange sorti du réfrigérateur.

Son histoire est d'une banalité déprimante. Une enfance froide à Nijni Novgorod seulement égayée par le rêve d'un monde meilleur au-delà des limites de la ville. À quinze ans, elle part pour Moscou.

— C'était plus facile là-bas. Comme personne ne me connaissait, ce que je faisais importait peu. J'ai encore de la famille à Nijni Novgorod. Je ne tiens pas à ce qu'ils sachent. Elle souffle de la fumée vers le plafond humide. Bien que j'en aie rien à foutre d'eux. Ces connards.

Cinq ans à Moscou défoncée et couchée sur le dos, puis Vienne.

— Que s'est-il passé ?

— Rien. Du moins de l'avis d'Alexei. Il croyait que l'Autriche était une région de l'Allemagne et que Vienne en était la capitale.

Cela nous fait rire toutes les deux.

— Qui est Alexei ?

— Un ex.

Qui, apparemment, était aussi son maquereau. Elle ne voit pas la contradiction. Certes, il la battait quand elle refusait de coucher avec ses clients, mais il prenait soin d'elle. Il lui donnait du bon temps, la ravitaillait en drogue ; elle n'était jamais obligée de payer la coke ou les amphets quand cela venait de lui. Je lui demande s'il est toujours dans le coin. Elle opine du chef en regardant en direction du living.

— Là-bas.

— Où cela ?

— Sur l'étagère. Tu vois ce pot en céramique ? Là-dedans.

— Le genre gringalet ?

Elle glousse.

— Ce sont ses cendres.

— Qu'est-il arrivé ?

— Un accident de voiture. Pour être franche, je suis surprise qu'il ait vécu aussi longtemps. À Moscou, ses copains et lui faisaient des courses de voitures volées dans la ville la nuit. De vraies courses. C'était la mode dans les années 1990. Cent cinquante kilomètres à l'heure, pourchassés par la police, complètement défoncés. Il ne conduisait jamais vite quand il était sobre. Jamais. Mais quand il avait picolé ou sniffé de la colle...

Une fois qu'elle a fini de déballer son sac en papier Kraft, nous passons au living. Elle se met à fouiller dans ses CD en me racontant sa vie à Vienne. Elle est si sincère que je ne peux m'empêcher de me prendre de sympathie pour elle. Et plus j'ai de sympathie, plus la tristesse m'envahit. Elle ne semble pas le remarquer. Même dans le cas contraire, je doute que cela la toucherait. J'aurais réagi comme ça, quand j'étais comme elle.

— Parle-moi de Paris.

316

Julia grimace.

— *Je ne sais pas du tout de quoi il s'agissait.*

— *Et Étienne Lorenz ?*

— *Ce con !*

— *Il m'a dit que vous vous êtes bien entendus.*

— *C'est parce qu'il est encore plus pute que moi.*

— *Comment ça a commencé ?*

— *J'étais ici à Vienne. On m'a présentée à ce géant d'Américain. Paul Ellroy.*

— *Qui vous a présentés ?*

— *Rudi.*

— *Qui est Rudi ?*

Elle s'interrompt et se demande ce qu'elle peut me révéler. Ne vaudrait-il pas mieux qu'elle se taise ?

— *Rudi, le cafard. Rudi Littbarski. Il vit dans un wagon de chemin de fer.*

— *Un wagon ?*

— *Sur une voie désaffectée à Unter Purkersdorf.*

Je réclame des indications précises.

Elle hésite, puis change d'avis et ne semble pas mécontente de me les fournir. Je note tous les détails sur un paquet de cigarettes vide que je fourre dans ma poche.

— *Bon, qui est Rudi ?*

Elle a soudain l'air grave.

— *Dans cette ville, il est tout ce que tu veux. Quoi que tu veuilles, Rudi l'obtient. Il connaît tout le monde, mais personne n'admettrait qu'il le connaît. Quand les touristes viennent à Vienne, ils contemplent une architecture magnifique et ils mangent de la* Sacher Torte. *Mais ce n'est pas ça, Vienne. Cette ville est la ville la plus sinistre d'Europe et personne n'y est plus à l'aise que Rudi.*

— *Que s'est-il passé ?*

— *Il y a une boîte dans Wagramerstrasse...*

— *Le Club Nitro.*

— *Ça te dit quelque chose ?*

— *J'y suis allée.*

— *Rudi y va pour ses affaires.*

— *Ses affaires ?*

— *Les filles. Quoi qu'il en soit, c'est là qu'il m'a trouvée. Il m'a raconté qu'il me cherchait. Quelle connerie. Je ne suis pas difficile à trouver. Puis il a ajouté qu'il avait quelque chose pour moi.*

— L'Américain ?

— Oui.

— Qu'est-ce qu'il avait de spécial ?

— Il me voulait moi, personne d'autre.

— Rudi a expliqué pourquoi ?

Elle secoue la tête.

— Mais comme il s'agissait d'une jolie somme, j'ai accepté de le rencontrer. Et il m'a paru OK.

— Et puis ?

— Qu'est-ce que tu crois ? Il est devenu un client. Je le voyais quand il débarquait en ville.

— Il n'habitait pas ici alors ?

— Non. Mais il venait régulièrement.

— D'où était-il ?

— De partout. Il n'arrêtait pas de voyager. Je n'ai jamais vraiment fait gaffe. On voit de tels jobards. On pose les questions – pour être polie et faire la conversation – mais on s'embête pas à écouter les réponses.

— J'imagine, dis-je franchissant sans honte la frontière entre la litote et la malhonnêteté.

— Quoi qu'il en soit, Paul m'a demandé si j'étais prête à changer d'apparence physique. Je croyais qu'il parlait de me couper les cheveux ou de les teindre. Les trucs habituels, quoi. Puis il a parlé de chirurgie. C'est là que j'ai refusé. Mais quand il a proposé cent mille euros, j'ai dit que j'allais y réfléchir.

— Ce que tu as fait.

— Pour une petite cicatrice ? Cent mille euros en liquide ? Pourquoi pas ?

— Il a donné une raison ?

— Il m'avait déjà dit que c'était pour quelqu'un d'autre. Peu m'importait tant qu'on me filait le blé. Quand j'ai demandé pourquoi j'avais besoin de cette cicatrice, il m'a expliqué que cela rendrait un vieil homme heureux parce qu'ainsi je ressemblerais à quelqu'un qu'il connaissait dans le temps.

— Et cela t'a suffi ?

— J'ai vu plus étrange. Et plus je pensais au cent mille euros, moins je pensais au reste.

— Alors tu es allée à la clinique où on t'a opérée ?

— Une formalité.

— Et ensuite ?

— On m'a donné un billet pour Paris et un numéro de téléphone à appeler une fois sur place.

— *Lorenz ?*

— *Exact ?*

— *C'était lui l'organisateur ?*

— *Oui. À l'hôtel George V. Avec une autre fille. Angeline. Elle était* *sympa. On s'est bien entendues. On prenait toutes les deux Étienne pour* *un con.*

— *Vous saviez que les caméras tournaient ?*

— *Bien sûr.*

— *Et cela ne vous a pas gênées ?*

— *C'était plutôt marrant.*

— *Et l'homme ?*

— *Il n'était pas si vieux que ça, finalement. Anders.*

Cela me surprend.

— *Il t'a dit comment il s'appelait ?*

— *Quelqu'un l'a fait. Peut-être lui, je ne m'en souviens pas. En tout* *cas, c'est comme ça qu'on s'adressait à lui et ça ne l'a pas ennuyé. Il* *était gentil. Et en super forme pour un homme de son âge.*

Elle rit à ce souvenir.

— *Cela ne s'est produit qu'une fois ?*

— *Exact. Après j'ai passé une journée ou deux à Paris et je suis* *rentrée.*

— *On t'avait payée ?*

— *La moitié. C'était l'accord. La moitié avant, l'autre après.*

— *Pourquoi ?*

— *Cela faisait partie du deal initial. Paul a mis les choses au point* *dès le départ en me disant que je risquais d'attendre l'autre moitié. En* *précisant que ça pourrait prendre quelques semaines. Voire un mois ou* *deux.*

— *Cela ne t'a pas inquiétée ?*

— *Non, il a versé la première moitié en temps et en heure. Tout s'est* *passé comme prévu.*

Cela fait bizarre d'être assise là avec Petra. Ou du moins une version *physique passable d'elle. Sur le plan du caractère, elle ressemble plus à* *celle que j'étais avant Petra. Dure en surface, engourdie à l'intérieur.*

Julia est la troisième femme de ma vie. Elle est celle que j'ai abandonnée *pour Petra. Elle est une version de Stephanie que j'ai du mal à reconnaître.*

— *Qu'est-ce que tu vas faire de ces cent mille euros ?*

— *Disparaître dans un nouveau pays. Me construire une nouvelle vie.* *C'est ce que je cherchais. L'occasion de recommencer à zéro.*

Cela me fait sourire.

— Alors nous avons plus de points communs qu'un simple prénom.

— À quoi tu penses ? demanda Julia. Elle était agenouillée sur le tapis, en train de changer de CD, les disques éparpillés autour de l'appareil. Que je suis une gourde ? Qu'ils ne me verseront jamais la seconde moitié ?

— Je pense que la seule raison pour laquelle tu es encore en vie, c'est parce que je le suis.

— Qu'est-ce que tu racontes ?

— Les coupures et les bleus que tu as vus tout à l'heure. J'ai échappé de peu à la mort plusieurs fois au cours de ces derniers jours. Quelqu'un veut ma peau et, si on me demandait qui, je dirais que c'est ton ami Paul. Ou des gens de sa connaissance.

— Pourquoi ?

— Je ne sais pas trop. Mais pose-toi la question suivante : s'ils réussissent à me descendre, que va-t-il t'arriver à ton avis ?

— Arrête. C'était juste un rôle. Quand ce sera fini, je me ferai couper les cheveux, je changerai de couleur, je ferai effacer la cicatrice, et paf ! Nous serons complètement différentes.

— Sauf que tu étais là. Tu as été témoin de la supercherie.

— Je ne sais rien. En plus, ils m'ont déjà versé cinquante mille euros. Pourquoi feraient-ils ça s'ils avaient l'intention de me buter ?

— Peut-être qu'ils savent où est le magot ?

— Ça risque pas.

— Tu n'as jamais rien dit à Paul ?

— Jamais.

— Peut-être qu'ils s'en foutent. Peut-être que cela vaut la peine de faire une croix dessus.

— T'es con ou quoi ?

— Nous sommes dans le même camp, Julia. Nous sommes la même femme, tu te rappelles ?

— La seule personne dans mon camp, c'est moi. Et je me méfie moins d'un homme que d'une autre femme.

— À toi de voir ce que tu fais maintenant. J'ai juste besoin de réponses pour savoir moi ce que je fais.

— Je t'ai dit ce que je savais.

— Et Gerhard Lander à la banque Grumann ?

— Comment t'es au courant ?

— J'ai lu la lettre sur la télé. Adressée à Marianne Bernard. Tu sais qui c'est ?

— Non. Mais je me suis servie de son nom quand j'ai rencontré Lander.

— Je suis Marianne Bernard, Julia.

— Je croyais que tu étais Petra.

— Exact. Je suis les deux.

— Écoute, je n'en savais rien.

— Parce que tu n'étais pas censée le savoir. La lettre parle de « dispositions » et de « nouvelles facilités ». Une idée de ce que cela recouvre ?

— Je suppose que ça a un rapport avec la lettre que j'ai déposée.

— Qui a organisé ça ? Paul ?

— Oui, il m'a accompagnée à la banque. C'était compliqué. J'étais Petra mais j'étais aussi Marianne. Comme toi.

— Exact. Et Paul ?

— Pour les besoins du rendez-vous, il était un avocat. Je n'ai pas dit un mot. Paul a parlé en mon nom. Nous étions tous les deux sur notre trente et un.

Stephanie imagina la scène. Julia alias Petra, accompagnée d'un avocat. Cela tenait debout ; Petra s'arrangerait pour réduire au minimum contact physique et échanges verbaux, mais il fallait bien en passer par un rendez-vous. Cela lui rappela ses rapports avec Albert Eichner ; Lander aurait besoin de pouvoir la reconnaître.

— Tu as entendu parler de Butterfly ?

Julia eut l'air vraiment perplexe.

— Il y a eu une boîte de nuit de ce nom à Moscou. Mais c'était il y a longtemps. Elle a été détruite par un incendie.

— Est-ce que Paul ou Gerhard Lander ont évoqué Anders ?

— Non.

— Tu savais qui c'était ?

— Un richard qui aimait s'envoyer en l'air dans de bons hôtels.

— Je suis sûre qu'il adorerait ça comme épitaphe sur sa tombe.

Julia écarquilla les yeux.

— Il est mort ?

— Il y a un peu plus d'une semaine. À Paris.

— Comment ?

— Tu ne lis jamais les journaux ?

— Il était célèbre ?

— Tu ne regardes pas la télé non plus ?

— MTV, parfois. Mais pas trop. Ça me gonfle. Je préfère les films.

— Peu importe.

— Non, je veux savoir. Que s'est-il passé ?

Stephanie lui expliqua mais Julia n'en parut pas choquée outre mesure. Peut-être était-ce trop lointain ?

— Tu crois que Paul était dans le coup ?

— Je n'en sais rien. Ce que je sais en revanche, c'est ça : j'étais censée mourir dans l'explosion. Depuis, quelqu'un a essayé de rectifier cette erreur. Votre petite orgie au George V n'était pas un souvenir pour un vieillard. Cela faisait partie d'un piège. Selon moi, le film aurait dû circuler après sa mort.

— Pourquoi ?

— Pour le discréditer, probablement.

— Et pourquoi cela ne s'est-il pas produit ?

— Parce que je suis toujours vivante. Le film fait partie d'un projet plus vaste. Moi une fois morte, personne ne serait plus là pour poser des questions gênantes.

— À part moi.

Elle comprit soudain.

Stephanie acquiesça.

— C'est ça. À part toi.

— Et Angeline, bien sûr.

— Peut-être, peut-être pas. Tu es la seule à compter. Tu es celle qui est moi.

Elle laissa le silence travailler pour elle. Julia entreprit de se ronger un ongle. À peine avait-elle terminé une cigarette, qu'elle en allumait une autre.

— Qu'est-ce que je peux faire ?

— Prenons les choses dans l'ordre. Où puis-je trouver Ellroy ?

Julia tripota la broderie sur sa mini-jupe.

— Quand il vient à Vienne, il descend à l'Imperial.

— Tu sais où il est maintenant ?

Pas de réponse.

— À l'Imperial ?

— Pas pour l'instant.

— Quand l'as-tu vu pour la dernière fois ?

Julia se détourna un peu de Stephanie qui n'aurait su dire si c'était délibéré ou involontaire. Peu importait. Le résultat fut le même : cela attira l'attention sur le bleu qu'elle s'efforçait de cacher.

— Quand l'as-tu vu pour la dernière fois, Julia ?

Elle répondit dans un souffle.

— Cet après-midi.

— À l'Imperial ?

— Oui.

— Il est donc ici.

— Pas ce soir.

— Et demain soir ?

Elle regarda Stephanie mais refusa de répondre.

— C'est lui l'auteur de ce bleu ?

Julia opina du chef.

— Qu'est-ce que tu as fait ?

— Rien.

— Il a fait ça sans raison ?

Cette question raviva sa méfiance.

— Il l'a fait parce qu'il en avait envie. D'accord ? Parce qu'il aime ce genre de trucs. Voilà la raison.

— Ça n'en reste pas moins une mauvaise raison. Si je vais à l'Imperial demain soir, je le trouverai ?

— Oui.

— Tu en es sûre ?

— Oui. Il m'a dit de me tenir prête pour lui.

— À quelle heure ?

— Il n'a pas précisé. Il a juste dit qu'il fallait que j'attende qu'il me convoque. Toute la nuit.

— Et tu as accepté ?

— Bien sûr que j'ai accepté, siffla Julia.

Stephanie se sentit à côté de la plaque. Qu'était un œil au beurre noir pour Julia de Nijni Novgorod quand il y avait cinquante mille euros en jeu ?

— Réfléchis-y à deux fois, dit Julia. C'est un géant. Plein de muscles.

— Je suis capable de me débrouiller toute seule.

Julia haussa les épaules.

— C'est toi qui vas y passer après tout.

— On verra bien.

— Encore un détail.

— Quoi donc ?

— Pour le demander à la réception, il te faut son nom. Paul est inscrit sous un pseudonyme.

— Qui est ?

— Stonehouse. Paul Stonehouse.

Julia parlait toujours mais Stephanie n'entendait plus que le bourdonnement de sa voix. Il lui fallut un moment pour situer ce nom, mais dès que Julia l'avait évoqué, elle avait su qu'elle l'avait déjà entendu.

Munich, fin septembre. Juste après son rendez-vous avec Otto Heilmann au café Roma dans Maximilianstrasse. Elle était tombée par hasard sur John Peltor qui avait suggéré un petit déjeuner le lendemain matin à son hôtel, le Mandarin Oriental. Où il était descendu sous le nom d'Alan Stonehouse.

Alexander avait raison une fois de plus. Dans leur univers, la coïncidence était encore le fruit d'une négligence. Si cette rencontre au Café Roma avait été préméditée, cela signifiait-il que Peltor était au courant pour Otto Heilmann ? Pas forcément. Mais probablement.

Un autre souvenir lui revint : un mail reçu à Bruxelles à son retour du Turkménistan. Peltor, de nouveau :

>Je vois que vous avez choisi de ne pas suivre le conseil que je vous ai donné à Munich.

Quel était ce conseil donné à Munich ? Elle n'arrivait pas à se le rappeler.

— Ça va ? lui demanda Julia.

— Je réfléchissais, c'est tout.

— C'est là que les ennuis commencent.

— Il lui est arrivé d'évoquer Munich ?

— Il évoque plein d'endroits. Peut-être, je ne sais pas.

— Tu as dit qu'il était gentil.

Julia partit dans la kitchenette.

— C'est vrai.

— Bien qu'il te tape dessus ?

324

— Il était gentil au début. Voilà ce que je voulais dire. Quand il me payait.

— Et maintenant ?

— C'est une ordure.

— Mais il te paie toujours ?

— Il n'est pas obligé.

— Parce qu'il a ton argent.

— C'est ça. En fait, non. Cela n'explique pas tout. (Elle revint avec la bouteille de vodka et le carton de jus d'orange.) Les choses ont changé.

— Comment cela ?

— Depuis que je suis devenue toi, il n'est plus le même. (Julia se servit un autre verre et l'offrit à Stephanie.) Tu pourrais en avoir besoin.

— Pas pour l'instant.

— Tu ne vas pas tarder à changer d'avis, je te le jure. Quand j'ai commencé à le voir, cela se passait normalement. Il était Paul, j'étais Julia. Il me versait le tarif en vigueur. On baisait. C'était bien. Un hôtel agréable, des draps propres, une douche chaude et des serviettes épaisses. Parfois un verre ou deux en plus. Puis il y a eu cette affaire Petra. Avant Paris tout allait bien. À mon retour, c'était différent.

— Sur quel plan ?

— Il ne m'a pas autorisée à modifier mon apparence physique. Il fallait que je te ressemble. J'étais Petra, et non plus Julia. Et il était John, pas Paul. La séance de baise a changé elle aussi.

— Comment ?

— D'abord, il a cessé de me payer.

— Parce qu'il gardait tes cinquante mille euros ?

Julia contempla le fond de son verre.

— Exact. Mais ce n'est pas la raison.

— Quelle est-elle ?

— Il refuse de payer parce que cela en ferait une transaction.

— Et ?

— Le scénario ne le permet pas.

— Quel scénario ?

Julia oublia de rajouter du jus d'orange et but un peu de vodka.

— S'il te plaît...

— Il faut que je sache.

La carapace commençait à se fissurer. Stephanie vit les yeux de Julia s'embuer.

— Il aime me prendre par force, reprit-elle très doucement. Quand il me bat, il faut que je lui rende les coups. Sinon, c'est encore pire. Il faut que je le convainque que je suis toi. Elle renifla bruyamment, puis s'essuya le nez du dos de la main. Il marmonne ton nom. Comme un mantra. Petra, Petra, Petra. Tu l'obsèdes. Il ne pense qu'à te baiser. Qu'à te faire mal.

Stephanie songea aux hématomes de Julia, puis aux siens. Ils se ressemblaient bien plus que Peltor n'aurait pu l'imaginer. Directement ou indirectement, il en était responsable dans les deux cas. Stephanie en était sûre. Outre le choc, une sensation bien plus sinistre se formait dans les replis les plus sombres de son cerveau.

C'est là qu'elle se souvint de l'objet du mail de Peltor : la retraite.

Voilà ce qu'il avait suggéré à Munich. Il l'avait étonnée en lui révélant qu'il n'était plus en première ligne. Comment avait-il formulé cela déjà ? Je suis en train de me lancer dans quelque chose de nouveau. Le monde... de l'entreprise.

Le monde de l'entreprise. DeMille, par exemple ?

— Tu as essayé de refuser ?

— Juste une fois. Il m'a dit que, si je recommençais, je ne verrais pas la couleur du second versement. Et que je n'aurais pas le loisir de dépenser le premier.

Stephanie songea au contraste entre la Julia agressive qui avait débarqué dans l'appartement une heure plus tôt et sa version soumise assise en tailleur par terre en face d'elle. Elles étaient aussi différentes que Stephanie et Petra, ou une autre de ses incarnations.

— Parfois il y a d'autres hommes, reprit Julia. Il aime ça. Ils me pénètrent tous en même temps. Il y a un autre type, un vrai salaud – un Sud-Africain, je crois – il...

— Grand avec des cheveux blonds en brosse ? Pas mal dans le genre mauvais ?

— Tu le connais ?

— Je le crains. Il s'appelle Lance Grotius.

Julia frémit.

— C'est le pire. Il file même la chair de poule à Paul.

— Si cela peut te consoler, tu ne risques guère de le croiser de nouveau.

— Vraiment ?

— À moins d'être propriétaire d'une société de pompes funèbres à Paris.

Minuit moins cinq. Julia leur servit de la vodka. Stephanie avait succombé et elle ne le regrettait pas.

Combien de fois Peltor et elle s'étaient-ils rencontrés en tout ? Trois ou quatre. Pas plus que ça. Des collègues dans une profession de solitaires. Elle n'avait jamais vu davantage dans leurs rapports. Ils tombaient par hasard l'un sur l'autre dans ses salons d'embarquement, dans des hôtels. Ils échangeaient les derniers potins, puis se séparaient. Des cadres supérieurs avec des rendez-vous d'affaires à honorer.

Que penser de Munich ? À son arrivée au Mandarin Oriental, on l'avait envoyée sur le toit où Peltor nageait en extérieur par une matinée glaciale. Elle avait mis cela sur le compte de son machisme d'ancien marine. À présent, elle soup-çonnait un mobile plus pervers : un prétexte pour envoyer l'ascenseur jusqu'à la chambre de Peltor.

— Qu'est-ce que je devrais faire ? demanda Julia.

— Tu as déjà cinquante mille euros ?

— Oui.

— En liquide ?

— Oui.

— Combien de temps te faut-il pour les récupérer ?

— Une heure.

— Je dirais que tu es à l'abri jusqu'à demain soir. À ta place, je fuirais sans demander mon reste. Oublie la seconde moitié.

— Fuir.

— Tu n'es vivante que parce que je le suis. Ils te gardent sous le coude au cas où ils auraient de nouveau besoin de toi. Une fois que ça ne sera plus le cas...

— Tu veux dire quand tu seras morte.

— Oui. Ou encore si la situation évolue suffisamment pour que je devienne inutile. Quoi qu'il arrive, ils te tueront. Ce n'est pas ta faute, mais nous sommes un passif collectif.

— Tu penses que je devrais partir cette nuit ?

— Si tu veux. Pour ma part, je me reposerais et je filerais demain. Mais une fois que Peltor sera mort, ils vont te chercher parce que c'est toi que les employés de la réception de l'Impérial verront demain soir.

— Qui est Peltor ?

— Ellroy. Stonehouse. À toi de choisir.

— Tu vas le tuer ?

— Disons que je vais lui parler. En employant la manière musclée.

— Comment tu sauras à quelle heure te pointer ?

— Parce que tu m'appelleras dès qu'il t'aura téléphoné.

— Et où devrais-je m'enfuir ?

— Là où personne ne te connaît. Ni à Moscou. Ni à Nijni Novgorod.

Julia se prit la tête entre les mains.

— Merde.

— Il faut voir le bon côté. Tu rêvais d'une nouvelle vie dans un nouveau pays.

— Oui, mais...

— Ne cherche pas les points négatifs, Julia. Si je n'étais pas venue ce soir, il t'aurait tuée. Et d'après ce que tu m'as raconté... tu imagines certainement mieux que moi comment il aurait procédé.

Julia regarda son appartement miteux.

— Je suis en fuite depuis l'âge de quinze ans.

— Tout ira bien. Fais-moi confiance.

— Tu es sûre ?

— Oui. Tu as ce qu'il faut. Tout comme moi. Nous sommes la même, après tout. Dis-toi que tu l'auras échappé belle le jour où tu te retrouveras sur une plage quelque part.

— *Mais qui es-tu ?*

Stephanie se leva.

— Je suis l'occasion de tout reprendre à zéro. Exactement ce que tu voulais.

Onzième jour

Deux heures moins cinq du matin. Ils étaient tous les deux un peu gris après cette soirée passée chacun de son côté. C'était bon. Couchée en diagonale, la tête dans le vide, elle voyait la chambre à l'envers ; dans la fente entre les rideaux, la pluie coulait vers le haut de la fenêtre éclairée par le lampadaire.

Quand ils firent l'amour, Stephanie prit plaisir à s'abandonner comme elle ne s'était jamais permis de le faire avec les hommes que Petra mettait dans son lit. Avec ces hommes-là, les séances se transformaient en compétition sportive. Avec Newman, cela paraissait complètement inutile.

Elle aima ses mains sur sa peau, aima qu'il lui fasse changer de position quand il le désirait, qu'il la prenne comme il le voulait. Ils n'échangèrent pas un seul mot. Elle aima son corps, la différence d'âge, la supériorité de l'expérience sur l'enthousiasme. Plus il donnait, plus elle devenait paresseuse, meilleur c'était. L'alcool aidait, sans aucun doute.

Lorsqu'elle fermait les yeux, elle se voyait sous les traits de Julia, et Newman devenait Brand. Ils se trouvaient dans une suite du George V. La différence entre les gestes de Newman et ce dont elle se rappelait dans le film devint floue. Elle sentait presque la présence d'Angeline à côté d'eux. Mais cela ne semblait pas avoir d'importance. C'était trop bon pour qu'elle s'adresse des reproches. Alors elle se laissa aller, s'offrit totalement à ce plaisir physique éphémère.

Il la fit rouler sur le ventre, la saisit par les hanches et la souleva. Elle mit sa tête entre ses bras croisés, se passa les doigts dans ses cheveux humides. Lorsqu'elle jouit, les oreillers étouffèrent ses halètements et un petit rire nerveux de joie involontaire.

— Tu es le premier que j'aie vraiment embrassé depuis plus de deux ans.

— Qu'est-ce que tu veux dire ?

— Pour certains, s'embrasser se réduit à un arrêt au stand avant le passage à l'acte.

— C'est assez vrai.

— Pour moi, il n'y a rien de plus intime qu'un baiser.

— Je ne suis pas sûr d'être d'accord.

Peut-être était-ce ce qui les différenciait. Petra avait passé des années à se servir de son corps pour séduire ou user l'adversaire. Du coup, le mystère n'y survivait pas. Elle avait donné son corps à des hommes qu'elle n'aurait jamais songé à embrasser. Julia devait réagir de la même façon, mais elle savait que c'était une chose que Newman ne pourrait jamais comprendre.

La lumière du jour se glisse dans notre chambre. Je suis réveillée depuis une demi-heure. J'ai mal au crâne et la bouche sèche. Robert est partout sur ma peau, mais je ne me sens pas sale. Bien au contraire, nous avons fait l'amour et j'ai eu l'impression d'être purifiée.

Je songe à Julia. Une fille qui fait le nécessaire pour survivre. Une fille qui va jusqu'au bout, quoi que cela lui en coûte. Depuis que je me suis muée en Petra, cela a aussi été ma philosophie. Cela a conditionné tout ce que j'ai fait. C'est seulement maintenant que je mesure à quel point cela a été destructeur.

Cela corrompt l'âme. Je ne l'ai pas remarqué au jour le jour. Il a fallu Julia, cette autre moi, pour que je le comprenne. Vingt ans à peine, et survivant au combat quotidien en se nourrissant de rêves. Elle tolère un homme comme Peltor pour la perspective d'un avenir qu'elle aura choisi. J'étais ainsi à son âge, tolérant Petra et le boulot que je faisais pour Magenta House. Mais pourquoi, exactement ? Au début, pour la vengeance. Ensuite, pour l'indépendance. Plus tard, pour rien.

Peut-être est-ce plus facile pour Julia. Elle ignore certainement où elle va mais elle sait sans le moindre doute ce qu'elle fuit. Elle a vu quel genre d'avenir lui réservait Ninji Novgorod et elle n'en a pas voulu. Elle croit encore qu'elle trouvera mieux loin d'ici. Elle ne devrait pas en être aussi sûre. Elle risque fort de lâcher un avenir sans qu'un nouveau se dessine. Je suis bien placée pour le savoir. J'ai croisé des dizaines de Julia dans des dizaines de villes ; prêtes à croire à n'importe quel mensonge pourvu que le rêve survive.

Nous sortons prendre un petit déjeuner. Après nous être cassé le nez plusieurs fois, nous trouvons un bistrot faiblement éclairé dans Marzstrasse. Nous nous installons à une table près de la porte et commandons du café. Dehors, un vent persistant ride l'eau des flaques sur le trottoir.

Robert me parle de son dîner avec Abel Kessler ; souvenirs et alcool, surtout. Je repense à Rudi le cafard. Le surnom que Julia lui a donné. Rudi Littbarski. Mais il y a un autre Rudi. Cela me revient maintenant. Un nom sur un bout de papier. Un endroit, une heure, Rudi, gare du Nord, 19 h 30. *Un bout de papier que j'ai découvert au fond de la poche arrière d'un jean dans l'appartement de Stalingrad.*

Pendant que nous attendons qu'on nous serve, j'appelle d'un téléphone public sur le mur à côté des toilettes. Deux numéros figurent en haut de la lettre que j'ai prise dans l'appartement de Julia. Je choisis le second, un portable. Un homme répond.

— Herr *Lander ?*

— *Lui-même. Qui est à l'appareil ?*

— *Marianne Bernard.*

Il faut quelques secondes pour que mon nom pénètre son permafrost mental.

— *Ah oui...* Fräulein *Bernard. Ravi de vous entendre. J'espère que vous allez bien et que vous avez passé de bonnes fêtes.*

— *Excellentes.*

— *Que puis-je pour vous ?*

— *Je suis à Vienne et j'aimerais vous voir.*

Le silence qui suit me signale que c'est inattendu et malvenu, bien que la lettre écrite à Julia fût adressée à l'appartement de Mexikoplatz.

— *Quand cela vous conviendrait-il ?*

— *Aujourd'hui.*

— *Ah, impossible. J'ai deux réunions suivies d'un déjeuner. Et cet après-midi...*

— *Je serai dans votre bureau à midi.*

Nouveau silence éloquent. Quand il finit par accepter, j'ai appris quelque chose de nouveau : Petra est une cliente trop importante pour qu'on s'oppose à elle. Mais j'ignore pourquoi.

— *Il faut qu'on se mette de nouveau sur notre trente et un, dis-je en rejoignant Newman.*

— *Pourquoi ?*

— *Une visite à la banque.*

— *Pourquoi ?*

Tenant ma tasse à deux mains, je souffle la vapeur qui monte de la surface de mon café.

— *Imagine que tu sois une star du cinéma. Quand tu rencontres ton public, il faut que tu sois à la hauteur du mythe qu'il entretient. Nous avons un rendez-vous à midi et je vais devoir incarner la vraie Petra Reuter.*

— *Et moi ?*

Je lui adresse un sourire taquin.

— *Tu seras mon nouvel avocat.*

Robert grimace.

— *Génial.*

À Unter Purkersdorf, ils descendirent du train rapide et suivirent les indications de Julia.

Sur les voies de garage rouillées et envahies de mauvaises herbes entre les traverses noires de graisse, se regroupait une demi-douzaine de wagons convertis en habitation. Extérieurs en bois peints en vert, turquoise et rouge, rideaux aux fenêtres, jardinières près des portes.

Rudi Littbarski vivait à l'écart dans un ancien wagon des chemins de fer suisses, à l'ombre d'une usine du XIXe siècle désaffectée dont il ne restait plus qu'une carcasse de briques rouges, des ouvertures béantes et la moitié d'une cheminée.

Stephanie consulta sa montre. Neuf heures moins cinq. Julia lui avait conseillé de ne pas venir trop tôt. Véritable oiseau de nuit, Littbarski se couchait rarement avant sept heures du matin.

On avait scié la poignée de la porte pour la remplacer par une serrure. Stephanie regarda à l'intérieur : l'autre moitié de la poignée était intacte. Elle brisa la vitre à l'aide d'une brique trouvée par terre.

Littbarski sortait de son lit quand Stephanie et Newman surgirent. Il se figea lorsqu'elle pointa son Heckler & Koch sur lui.

— Vous êtes qui, bordel ? Foutez le camp d'ici.

— N'essayez pas de jouer les durs, Rudi. Surtout habillé comme vous l'êtes.

Avec sa peau blanche, on aurait dit un poulet de super-marché. Ses bras et son torse maigre étaient parsemés de tatouages. Des anneaux en argent ornaient ses mamelons.

— Habillez-vous, Rudi.

Il ramassa ses vêtements : pantalon étroit noir, chemise en velours mille-raies noire, chaussettes orange fluorescent et Converse.

— Vous êtes seul ici ?

— Oui.

Un petit réchaud à gaz était posé au pied d'un lavabo minuscule. Sur un comptoir installé au-dessus du réfrigérateur, un poste de télévision faisait face à un canapé en similicuir marron. Une épaisse moquette chocolat couvrait le sol.

— Pas terrible votre système de sécurité.

Littbarski remonta la fermeture Éclair de son pantalon.

— Pourquoi j'en aurais besoin ?

— Vos occupations. Vos fréquentations.

— J'emmerde personne. J'ai une réputation dans cette ville. Vous voulez quelque chose, je vous dis si je peux vous l'obtenir et combien ça coûtera. Ensuite, c'est à vous de jouer. Si ça vous convient, je livre. En temps et en heure, sans frais supplémentaires. Pourquoi on viendrait me chercher des noises ?

— C'est comme ça que ça s'est passé avec John Peltor ?

— Qui ?

— Paul Ellroy. Alan Stonehouse.

— Connais pas.

— Lequel ?

— Quoi ?

— Lequel vous est inconnu ?

Il la dévisagea, l'air complètement largué.

— On s'est déjà croisé ?

— D'une certaine manière.

Quel âge pouvait-il bien avoir ? Il ne devait pas être aussi vieux qu'il le paraissait. Trop d'années de nuits écourtées passées sans voir la lumière du jour. Un vrai mort-vivant : peau grise, dents grises, yeux injectés de sang, visage tout en creux.

Progressivement, il reconstitua le puzzle.

— Vous... n'êtes pas elle. Mais vous deux... vous vous...

— Oui.

Il ouvrit un paquet de Casablanca.

— De quoi s'agit-il ?

— À vous de me le dire.

— Y a pas grand-chose à raconter. Il est venu me voir. Il cherchait quelqu'un et on lui avait expliqué que j'étais l'homme de la situation. Je savais déjà où trouver Julia. Même dans le cas contraire, je l'aurais dénichée en vingt-quatre heures.

— Le Club Nitro ?

— Exact. Les propriétaires sont des associés à moi. On fait pas mal de business là-bas.

— J'imagine. Parlez-moi de Peltor.

— Ellroy. Il s'est toujours présenté sous le nom de Paul Ellroy avec moi.

Sans même qu'elle ait à le menacer, il avait renoncé à jouer les gros bras. Stephanie n'en fut pas surprise. Les hommes comme Rudi Littbarski pullulaient dans l'univers de Petra. Des minus roulant des mécaniques.

— Il est en ville. Ils sont tous en ville.

— Tous ?

— La conférence sur le pétrole. Un gros truc à l'Austria Center.

— Comment le savez-vous ?

— Vous rigolez ou quoi ? Un événement comme ça, c'est une aubaine pour moi. L'OPEP, l'ONU, ce machin... À l'heure actuelle, tous les bons hôtels affichent complet. Américains, Ira-kiens, Saoudiens, ils sont tous là. Vous savez ce qu'ils font les Saoudiens ? Ils débarquent avec leur suite. Ils retiennent six ou sept chambres dans un endroit comme le Sacher ou l'Impérial. Rien que pour la famille et le personnel. Puis ils louent deux ou trois chambres de plus à un autre étage pour leurs putes. Ils font venir par avion leurs préférées de Londres, Paris ou Los Angeles. Mais s'ils veulent goûter aux locales ou à plus exotique, ils m'envoient quelqu'un.

— Plus exotique ?

— Personne se contente plus de filles normales maintenant. Il leur faut toujours du spécial. Du... *baroque*. Des immigrantes mineures, des amputées, des naines. Ce genre de conneries.

Stephanie commençait à perdre patience.

— Et c'est ça, votre domaine d'activités ?

— Ça va, princesse, changez de ton. Je suis pas pire qu'un boulanger qui vend son pain. Je fournis un service, c'est tout.

— Comme le revendeur d'héroïne aux portes des écoles.

— Et merde !

— Venons-en au fait. Racontez-moi pourquoi Paul Ellroy avait besoin de Julia.

— Pour une vidéo amateur.

— Je suis au courant. Mais pourquoi elle ? Pourquoi moi ?

— J'en sais rien.

— Vous êtes allé à Paris récemment ?

— Quoi ?

— En train, peut-être ? La gare du Nord ?

— Je vois pas de quoi vous parlez, fit-il, l'air réellement perplexe.

Elle décida de changer d'angle d'attaque. Se fondant sur le récit de Julia, elle avança une hypothèse :

— Vous avez organisé son opération à la clinique Verbinski : exact ?

— Exact.

— Vous avez vu les photos alors ?

— De vous avec le tatouage ambulant ? Bien sûr. On s'est tous bien marrés.

— Vous savez d'où venaient ces photos ?

— D'Ellroy.

— Vous savez où il les a trouvées ?

— Bien sûr. On les lui a données.

— Données ? Pas vendues ?

— C'est ce qu'il a dit.

— Qui ?

— Vous devriez le savoir. C'est vous qui êtes dessus.

Stephanie pointa son pistolet.

— Qui ?

— Quelqu'un pour qui vous avez travaillé.

Elle eut soudain la bouche sèche.

— Vous en êtes sûr ?

— Et comment. C'est pour ça qu'on se marrait autant. Ellroy nous racontait que vous aviez travaillé pour ce vieux et quand on voyait quel genre de boulot vous faisiez...

— Attendez. C'était quand ?

— En automne, je crois. Octobre ou novembre.

— De l'année dernière ?

Littbarski hocha la tête.

Stephanie était effarée. Il devait parler d'Alexander. Mais Alexander était mort depuis plus de deux ans.

— Vous l'avez rencontré ?

— Oui.

— Où cela ?

— Ici. À Vienne. Il est venu spécialement de Londres.

Quand Gordon Wiley pénétra dans le Café Imperial pour un petit déjeuner tardif, il était réveillé depuis plus de quatre heures. Il était neuf heures vingt-cinq. John Peltor, celui avec qui il avait rendez-vous, l'attendait. Sa silhouette se découpait sur la fenêtre flanquée de lourds rideaux devant laquelle il s'était installé. Une serveuse plaçait devant lui une assiette d'œufs sur le plat.

Wiley avait toujours été impressionné et intimidé par Peltor. Pas tant par sa stature que par sa forme physique. Pas un poil de graisse chez ce géant. Un bloc de marbre.

On leur servit du café.

— J'ai passé une heure au téléphone avec John Cabrini. Il n'a aucune idée de l'endroit où elle se trouve. L'Alsace a été un vrai gâchis. Toutes ces pistes n'ont mené à rien. Il reste le cul vissé dans cette capsule — cette foutue capsule qui coûte plusieurs millions de dollars — à écouter Dieu sait quels renseignements balancés par les satellites et elle s'est envolée.

La salle à manger était calme, après la foule du petit déjeuner. Wiley aimait cet endroit. Vaste et aéré, ocre et marron foncé, traditionnel. Un peu vieillot mais plein de caractère. Un cadre aussi paisible qu'une bibliothèque. Une femme vêtue d'un tailleur gris foncé entreprit de s'occuper des grands vases de fleurs.

Peltor manifesta sa sympathie d'un hochement de tête.

— Où en êtes-vous alors, monsieur ?

— Je dirais plutôt nous. Où en sommes-nous ? Dans une impasse. Voilà.

— Il reste du temps.

— Non. Je rencontre Hussein Sayed et Azzam Fahad aujourd'hui.

— À quelle heure ?

— Midi.

Peltor savait bien qu'on ne pourrait pas réussir grand-chose en deux heures et demie.

— Quel est le pire scénario ?

— Ils annulent tout.

— Et dans le meilleur des cas ?

— Ils acceptent un report.

— Combien de temps pourraient-ils attendre à votre avis ?

— Vingt-quatre heures. Voire trente-six.

— Pas plus ?

— J'en doute. En partant du principe qu'ils acceptent d'attendre. À quoi pensez-vous ?

— Il existe une autre possibilité. Mais il va falloir jouer serré.

— Racontez.

— Vous avez vu le DVD de Brand, exact ?

— Non. Mais je suis au courant.

— La fille.

— Oui. Quoi ?

Peltor jeta un coup d'œil autour de lui, se pencha vers Wiley et poursuivit dans un murmure.

— Elle s'est fait passer pour Reuter une fois. Elle pourrait recommencer.

Il fallut un bon moment à Wiley pour comprendre.

— Je croyais qu'elle s'était évanouie dans la nature depuis des semaines. Je croyais que c'était pour ça qu'on lui avait versé cent mille dollars. Pour s'assurer qu'elle disparaîtrait.

Conserver la seconde tranche de cinquante mille euros avait été la décision de Peltor. Pour des raisons strictement personnelles, personne d'autre n'était au courant.

— C'est vrai, mais je peux la retrouver.

— Ça vous prendra combien de temps ?

Peltor fit un peu attendre sa réponse.

— Ce n'est pas si simple.

— Pourquoi ?

— Une fois la chose faite, il faudrait qu'on la découvre. Et que cela se sache. Il faudra du travail bien fait.

— D'accord. Combien de temps ?

— Pour que ce soit convaincant ? Quarante-huit heures.

— Et la vraie Reuter ?

— Nous aurions encore besoin d'elle. Mais cela nous fait gagner du temps.

À dix heures, l'heure indiquée par Kleist la veille, Stephanie et Newman s'engagèrent dans Dorotheergasse. Le magasin était fermé, éteint. Stephanie sonna. Ils attendirent sous la pluie, puis essayèrent de nouveau. La silhouette de Kleist se dessina derrière la vitre. Ils entrèrent et secouèrent la pluie de leurs vêtements. Kleist verrouilla la porte et les conduisit dans une petite cuisine au fond du magasin où il se lança dans la préparation d'un chocolat chaud à la cannelle. Un rituel que Stephanie se rappelait. Cela faisait partie de la carte de visite professionnelle de Kleist ; cela accompagnait le renseignement.

Il versa du lait dans une petite casserole cabossée qu'il plaça au-dessus du brûleur à gaz. Il fit mine de se concentrer sur sa tâche tout en allant droit au but :

— Saviez-vous qu'Otto Heilmann faisait partie du personnel du groupe Amsterdam ?

Stephanie en resta le souffle coupé.

— *Heilmann.*

— Vous avez évoqué son nom hier.

C'était vrai. Mais seulement parce que Kleist et lui étaient d'anciens collègues de la Stasi. Il ne lui était jamais venu à l'esprit que Heilmann pût être lié à Amsterdam.

Kleist parut lire ses pensées.

— Vous m'avez interrogé à propos de Butterfly. J'ai mené ma petite enquête. Le groupe Amsterdam a été mentionné. Je savais qu'Otto avait travaillé pour DeMille, une de leurs filiales.

Elle l'ignorait. L'interroger à propos de Butterfly, et évoquer Heilmann dans la foulée n'avait été qu'une pure coïncidence.

— Qu'est-ce qu'il faisait pour eux ?

— Il était consultant.

— Dans quel domaine ?

— L'armement, surtout.

Bien sûr, l'hypermarché Ukraine.

— Otto avait d'excellents contacts au Moyen-Orient. Quand on travaillait ensemble, il passait le plus clair de son temps en Syrie, Irak et Jordanie. Mais surtout en Syrie. Il connaissait personnellement Assad.

Stephanie était encore sous le choc. Kleist versa quelques

cuillerées de chocolat dans le lait chaud, ajouta la cannelle, puis se remit à remuer lentement, le tout à bonne distance de la flamme. Une fois la préparation prête, il la servit dans trois tasses émaillées. Ils passèrent dans son bureau exigu. Une petite fenêtre carrée donnait sur une cour sombre.

— Stern, reprit Kleist en s'appuyant contre une table envahie par la paperasse. Je pense que vous devriez entrer en contact.

— Pourquoi ?

— Pour deux raisons. D'abord, vous vous êtes fait piéger, mais Stern aussi. Du moins, c'est ce qu'il prétend.

— Un peu normal, non ?

— Il faut que vous admettiez que ce soit une possibilité.

— Et vous, vous pensez que c'en est une ?

— Hélas, oui.

— Hélas ?

— Je ne suis pas autant à la retraite que j'ai bien voulu vous le faire croire hier. Et Stern éliminé, Dieu sait vers qui vous vous seriez tournée pour obtenir vos renseignements.

Stephanie secoua la tête.

— Vous alors ! Il faut que je vous fasse un aveu : je vous vois toujours sous les traits d'une relique monstrueuse de la guerre froide — c'est vrai, quoi, empoisonner Josef Kanek ? — mais chaque fois que je vous rencontre, vous vous arrangez pour saper cette image.

— Je ne vais pas présenter d'excuses pour l'assassinat de Kanek, Petra, mais je vais vous révéler quelque chose à son sujet. Tout le monde le considère comme un dissident. Un grand savant martyr. Faux sur toute la ligne. Josef Kanek n'a jamais cherché à faire avancer la science. Il négociait du matériel nucléaire volé. Une pratique courante à présent. Mais il a été l'un des pionniers. Voilà pourquoi il a été tué. Rien d'autre.

— Mais l'empoisonner ? N'était-ce pas un peu... macabre ?

— Empoisonnement par radiation, Petra. Il en vivait, il en est mort.

— Je n'imaginais pas que la Stasi puisse avoir un tel sens du spectaculaire.

— Ça devait servir d'avertissement aux autres. Et à cet égard, ça a été efficace.

Kleist prit une boîte en fer-blanc rouillée près du téléphone. Il la dévissa et en tira une cigarette.

Stephanie le regarda l'allumer.

— Sobranie, la marque des putains.

— Bien sûr. Ça me va comme un gant, non ?

— Il ne faut pas se fier aux apparences avec vous, Bruno.

— Cela devrait toujours être vrai d'un bon fournisseur de renseignements. Stern pousse un peu ça à l'extrême. N'oublions pas cependant qu'il est russe.

Le cœur de Stephanie eut un raté.

— Russe ?

Kleist parut surpris.

— Vous l'ignoriez ?

— Oui. Quoi d'autre ?

— C'est tout. Il tira longuement sur sa Sobranie. Vous ne pouvez pas savoir à quel point c'est bon.

— Est-ce que Stern sait qui l'a piégé ?

— Probablement. Mais il n'allait pas me le dire. Il veut que vous preniez directement contact avec lui. Je ne l'en blâme pas. Dans sa situation, j'en ferais autant.

Stephanie but une gorgée de chocolat et posa sa tasse sur le bureau.

— Encore une chose. La banque Grumann, c'est un nom qui vous est familier ?

— Naturellement. Elle a son siège ici à Vienne. Dans Singerstrasse.

— Vous connaissez Gerhard Lander ?

Le ricanement de Kleist fut plus menaçant qu'amusé.

— Je connais Lander, oui. Pas personnellement. Mais de réputation.

— Cela ne présage rien de bon, on dirait.

— Ça dépend dans quelle branche vous êtes. Prenez mon cas, par exemple. On pourrait penser qu'un passé à la Stasi serait un handicap dans un environnement post-RDA. Faux. Je dirais que ma réputation professionnelle en est sortie grandie.

— Et Grumann ?

— Ses clients préfèrent la discrétion aux taux d'intérêt. En d'autres termes, cet établissement s'occupe de gens comme vous, Petra.

— On s'occupe déjà très bien de moi.

— Je n'en doute pas. Mais s'il vous prend l'envie de changer un jour, ils vous accueilleront à bras ouverts. Saddam y avait un compte. Souharto aussi, dans le temps. Parmi les autres, on peut citer Ali Abdallah Saleh du Yémen, Vladislav Ardzinba, le président de l'Abkhasie, et mon préféré entre tous, Omar al-Bashir du Soudan.

— Quelle liste !

— Oubliez Prague ou Budapest, continua Kleist. Voire Istanbul. Vienne est l'endroit où l'Est et l'Ouest se rencontrent. Ce n'est pas un slogan touristique à la petite semaine, mais une réalité amorale. Et la banque Grumann en profite un maximum.

— Que savez-vous de Lander ?

— Un directeur. Cinquante-cinq ans, je dirais. Il a fait toute sa carrière dans cette banque. Son grand-père, un nazi fervent, en était un des cofondateurs. Inutile de préciser que l'établissement a prospéré dans les années 1930 et 1940.

— Et après ? Il n'y a pas eu de contrecoup ?

— Bien moins que vous ne pourriez l'imaginer. Une banque comme Grumann s'adapte toujours aux besoins de sa clientèle et à l'air du temps. Bien qu'en fait, elle n'ait pas été obligée de trop se défendre.

— Non ?

Kleist secoua la tête.

— Nous sommes très polis à Vienne. Nous ne posons pas de questions embarrassantes. Surtout si nous ne sommes pas sûrs de vouloir entendre les réponses.

— Et Butterfly ?

— C'est la seconde raison pour laquelle il faut que vous contactiez Stern.

Nous sommes au cinéma Künstlerhaus dans Akademiestrasse. Il y a des terminaux d'ordinateurs dans le foyer. Deux étudiants penchés sur des écrans s'appliquent à faire durer le café du petit déjeuner jusqu'au déjeuner. Robert et moi choisissons le terminal le plus isolé possible. Je laisse un message sur Hotmail.

>Bonjour Oscar. Bavardons, voulez-vous ?

Otto Heilmann. Est-il la raison de ma présence ici ? Je lui ai réglé son compte pour rendre service à Albert Eichner de Guderian Maier. Un service pas tout à fait gratuit parce que mes intérêts dépendent de cette banque, mais un service tout de même. Je ne me doutais pas une seconde que Heilmann jouait les consultants pour DeMille. Comment l'aurais-je

341

su ? Il y a encore une semaine, je n'avais jamais entendu parler de DeMille.
J'ignorais ce qu'était le groupe Amsterdam.

>Petra. Où étiez-vous passée ?

Je consulte ma montre. Cela a pris moins de cinq minutes.

>Devinez, Oscar.

>Partout ?

>On peut dire ça comme ça.

>Comment savoir que c'est bien vous ?

Robert voit la question : « Il ne manque pas de culot, il faut le recon-
naître. »

>Prenez un contrat et je vous donnerai le 1-2-3.

>Yusuf Aziz Khan.

>Peschawar,   deux   salves   de   SIG-Sauer   P226,
1 250 000 dollars US.

Robert hausse les sourcils :

— *Une de vos missions ?*

J'acquiesce, sans quitter l'écran des yeux.

— *Il y a environ un an.*

— *Qui était-ce ?*

— *Le directeur général de l'ISI, le service de sécurité pakistanais. L'ISI*
soutenait activement les talibans en Afghanistan. Yusuf Aziz Khan était
l'instigateur de cette politique. Chose que n'appréciait pas trop le reste du
monde.

— *C'est comme ça que cela fonctionne ? Quelqu'un est pris d'une envie,*
on passe des coups de fil, on verse de l'argent, et vous apparaissez, sortie
de nulle part, pour satisfaire cette envie ?

— *Plus ou moins. C'est une industrie de service, après tout.*

>Pardon, Petra. Pour le Lancaster. Pour tout.

>C'est un peu insuffisant. C'est vous qui m'avez envoyée
au Lancaster. Je ne m'en suis tirée que de justesse,
merci beaucoup.

>Je n'ai pas pour habitude de trahir mes clients les plus
lucratifs.

>Donnez-moi un nom et on verra qui nous a piégés.

>John Peltor.

Merde, encore ! J'aurais dû m'en douter.

>Comment ?

>Il s'est servi d'un pseudo.

>Alan Stonehouse ?

>Paul Ellroy.

J'essaie de remettre de l'ordre dans la suite des événements. La bombe du Sentier explose. Je demande son aide à Stern. Stern se tourne vers une source. La source de Stern me dirige vers le Lancaster en sachant pertinemment ce qui va se passer parce que la source de Stern n'est autre que John Peltor, opérant sous un de ses pseudos, Paul Ellroy.

Prise de vertige, je pose l'unique question simple qui reste.

>Pourquoi ?

>Butterfly.

>C'est quoi Butterfly ?

>Un contrat ?

>Entre qui et qui ?

>Le groupe Amsterdam et les gouvernements d'Israël, d'Irak et de Jordanie. Il est censé être signé aujourd'hui. Les Israéliens ne seront pas présents. Toutes les parties ont accepté cette clause.

>Où sera-t-il signé ?

>À Vienne. À l'hôtel Imperial. Gordon Wiley, le PDG du groupe Amsterdam, y est descendu. La signature aura lieu à six heures dans sa suite.

L'Imperial. L'hôtel de John Peltor. Pourquoi pas ? Parfois plus on est nombreux, moins on court de risques. Rudi Littbarski lui avait dit que l'hôtel était plein de participants à Petrotech. Quoi de plus naturel ?

>De quel genre de contrat s'agit-il ?

>Un contrat en deux volets. Construction et sécurité. Le contrat concerne un pipeline de pétrole reliant Mossoul, au nord de l'Irak, et le port d'Haïfa en Israël, en passant par la Jordanie. À quelques détours près, l'itinéraire proposé couvre une distance d'environ mille cinquante kilomètres.

Robert lit le résumé de Stern et précise :

— Il y avait un pipeline entre Mossoul et Haïfa dans le temps. Il a été laissé à l'abandon et les pillards ne se sont pas privés de le démanteler. L'idée d'un nouveau pipeline a été évoquée de temps à autre, pour être toujours rejetée.

— Pourquoi ?

— Trop cher. Sur un plan économique et sur un plan politique.

>On estime le budget de construction prévu à quatre milliards de dollars. Le contrat comprendra également des éléments supplémentaires, comme la construction d'un

nouveau terminal à Haïfa et des installations de pointe
à Mossoul.
>Et le second volet ?
>Cela couvre l'entretien et la sécurité du pipeline pen-
dant sa construction et durant ses dix premières années
d'opération.

Robert siffle doucement.

— *Quoi ?*

— *Tu as une idée du fric que cela représente ?*

— *Aucune.*

— *Rien que pour te donner un aperçu : prenons la sécurité. Étant
donné qu'il part d'Irak pour finir en Israël, on peut supposer que ce sera
une cible rêvée pour les terroristes. Cela veut dire qu'il faut un système de
sécurité maximum. Normalement, la moyenne, c'est un homme par kilo-
mètre. Le plus gros du travail est effectué par des drones, mais ils coûtent
cher — disons douze mille dollars chacun pour une caméra à transmission
instantanée, mais beaucoup plus s'ils sont armés — et une présence physique
reste nécessaire.*

— *Comment arrivent-ils à ce ratio ?*

— *Ils évaluent le temps nécessaire pour poser une charge d'explosifs
sur le pipeline. Probablement quinze minutes. Ce qui signifie qu'il faut
qu'il y ait des patrouilles sur n'importe quel tronçon à cette fréquence voire
plus. Il faut donc compter environ un millier d'hommes.*

— *D'accord.*

— *Ensuite, il faut se rappeler qu'un pipeline, c'est comme la plomberie
dans ton appartement. Si un tuyau pète, c'est embêtant mais tu peux te
débrouiller. Tu coupes l'arrivée d'eau, tu répares les dégâts, et tu rouvres
ton robinet. Mais quand c'est ta chaudière qui te lâche, c'est là que tu es
mal barrée. Le pipeline, c'est pareil. On fait sauter une station de pompage
et les ennuis commencent. Pour un pipeline de cette longueur, il faut compter
un autre millier d'hommes. Ce qui fait deux mille en tout. Les frais
d'exploitation pour chacun d'eux vont se monter à environ mille dollars
par jour. En d'autres termes, c'est un contrat d'une valeur de deux millions
de dollars par jour, chaque jour, pendant les dix prochaines années. Plus
de sept milliards de dollars avec une diminution sur la durée du contrat...
disons cinq milliards de dollars. Rien que pour la sécurité.*

— *En plus des quatre milliards pour la construction.*

— *Exact.*

— *Et le reste. Combien vont coûter la construction et la protection d'un nouveau terminal pétrolier à Haïfa ? Ou l'infrastructure prévue pour Mossoul ?*

— Un paquet. Le total doit avoisiner les douze milliards. Mais cela pourrait atteindre les quinze milliards.

— À quel genre de marge bénéficiaire le groupe Amsterdam pourrait-il s'attendre ?

— Entre vingt et trente pour cent probablement.

Je reviens à Stern.

>Quoi d'autre, Oscar ?

>Brand se proposait de rendre publiques ses objections
à Butterfly.

>À savoir ?

>Je ne sais pas. On ne lui a pas laissé l'occasion de
s'expliquer.

>Mais on aurait écouté les objections de Brand, n'est-ce
pas ?

>Bien plus. On les aurait exploitées. Il était peut-être
connu comme le « chuchoteur », mais sa voix portait loin.
Le problème est le suivant : la confiance ne se transfère
pas. Les alliances qu'il a contribué à construire, les
trêves qu'il a négociées, les assurances qu'il a obtenues, toutes sont fragiles. Pratiquement toutes sans
exception. Maintenant qu'il n'est plus là, qui sait ?

>À supposer que l'on prouve qu'il n'était pas l'homme
qu'on croyait, cela changerait tout, non ?

>Spectaculairement.

>Encore un point. Que pouvez-vous me dire d'Otto Heilmann et du groupe Amsterdam ?

Stern répond immédiatement ; en d'autres termes, pas la peine de partir à la chasse aux renseignements. Otto Heilmann a conseillé la DeMille sur le potentiel militaire du pacte de Varsovie au lendemain de la chute du communisme. C'est la version officielle mais le message sous-jacent est clair : Heilmann fournissait des hommes et des armes bon marché. Tout, d'un AK-47 à du matériel nucléaire. Non seulement il était précieux pour DeMille, mais il était également proche de certains des pontes du groupe Amsterdam. D'agent de la Stasi à entrepreneur capitaliste prospère, il s'est bâti une réputation d'homme toujours capable de remplir ses engagements. Jusqu'à ce qu'il rencontre Krista Jaspersen.

Cinq minutes plus tard, je conclus mon dialogue avec Stern en lui demandant combien coûteront ces renseignements.

>C'est gratuit, Petra.
>Vous avez renoncé à vos honoraires la dernière fois,
Oscar. Regardez où cela nous a menés. Les affaires sont
les affaires. Je tiens à garder mes droits de cliente.
>Non, j'insiste. J'ai une dette envers vous. Avant qu'on
ne se sépare, savez-vous que la mise à prix sur votre
tête s'élève à dix millions de dollars à présent ?

Singerstrasse, une rue étroite, prisée par les librairies de livres anciens, les décorateurs intérieurs et la banque Grumann. Une petite plaque en laiton à côté d'une porte banale en marquait la modeste entrée. À l'intérieur, un escalier menait directement au premier étage. Le bureau de Gerhard Lander était vaste et confortable. À l'image de son propriétaire assis derrière une table en noyer verni ; gras, calvitie galopante, des yeux porcins en partie dissimulés par de petits verres ovales. Il portait une grosse chevalière aux armes de la banque, un aigle à deux têtes. Il se leva pour les accueillir.

Stephanie ignora sa main tendue.

— Savez-vous qui je suis ?

Lander se dandina d'un pied sur l'autre.

— Je crois. Enfin, je l'ai cru. Une fois. Maintenant je ne suis plus si sûr.

— Je m'appelle Petra Reuter.

Lander opina du chef, lugubre.

— Et je n'apprécie guère les gens qui usurpent mon nom.

— Qui ferait une chose pareille ?

— Je suis ici pour le découvrir. Qui était-elle ? Et qu'a-t-elle fait en mon nom ?

Sa gêne fut prévisible.

— Ah... cela ne sera pas si simple... questions de confidentialité, vous comprenez.

Rudi Littbarski avait lui aussi tenté de recourir à cet argument rebattu.

— Et la confidentialité que je suis en droit d'attendre, *Herr* Lander ? Je dirais qu'elle a été violée d'une manière plutôt spectaculaire, non ?

— Peut-être. Peut-être pas. Se pose après tout le problème de la vérification. La personne qui s'est présentée avant vous a dit s'appeler Petra Reuter. À présent vous affirmez être Petra

346

Reuter. Qui dois-je croire ? Peut-être n'êtes-vous ni l'une ni l'autre Petra Reuter ?

Stephanie le regarda droit dans les yeux.

— Dites-moi franchement, continua-t-elle très calmement. Pensez-vous que la femme – *la jeune fille* – que vous avez vue avant était Petra Reuter ?

— Eh bien, à l'époque...

— Je vous parle de maintenant.

Il mourait d'envie de détourner le regard. Mais il n'en fit rien.

— Vous me mettez dans une situation fort embarrassante.

Stephanie lui adressa un sourire glacial.

— Je l'espère bien, *Herr* Lander. Mais ma situation est encore plus embarrassante, vous me l'accorderez. Savez-vous qui est Bruno Kleist ?

— Je le connais de nom, oui.

— Savez-vous ce qu'il fait ?

— J'en ai eu vent.

— Et que sa réputation parle d'elle-même ?

— J'en ai eu vent également.

— Kleist se portera garant pour moi. Téléphonez-lui.

Lander s'assit dans un fauteuil en cuir aussi rembourré que lui et enfonça un bouton de son interphone. Il demanda à sa secrétaire d'appeler Kleist et de le lui passer. Près de l'appareil étaient disposées dans de sobres cadres en argent quatre photos d'une mince femme blond cendré d'une quarantaine d'années et de trois adolescents.

— Celle que vous avez vue la dernière fois, reprit Stephanie, elle est venue accompagnée d'un avocat, n'est-ce pas ?

— Oui. Un Américain.

— Voici mon avocat. Un autre Américain, justement. Je vous prie de croire que la différence entre eux deux est bien plus grande que celle qui existe entre mon imitatrice et moi.

Newman ne pipa mot mais joua son rôle à la perfection, debout, immobile, fixant Lander d'un regard sans expression.

Il y eut un bourdonnement. Lander décrocha et se présenta à Kleist. Un faible gazouillement électronique s'échappait du combiné. Lander mit la main sur le micro et dit :

— Avez-vous des marques caractéristiques ?

— J'ai une cicatrice à l'épaule gauche.

Lander transmit le renseignement, obtint une réponse et poursuivit.

— D'où vient-elle ?

— D'un accident de voiture.

Nouveau silence.

— Où cela ?

— Au Sri Lanka.

— *Herr* Kleist prétend que vous êtes un imposteur.

— Dites-lui qu'il est bien placé pour le savoir.

Lander s'exécuta et Stephanie entendit l'approbation suivie d'un rire. Lander raccrocha ; il était livide. Stephanie et Newman prirent place face à lui. Elle lui annonça qu'elle voulait un rapport complet du compte. Lander pria sa secrétaire d'en apporter un sans attendre.

— Quand a-t-il été créé ?

— À la fin de l'année dernière. Je ne connais pas la date exacte. Je peux vérifier, si vous voulez.

— Il a été ouvert avant que les deux autres viennent vous voir ?

— Oui. Environ un mois avant. Le rendez-vous a eu lieu parce que nous avions besoin de moyens d'identification visuelle. Ce n'est pas obligatoire pour tous nos comptes, mais c'était une condition imposée par *Herr* Ellroy.

Stephanie comprit pourquoi. Il y aurait ainsi des preuves photographiques, en cas de besoin, de l'entrée et de la sortie de Petra de la banque Grumann.

Les détails du compte furent apportés par une secrétaire mince comme un fil. Elle tendit une chemise en cuir bordeaux que Lander passa à Stephanie. Le compte avait été ouvert avec un dépôt de deux cent mille euros en liquide. Depuis, il y avait eu cinq dépôts et trois transferts, ce qui laissait un solde d'un peu moins de trois cent mille euros. Toutes les opérations avaient été effectuées électroniquement.

Stephanie donna la chemise à Newman qui l'étudia en détail. Le front de Lander se mit à briller. Par la fenêtre placée derrière lui, Stephanie aperçut des pigeons qui tournaient autour de la flèche de l'église de la Franziskanerplatz.

Lander se racla la gorge.

— Si je puis me permettre, ce compte n'a rien d'illégal.

— À part le titulaire du compte, répliqua Stephanie. La banque Grumann donne la priorité à la discrétion, j'imagine.

— Naturellement.

— Parfait. Parce que vous ne nous avez jamais vus. Quoi qu'il arrive au compte. Ou à M. Ellroy.

— Je comprends.

— Je l'espère. Je ne pense pas qu'il me serait très difficile de découvrir votre adresse, *Herr* Lander. Ou de savoir où votre femme déjeune. Ou encore quelle école fréquentent vos enfants.

Newman lui exposa la situation pendant le déjeuner. Le compte en banque était de la même veine que l'appartement de Stalingrad, le film tourné au George V ou l'appartement de Julia sur Mexikoplatz ; un élément d'un mécanisme plus vaste visant à discréditer Anders Brand. Il attira son attention sur les dépositaires d'argent sur son compte à la banque Grumann.

— Les noms sont cités.

— Et alors ?

— Ce n'est pas nécessaire. Un numéro aurait suffi. Ces sociétés sont citées parce qu'elles sont censées être identifiées.

Cela tenait debout. Ce n'était pas la peine de semer des indices si on ne pouvait pas les repérer. L'important était de trouver le bon équilibre.

Ils étaient dans un café d'Operngasse. Une jolie fille avec des mèches décolorées les servit. Pour Stephanie, du *Leberknö-delsuppe*, un bouillon de bœuf avec des boulettes de pâte. Newman avait choisi plus nourrissant : du *Tafelspitz* avec des pommes de terre râpées frites et du raifort.

Ils se restaurèrent un moment en silence. Petra repensa à ce que Rudi Littbarski avait dit. Un homme était venu de Londres pour apporter à Peltor des photos de Komarov et elle afin que l'on puisse reproduire ses cicatrices sur Julia à la clinique Verbinski. Des photos qui appartenaient à Magenta House. Peut-être y avait-il eu une fuite. C'était l'option la plus simple et la moins désagréable. Mais elle savait bien que ce n'était rien d'autre qu'une possibilité statistique. L'homme venait de Magenta House. Elle ne voyait pas qui cela pouvait être. À part Alexander, qui était mort.

Elle songea ensuite à Otto Heilmann. La révélation de Kleist et le renseignement de Stern prenaient tout leur sens quand on incluait John Peltor. Elle avait éliminé un atout du groupe Amsterdam et elle avait été identifiée par Peltor après leur rencontre fortuite à Munich. Quand il avait été question de décider d'une stratégie pour discréditer Brand, elle avait dû être le choix idéal. L'occasion de se venger de la mort d'Otto Heilmann avait dû faire figure de bonus séduisant.

D'une manière ou d'une autre, Peltor avait découvert que Stern était la source préférée de Reuter. Ensuite, la piéger pour Golitsyn avait dû être l'enfance de l'art. Peltor devait se douter qu'elle se tournerait vers Stern après le Sentier. La question était la suivante : comment avait-il su pour Stern ? Stern n'avait pas été capable de fournir une réponse et Stephanie elle-même n'en voyait pas.

Une fois son repas terminé, Newman ouvrit le dossier de presse de Petrotech.

— À quelle heure as-tu dit ?

— Trois heures et demie. Hall D, niveau bleu.

— Voilà. Forum de discussion, le deuxième de six débats sur trois jours. « L'exportation de la puissance américaine : l'axe du capital. » Newman eut un petit rire. J'adore. L'axe du capital.

— Ça change de l'axe du mal, je suppose.

— Ça dépend.

— De quoi ?

— De ton point de vue. En règle générale, les gouvernements démocratiques suivent les exigences du monde des affaires, non les souhaits des humanistes libéraux, sans parler de l'opinion publique.

— Et ?

— Eh bien ce n'est pas vraiment un secret que le monde est dirigé par les entreprises et les marchés. Dans ce sens, les entreprises ont dépassé les nations. Elles ne connaissent pas de frontières. Elles ont leurs propres lois, leurs propres intérêts de sécurité, leurs propres réseaux de renseignements. Pour certains, c'est une vérité si laide qu'ils sont prêts à accepter la première alternative qui se présente. À leurs yeux, l'axe du capital est l'axe du mal.

350

— Excellent.

— Merci.

Ils prirent l'U-Bahn jusqu'à l'Austria Center.

Coucher avec Newman avait été une erreur. Une erreur dont Stephanie savait qu'elle la commettrait de nouveau et le plus fréquemment possible. L'ennui, c'était qu'il l'attirait vraiment, et ce n'était pas censé prendre cette tournure. Les relations nées dans un moment de crise mouraient une fois le calme revenu. L'adrénaline était l'aphrodisiaque, puis l'oxygène. Dès qu'elle en était privée, la passion s'éteignait, étouffée par le quotidien. Généralement, c'était une bénédiction, non une malédiction.

— Tu t'es déjà demandé quel genre de père tu serais ? lui demanda-t-elle quand le tram démarra de Schwedenplatz.

— Bien sûr.

— Et ?

— Je ne crois pas être fait pour ça.

— Pourquoi ?

— Je n'arrête pas de bouger d'un endroit à un autre.

— Pas terrible, comme excuse.

— Soit. Et en plus, je n'ai pas le temps.

— Ce sont les deux raisons les plus vaseuses que j'aie jamais entendues.

— Je sais. Mais ce sont les raisons.

— Je doute qu'elles soient vraies.

— Tu ne me connais pas assez pour l'affirmer.

— Je sais qu'un homme capable de rester fidèle à une femme morte depuis vingt ans a une longueur d'avance sur la plupart des pères en puissance.

Newman leva une main pour la faire taire.

— Deux choses. Un : je ne suis pas un père en puissance. Deux : je n'ai pas été fidèle pendant vingt ans puisque que Rachel était morte et que... enfin – comment dire – j'ai eu ma part.

Stephanie gloussa.

— Oh ! génial. Quelle délicate expression.

— Tu me comprends.

— Ce que je sais, c'est que toutes ces femmes avec qui tu

as eu des aventures – *ta part* – ne comptent pas. Dans ton cœur, tu es resté fidèle.

— Ça y est, tu donnes dans la psychanalyse maintenant ?

— Crois-moi, Robert. Je reconnais les symptômes. En vingt ans, je parie que tu n'as pas changé d'un iota. Tu portes un costume plus élégant, c'est tout.

L'Austria Center. Stephanie et Newman récupérèrent leurs badges d'invités de McGinley Crawford au comptoir des renseignements. Le nom figurant sur celui de Stephanie était Marina Schrader. Des stands d'exposition occupaient tout le rez-de-chaussée, le niveau jaune. Ils en firent le tour, histoire de se faire une idée de l'atmosphère. La sonorisation résonnait bizarrement au-dessus du brouhaha de la foule.

Bien que Petrotech s'occupât avant tout de l'industrie des services du pétrole, les deux premiers stands qu'ils aperçurent appartenaient à Qatar Petroleum et à la compagnie pétrolière du Koweït. Ils n'eurent pas le temps d'y arriver que Newman tombait déjà sur la première tête connue, un avocat de chez Baker Botts de Houston. Stephanie prit un malin plaisir à ne parler que lorsqu'on lui adressait la parole, tout en souriant avec affabilité en cas de besoin.

Newman connaissait un tas de gens : des financiers de Hong Kong, des producteurs de vinyle saoudiens, des ingénieurs spécialisés dans les réservoirs de pétrole irakiens, des barons du gaz sibérien, des géologues nigérians. Le temps que Stephanie se retrouve seule avec lui, ils étaient devant un stand appartenant à une société du nom de Provisia, juste à côté des escalators montant au niveau vert. Newman tapota le panneau placé à la droite du stand. Tout en bas, en capitales rouges minuscules, on pouvait lire : UN MEMBRE DE LA FAMILLE KPM.

— La famille KPM. Une étrange manière de décrire un réseau d'entreprises toutes spécialisées dans la conception et la fabrication de matériel militaire, non ?

ConocoPhilips, le géant de l'énergie, présentait dans son stand certaines des innovations les plus récentes pour le développement à venir des gisements de pétrole et de gaz au Kazakhstan, sur la mer Caspienne et au Venezuela. Remington Industries avaient érigé un immense panneau d'affichage annonçant un nouveau contrat de vente d'équipement aux infrastructures de gaz naturel de Chevron-Texaco qui étaient installées à côté de leurs gisements en Australie et en Afrique australe.

À côté des escalators, Stephanie passa devant Mirasia. Elle reconnut aussitôt le nom. Le brochure de la société russo-française se trouvait dans l'attaché-case de Leonid Golitsyn. La vedette de leur stand n'était autre que le Mir-3, le nouveau drone pour pipelines. Sur la liste des commandes, figuraient Exxon Mobil pour de futurs projets au Moyen-Orient et en Russie, Apache Corporation pour leurs installations existantes en mer du Nord et dans le golfe du Mexique, et Burlington Resources pour une extension de leurs opérations dans la mer du Nord et au Canada.

— Robert ! Ce n'est pas vrai. Je rêve ?

L'homme qui sortait du stand voisin parlait l'anglais avec un accent à couper au couteau. Stephanie sut d'où il venait avant même que Newman ne prononce son prénom.

— Sergeï. Mon Dieu.

— Je sais. Ça fait combien de temps ?

— Trop longtemps. Marina, voici Sergeï Volkov. Marina Schrader, une collègue.

En lui serrant la main, Stephanie vérifia le nom du stand. Vostok-Energo.

— Toujours à Moscou ? demanda Robert.

— Non. Je suis à Khabarovsk. Depuis trois ans. Je m'y plais beaucoup.

— Vraiment ?

— Vraiment.

— Vostok-Energo est la branche exportation d'Unified Energy System − le monopole de l'électricité russe − en Extrême-Orient, expliqua Newman à Stephanie. Il se retourna vers Volkov. Laisse-moi deviner. La Chine ?

— Exact. Et les deux Corées. Nous projetons de vendre sept milliards de kilowatts/heure par an en 2010. À plus long terme, nous espérons atteindre les cinquante milliards. Tu habites toujours Paris ?

— Oui. Mais je n'y passe pas autant de temps que je le voudrais.

— Ce n'est pas nouveau. Comment va Shéhérazade ?

— C'est la deuxième fois, dit Stephanie lorsqu'ils s'éloignèrent.

— Quoi ?

— Que quelqu'un cite son nom. Kessler a demandé de ses nouvelles hier soir.

— Et alors ?

— Justement. Et alors ?

— Alors, rien.

Ils pénétrèrent dans le hall D au niveau bleu. Plusieurs centaines de personnes se pressaient dans l'auditorium. Sur l'estrade, un médiateur était assis entre deux trios. À sa droite, Richard Rhinehart, Elizabeth Weil et un troisième homme. Elle ne reconnut pas les intervenants placés à sa gauche, mais Newman en nomma deux : Ron Walsh du *New Yorker* et Maria Montero, une universitaire spécialiste de politique à Princeton. Sur un grand écran derrière eux, on pouvait lire :

LA PUISSANCE AMÉRICAINE EXPORTÉE : L'AXE DU CAPITAL

Il y eut une question dans le public : « L'administration américaine actuelle est-elle prise en otage ? » Le médiateur se tourna vers Weil.

— Elizabeth, puisque vous êtes membre du Potomac Institute, peut-être devriez-vous répondre ?

— Je le crois, oui, fit-elle gracieusement. La réponse est simple : non, bien entendu. En fait, le président des États-Unis s'inspire de certaines de nos suggestions. Ça, c'est vrai. Mais cela ne veut pas dire que nous les lui imposions. Cela ne veut même pas dire qu'il aboutisse aux mêmes conclusions que nous. Contrairement à ce que beaucoup aimeraient croire, personne n'a pris cette présidence en otage. Ni la précédente. Ni celle d'avant. Personne n'a subi de lavage de cerveau. Il n'y a pas de complot. Désolée de vous décevoir.

Newman fila un coup de coude dans les côtes de Stephanie.

— Regarde ce type là-bas. À trois rangées du premier rang, presque au centre, avec deux sièges vides à sa droite.

Il lui était impossible de bien le voir à cause de la distance et de la foule entre eux, mais elle comprit de qui Newman parlait.

— Oui.

— C'est Kenneth Kincaid de Kincaid Pearson Merriweather.

— La famille KPM.

— Propriété du groupe Amsterdam. Propriétaires de DeMille.

Ron Walsh avait pris la parole.

— En fait, chaque fois que l'Amérique rencontre des problèmes à l'étranger, l'administration de Washington a tendance à simplifier le problème à l'extrême. Généralement, elle parle du combat du bien contre la tyrannie. La réalité est — toujours — bien plus complexe.

— Ce n'est pas nécessairement exact, insista Richard Rhinehart. Prenez la Bosnie. Personne n'est intervenu jusqu'à ce que nous en prenions l'initiative. Le reste du monde a regardé ailleurs. Ce n'est pas notre genre et l'opinion publique n'apprécie pas cette position. Nous avons eu raison d'intervenir en Bosnie et l'histoire prouvera que nous avions raison d'intervenir en Irak. En outre, si nous intervenons de nouveau, vous pouvez être sûr que l'histoire nous donnera encore raison.

Léger étonnement dans l'assistance.

Wash y vit une occasion à saisir.

— Si nous intervenons où, par exemple, Richard ?

Rhinehart, comprit Stephanie, n'avait pas commis d'erreur. Provocateur peut-être, mais il savait ce qu'il avançait.

— Attendons de voir.

— La Syrie, lui souffla Walsh.

Rhinehart haussa les épaules.

— Qui sait ?

— L'Iran ? L'Arabie saoudite ?

— Le temps nous le dira.

Cela rappela à Stephanie une réflexion de Newman à propos de Kenneth Kincaid à Paris. *Un ami du président actuel, du dernier président, de tous les présidents.* Elle se pencha pour mieux le voir. Un petit homme compact vêtu d'un costume marron foncé, des cheveux gris en brosse et un nez en bec d'aigle. Il respirait la férocité.

Elle observa l'assistance en se demandant pourquoi Leonid Golitsyn avait eu l'intention de venir. Pour rencontrer Kincaid, peut-être. Ou Rhinehart. Sauf que Golitsyn pouvait rencontrer n'importe qui n'importe où quand il le souhaitait. Alors pourquoi ici ?

Il y eut une nouvelle question du public.

— Vos opinions, monsieur Rhinehart, sont soutenues par de riches sociétés, de grandes entreprises médiatiques, des entrepreneurs milliardaires. Comment pouvez-vous vous défendre contre l'accusation centrale de ce débat, à savoir que vous n'exportez pas de la démocratie mais du capitalisme ?

— Vous m'apprenez qu'il s'agit d'une accusation. J'avais l'impression que c'était un sujet à débattre.

Rires discrets dans la salle.

— Astucieux, monsieur Rhinehart. Mais si vous essayiez de répondre à la question ?

— D'accord. C'est faux.

Nouveaux rires.

Mais l'homme restait debout, bien décidé à obtenir satisfaction.

— Je suis ravi que vous trouviez cela si drôle. Mais à mes yeux, et aux yeux de beaucoup ici, vous ne faites que souligner l'arrogance que nous en sommes venus à associer à des hommes comme vous.

Cela parut toucher une corde sensible. Rhinehart se redressa sur sa chaise.

— Écoutez, la plupart des gens que vous voulez ranger dans cette catégorie ont des racines historiques à gauche. C'étaient des démocrates. Ce sont des démocrates. Pas le vivier traditionnel du capitalisme. Je suis sûr que même vous abonderiez dans mon sens.

Elizabeth Weil enchaîna. Elle fit précéder sa réponse du même sourire éblouissant dont elle avait fait un usage si efficace à l'hôtel Bristol.

— Nous ne cherchons pas à diriger le monde. Nous n'essayons pas d'obliger quiconque à mener notre style de vie. Nous ne faisons que réfléchir à la situation telle qu'elle est afin de trouver des idées pour l'améliorer. Maintenant si ces idées deviennent des mesures gouvernementales, tant mieux. C'est la raison de notre présence ici.

— Même si ces mesures rendent nerveux d'autres gouvernements ? demanda Maria Montero.

— Il faut bien que nous défendions nos convictions.

— Quoi qu'il arrive ?

Weil souriait toujours, mais sans chaleur aucune à présent.

— Écoutez, Maria, je vais vous dire quelque chose : nous nous conduirons de la manière que nous savons juste. Et nous expliquerons nos idées ouvertement et honnêtement. Et si les gens ne comprennent pas, nous recommencerons. Nous ne voulons pas que quiconque se méprenne sur notre compte. Mais s'ils continuent à ne rien comprendre − ou s'y refusent − alors tant pis pour eux. Et si cela signifie que certains habitants de certaines parties du monde doivent vivre dans l'angoisse, eh bien, je crois qu'ils ont intérêt à s'y habituer.

Du coin de l'œil, Stephanie vit bouger Kincaid. Il discutait à voix basse avec un homme plus jeune qui venait de le rejoindre. Elle ne le voyait pas très bien parce qu'il lui tournait à moitié le dos, mais quelque chose dans son allure lui parut familier.

— Kincaid se lève, souffla-t-elle à Newman.

Les deux hommes se dirigèrent vers la sortie la plus proche. Instinctivement Stephanie se leva à son tour.

— Où vas-tu ?

— Je ne sais pas trop... il faut que je vérifie quelque chose...

Elle ne voyait plus que leur dos. Mais plus elle les regardait, plus elle était convaincue. Elle sortit de la salle et chercha l'escalier montant au rez-de-chaussée. En haut, le niveau jaune bourdonnait toujours autant d'activité que lors de leur arrivée. Elle jeta un coup d'œil autour d'elle.

Newman se matérialisa à ses côtés.

— Que se passe-t-il ?

— Tu les vois ? Où sont-ils ?

Sa haute taille aidant, il ne tarda pas à les repérer.

— Par là. Dehors. Kincaid est en train de parler avec... attends... c'est Wiley.

— Gordon Wiley ?

— Oui. Et il y a un autre type...

Stephanie fendit la foule, contournant l'immense stand d'Areva. Elle aperçut des directeurs de KPM et du groupe Amsterdam debout à côté de deux limousines, une Mercedes noire et une Lexus gris métallisé. Elle s'avança dans l'entrée, avec Newman sur les talons.

Elle les observa à travers les baies vitrées. Gordon Wiley et Kenneth Kincaid en grande conversation animée. Cela ne dura pas longtemps. Trente secondes, à tout casser. Puis Wiley tourna le dos à Kincaid pendant que le troisième homme lui ouvrait la portière arrière de la Mercedes. Wiley y monta. Kincaid se dirigea vers la Lexus. Le troisième homme ferma la portière de la Mercedes et s'installa à l'avant droit. Lorsqu'il jeta un dernier regard circulaire sur le complexe avant de monter dans la voiture, Stephanie le vit clairement.

La Mercedes traversa le pont Brigittenauer et s'engagea dans Handelskai. Gordon Wiley était assis seul à l'arrière, séparé des deux hommes à l'avant par une vitre. Il passa deux coups de téléphone. Le premier à un portable à Vienne, le second à une ligne fixe à Paris.

Une demi-heure plus tard, la Mercedes s'arrêtait devant l'entrée principale du cimetière central dans Simmeringer Hauptstrasse. Wiley descendit de voiture, s'enroula une écharpe en cachemire bleu marine autour du cou et enfila un pardessus gris foncé. Des nuages tourbillonnaient dans le ciel crépusculaire, la bruine se muant presque en neige fondue. Tout cela correspondait bien à son humeur. Et pas seulement à la sienne.

Ils se retrouvèrent devant l'impressionnant cube de Fritz Wotruba marquant l'emplacement de la tombe d'Arnold Schönberg. Azzam Fahad du ministère irakien du Pétrole portait un chapeau sable. Un cadeau de Moscou, se dit Wiley. Azzam s'y rendait régulièrement depuis trente ans.

— Vous nous avez donné des assurances, Gordon.

— Je sais. Et nous étions de bonne foi.

— Vous nous avez promis que cette affaire serait conclue aujourd'hui. Peut-être ne mesurez-vous pas la pression que nous subissons de la part de Bagdad.

— Au contraire.

— C'est un moment délicat. Et une idée délicate.

— Personne n'en est plus conscient que moi, Azzam.

— Alors pourquoi cette rencontre ? C'est fini.

— Je suis gelé. Marchons un peu.

Ils firent le tour du caveau présidentiel renfermant la dépouille mortelle du Dr Karl Renner, puis de l'église du Dr Karl Lueger. Le cimetière était paisible et ils étaient pratiquement seuls.

— Tout va bien se passer, dit Wiley.

— C'est trop tard.

— Je réclame un report.

— À quoi bon ?

— L'affaire est en train de se conclure pendant que nous parlons.

— Elle est morte ?

— Pas encore. Mais les informations parleront d'elle demain matin.

— Les informations de ce matin devaient déjà en parler. Elle était censée être avec Brand. C'était le but, non ?

Wiley tiqua.

— Je sais que la journée est déjà fort avancée mais nous allons régler ça. Vous avez ma parole, Azzam. Voilà pourquoi je veux un report.

— Demain ?

— Après-demain.

— Pourquoi ce retard ?

— Pour que vous puissiez voir la preuve de vos propres yeux. Pour que vous soyez sûr.

— Je croyais que vous aviez dit que ce serait aux informations de demain matin.

— Ce sera le cas, pour sa mort. Mais je parle aussi de Brand et elle.

Azzam Fahad s'immobilisa pour réfléchir.

— Où cela ?

— À Paris.

— Sachez que toutes nos options restent ouvertes. À tous les stades de la négociation avec vous, nous avons cherché des solutions de rechange.

— Je n'en attendais pas moins de vous.

— Nous disposons de gens capables de vous remplacer, Gordon.

Wiley résista à l'envie de lui demander des noms.

— Personne ne peut mieux organiser ça que nous. Nous le savons tous les deux.

— Peut-être pas en tant qu'entité unique. Mais si on fragmente, c'est faisable. Assez facilement, en fait.

Wiley se força à sourire.

— Dans ce cas, ce doit être à nous de nous assurer qu'on n'en arrive jamais à cela.

Azzam acquiesça.

— Paris, alors. Où et quand ?

Ils se séparèrent à côté du monument à la mémoire du mineur August Zang.

Sous la bruine tombant sur Bruno-Kreiskyplatz, devant l'Austria Center, j'essaie de reconstituer le puzzle. L'homme tenant la portière de la Mercedes pour Gordon Wiley n'était autre que Roland, mon amant à temps partiel de Bruxelles. Est-ce que seulement dix jours se sont écoulés depuis que je me suis réveillée dans son appartement de l'avenue Louise ? Cela me paraît bien plus long.

Je reviens en arrière. Roland est entré dans le hall D et a parlé à Kenneth Kincaid. Ils sont sortis ensemble. Devant l'Austria Center, Roland s'est approché de Gordon Wiley avant de partir à bord de la même voiture que lui. Wiley a dû envoyer Roland chercher Kincaid au congrès. Quel est son rôle ? Coursier ? Pourquoi pas ? Cela expliquerait bien des choses. La couverture détruite de Marianne Bernard, par exemple. Bien que je me sois gardée d'en révéler trop long sur ma vie, il en savait suffisamment pour avoir un point de départ. Après, je suppose que cela a été facile. Peut-être n'était-ce même pas lui le coupable. Peut-être en a-t-il mis d'autres sur la voie. Peut-être son rôle se limitait-il à ce qu'il faisait le mieux : satisfaire mon appétit sexuel. Slip baissé, défenses baissées.

J'ai envie de pleurer. Devant ma propre stupidité. Mon arrogance. À quoi je pensais, nom de Dieu ? Mais cela va plus loin. Malgré la nature froide et désinvolte de nos rapports, je me sens trahie. Presque violée. Un sentiment peu justifié ; après tout, ce n'est pas comme si j'avais accordé ma confiance à Roland.

Peut-être parce que je croyais qu'il tenait à moi. Et voilà qu'il s'avère qu'il tenait encore moins à moi que moi à lui. Pour moi, c'était simplement une question de plaisir à bon compte. Que je puisais en partie dans l'idée qu'il avait des sentiments pour moi. Pour elle, pour Marianne. Apparemment, je n'étais qu'un pion, un aléa du boulot.

Je me rappelle la dernière fois que nous nous sommes parlé. Peu avant que je ne quitte son appartement le lendemain de mon retour du Turkménistan. Comme il me regardait d'un drôle d'air, je lui ai demandé ce qu'il pensait. Il m'a répondu : « Je me suis couché avec une femme pour me réveiller avec une autre. »

Et j'ai répondu : « Je connais ça. »

Robert me rejoint. Il ne me pose pas de questions. Il se contente de me prendre par les épaules.

— *Filons d'ici.*

360

Ils n'échangèrent pas plus de trois mots dans le tram. À Stephenplatz, Newman téléphona à l'Imperial et demanda la suite de Gordon Wiley. Plantée à côté de lui, Stephanie tentait de remettre ses idées en place.

— C'est fini.

— Qu'est-ce que tu veux dire ?

— Wiley est parti.

— La signature de Butterfly était prévue pour six heures dans sa suite.

— Il a quitté l'hôtel. J'ignore où la Mercedes l'emmenait, mais ce n'était pas à l'Imperial. Peut-être que Stern s'est trompé.

— Ou que Wiley a modifié ses plans.

— Possible.

— Qu'est-ce qu'on fait maintenant ?

— Je ne sais pas. On pourrait aller vérifier.

Stephanie se sentait vidée.

— Vas-y. Je rentre à l'hôtel.

— Ça va ?

— Ça ira. J'ai juste besoin d'être seule. Pour réfléchir.

Elle prit l'U-Bahn jusqu'à Zieglergasse et parcourut le reste du chemin à pied. Le spectre de Roland la hantait. Sa participation expliquait bien des événements ultérieurs, sans en apporter la raison.

Aucun message ne l'attendait à la réception du Lübeck. Toujours rien de Julia. Elle monta au deuxième étage par l'escalier. Dans leur chambre, elle claqua la porte d'un coup de talon, se débarrassa de sa veste et de ses chaussures.

— Ne m'obligez pas à faire quoi que ce soit que nous regretterions tous les deux.

Elle reconnut la voix, Iain Boyd.

— C'est un peu tard pour ça, je crois.

— Tournez-vous. Lentement.

Les traits familiers apparurent : une peau burinée, rougeaude, une épaisse tignasse blonde coupée court, des épaules d'armoire à glace. Il portait une veste noire de North Face, un jean et des bottillons râpés. Elle regarda l'arme.

— Un Glock 17. En Autriche... ?

— Vous fatiguez pas. Je ne suis pas d'humeur, Stephanie.

— Comment allez-vous, Iain ?

Son regard était aussi dur que du silex.

— Je suis surpris. En colère. Déçu.

— Désolée.

— Où est votre ami ?

— Il ne va pas tarder.

Il y eut un silence, le temps que Boyd détermine si elle mentait ou non.

— Je n'aurais jamais cru qu'on en arriverait là. Pas après tout ce que j'ai fait pour vous.

— Comment m'avez-vous trouvée ?

— À part suivre la piste de tous les cadavres que vous avez laissés partout en Europe ? Nous surveillons Kleist depuis trois jours.

— Nous ne sommes pas ici depuis trois jours.

— Bon Dieu, Stephanie, mais réveillez-vous. Ils ont une longueur d'avance sur vous. Après Obernai, ils savaient que vous vous dirigiez vers la frontière allemande. Que vous partiez vers l'est.

— Ils ? Vous n'en faites pas partie ?

— Épargnez-moi votre insolence. Asseyez-vous.

— Où ?

— Au bout du lit.

Il avait fait de la place. Quand Newman et elle avaient quitté la chambre, le sac se trouvait justement sur le lit. Maintenant il était dans le coin, près de la table, son contenu empilé sur la moquette. Boyd s'approcha de la fenêtre, tira les rideaux et s'adossa au mur. Le fil invisible entre le canon du Glock et sa poitrine ne dévia pas une seule fois.

— Comme ils ont deviné que vous prendriez la direction de Vienne, ils ont vérifié qui vous y connaissiez. Kleist.

— Comment ont-ils pu deviner ? J'aurais pu continuer jusqu'en Roumanie, ou en Russie. Voire jusqu'au détroit de Béring.

— Je n'en ai aucune idée. Je ne suis que l'instrument. Mais ils savaient en tout cas. Et comme d'habitude, ils ne se trompaient pas. Contrairement à votre compère habituel – Stern – Kleist reste un homme facile à trouver.

— Très drôle.

— J'aimerais que cela le soit.

— Combien y a-t-il de gens de Magenta House ici ?

— Quatre. Dont le chef.

— Rosie ?

— Pour vous peut-être.

— Je croyais que vous aviez pris votre retraite, Iain.

— Ils m'ont fait revenir pour vous. Contre mon gré. Elle pense que je suis le seul qui puisse vous calmer. L'alternative est moins compliquée.

— Je suppose que je devrais vous être reconnaissante alors.

— J'ai failli refuser. Désolé, pas envie de m'emmerder, envoyez quelqu'un d'autre. Vous seriez morte à l'heure qu'il est.

— Pas nécessairement. C'est vous qui m'avez formée.

— Arrêtez, d'accord ? Ce n'est pas une plaisanterie, Stephanie.

— Je me suis fait piéger.

— Je m'en fous.

— Je ne le crois pas.

— Ils s'en foutent.

— Oui, mais vous ?

— Peu importe ce que je pense.

— Alors pourquoi êtes-vous ici ?

— Il faut que vous reveniez.

— À Magenta House ?

— Pour un débriefing.

— Je ne travaille plus pour eux.

— Cessez ces enfantillages.

— Ils me tueront.

— Ils vous tueront si vous ne revenez pas. Ça, c'est sûr.

— Vous voulez dire que *vous* me tuerez.

Il la regarda. Aussi peiné que résolu. Il s'était passé quelque chose entre eux jadis. Mais cela ne compterait pas pour Boyd. Il n'en tirerait aucun plaisir à l'instant de l'exécution mais, les années passant, il réussirait à rationaliser son acte : l'élimination d'un spécimen malade pour éviter la contamination du reste de la population.

Stephanie songea à Julia et aux photos qu'elle avait vues à la clinique Verbinski.

— Je ne peux pas y retourner, Iain.

— Alors vous rendrez un mort heureux.

Alexander. Toujours une bonne carte à jouer.

— Je ne vous fais pas confiance, dit Iain.

— Il va falloir que vous fassiez mieux que ça.

— Réfléchissez cinq minutes. Vous me connaissez.

— Plus maintenant.

Dans un coin de son esprit, elle s'était toujours dit que Boyd serait toujours là pour elle. Plus que tout autre, il avait créé Petra mais il avait aussi été l'homme qui avait ressuscité Stephanie. Une bien plus belle réussite, à leurs yeux à tous les deux.

— J'ai besoin de temps, Iain.

— Si cela ne dépendait que de moi...

— Pas de jours. D'heures.

Il secoua la tête.

— Vous savez comment ça fonctionne.

— Ils savent que vous m'avez retrouvée ?

— Ils savent où je suis.

— Mais vous ne les avez pas contactés depuis que je suis entrée dans cette chambre.

— Vous fatiguez pas à poser cette question.

— D'accord. Je vais vous en poser une autre. Comment se fait-il que Lance Grotius ait eu mon code d'identification à Magenta House dans son ordinateur ?

— J'en sais rien.

— Vous n'y avez pas réfléchi. Cela se voit à votre expression.

L'accusation n'était qu'en partie fondée. Une pensée était venue à Iain Boyd. Qui ne concernait pas directement Grotius et un portable, mais qui avait un rapport. Cinq jours plus tôt, il avait débarqué chez Pierre Damiani à Paris. Cette piste lui avait été fournie par Magenta House. *Toutes* ses pistes lui avaient été fournies par Magenta House.

L'identité que Stephanie conservait dans son coffre à la banque Damiani n'avait pas été fabriquée par Magenta House. C'était une création indépendante. Il s'était demandé comment l'organisation avait appris son existence. Et ensuite pourquoi on l'avait choisi, lui, pour retrouver Stephanie. Parce qu'elle lui faisait confiance ? C'était la raison que Rosie Chaudhuri avait avancée. Elle avait également sous-entendu que, puisque Boyd connaissait Stephanie mieux que quiconque, il serait plus à même de la localiser. Mais il n'avait rien découvert. Il avait dû compter sur eux. En d'autres termes, ils auraient pu envoyer n'importe qui.

— Mon code était dans son ordinateur, Iain. Il faut que vous me croyiez.

— Tout ce que vous voudrez.

— Laissez-moi vous expliquer quelque chose. Magenta House était organisée en deux sections d'assassinat. Tous les renseignements relatifs à ces deux sections étaient stockés dans un ordinateur situé au sous-sol de l'immeuble. Un ordinateur hermétiquement scellé. Les renseignements étaient apportés et ressortaient sur des disques modifiés qui ne pouvaient être lus que sur d'autres ordinateurs, à condition qu'ils répondent aux critères de sécurité.

— Fascinant. Et hors de propos.

— Vous n'avez pas entendu ce que j'ai dit ? Grotius avait mon code d'identification dans son ordinateur. Code qui n'aurait pu être récupéré – ou volé – électroniquement.

— Je ne vois pas pourquoi je vous écoute.

— J'ai été vendue.

— Et vous pensez que c'est un coup de Magenta House ?

— Ça y ressemble, mais je ne sais pas. Comme vous ne savez pas comment ils ont deviné que je me rendais à Vienne et non à Vladivostok.

— Ça va !

Stephanie commença à perdre patience.

— Il y a une femme dans cette ville qui se fait passer pour moi. Même nom, même physique. Elle a même mes cicatrices. Vous savez pourquoi ? Parce qu'elle est moi. Vous savez comment elle a eu ces cicatrices ? En passant sur le billard. Encore, comme moi. Le chirurgien qui s'en est chargé s'est inspiré de photos tirées d'un film de Komarov et moi dans un appartement de Londres. Comment je sais ça ? Parce qu'ils s'en étaient servi pour faire pression sur moi. En revanche, j'ignore comment des photos de ce film ont fini par échouer à la clinique Verbinski, ici à Vienne.

— Où voulez-vous en venir ?

— À ça : peut-être que c'est Magenta House, peut-être pas. Auquel cas, ils se sont fait piéger eux aussi. Et le fait que je sois en fuite est un problème beaucoup moins grave que ce problème-là. Ça signifie qu'ils ne sont plus tout à fait l'organisation invisible qu'ils croyaient être.

Boyd aurait aimé continuer à nier, mais il comprit qu'il en était incapable. Il réfléchit aux arguments qu'elle venait d'exposer.

Stephanie regarda le contenu du sac.

— Il y a deux DVD dans cette pile. L'un d'eux montre mon clone au lit avec Anders Brand et une prostituée. Les cicatrices sur son épaule sont très visibles. Elles semblent authentiques. Prenez le DVD, regardez. Vous devriez être en mesure de les reconnaître.

Les heures passent. Je suis assise sur le lit, Robert sur la chaise près de la fenêtre. Nous attendons l'appel de Julia. Il n'y a rien d'autre à faire.

— Pourquoi a-t-il jeté l'éponge, à ton avis ?

— Je ne sais pas trop.

— Un truc que tu lui as dit ?

— Oui, sans doute.

Boyd m'a fixée longtemps avant de me demander combien de temps il me fallait. Douze heures. Il a paru peiné et compatissant, puis m'a signifié son accord d'un hochement de tête. Cela se passait juste après six heures. Robert est rentré à sept. Depuis, nous tuons le temps. Plus nous attendons, plus les minutes s'égrènent lentement.

— Parle-moi de Shéhérazade et toi, Robert.

— Qu'est-ce que tu veux savoir ?

— La première fois que je vous ai vus tous les deux au Lancaster, vous n'aviez pas l'air d'être des amants. Mais vous n'aviez pas non plus l'air d'être simplement de bons amis.

Il prend son temps.

— C'est une vieille histoire. À l'origine, j'ai rencontré Shérérazade par le biais de son mari, Omar. Et j'ai rencontré Omar quand je travaillais pour mon oncle.

— C'était après le Liban ?

— Oui. Plusieurs années après. En général les adolescents font leur crise pendant l'adolescence. Moi, je me suis rebellé à vingt ans passés. La plupart des ados se battent contre le conservatisme. Moi, c'était le libéralisme.

— Qui était incarné par ton père ?

— Et par la vie que j'avais menée avec Rachel. C'était fini. Irrémé-

diablement. Je voulais juste partir le plus loin possible. Mon oncle m'a décroché un job dans les bureaux new-yorkais de Mackenzie Resources. J'ai commencé au bas de l'échelle, j'ai gravi les échelons et c'est comme ça que j'ai rencontré Omar. À Riyad, pour affaires. Peu après, il m'a demandé de travailler pour lui.

— Il était au courant pour le Liban ?

— Oui. Ce qui rend son attitude à mon égard d'autant plus inhabituelle. Ma réputation avait été entachée par cette expérience. Très peu auraient été prêts à m'engager. Mais ce n'était pas un homme conventionnel par certains côtés. Il prenait les gens tels qu'ils étaient. Je l'ai donc suivi. Et grâce à lui, j'ai rencontré Shéhérazade.

Je hausse un sourcil.

— Drôle de façon de manifester sa reconnaissance. Un homme t'offre un job et tu lui piques sa femme.

— Il ne s'est rien passé entre nous du vivant d'Omar. C'était impossible. Même après sa mort, il n'a jamais été question de nous montrer au grand jour. Shérérazade ne l'aurait pas supporté.

— Pourquoi ?

— Son éducation. Son attachement à son mari. La discrétion était plus qu'un choix, une obligation.

— Alors vous avez attendu que la poussière retombe.

— La poussière ne retombe jamais tout à fait pour une veuve comme Shérérazade quand on a eu un mari comme Omar.

Je me rappelle le peu que je savais d'elle avant notre rencontre au Lancaster, des échos provenant pour la plupart de la presse française. Les articles ignoraient son sens aigu des affaires pour se concentrer sur sa vie amoureuse. De la spéculation pure, en général. Il y avait eu quelques rumeurs d'histoires romantiques, mais toujours vagues. Pas le moindre signe de scandale.

— Votre relation était un secret ?

— Un secret non dissimulé. Quand quelqu'un comme Abel Kessler ou Sergei Volkov y fait allusion, c'est parce qu'ils savent que nous étions proches sans jamais pouvoir dire à quel point. Ils le soupçonnent mais ils ne peuvent rien confirmer.

— Compliqué !

— C'est une des raisons pour lesquelles cela n'a pas duré.

— Quelles étaient les autres ?

Robert sourit.

— Elles sont d'ordre privé, Stephanie. Mais elles n'ont rien de surprenant. Les choses habituelles.

La sphère privée me va. Où serais-je sans elle ?
— *C'est bien que vous soyez restés proches.*
— *Oui.*
— *Elle a une grande réputation d'investisseur, n'est-ce pas ?*
— *Exact.*
— *Quelle est ton influence là-dedans ?*
— *Shéhérazade est une femme brillante. Je l'ai aidée quand je l'ai pu, mais en réalité, elle n'avait pas vraiment besoin de moi. On a tendance à oublier à quel point elle est astucieuse. On prétend qu'elle a épousé Omar parce qu'il était riche et vieux. En fait, je n'ai jamais rencontré intelligence aussi vive que la sienne. C'est ce qui a séduit Shéhérazade. Vraiment. Comme elle savait que leur temps ensemble était compté, elle a décidé d'en profiter au maximum. Voilà le genre de femme qu'elle est. Elle a épousé Omar parce que les autres hommes de sa connaissance ne lui arrivaient pas à la cheville. C'est tout.*
— *À part toi.*
— *Seulement après sa mort.*
Le téléphone sonne ; je décroche.
— *Petra ? C'est Julia.*

Kärntnerstrasse, dix heures quarante-cinq. Le café était à moitié vide et enfumé ; il y faisait chaud et du Chopin en sourdine s'échappait de haut-parleurs médiocres. Julia l'attendait, devant un café et un verre d'armagnac bon marché. Stephanie commanda un cappuccino au bar et vint s'asseoir en face d elle à une table près de la fenêtre.

— Tu es sûre de vouloir y aller ? demanda Julia.

Stephanie opina du chef.

— Minuit ?

— Oui. Il a horreur que je sois en retard.

— Et toi ?

— Je suis prête à filer.

— Ne repasse pas à ton appartement. Juste au cas où.

— Je n'en avais pas l'intention. Quand je sortirai d'ici, j'irai récupérer mon argent et je disparaîtrai. Elle poussa un petit sac de toile avec une bandoulière en direction de Stephanie. Regarde là-dedans. J'ai pris mes précautions. Si quelqu'un cherche à m'avoir, il va le regretter.

Stephanie jeta un coup d'œil dans le sac. L'arme était un PSM russe, une arme mise au point pour les anciens services

368

de sécurité soviétiques. Après l'effondrement de l'Union soviétique, ils avaient fait leur apparition en Europe du centre et de l'Est. Le silencieux était du sur mesure.

— Tu sais t'en servir ?

Julia lui jeta un regard méprisant.

— Alexei m'a appris. C'était un expert.

— Il lui appartenait ?

— Non, je l'ai eu au Club Nitro. Y a un type là-bas. Kurt...

— Je le connais, tu es au courant, non ?

Julia eut un sourire timide.

— Il n'a pas accepté tout de suite de me le passer. Mais quand je lui ai dit que j'allais m'en servir contre toi, il a refusé que je le paie.

— C'est une arme peu commune.

— Kurt a des amis peu communs. Et puis, nous sommes à Vienne. On trouve tout ici.

— C'est ce que j'ai cru comprendre.

Julia contempla les volutes de fumée de sa cigarette.

— Dès que je l'ai eu entre les mains, j'ai eu envie de foncer à l'hôtel pour lui régler son compte moi-même. Quand je pense à tous les mensonges que j'ai tolérés. Les filles comme moi, il y a toujours un salaud quelque part prêt à nous tomber dessus.

— J'aimerais pouvoir te dire le contraire. Où iras-tu ?

— Je ne sais pas encore. J'ai une amie à Amsterdam. Ça me ferait plaisir de la revoir. Et toi ?

— J'aimerais prendre la fuite. Mais je ne suis pas sûre que ce soit possible.

— C'est pour ça que c'est à moi de le faire ?

— Je le crains, oui. Il ne peut y avoir qu'une Petra.

— Mais je croyais qu'elle était censée être morte.

— Elle l'est.

Julia versa le reste de son armagnac dans son café.

— On dirait qu'on est liées, toutes les deux ; quoi que l'une fasse, ça affecte l'autre. Nous sommes presque la même femme.

Stephanie acquiesça.

— Comment pourrai-je te contacter ?

— Pour quoi faire ?

— Pour te dire quand tu pourras te permettre d'arrêter de fuir.

Julia eut un sourire malicieux.

— Peut-être que je vais y prendre goût. Comme toi.

— Si tu es comme moi, tu auras envie de t'arrêter. Il vaut mieux avoir le choix au moins. Tu as une adresse Internet ?

— Bien sûr. Plusieurs.

— Moi aussi.

— Tu vois ?

Julia commanda deux autres cappuccinos et elles bavardèrent. À onze heures quarante-cinq, elles réglèrent la note.

— On est à peu près de la même taille, non ?

— Plus ou moins.

— Peut-être qu'on devrait échanger nos fringues. Tu devrais porter ce que Julia porte quand elle est Petra. Surtout les lunettes. Il s'attend à un superbe coquard.

Elles se changèrent dans les toilettes. Julia était un peu plus ronde que Stephanie.

Dans Kärntnerstrasse, elles s'embrassèrent sur les deux joues.

— Il va falloir que je perde du poids si je dois être toi un jour, dit Julia.

— Non. La vraie moi est exactement comme toi maintenant.

— Qu'est-ce que cela fait de toi ?

— Exactement ce que je suis censée être à présent. Un imposteur.

Douzième jour

— Vous venez voir *Herr* Stonehouse ?

L'homme de la réception affichait un visage impassible, mais Stephanie ne fut pas dupe de sa politesse. *Vous êtes une pute et si* Herr *Stonehouse n'était pas un de nos bons clients, je vous renverrai illico sur le trottoir.* Il décrocha le téléphone, composa un numéro à trois chiffres et parla à voix basse. Il était minuit dix dans le hall opulent de l'hôtel Imperial dans Kärntner Ring.

— Chambre 510.

Cinquième étage, on suit un long couloir silencieux, on tourne à gauche, c'est la chambre au fond. Elle regarda autour d'elle, sortit le Heckler & Koch et, le plaquant contre sa jambe, sonna. Elle l'entendit approcher. Il parlait. Une conversation téléphonique ? Ou n'était-il pas seul ?

La porte s'ouvrit. John Peltor jeta un coup d'œil aux vêtements et aux lunettes, claqua une main sur le micro et siffla :

— T'es en retard. Il est minuit passé. Qu'est-ce que t'as foutu avec tes cheveux ? Je t'avais dit de ne jamais rien modifier à moins que je ne...

Il ne vit l'arme que lorsque Stephanie la pointa vers sa bouche. Il fixa le trou noir du silencieux au centre. Puis le visage derrière.

— Je te rappelle, murmura-t-il avant de raccrocher.

Il rentra dans la suite. Stephanie ferma la porte derrière elle et le suivit à l'intérieur.

— Du calme, Petra. D'accord ? Ne faites rien que nous ne pourrions que regretter tous les deux.

— Peu probable.

La pièce était immense. Des murs crème avec des lés de tapisserie à rayures crème et rose pâle, d'épais rideaux dorés, un lustre ancien, des antiquités, des huiles sur toile dans de grands cadres dorés. Peltor posa son téléphone sur la table basse. Un attaché-case était ouvert sur le canapé à côté d'un petit sac à dos en toile vert olive.

— Jolie chambre, dit Stephanie. J'aurais dû vous écouter à Munich. Le meurtre d'entreprise, ça paie.

— Jouez pas les saintes nitouches, Petra. Cela ne vous va pas.

— C'est vous qui réglez la note ? Ou séjournez-vous aux frais du groupe Amsterdam ?

Il portait un polo tilleul fourré dans un vilain pantalon beige, histoire de mettre en valeur la finesse de sa taille par comparaison avec sa large carrure.

— Qu'est-ce que vous fichez ici, Petra ?

C'était la première fois qu'elle le voyait nerveux.

— C'est moi qui suis armée, c'est moi qui pose les questions.

— J'ai des gens partout en Europe qui vous cherchent.

— Je sais. J'en ai croisé quelques-uns.

— Il paraît que vous avez massacré Grotius.

— Il n'a eu que ce qu'il méritait.

— Peut-être. C'est pas comme Gavras.

— Qui ?

— Raphael Gavras. Obernai. Le type qui a collé un kilo de Semtex sous le tas de merde que vous conduisiez. Un temps j'ai plaint ce pauvre type. Jusqu'à ce que j'apprenne qu'il était cubain.

— J'ai entendu à la radio qu'il s'était fait arrêter.

— C'est ce qui lui est arrivé de mieux récemment.

— Mort ?

— Plus mort que lui, y a pas. Incroyable, non ? Ce type est relâché sous caution, six heures plus tard, il est de l'histoire ancienne. Un tragique accident domestique. Il s'est brisé le cou en se coiffant. Un truc dans ce genre.

L'inquiétude déguisée en bravade. Typique de Peltor. Stephanie lui ordonna de tirer la chaise placée à côté du bureau au centre de la pièce.

— Il faut que je vous rende justice, Petra. Ce n'est pas une mauvaise imitation de Julia.

— M'imitant ?

— Exact. Qu'est-ce que vous lui avez fait ?

— Rien. Asseyez-vous.

— Vous ne l'avez pas tuée ?

— Pourquoi l'aurais-je tuée ?

— Où est-elle ?

— Maintenant ? Partie. Envolée.

— Impossible. Pas sans son fric. Ce n'est pas son genre.

— Je lui ai dit d'oublier le fric. Je lui ai dit qui vous étiez vraiment. Ce que vous êtes. Après, elle ne se souciait plus trop de son fric. Comment l'avez-vous dénichée ?

La chaise craqua sous son poids.

— Internet.

— C'est comme ça que vous rencontrez la plupart de vos conquêtes ?

— Allez vous faire foutre.

Stephanie retira ses lunettes pour qu'il puisse voir ses yeux.

— Cela fait dix jours que je suis en cavale, à cause de vous. Je suis fatiguée, je suis contrariée et je suis une femme armée. Vous feriez bien de vous en souvenir la prochaine fois que vous ouvrirez la bouche.

Peltor comprit qu'il valait mieux la prendre au sérieux.

— J'avais besoin de quelqu'un qui puisse se faire passer pour vous. Il m'a fallu quelques jours mais j'ai réussi à en sélectionner une dizaine. Toutes en Europe, deux ici à Vienne. Cette ville regorge de putes. Les rues empestent le foutre.

— Je vous en prie. Assez de couleur locale.

— Alors j'ai contacté ce petit trouduc...

— Rudi Littbarski ?

— Vous le connaissez ?

— Pas personnellement.

— Littbarski connaît tous les paumés de ce bled. Il a découvert qu'elle fréquentait régulièrement ce trou à rats près d'UNO City. Le Club Nitro. J'y suis donc allé avec lui et tout est parti de là. Je l'ai vue plusieurs fois et je lui ai fait une offre. Comment l'avez-vous découverte ?

— J'adore les pornos privés parisiens.

Peltor haussa un sourcil.

— Cela doit vouloir dire que vous connaissez mon pote Étienne Lorenz.

— Si on veut. J'aimerais savoir ? Munich et notre rencontre fortuite au Café Roma — tout était prévu ?

— Non. J'étais aussi surpris que vous.

— Vous n'imaginez pas à quel point j'étais surprise.

— Ce sont des choses qui arrivent. Cela nous était déjà arrivé. Rappelez-vous JFK.

Stephanie serra la crosse de son pistolet.

— Vous mentez.

Peltor se crispa.

— Je le jure, Munich était une coïncidence.

— Dernière chance.

Les yeux de Peltor s'écarquillèrent.

— Munich était une coïncidence.

— Mais ?

Il tremblait. Stephanie n'aurait jamais cru voir pareil spectacle. Elle pensait que Peltor affronterait la balle avec une tirade provocatrice délivrée sans desserrer les dents.

— *Mais ?* lui souffla-t-elle.

— *Après* Munich... ce n'était pas une coïncidence.

— De quoi s'agit-il ? Du groupe Amsterdam ? Je sais que Heilmann travaillait comme consultant pour DeMille.

Peltor eut l'air effaré.

— C'est pour ça que vous l'avez tué ?

— Non.

— Pourquoi alors ?

— C'est pas vos oignons. Racontez-moi ce qui s'est passé après Munich.

— Eh bien... vous avez buté Otto. Voilà ce qui s'est passé.

— Et ?

— C'était pas nécessaire d'être un génie pour comprendre qui avait fait le coup. Pas après notre rencontre à Munich. C'est comme ça que votre nom est venu sur le tapis. On avait besoin de quelqu'un pour discréditer Brand. Je ne pense pas qu'on aurait pensé à vous d'emblée. Mais après Otto, vous paraissiez idéale. Personne n'aurait pu discréditer un homme honorable mieux que vous et on tenait notre revanche pour l'un des nôtres.

— Résumons-nous : si je n'avais pas tué Heilmann, il ne se serait rien passé à Paris.

— Si. Mais pas avec vous. Et peut-être pas à Paris. Mais

Brand y aurait eu droit quoi qu'il arrive. D'une manière ou d'une autre.

Stephanie songea brièvement à Jacob et Miriam Furst. Elle respira profondément trois fois pour se calmer.

— Et ce que vous m'avez raconté pendant notre petit déjeuner au Mandarin Oriental ? Tous ces conseils que vous m'avez donnés pour m'inciter à prendre ma retraite.

Un instant, Peltor parut réellement bouleversé.

— Vous pouvez penser ce que vous voulez de moi, Petra, mais je n'ai jamais souhaité vous voir finir comme Juha Suomalainen.

— Vous m'avez raconté qu'il était mort au sommet d'un arbre à cause d'un accident avec une tronçonneuse.

— Bien avant son heure, Petra. Voilà ce qui compte.

— Puisque vous venez d'aborder le sujet des morts prématurées, parlons de vous.

Stephanie leva un peu son arme.

Lorsqu'il réussit à parler, sa voix tremblait.

— Vous n'êtes pas obligée de me tuer, Petra.

— Techniquement, c'est vrai. Et en général, je ne tue pas pour mon propre plaisir. Mais, dans votre cas, je vais faire une exception.

Il lui demanda ce qu'elle voulait. Le descendre de sang-froid. Voilà ce qu'elle voulait. Mais, au lieu de cela, elle dit :

— Des réponses.

Le soulagement l'envahit.

— Que je vous explique quelque chose. Si je pense que vous mentez, je vous bute. Si je pense que vous éludez, même chose. Maintenant parlez-moi du passage du Caire.

— Vous êtes encore en pétard pour ça ? Allons, Petra, nous avons connu des situations...

— N'essayez pas de jouer la carte de la solidarité. Nous ne sommes pas pareils. Nous ne l'avons jamais été. Pourquoi Anders Brand ?

— Les gens l'écoutaient. Il s'entendait bien avec les Arabes.

— Vous pourriez vous montrer encore moins précis ? Si j'avais envie de généralisations, je me brancherais sur CNN.

— Il y avait cet accord...

— Butterfly.

— Vous êtes au courant ?

— Dans les grandes lignes.

— Brand était essentiel.

— Pourquoi ?

— Il était l'intermédiaire honnête. La vierge dans le bordel. Vous savez où va ce pipeline ?

— De Mossoul à Haïfa.

— Via la Jordanie. Mais près de la frontière avec la Syrie. La Jordanie avait accepté d'accorder des droits de passage. Israël avait accepté l'idée d'un nouveau terminal à Haïfa. Il ne restait plus à l'Irak qu'à signer.

— Je vois pas mal de points de désaccord. Israël, notamment. Pourquoi l'Irak n'a-t-il pas signé ?

— Il y a trop d'objections internes contre le projet. Soulevées par plusieurs imams chiites. Au début, il n'y a eu qu'une ou deux voix discordantes. Maintenant cela prend de la puissance.

— Franchement, je n'en suis pas surprise.

— Franchement, nous non plus.

Stephanie eut l'air perplexe.

— Je ne vous suis pas.

— Ce n'est pas ça qui est important, c'est ça le truc. Ce qui compte, c'est que le contrat soit mis en œuvre. Rien d'autre.

— Expliquez-moi.

— Écoutez, Brand occupait une position unique. Il aurait pu convaincre les chiites pour nous. Il a parlé aux chefs chiites, dont al-Sistani. Nous savons qu'il aurait pu réussir à les persuader d'accepter. Washington tablait là-dessus. Qu'il ferait ce qu'il fallait. Mais il s'y refusait.

— Il s'y refusait ou il ne le pouvait pas ?

— À vous de deviner.

— Je dirais qu'il refusait.

— Moi aussi. Quoi qu'il en soit, quand il n'a pas amené dans la négociation ceux qu'on lui demandait, Washington a commencé à faire pression sur lui. Mais cela a eu l'effet inverse. Ils se retrouvaient dans la situation suivante : non seulement Brand n'allait pas tenir ses engagements, mais il donnait l'impression d'être sur le point de virer casaque pour faire activement campagne contre l'accord.

— Avec les chefs chiites dans son camp.

— La plupart. Sans compter certains de ceux qui s'opposaient à lui avant. Bref, une situation contre laquelle on voyait mal lutter le nouveau gouvernement irakien.

— Ce qui laissait le groupe Amsterdam avec un problème gigantesque.

— Une fois de plus.

— Une fois de plus ?

— C'était la seconde fois qu'ils se trouvaient dans cette situation. Ils avaient signé un contrat pour ce pipeline en décembre 2002.

— *Avant* la guerre ?

— Exact. Vous vous rappelez le scandale. Bush distribuait des contrats pour la reconstruction de l'Irak avant l'invasion. Quand il racontait à qui voulait bien l'entendre qu'il espérait une conclusion pacifique. Quoi qu'il en soit, le nom du groupe Amsterdam n'a jamais été rendu public mais...

— Ben voyons. Que s'est-il passé ?

— On leur a dit de laisser tomber.

— L'accord était signé ?

— Bien sûr. Mais ils ont choisi de ne pas se suicider commercialement en cherchant à la faire respecter.

— Parce qu'ils savaient qu'une seconde occasion se présenterait ?

Peltor acquiesça.

— On le leur avait garanti. Voilà où nous en sommes. Ils ne vont pas lâcher le morceau, Petra. Ils ont trop investi. Sur les plans politique et financier.

— Ce qui nous ramène à Brand.

— Exact. La première priorité était de s'assurer que Brand ne l'ouvrirait pas. De façon définitive. La deuxième était de le discréditer. De donner aux chefs chiites une raison de prendre ses distances avec lui et d'offrir une porte de sortie à l'administration irakienne.

— C'est là que j'interviens.

— C'est ça. Brand meurt. On découvre alors qu'il n'était pas le saint que tout le monde croyait. En fait, il baisait des putes et des terroristes. On découvre qu'il fréquentait des extrémistes sionistes.

Stephanie fronça les sourcils.

— Pardon ?

Peltor eut un sourire sournois.

— Deux des morts du Sentier étaient des extrémistes sionistes.

— Je n'ai pas entendu parler de ça.

— Nous avons tu l'information quand les choses ont mal tourné.

— Comment avez-vous tout organisé ?

— Comme pour vous. Nous avons pris quelqu'un en qui ils avaient confiance et nous l'avons incité à passer un coup de téléphone. Même endroit, même heure.

— Même résultat ?

— À l'évidence. Pas de traces.

— Quelle imagination.

— Pour moi, ce sont des... accessoires.

— Ça ressemble plutôt à de l'extermination. Donc avec Brand mort et sa réputation ruinée, qu'est-ce qui était censé se passer ensuite ?

— Nous nous attendions à ce que les gens prennent leurs distances par rapport à lui. Nous voulions que de vieilles alliances se brisent, que de nouvelles se nouent. En attendant, la nouvelle administration irakienne aurait une chance de promouvoir le pipeline comme un grand projet destiné à financer la reconstruction. Avec, cerise sur le gâteau, le fait que ce soit une aide étrangère qui fournisse les fonds.

— Et le groupe Amsterdam touche un pactole de quinze milliards de dollars. C'est ça ?

— Vous m'impressionnez. Mais vous êtes loin du compte.

— Comment ça ?

— Le groupe Amsterdam négocie d'autres accords dépendant de la réussite de Butterfly. Arabie saoudite, Koweït, Oman, Bahreïn. Ils sont tous en cours de chantier. Un genre d'effet d'entraînement. Une fois que Butterfly réussit, les autres suivent. Quinze milliards ? En fin de course, cela pourrait avoisiner les cinquante milliards, voire plus.

— Incroyable.

Peltor eut un petit sourire.

— Vous êtes bien placée pour le savoir, Petra. Le groupe Amsterdam s'est inspiré des Saoudiens. Ils se comportent à la manière arabe, pas américaine. Pas d'orientation. Pas de philosophie directrice. Juste une série de mariages commerciaux lucratifs.

— De la polygamie d'entreprise.

— Exactement.

— Je suppose que les rapports d'Amsterdam avec le gouvernement israélien relèvent de cette catégorie.

— Plutôt, oui.

— Et ils en sont contents ?

— Qui, les Israéliens ? Bien sûr. Ils obtiennent un ravitaillement en pétrole protégé. Et ce n'est pas tout ; ils ne sont même pas obligés de payer leur nouveau terminal pétrolier de Haïfa. Ne le répétez pas au contribuable américain, mais c'est lui qui va régler la note.

— Et s'il y a de la violence ?

— Allons, Petra. C'est le Moyen-Orient. Tout le monde s'en tape de la violence. Ils se valent les uns les autres, tous autant qu'ils sont. En ce qui me concerne, ils peuvent continuer à s'entretuer jusqu'au dernier. Et là je me porterai volontaire pour buter personnellement le dernier et on sera débarrassé de ce putain de problème du Moyen-Orient.

— Où étiez-vous quand le Rwanda avait besoin de vous ?

— Vous savez aussi bien que moi que la violence a ses bons côtés. Plus il y en a, plus grand est le besoin de sécurité. Vous savez ce que c'est que la violence ? Un bon gros chiffre dans la marge bénéficiaire de DeMille. Voilà ce que c'est.

— Et des dividendes supplémentaires pour vous ?

— Et pour vous. Si vous en voulez.

— D'abord vous essayez de me tuer, maintenant vous essayez de me recruter. Qu'est-ce que vous allez me proposer après ? Des leçons pour faire la marmelade ?

— C'est ce qu'on appelle les fluctuations du monde des affaires. Je ne plaisantais pas à Munich, Petra. Vous vous gaspillez avec vos petits coups. Vous seriez géniale dans cet environnement.

— Je n'avais pas compris qu'il s'agissait d'une offre ferme.

— Non. Je tâtais le terrain, c'est tout. Mais cela pourrait le devenir.

— Je ne suis pas sûre que je supporterais l'aspect politique.

Peltor commença à se dérider. Il se tapota le ventre en jetant un regard appréciateur au luxe de sa suite.

— Rien à branler de la politique, c'est le fric qui importe.

— C'est la devise officielle du groupe Amsterdam ?

— Ça devrait.

— Le Sentier n'était donc rien de plus qu'une diversion ?

— Je ne dirais pas ça. Ça nous a débarrassés de Brand.

— Vous auriez pu faire ça n'importe où.

— Bien sûr, admit Peltor après un moment de réflexion. Mais tuer quelques Français à Paris, ça gêne qui ? Personne en dehors de la France, ça c'est certain. Tuer quelques juifs et les infos ne parlent plus que de ça. Si Brand et vous étiez morts ensemble, cela aurait été parfait.

Intérieurement Stephanie bouillonnait de rage.

— Je vous l'accorde ; vous m'avez appris des choses.

— Allons, Petra. Jouez franc-jeu. Vous n'avez pas vraiment envie de passer le reste de votre vie à éviter les balles, si ?

— Non.

— Alors discutons. Rangez votre arme. Nous oublierons tout cela.

— Nous ?

— Vous oubliez les dix derniers jours et nous oublions ce qui est arrivé à Otto Heilmann.

— Qu'est-ce qui me dit que vous êtes en position de me faire une telle offre ?

— Je vous donne ma parole.

— Cela ne suffit pas.

— Quelle parole vous suffirait ?

— Celle de Gordon Wiley.

— Alors nous allons l'appeler.

Stephanie réfléchit.

— Comment avez-vous découvert pour moi ?

— Quoi donc ?

— Bruxelles.

Il devint circonspect, mais la voyant se crisper, il opta pour la vérité.

— Nous avions quelqu'un d'infiltré.

— Je sais. Roland. Je l'ai vu hier à Petrotech.

— Bon Dieu, vous y étiez ?

— Bien entendu. Avec Wiley et Kincaid. Et l'adorable Richard Rhinehart. Comment avez-vous su pour Bruxelles ? Comment avez-vous su où placer Roland ?

Peltor ouvrit la bouche, puis hésita.

— J'espère que vous n'allez pas éluder.

Le silence se prolongea.

Elle le visa.

— Accouchez.

— Hammond.

— Qui ?

— Maurice Hammond.

— Qui c'est celui-là ? Jamais entendu parler.

— Il est consultant dans le domaine du renseignement pour Amsterdam Europe.

— Avec un passé dans le renseignement, je suppose.

Peltor opina du chef.

— Ex-SIS.

— Ex ?

— Il a pris sa retraite.

— Attendez que je devine. C'est lui qui est venu ici de Londres avec les photos de moi. Les photos qui ont servi pour les cicatrices de Julia à la clinique Verbinski.

— C'est ça.

Un ancien officier du SIS. Cela ne tenait pas vraiment debout. Magenta House n'entretenait pas de rapports avec des services de sécurité ayant pignon sur rue. Pourtant il fallait qu'il y ait un lien. C'était trop proche pour être une simple coïncidence.

Elle resta silencieuse un bon moment, consciente du regard de Peltor sur elle. Il y avait tant de questions, mais elle n'avait besoin de rien d'autre ; elle en savait assez pour avoir un point de départ.

— Qui a tué Leonid Golitsyn et Fyodor Medvedev ? demanda-t-elle tout de même.

Peltor la regarda droit dans les yeux.

— Moi.

Ni excuses, ni remords.

— Pourquoi ?

— Golitsyn était le lien entre Brand et Amsterdam. Wiley lui accordait plus de confiance qu'à aucun de ses hommes. Golitsyn opérait à un niveau supérieur. Puis on a découvert qu'il passait des renseignements classés secrets à Brand. Golitsyn a trahi Wiley.

— Pourquoi Golitsyn aidait-il Brand ?

— Il partageait son point de vue à propos de Butterfly.

— Ils voyaient tous les deux ce que cela cachait.

— Cela ne cachait rien, Petra. Ils se trompaient.

Qu'avait dit Stern déjà ? *Golitsyn flotte au-dessus du monde.*

— Encore une chose : Jacob Furst.

— Qui ?

— L'homme qui m'a téléphoné à Bruxelles pour me faire venir à Paris. Sa femme et lui ont été tués. Par qui ?

— Grotius.

Le regard de Peltor le trahit et les derniers doutes de Petra s'évanouirent. Elle se garda de le montrer.

— Vous avez le numéro privé de Wiley.

— Bien sûr. Vous voulez l'appeler maintenant ? Pourquoi ne pas lui téléphoner ? Nous pourrions conclure un accord. Nous sommes entre pros.

— Où est le numéro ?

— Dans mon portable. (Il se leva de sa chaise.) Je vais l'appeler pour vous.

— Asseyez-vous.

Peltor se figea.

— D'accord. Je m'assois. Du calme.

Elle prit l'appareil sur la table basse et tenta d'accéder au carnet d'adresses. Rien.

— Il est verrouillé, dit Peltor.

— Comment on le déverrouille ?

— Étoile vingt-trois.

Elle lui jeta un coup d'œil avant de revenir au portable. Un souvenir désagréable lui revint en mémoire. Singapour. L'hôtel Fullerton. L'explosion d'un portable, le combiné contenant un petit disque de Semtex imprégné de gouttelettes de mercure. Elle l'avait activé de Hong Kong. Cela avait réduit la tête d'un avocat en charpie.

Elle doutait que Peltor fût assez bête pour avoir installé un tel dispositif dans un portable qu'il utilisait régulièrement. Mais pourquoi prendre le risque ? Peut-être y avait-il apporté d'autres modifications.

Elle lui lança l'appareil.

— À vous de jouer.

— Vous voulez que je l'appelle ?

Elle secoua la tête, puis lui balança un petit bloc-notes posé sur le bureau.

— Écrivez le numéro.

Lentement, pour qu'elle n'interprète pas mal ses mouvements, il plongea une main dans l'attaché-case ouvert sur le canapé et en tira un stylo Mont-Blanc. Il regarda l'écran du portable, nota le numéro sur la première page du bloc, l'arracha et la lui tendit.

— Voilà, Petra.

J'ai envie de vomir mais je sais que je ne peux pas. J'ai quelque chose dans la bouche. Une sorte de bâillon, très serré. J'ai les yeux toujours fermés. Je ne les ouvre pas de crainte qu'il ne m'asperge de nouveau.

Je sais que je me suis évanouie mais je n'ai aucune idée du temps qui s'est écoulé. J'ai l'impression que du sable mouillé coule dans mes veines. Je peux à peine bouger.

Je suis sur le lit. Je sens le matelas. J'ai les mains relevées au-dessus de la tête, les poignets attachés à un montant quelconque.

J'essaie de récapituler. J'ai pris le bout de papier. J'ai regardé le numéro. J'ai entendu un bruit sec et j'ai senti une douleur vive sur le dos de ma main droite. J'ai vu une minuscule pointe de métal dépasser de la blessure. J'ai senti la chaleur d'un picotement m'envahir les doigts.

J'ai tiré à l'endroit où était Peltor mais il avait déjà bougé. La balle s'est fichée dans le lit. J'ai tenté de tirer une seconde fois, mais mes doigts ont refusé d'obéir. L'arme m'a glissé de la main.

C'est là qu'il m'a plaquée au sol, son poids me coupant le souffle. Ensuite, je n'ai plus que des bribes de souvenirs ; on me tire par les cheveux, on me bourre le corps de coups, un poing s'écrase sur ma tempe, on m'envoie une giclée d'aérosol en pleine figure.

L'effet est instantané. Un goût écœurant au fond de la gorge, les yeux qui piquent, la peau qui brûle. C'est la première aspiration instinctive — une réaction naturelle au choc — qui a causé les dégâts, envoyant le nuage dans mes poumons, accélérant son passage dans le sang.

Après, je ne sais pas trop.

Il m'a retiré mon jean. Les yeux toujours fermés, j'essaie de deviner ce qui me reste comme vêtements. Apparemment je ne suis plus vêtue que de mon T-shirt, mon slip et mes chaussettes.

C'est seulement quand je l'entends s'éloigner du lit que j'ouvre les yeux. La chambre tangue, accentuant ma nausée. Mon crâne palpite. Je sens de

*l'humidité dans mes cheveux au-dessus de ma tempe gauche. J'ai le nez,
la bouche et la gorge à vif, les yeux comme desséchés.*

Peltor me voit et sourit. Il se débarrasse de ses mocassins et ôte ses
chaussettes.

— Avrolax, au cas où vous vous poseriez la question.

Le stylo Mont-Blanc. Bien sûr. En Russie, à l'heure actuelle, les stylos
trafiqués sont le dernier accessoire à la mode. Comme les Rolex.

— Lance adorait.

Maintenant je sais ce que Robert a ressenti quand Grotius l'a attaqué
à Paris. Peltor s'assoit sur le lit à côté de moi sans craindre de représailles.
Je suis en train de découvrir les effets de l'Avrolax, mais il les connaît
déjà. Il pose une main sur ma cuisse gauche et la serre légèrement.

— Je vais vous enlever le bâillon, Petra. Vous pouvez geindre si vous
voulez. Mais pas de cris. À moins que vous ne vouliez que je vous donne
une bonne raison de hurler.

Ce n'est pas une menace en l'air. Il serait ravi de passer à l'acte. Mais
pour l'instant je risquerais davantage de vomir. Il se penche vers moi pour
dénouer le nœud.

— Je dois avouer que c'est un vrai bonus. J'attendais Julia. Mais
c'est tellement mieux.

Il se lève et retire son polo, révélant le physique d'athlète que j'avais vu
la dernière fois sur une terrasse glaciale de Munich. De mes doigts gourds,
j'explore les liens qui m'emprisonnent les poignets, mais je ne trouve pas
de faille.

— Lance m'a parlé de vous deux, poursuit-il en défaisant sa ceinture.
Votre rencontre dans ce bar de Larcana. Le Mistral. Voyez ? Je me souviens même du nom.

Il lâche son pantalon par terre. Il ne porte rien en dessous. Entièrement
glabre. Il a un tatouage. Pas comme Kostya, le sien est davantage une
concession à la mode actuelle. Et sur l'abdomen, en lettres gothiques noires,
l'expression tristement prévisible : « Né pour tuer ».

J'essaie de me remémorer les vieilles leçons. Séparation du corps et de
l'âme : garder une partie de l'âme et réduire le corps à un véhicule. C'est
la théorie, mais je manque de pratique. Nu à présent, il se caresse.

— Il m'a tout raconté. Comment il vous a levée. Ramenée à son hôtel.
Paraît que, quoi qu'il fasse, vous en réclamiez toujours plus. Ça, je peux
le croire, Petra. Je l'ai vu dans vos yeux. Vous êtes une chatte en chaleur.

Comme c'est typique de Grotius d'avoir transformé un rejet en triomphe.
Et comme c'est typique de Peltor de l'accepter, et de perdre tout sens critique

pour nourrir un fantasme pathétique. J'aimerais lui dire tout mon mépris, mais cela ne réussirait qu'à l'encourager.

Il grimpe sur le lit et me retire mon slip. Je ne lui envoie pas de coup de pied parce que je ne suis pas sûre d'en être capable. Et aussi parce que je sais qu'il n'attend que ça. Il me colle une main sur le ventre.

— Vous êtes incomparable. Il me caresse la peau sous mon T-shirt. Personne ne vous arrive à la cheville. Nulle part.

Il déchire lentement le T-shirt, sans efforts, les tendons se gonflant sur ses avant-bras aussi larges que mes cuisses. Devant, puis le col, chaque manche, méticuleusement. Sans me quitter des yeux. Il guette la première lueur de peur, ce qui, paradoxalement, renforce ma détermination.

Une fois que je suis nue — à part les chaussettes qu'il décide de me laisser — il m'examine. Il tâte les points de suture, puis tire sur l'un d'eux avec un ongle. La chair se déchire quand il l'arrache.

— On dirait que c'est sensible, non ? dit-il en agrandissant la plaie.

Je tressaille malgré moi. Son regard s'allume. De son autre main, il entretient une énorme érection.

— Je sais que vous ne m'avez jamais aimé, Petra.

Il se penche vers moi, son corps immense projetant de l'ombre. Il approche sa tête de mon épaule. Il est si proche que je sens la chaleur qui irradie de lui. Il presse sa bouche contre ma cicatrice qu'il entreprend de lécher.

— Vous m'avez toujours pris pour un gros con, murmure-t-il.

Comme il a raison.

Voyant que je ne réagis pas, il se redresse.

— À Munich, quand nous étions sur la terrasse, j'ai bien vu que vous regardiez mon corps. Vous étiez morte de désir, cela se voyait. Mais pour mon corps, pas pour moi.

Dans d'autres circonstances, j'éclaterais de rire. Les mecs musclés sont toujours persuadés que les femmes les trouvent séduisants. En vérité, ce sont surtout les autres musclés qu'ils attirent.

Il se lève et va dans la salle de bains. Un robinet coule. Je me contorsionne pour voir s'il y a quelque chose à portée de mes doigts. Rien. Je lève la tête. Y a-t-il un objet que je pourrais rapprocher en m'aidant de mes pieds ? Non.

Peltor revient s'asseoir sur le lit à côté de moi.

— Vous allez me parler, Petra. Je vous jure que vous allez me parler.

Sans me quitter des yeux, il m'effleure le visage, la gorge, les seins. Il presse un mamelon. Le pince.

Quand il surprend enfin une expression de douleur, il soupire, presque tristement.

— Petra, Petra, Petra.

Le fameux mantra. Tel que Julia l'a décrit.

Il est temps de changer de stratégie.

— Qu'est-ce que vous voulez, John ?

— John ? Pas connard ?

— Qu'est-ce que vous voulez ?

Il se penche pour m'embrasser, cherche ma langue avant de me souffler à l'oreille :

— Toi, Petra. Je te veux, toi. Rien d'autre.

Dans mon univers, les assassins sont soit des collègues, soit des adversaires. Ou ils agissent avec une précision clinique, ou ils ne sont bons à rien. Mais lui c'est un psychopathe. Il est pareil à un fanatique religieux ; ce n'est pas la peine de chercher à négocier. Aucune logique ne peut l'atteindre. Il n'a besoin de rien. Je ne peux rien lui vendre, ni lui promettre. À cet instant, la chimie la plus primitive lui bloquant le cerveau, il a tout ce qu'il souhaite étendu devant lui.

Je m'efforce d'ignorer les doigts qui rampent entre mes cuisses. La perspective de l'acte me révulse, mais je sais que j'y survivrai, quoi qu'il fasse, même s'il fait durer. C'est ce qui suit qui me terrifie. Il me regarde avec des yeux complètement vitreux. On ne lit rien dedans. Il n'a plus aucune retenue.

— Petra, murmure-t-il d'une voix rauque. Petra, Petra, Petra.

Ses mains énormes se plaquent sur mes cuisses et les écarte. Quand il regarde entre elles, sa mâchoire se relâche de plaisir.

— Dis que tu me veux, Petra.

Il s'allonge sur moi, son poids me colle au matelas. Je sens l'odeur de son haleine.

— Vas-y. Dis-le.

Mais je ne peux pas. Je ne veux pas.

J'entends un léger déclic.

— Allez, Petra. Dis-moi que tu me veux en toi. Dis que tu as besoin de moi.

Une voix féminine hésitante crie :

— Service en chambre.

Nous nous figeons, nos yeux écarquillés posant la même question pour des raisons différentes.

Pour un géant, il se meut avec une vélocité étonnante. En une seconde, il est debout au pied du lit, et ouvre la porte de la chambre.

— Qu'est-ce qui se passe, bordel ? gueule-t-il dans le couloir.

On ne peut pas s'attendre à être pris au sérieux dans son état ; peau luisante de sueur, un sexe en érection gros comme une énorme patère : un bouc stupide.

Un coup de feu assourdi retentit et Peltor est projeté en arrière. Il heurte la table basse et tombe.

Voilà ce que j'appelle du service en chambre.

Stephanie se regarda entrer dans la chambre, tenant un PSM russe avec un silencieux. Julia portait encore les vêtements qu'elles avaient échangés au café.

Julia vit Stephanie sur le lit – prostrée, nue, en pleine confusion – et porta une main à sa bouche. Peltor haletait, la main droite comprimant sa blessure au-dessous de la cage thoracique qui giclait le sang sur son torse de granit. Julia posa son arme sur le lit et coupa les liens de Stephanie.

Puis elle s'approcha de Peltor.

— Vous ne m'auriez jamais versé les autres cinquante mille, n'est-ce pas ?

— Je... je jure que...

— Alors pourquoi avez-vous volé la première moitié ?

— Du calme... discutons.

— On ne discute plus. Où est mon fric, salaud ?

— Là-bas... là...

Il désignait le canapé. Julia aperçut le sac en toile posé à côté de l'attaché-case ouvert.

Stephanie était toujours étendue sur le lit, incapable de bouger. Elle avait les mains gonflées et engourdies, les muscles lourds comme du plomb, et la tête qui tournait. Elle ne voyait pas Peltor par terre. Mais elle l'entendit siffler à Julia entre des dents serrées :

— Plus... je peux t'en obtenir plus... Cinquante... cent.

Julia secoua la tête, méprisante. Il lui offrit deux cent mille dans une quinte de toux. Elle lui cracha dessus, saisit le sac et regarda dedans. Son paiement initial de cinquante mille s'y trouvait toujours ; l'occasion de tout recommencer à zéro.

Un second coup de feu éclata.

Julia alla s'écraser la tête la première contre le mur. Là, la blessure par où la balle était sortie de sa gorge dessina une rose écarlate sur la tapisserie. Elle s'affaissa sur le canapé, le sac à dos roula par terre.

Peltor s'agrippait d'une main à la table basse. Le Heckler & Koch était sous le jean de Stephanie à côté de lui. Dès qu'on lui avait tiré dessus − même en s'effondrant − il ne l'avait pas oublié. Toujours le pro.

Il fallut quelques secondes à Stephanie pour comprendre ce qui venait de se passer. Pour comprendre que le second coup de feu n'avait pas été tiré par Julia.

Elle entendit Peltor bouger et se redressa tant bien que mal sur un coude. La pièce tourna. Elle le vit se mettre à genoux. Elle entendit son arme claquer contre la table basse. Et se souvint alors de l'endroit où Julia avait posé la sienne. Sur le lit. Juste avant de dénouer ses liens.

Suant presque aussi abondamment qu'il saignait, John Peltor se stabilisa pour viser. Petra reprit le dessus sur Stephanie et s'obligea à ramper sur le lit, tout en vomissant, pour récupérer le PSM de Julia.

La porte était fermée mais le passe était toujours dans la serrure. Boyd colla une oreille contre le battant. Rien. Il se glissa à l'intérieur de la suite.

L'homme qu'il connaissait sous le nom de John Peltor était mort. Deux blessures, une au torse, une dans la tête. Stephanie reposait sur le lit en position fœtale. Une seconde femme, qui lui ressemblait beaucoup, gisait morte sur le canapé. Une grande flaque de sang s'était formée sur le tapis sous sa tête. Il contrôla la salle de bains et revint dans la chambre.

À part les chaussettes que portait Stephanie, Peltor et elle étaient nus. Des vêtements éparpillés partout, deux armes, un T-shirt déchiré, un petit aérosol, un attaché-case ouvert et un sac à dos en toile d'où s'échappaient des euros.

— Stephanie.

Elle respirait.

— Stephanie. C'est moi. Iain.

Toujours rien. Il posa doucement une main sur une épaule glacée.

— Ça va ?

Il l'allongea. Elle saignait légèrement de sa blessure au flanc et d'une égratignure à la tempe. Elle s'était vomi dessus. Il y en avait des traces autour de sa bouche, sur ses seins, dans ses cheveux. Elle avait les yeux rouges. Pas seulement à cause des larmes, se dit Boyd, il y avait autre chose. Il regarda l'aérosol. Stephanie était livide.

— Vous m'entendez ? murmura-t-il.

Elle ne réagissait pas.

Il la souleva et la porta dans la salle de bains. Il remplit un lavabo d'eau chaude et la soutint devant. Il l'obligea à se rincer la bouche, puis il lui nettoya le visage et essuya le sang à la racine de ses cheveux. Elle tremblait.

De retour dans la chambre, il l'assit sur le lit pendant qu'il cherchait de quoi l'habiller. Son slip était couvert du sang de Peltor. Comme la chemise et la veste de Julia. Il lui enfila son jean noir. Dans le placard, il trouva une chemise sortant de chez le teinturier. Une chemise Ralph Lauren bouton d'or, l'uniforme des cadres BCBG. Exactement l'image qu'Ellroy cherchait à avoir. Boyd aida Stephanie à l'enfiler ; elle nageait dedans.

Boyd lui drapa les épaules de sa propre veste. Puis il s'accroupit devant elle et lui releva la tête.

— Il va falloir que vous marchiez, Stephanie. Je ne peux pas vous porter.

— Je lui ai dit, souffla-t-elle.

— Quoi ?

— À Munich. Je lui ai dit.

— Qu'est-ce que vous lui avez dit ?

— Qu'on ne plaque pas cette vie. C'est elle qui vous plaque.

Taborstrasse, une heure vingt-cinq du matin, un appartement minable au-dessus de la boutique d'un opticien. Il y avait des gens. Elle n'aurait su dire combien. Trois ou quatre. Ils passaient d'une pièce à l'autre en parlant à voix basse. Elle entendit de l'anglais, mais se retrouva confiée à une dénommée Fatima qui s'exprimait dans un allemand hésitant. Cette femme l'aida à entrer dans un bain chaud et lui apporta des vêtements propres ; sous-vêtements, épaisses chaussettes, deux T-shirts à manches longues, un pantalon de coton noir, un pull bleu marine.

Elle revint dans la chambre.

— Reposez-vous, lui dit Boyd.

— Où est Robert ?

— En sécurité.

— Ici ?

— Non. Il est toujours à Vienne. Nous l'avons emmené ailleurs.

— Où cela ?

— Dans un endroit plus confortable que celui-ci. Vous le verrez plus tard. Tâchez de dormir pour l'instant. Si vous avez besoin de quoi que ce soit, je suis à côté.

— On n'a pas le temps. Il y a tant à...

— Pas du tout. C'est fini.

Il ferma la porte. Stephanie ouvrit les rideaux. La pièce donnait sur Taborstrasse. Un câble soutenant deux lampes courait de sa fenêtre à l'autre côté de la rue, entre les lignes du tram.

Elle s'allongea sur le lit. Il y avait eu des tableaux sur le mur jadis. Des carrés et des rectangles sombres en marquaient l'emplacement sur la tapisserie fleurie. Elle fixa le plafond et songea à Julia. Sa mort paraissait particulièrement cruelle. Elle avait gagné le droit de commencer une nouvelle vie et Stephanie était sûre qu'elle en aurait fait quelque chose de bien.

Julia était morte à cause de la cupidité de Peltor. Lui aussi. Pourquoi avait-il ressenti le besoin de récupérer les premiers cinquante mille ? Parce que cela lui était possible ? Peut-être. Rien que pour prouver à Julia – quelques instants avant de la tuer, très certainement – qu'il avait toujours su où elle avait caché son magot. Pour bien montrer qu'elle était en son pouvoir. Qu'elle ne valait rien. C'était le genre d'homme qu'était Peltor.

Julia lui avait sauvé la vie. Sans son intervention, Stephanie savait qu'elle aurait connu une longue agonie brutale. Et une fois son œuvre terminée, Peltor se serait attribué le mérite de la mort de Petra Reuter. Quelle ironie : la cupidité de Peltor l'avait empêché de réussir tout ce qu'il avait voulu. Mais elle n'en tirait aucun plaisir.

Pas en sachant Julia morte. Pas en sachant Petra Reuter morte.

Elle finit par s'endormir. Boyd la réveilla après six heures. Le silence régnait dans l'appartement. Boyd prépara du café dans une cuisine minuscule.

— Comment avez-vous su où j'étais ?

— Qu'est-ce que vous croyez ? Je vous ai fait suivre.

— Quoi ?

— Revenez à la réalité. Pourquoi pensez-vous que je vous ai accordé du temps ?

Sa réponse aggrava son abattement.

— Pour voir ce que je ferais ?

Boyd acquiesça.

— Salaud, marmonna-t-elle en baissant la tête.

— Si vous étiez encore la moitié de la femme que j'ai connue, je n'aurais pas couru ce risque.

— Je suis ravie de ne plus l'être.

— Moi aussi.

— Et Robert ?

— Nous l'avons placé sous surveillance lui aussi. Il n'est allé nulle part. Mais nous l'avons déplacé après que vous et moi avons quitté l'Imperial.

— J'aurais dû deviner.

— Ça vaut ce que ça vaut, mais cela ne leur a pas plu. Ils voulaient que je vous amène sur-le-champ.

— Pourquoi avez-vous refusé ?

Boyd s'autorisa un léger sourire :

— Vous le savez. Je voulais voir ce que vous feriez. Il s'interrompit un instant, avant d'ajouter : de toute façon, je vous ai toujours fait plus confiance qu'à eux.

Stephanie s'approcha de la fenêtre. Un tram passa dans un grondement ; la maison trembla. Boyd prit trois tasses en émail cabossées à des crochets en bois vissés au mur.

— Je regrette que vous m'ayez vue dans cet état.

— Moi aussi, répondit-il sans la regarder.

— Pour qui est cette troisième tasse ?

Comme sur un signal, la porte s'ouvrit.

Rosie Chaudhuri était une énigme ; c'était le seul bon souvenir que Stephanie eût gardé de Magenta House. Toutefois, elle avait du mal à reconnaître la femme qu'elle avait jadis connue dans cette femme qui dirigeait maintenant l'organisation.. La position qu'elle occupait à présent était synonyme des pires souvenirs de Stephanie. Rosie était une nouvelle tête sur un vieil organisme.

— Bonjour, Steph. Comment allez-vous ?

Elle ne répondit pas tout de suite. Elle songea aux photos qui avaient atterri à la clinique Verbinski. Des photos de Magenta House. Destinées initialement à faire pression sur elle. À présent, des preuves.

Rosie avait laissé pousser ses cheveux noirs. Stephanie avait oublié à quel point elle était séduisante : des yeux brun foncé, une belle peau claire, des pommettes hautes, sans parler de son élégance classique. Des bombes pouvaient exploser mais cela ne laissait aucune trace sur elle.

Boyd leur servit du café. Rosie s'assit à la table minuscule qui occupait presque tout l'espace, laissant Stephanie debout. Psychologie inverse. Être reconnue pour être ignorée ensuite.

— C'est un sacré foutoir là-bas, dit Rosie.

— Je veux voir Robert.

— Quand l'heure sera venue.

— Maintenant.

— *Quand l'heure sera venue.*

Stephanie resta debout, bras croisés, près de la fenêtre.

— Qui est Maurice Hammond ?

Ils se raidirent tous les deux. Cela l'étonna ; elle s'était attendue à une réaction de Rosie − c'était pour cette raison qu'elle avait posé la question de but en blanc, histoire de la déstabiliser − mais pas de Boyd.

— Maurice est un ancien directeur de 850.

— Vous le connaissez bien ?

— Nous nous sommes croisés. Pourquoi ?

— À la fin de l'année dernière, il est venu à Vienne avec des photos de moi. De Komarov et moi, pour être précise. Des photos tirées d'un film. Un film qui ne vous est pas étranger. C'est vous qui me l'avez montré à Zurich.

— Vous en êtes sûre ?

Stephanie acquiesça.

— Vous savez qui est Lance Grotius ?

— Maintenant, oui.

— Il avait mon code d'identification de Magenta House dans son ordinateur.

— Stephanie...

— J'ai été piégée dès le début.

— Et vous croyez que nous sommes impliqués là-dedans ?

— Je sais que vous l'êtes. En tant qu'organisation.

— Je peux vous assurer que...

— Non, vous ne pouvez rien m'assurer.

Paris, avenue Kléber, huit heures quinze. Wiley ferma les doubles portes pour se retrouver seul dans la salle du conseil du bureau d'Amsterdam pour l'Europe. Il s'assit à l'extrémité d'une longue table, devant un mince écran plasma. En son centre, s'affichait le logo du groupe. En dessous, deux mots : « Demain » « Aujourd'hui ». Vu les circonstances, l'antithèse même d'une prophétie.

La liaison INTELSAT s'établit. John Cabrini avait perdu sa superbe. Il arborait toujours son polo en soie de chez Clive Ishiguro, mais il faisait négligé. Huit jours dans la salle des opérations mobile de New York l'avaient vieilli. Lumière artificielle, air artificiel. Jusqu'à l'optimisme, tout aussi artificiel, avait-il découvert.

— Faites le point sur Vienne, dit Wiley.

— Peltor est mort.

Wiley l'avait appris une heure avant.

— Et Reuter ?

— Nous avons un cadavre.

— C'est elle ?

— Non. Le sosie.

— Les lieux ?

— Sécurisés. Les corps ont été emportés. Tout est sous contrôle. Nous les emmenons ailleurs.

— Ensemble ?

— Séparément. Elle, on la retrouvera. Lui, il disparaîtra.

— Dans combien de temps pourrons-nous divulguer la nouvelle ?

— Vers dix-huit heures de chez vous.

— Et Reuter ?

— Nous savons qu'elle était là. Nous ignorons ce qui s'est passé. Nous supposons qu'elle les a tués tous les deux.

— Comment ça ?

— Le sosie devait rendre visite à Peltor à minuit. Nous ne savons pas comment il l'a retrouvée, mais l'équipe chargée du nettoyage a découvert du liquide dans la chambre. On pense que c'était le sien.

— Peut-être l'avait-elle sur elle ?

— Peut-être. Ou alors c'est lui qui l'avait et c'est pour ça qu'elle y est allée. Elle voulait le récupérer.

Wiley réfléchit à Peltor. Il lui avait répété à plusieurs reprises que Julia, le clone de Reuter, avait été payée et s'était volatilisée. Wiley n'était pas surpris outre mesure d'apprendre qu'en fait, c'était certainement faux. Peltor avait un côté cow-boy. Une assurance qui frisait l'arrogance, un mépris désinvolte de l'autorité, une tendance injustifiée à se croire supérieur.

— Le clone de Reuter s'est fait descendre avec un Heckler & Koch USP. Le même genre d'arme que Reuter a utilisée dans la grange en Alsace. Nous allons procéder à des tests pour vérifier, mais je pense qu'on peut affirmer qu'il s'agit de la même arme.

— Alors Reuter a buté son clone.

— Apparemment. Peltor a été tué avec un PSM russe. On n'a pas de précédents pour ça.

— Le clone n'était pas russe ?

— Si. Mais je miserais tout de même sur Reuter.

— Quelles sont les chances de lui remettre la main dessus ?

— Ça arrivera en fin de compte, c'est sûr. Ça peut se passer de deux façons. Ou elle réapparaît pour contester l'identité du clone. C'est la manière rapide et facile. Dès l'instant où elle se montre, nous l'éliminons. Son seul moyen de contester l'identité de l'autre est d'apporter la preuve de la sienne.

— Pourquoi ferait-elle une chose pareille ?

— Précisément. Elle n'en fera rien. Ce qui nous laisse l'autre solution.

— Elle ne fait rien et ne sort pas de sa planque ?

— Exact. Si vous me demandez de me prononcer pour aujourd'hui, demain ou après-demain, je ne peux rien vous promettre. Tout ce que je peux dire, c'est que tant que les dix millions resteront sur sa tête, nous la coincerons. Tôt ou tard. L'argent est votre garantie. Elle sera dans un aéroport. Ou dans un hôtel. Ou en train de lire un journal dans un café. Ou simplement dans une rue, n'importe où dans le monde. Et quelqu'un la reconnaîtra.

Il n'y avait pas eu d'interrogatoire. Ni d'accusations. Rosie lui avait demandé de faire le récit des dix derniers jours et

Stephanie lui en avait donné une version édulcorée mais honnête. À la fin, Rosie était sortie de la pièce. Sans réclamer d'éclaircissements. Stephanie consulta sa montre. Cela faisait plus de deux heures.

Boyd avait passé un peu de ce temps avec elle. Elle avait tenté de faire la conversation, mais il avait répondu par monosyllables. Elle se souvenait : c'était lui qui lui avait appris à ne pas être gênée par le silence. *Si vous n'avez rien à dire, taisez-vous.* Sur ce plan, personne n'aurait pu taxer Boyd d'hypocrite.

D'abord Grotius, ensuite Peltor. Elle ne regrettait pas de les avoir tués. Pour une fois, elle n'avait pas l'ombre d'un remords. Surtout lorsqu'elle songeait à Julia. Les deux hommes l'avaient exploitée à leur manière. En souvenir de Julia plus que pour elle-même, Stephanie tirait un certain plaisir de leur mort, ce qu'elle jugeait à la fois inquiétant et répugnant. Mais cela n'en restait pas moins vrai.

Rosie entra seule dans la cuisine. Stephanie était assise à la table. Elle ne se leva pas. Rosie prit place en face d'elle.

— Ravie de voir que nous n'avez rien perdu de votre sagacité, Steph. Hammond était la carte à jouer.

— Ce n'était qu'une supposition.

— J'en suis consciente.

— Qui est-ce ?

— Un ancien directeur du SIS. Un consultant pour le groupe Amsterdam. Et un administrateur de Magenta House. Magenta House a été créé par quatre officiers supérieurs du renseignement. Deux du SIS, deux de MI5. Collectivement, ils étaient connus sous le nom d'Edgware Trust. Leur boulot était de surveiller Magenta House. De s'assurer qu'elle respectait sa mission, qu'elle disposait de financements suffisants. Seule une personne au sein de l'organisation est autorisée à connaître les noms des administrateurs. Actuellement, c'est moi. Les quatre d'origine étaient Elizabeth Manning, sir Richard Clere, Maurice Hammond et Alastair Smith. Hammond est le seul qui reste. Les trois autres ont été remplacés. Les premiers administrateurs ont fixé les paramètres de Magenta House, puis ont joué de leur influence pour transformer la chose en une réalité opérationnelle. Bien sûr, c'était une structure minuscule à l'époque. Mais elle n'en était pas moins efficace. À certains égards, plus qu'efficace même, je dirais. Ils ont trouvé les sources de financement et ont nommé le premier directeur.

— Alexander.

— Exactement. Le préféré de tout le monde. Hammond et lui étaient amis. De bons amis, et de longue date. Alexander venait du renseignement militaire.

— Hammond était donc au courant pour Berlin.

Rosie se tortilla sur sa chaise.

— On ne fournit pas les détails des opérations aux administrateurs pour des raisons de sécurité. L'élément de distance est une barrière de protection réciproque. Mais Berlin, c'était différent. Toute l'organisation était menacée.

— Sait-il que j'ai tué Alexander ?

— Oui. Il a été complètement briefé. Comme les autres.

— Quelle est sa position par rapport à Amsterdam ?

— Il siège au conseil d'administration d'Amsterdam Europe.

— Vous étiez au courant ? fit Stephanie, surprise.

— Oui.

— Et cela ne vous a pas mis la puce à l'oreille ?

— Au cas où vous l'auriez oublié, le groupe Amsterdam est une institution financière hautement respectée.

Rosie avait raison. Elle l'avait oublié. Jusqu'à maintenant, pourquoi la nomination de Hammond aurait-elle été une cause d'inquiétude ? Si les anciens présidents et Premiers ministres trouvaient le groupe Amsterdam assez bien pour eux, il devait aussi convenir à d'anciens mandarins du renseignement. Dans le monde réel, voilà ce qu'était Hammond, un directeur du SIS à la retraite, rien de plus.

— Il n'y a pas de règles qui s'y opposent ?

— Les directeurs du SIS ont l'autorisation d'accepter des responsabilités dans le secteur commercial. Hammond ne s'en est jamais caché.

— Cette affaire devient donc... *personnelle* ?

— Je le crains, oui. Du moins en un sens. Alexander était un de ses amis. C'est aussi simple, aussi stupide que ça.

— Mais sait-il qui je suis vraiment ?

— Il ne devrait pas. En tant qu'administrateur, il n'est pas censé avoir accès à ces données. Mais c'est le cas.

— Comment est-ce possible ?

— Apparemment Alexander et lui étaient plus proches qu'on ne l'aurait cru. Il a eu accès dès le départ aux dossiers de Magenta House. Hammond est celui qui a nommé Alexander. Maintenant nous savons pourquoi.

— Vous étiez au courant pour mon coffre à la banque Damiani ?

— Oui. Même quand vous travailliez encore pour nous. Alexander a consacré beaucoup de temps et d'efforts à tenter de découvrir vos différentes identités.

— Qu'est-ce que vous savez ?

— Nous avons identifié la localisation de six ou sept d'entre elles. Mais nous n'avons jamais découvert qui les a créées. Cela irritait Alexander.

Stephanie sentit le soulagement l'envahir. Voilà pourquoi Cyril Bradfield était toujours sain et sauf. Son nom n'était apparu dans aucun des fichiers qu'elle avait trouvés dans l'ordinateur de Grotius. Des fichiers constitués à Magenta House. Seul manquait un autre nom.

— Vous étiez au courant pour mon argent ?

Rosie sourit.

— Non. C'est l'autre détail qui le rendait fou.

Cela expliquait pourquoi Albert Eichner était aussi sain et sauf, bien qu'il l'ait conduite à Otto Heilmann. Comme ni Bradfield, ni Eichner n'était apparu dans un fichier de Magenta House, ils avaient échappé à Hammond.

— Hammond vous a vendue, Stephanie.

— Vous aussi. Ou plutôt Magenta House.

— Oui. Mais nous pouvons régler ça. En revanche, nous ne pouvons rien pour vous. Ce n'est pas de notre ressort. Vous n'êtes plus l'une des nôtres.

Une Passat les attendait dans Taborstrasse. Boyd s'assit devant près du chauffeur. Stephanie à l'arrière, avec Rosie.

— Où allons-nous ?

— Cela dépend de vous.

— Où est Robert ?

— Il nous attend.

La voiture démarra.

— Vous m'avez poursuivie à cause de Heilmann, n'est-ce pas ? Ni Brand, ni Golitsyn n'étaient concernés.

— Nous vous avons recherchée à cause de DeMille. À cause d'Amsterdam.

— Je ne comprends pas.

— C'est une chose de tuer des trafiquants de drogue, des terroristes, des trafiquants d'armes, voire d'autres agents du renseignement mais...

— Heilmann était un trafiquant d'armes.

— Heilmann était lié à Amsterdam. Ce sont eux la menace, Stephanie. Ce sont eux qui sont à vos trousses parce qu'ils en ont les moyens. Nous avions besoin de savoir où vous vous placiez par rapport à eux. Les frontières se désintègrent. Les agences de sécurité nationale opèrent selon un programme restreint. Les géants de l'entreprise ont un point de vue plus vaste, plus d'entregent et une volonté accrue de faire ce qui est nécessaire. Nous devions nous assurer de deux choses : la première, qu'ils ne découvriraient pas qui vous êtes vraiment, afin de nous protéger.

— Et la deuxième ?

— Que vous ne travailliez pas pour eux.

— J'ai tué Heilmann. Vous vous souvenez ?

— On a vu plus étrange. Nous étions seulement sûrs que vous opériez sur le marché ouvert. Qui paie le plus ? Ceux qui ont le plus d'argent. C'était un soupçon inévitable. Nous savions que vous aviez travaillé par procuration pour le gouvernement russe et qu'à une occasion, vous aviez été payée par une compagnie pétrolière russe – Vyukneft. Vous voyez ? Vous aviez déjà créé un précédent.

Ils prirent l'A4 pour sortir de Vienne. Stephanie vit des panneaux indiquant l'aéroport.

— Hammond est à Paris, reprit Rosie. Il sera à Londres la semaine prochaine, comme prévu. Il assistera à plusieurs réunions. Il aime bien jouer les hommes importants. Il apprécie les déjeuners ; les premières. Covent Garden, la National Gallery.

— Un pilier de la bonne société.

— S'il rentre en un seul morceau, nous nous occuperons de lui.

— Attaque, infarctus ou accident ?

— À son âge, l'une ou l'autre des deux premières éventualités ne serait pas vraiment une surprise, répondit Rosie, imperturbable. Mais j'ai pensé que vous aimeriez peut-être lui parler d'abord.

— À Paris ?

— Oui. Il y sera jusqu'à après-demain.

— Et si je ne le souhaite pas ?

— Vous nous avez quittés après Berlin, Stephanie. Nous ne vous avons pas vue depuis. Petra a pris sa retraite, vous vous souvenez ?

— Comment l'oublier ?

— Nous pouvons vous déposer à Paris en rentrant à Londres. Nous pourrions y être dans deux heures. Réfléchissez.

— Et pour ce qui s'est passé cette semaine ?

— Il ne s'est rien passé. Nous avons seulement besoin d'être sûrs à votre sujet.

— Et vous l'êtes maintenant ?

— Oui.

— Vous ne me mentiriez pas, n'est-ce pas ? Je ne veux pas passer le reste de mes jours à regarder par-dessus mon épaule.

— Il le faudra bien, Stephanie. Mais pas à cause de nous. Vous avez ma parole.

L'aéroport Vienna-Schwechat. Les moteurs du Falcon 2000, garé à distance discrète des appareils commerciaux, tournaient déjà. Quand ils montèrent la passerelle, les moteurs ronflèrent. Newman était assis à l'arrière. Avant même que Stephanie ne le rejoigne, l'avion roulait déjà. Rosie et Boyd prirent place à l'avant.

Elle serra Newman contre elle.

— Ça va ? lui murmura-t-il.

— Pas vraiment, non.

L'appareil s'engagea sur la piste et reçut l'autorisation immédiate de la tour de contrôle. Ils se retrouvèrent presque immédiatement dans de denses nuages gris étain. Au bout de cinq minutes, l'avion perça l'obscurité et se retrouva dans des cieux bleu-vert.

— Et toi, ça va ?

— Oui. J'étais inquiet pour toi, c'est tout.

— Ne t'en fais pas. Je m'en remettrai. Je m'en remets toujours.

— Quelle est la suite du programme ?

— Ça dépend.

— De quoi ?

— Si tu m'accompagnes ou non ?

— Tu le souhaites ?

— Ce serait bien plus facile si je ne le souhaitais pas.

— Ou si je refusais ?

— Oui.

— Tu nous connais. Nous ne donnons jamais dans la facilité.

— Je sais, dit-elle en souriant.

— Écoute, Stephanie, avant notre rencontre, j'étais en train de mourir. Lentement mais sûrement.

— Dans le luxe tout de même.

— Le luxe anesthésie. D'une manière ou d'une autre, j'aimerais passer un peu de temps pleinement conscient.

Ils survolaient l'Allemagne quand Rosie vint demander si elle pouvait parler à Stephanie. Newman lui céda sa place.

— Je n'arrive pas à croire que vous ne vous soyez pas retirée après Berlin, Steph.

— Moi non plus. Maintenant, du moins.

— Pourquoi n'en avez-vous rien fait ?

— Disons que c'était une erreur que je ne commettrai pas de nouveau.

— À cause de Newman ?

— En partie.

Rosie prit un ton grave.

— Quand vous serez descendue de cet appareil, vous serez seule.

— Je sais.

— Je ne plaisantais pas à Vienne. Nous ne pouvons rien pour vous.

— J'en suis consciente.

— Il est du genre à savoir courir ?

— Je l'espère.

— Parce qu'ils ne s'arrêteront pas, vous savez. Trop de choses en dépendent.

— Je sais.

Rosie jeta un coup d'œil à Newman.

— Vous devriez être seule. Pour son salut, pour le vôtre. Il vaut mieux voyager léger. Il va vous ralentir.

— Je le sais.

— Il n'est pas obligé de descendre de l'avion.

— Il sait où nous mettons les pieds. En plus, c'est un survivant.

— À vous de voir. Avant que nous ne nous quittions, un dernier détail.

— Quoi ?

— Je sais que cela vous a toujours irritée de ne pas connaître le prénom d'Alexander.

Stephanie acquiesça.

— Cela paraissait si prétentieux.

— Cela le paraîtra moins quand vous saurez.

— Allez-y.

— Alexander.

— Alexander Alexander ?

Rosie opina du chef.

— Il n'avait pas de second prénom ?

Une voiture nous attend dans un coin reculé de Charles-de-Gaulle près d'un hangar d'Air France. Une vieille Citroën bleue. À peine y suis-je assise à l'arrière à côté de Robert que l'avion avance déjà. Il ne laissera pas de traces de son passage sur le sol français.

Cinq minutes plus tard, nous sommes en route vers le centre de Paris. Le chauffeur me tend un sac en plastique qui attendait sur le siège avant. Son contenu ? Un SIG-Sauer P226, l'arme de prédilection de Petra. Une petite carte rectangulaire avec deux adresses parisiennes dessus, toutes les deux dans le VIIe arrondissement, et une photo de Maurice Hammond. Rosie est peut-être une amie, mais elle reste avant tout Magenta House.

Je demande au chauffeur de nous laisser gare du Nord. Nous trouvons un cybercafé où j'envoie un message à Stern pour lui donner rendez-vous à cinq heures.

À cinq heures, nous entrons dans Web 46, rue du Roi-de-Sicile, café que j'ai utilisé il y a quelques jours, mais il me semble que c'était il y a une éternité.

```
>Bonjour, Oscar.
```

>Petra. Même dans la mort, vous ne cessez de surprendre.

>Pardon ?

>Vous êtes morte. Vous n'êtes pas au courant ?

>Personne ne m'a prévenue.

>La nouvelle sortira dans environ une heure. Vous avez été tuée hier, tard dans la nuit, à Vienne. La tristement célèbre terroriste Petra Reuter - enfin morte.

>Quel soulagement pour tout le monde.

>Butterfly sera signé demain.

Je fixe l'écran. Généralement, il faut tirer à Stern les vers du nez.

>Je croyais que cela avait été annulé.

>Reporté.

>Quand et où ?

>14 h 00 au cabinet de Balthazar Karyo, à La Défense.

>Qui diable est donc...

Avant que j'aie fini de taper ma phrase, Robert complète :
— *L'avocat de Shéhérazade.*

J'efface ma question et le regarde fixement. Il attend les questions que j'essaie de ne pas poser. Chaque chose en son temps. Je reviens à Stern.

>Qu'est-ce qu'il vient faire là-dedans ?

>Il représente le plus gros investisseur privé du Groupe Amsterdam.

— *Je l'ignorais, dit Robert.*

— *Qu'elle avait investi dans le groupe Amsterdam ?*

— *Qu'elle était le plus gros investisseur.*

— *Tu n'as jamais songé à évoquer ce sujet ?*

— *Shéhérazade a des investissements partout.*

>Shéhérazade Zahani ?

>Excellent, Petra. Si jamais vous vous lassez de votre spécialité actuelle, peut-être pourriez-vous songer à travailler avec moi ?

>Qu'est-ce qui m'échappe, Oscar ?

>Leonid Golitsyn était au courant pour vous.

J'avais presque oublié que Stern m'avait fourni ce nom.

>Au courant ?

>Qui vous êtes. Ce que vous faites dans la vie. Et pourquoi on se servait de vous. Golitsyn connaissait Zahani. Il l'a présentée aux pontes du groupe Amsterdam. Maintenant que vous êtes morte, Butterfly est sauvé.

>À moins que je ne réapparaisse.
>Exact. Mais pourquoi feriez-vous une chose pareille ?
Pour vous justifier ? Franchement, à mon avis, je ne vois
rien qui soit plus à même de faire grandir votre réputation que votre mort. Petra Reuter - on peut la tuer, mais
l'arrêter, jamais.

Ils entrèrent dans un café et prirent une table loin de la porte. Newman commanda deux verres de vin rouge.

— C'est elle la clé, Robert. Elle est le plus gros investisseur d'Amsterdam. Elle connaissait Golitsyn et Wiley. Elle te connaît. Sa fortune repose sur le pétrole. Butterfly doit être signé demain sous l'œil attentif de son avocat.

— Je sais quelle impression ça donne.

— C'est plus qu'une impression. Mais il reste quelque chose qui m'échappe.

— Quoi donc ?

— Avec le recul, je me dis qu'elle devait savoir qui j'étais quand je lui ai rendu visite. Du moins, elle en avait une assez bonne idée. Elle aurait pu me dénoncer pour protéger son investissement. Mais elle a choisi de n'en rien faire. Cela ne tient pas debout.

— Je suis d'accord. Mais seulement si on suit une logique très restreinte.

— À savoir ?

— Si elle a fait le choix de te laisser partir, elle l'a fait pour une bonne raison.

— Tu sais laquelle ?

— Non. Mais voilà ce que je sais : Shéhérazade gère ses affaires comme le faisait Omar. On ne peut pas partir du principe qu'elle se garderait de porter ombrage à Amsterdam parce qu'elle en est un des principaux investisseurs. C'est comme ça qu'elle opère. Elle a toujours joué cavalier seul. Et ses rapports avec Amsterdam – peu importe l'argent que cela représente – peuvent être moins importants que certains de ses autres rapports.

— Une femme aux options infinies.

— Exactement.

Le serveur leur apporta le vin et une petite carafe d'eau.

Stephanie réfléchit à ce que Newman venait de lui apprendre en essayant de faire le lien avec ce qu'elle savait déjà.

— J'ai une idée, mais je vais avoir besoin de ton aide.

Ils se servirent du téléphone public près des toilettes. Newman composa le numéro. Stephanie se colla contre le combiné pour ne rien perdre de la conversation. On décrocha à la quatrième sonnerie.

— C'est moi, dit Newman.

— Robert ?

Reconnu instantanément.

— Oui.

— Où êtes-vous ?

— À Paris.

Il y eut un long silence ; ce n'était pas la réponse que Shéhérazade Zahani attendait apparemment.

— J'ai essayé de vous joindre.

— J'étais impossible à joindre. Écoutez, j'aurais besoin que vous me rendiez un service.

— Bien sûr. Demandez.

— Demain matin. Une rencontre chez vous. À dix heures.

— Eh bien... d'accord. Mais si vous voulez venir maintenant, nous...

— Non. Demain à dix heures. Et je voudrais que vous invitiez quelqu'un d'autre.

Nouveau silence.

— Qui cela ?

— Gordon Wiley.

Son intonation se fit plus sèche.

— Que se passe-t-il, Robert ?

— Je sais qu'il est à Paris. Je suis au courant pour Karyo demain.

Stephanie sentit presque la question qu'on tut au bout du fil : *Comment ?*

— Écoutez-moi bien, Shéhérazade. Il faut que vous disiez à Wiley ce que je vais vous dire. Petra Reuter veut conclure un accord. Elle n'a pas envie de fuir et elle n'a pas non plus envie de mourir de nouveau.

— Robert, venez, nous en discuterons.

— Impossible.

404

— Je vous en prie, mon cher...

— Faites-moi confiance. Je sais ce que je fais.

— Ce sont exactement les mots que Leonid a prononcés quand je lui ai parlé la veille de sa mort.

— J'ai une assurance.

— *Elle ?*

— C'est le seul moyen.

— Écoutez, le temps manque. Wiley n'acceptera pas et...

— Vous êtes le plus gros investisseur isolé d'Amsterdam, Shéhérazade. Vous pouvez le convaincre de n'importe quoi. Voilà pourquoi la signature a lieu à La Défense. Karyo est votre avocat, non l'un des leurs.

Zahani cessa de faire semblant pour observer un silence glacial.

— Dix heures demain matin, répéta Newman.

— Et s'ils refusent...

— Obligez-les. Et dites-leur qu'elle ne m'accompagnera pas. Je serai seul, mais s'il m'arrive quoi que ce soit... vous pouvez deviner le reste.

— Comment êtes-vous devenu proche d'elle, Robert ?

— Vous ne me croiriez pas.

— Je croirais n'importe quoi venant de vous.

— Une autre fois. À demain matin.

— D'accord. Pour vous.

Ils sortirent au milieu de rafales de vent.

— Et maintenant ?

— Il faut que nous disparaissions. Jusqu'à ce que tu obtiennes cet accord, ils vont nous chercher comme des fous.

— Une idée ?

— Oui, je connais l'endroit idéal.

Ils allèrent jusqu'à la rue Vieille-du-Temple, à moins de cinq minutes de là. Adler, boulangerie-pâtisserie.

Stephanie jeta un coup d'œil à travers la vitrine. Claude Adler portait deux paniers vides vers l'arrière-boutique. Elle frappa à la porte.

— Fermé, rugit-il sans prendre la peine de regarder.

Stephanie insista et il se retourna.

— Petra, désolé, j'ignorais que... dit-il en les faisant entrer.

— Ce n'est pas grave, Claude. Je sais à quel point les clients peuvent être casse-pieds.

— Très drôle. Entrez, entrez.

Stephanie présenta Robert.

— La dernière fois que nous nous sommes vus, vous m'avez demandé si vous pouviez m'aider. Eh bien, l'heure a sonné.

Treizième jour

Minuit passé. La bougie était en train de rendre l'âme. Sylvie Adler en sortit une neuve du placard placé derrière Stephanie, trempa la mèche dans la flamme huileuse, puis enfonça la nouvelle dans les vestiges mous de l'ancienne.

Entre les trois bouteilles posées sur la table, deux du Languedoc et une à moitié pleine de Calvados, s'étalaient les reliefs du repas, cassoulet, pain, fromage, tasses de café et un cendrier débordant de mégots de gauloises.

Stephanie n'avait pas eu l'intention de boire. Elle avait besoin d'avoir les idées claires. Mais elle avait tout de même succombé. Comme avec Julia à Vienne. En fait, à cause de Julia.

Claude Adler alluma sa dernière cigarette de la soirée.

— Vous avez déjà vu Jacob dessiner ?

Stephanie secoua la tête.

— Malgré son arthrite, cela valait le détour. Ses doigts affreusement déformés pouvaient à peine tenir un crayon. Mais dès que la mine touchait le papier, la beauté apparaissait. Rapidement ou lentement, une simple esquisse et un résultat parfait. Il disait toujours que la contrefaçon était de l'artisanat. Il était trop modeste. Il était certes un faussaire, mais aussi un artiste. Il ne se contentait pas de copier. Il créait. Il injectait de la vie. Partout.

Quand Adler lui avait demandé la raison de la mort des Furst, Stephanie avait été incapable de lui fournir une réponse appropriée. Parce que le monde est injuste, avait-elle dit. Il avait opiné du chef et vidé son verre ; un toast porté à contre-cœur à une désagréable pensée universelle.

Peu après une heure, Claude et Sylvie montèrent se coucher, laissant Stephanie et Newman dans la cuisine. La lueur vacillante de la bougie donnait des couleurs à Newman et accentuait ses rides. Elle le regarda et brièvement imagina qu'ils se trouvaient tous les deux au clair de lune à l'île Maurice. Là où elle aurait dû être en ce moment précis. Où elle pourrait toujours être dans trente-six heures. Où *ils* pourraient toujours être.

— À quoi penses-tu ?

— À rien. Rien du tout.

Elle entendit Claude Adler bouger à l'étage. Elle sut qu'il était quatre heures et demie. L'heure à laquelle sa journée commençait, sept jours sur sept, gueule de bois ou non. Cyril Bradfield le lui avait raconté.

Stephanie et Newman étaient dans le petit salon donnant sur la rue Vieille-du-Temple. Newman dormait sur le canapé. Stephanie était assise dans un vieux fauteuil, les jambes repliées sous elle. Une voiture pétarada dans la rue ; un pot d'échappement mort.

Elle avait essayé de dormir, mais trop de pensées tourbillonnaient dans sa tête. À trois heures elle avait renoncé et était allée se préparer du café. Assise à la table de la cuisine, elle avait songé à Julia. La première fois qu'elle avait vu le film, elle avait compris qu'elle regardait une femme morte. Filmer Petra Reuter avec Anders Brand n'avait de sens que si elle mourait. De ce point de vue, il semblait y avoir quelque chose de prédéterminé dans les différents chemins qui avaient conduit Stephanie et Julia dans la chambre 510 de l'hôtel Impérial.

Maintenant se présentait l'éventualité d'une sortie définitive. Ou, pour citer Julia, une occasion de tout recommencer à zéro.

Elle passa dans la cuisine où, les cheveux en bataille, Adler préparait du café.

— On parle de vous dans la presse.

Une édition du *Monde* était posée sur le plan de travail, ouverte à la bonne page. Un entrefilet. Il y avait eu un échange de coups de feu dans un complexe industriel non loin de Haidestrasse dans le quartier Simmering de Vienne. Renseignée par un tuyau anonyme, la police s'était rendue sur les lieux où elle avait découvert un cadavre de femme. Cela restait à confirmer, mais le bruit courait que la victime était la tristement célèbre terroriste devenue assassin, Petra Reuter. On ne faisait pas mention de Peltor. Qu'était-il donc advenu de son corps ? Balancé dans le Danube ? Pourquoi pas ?

— C'est vrai ? dit Adler.

— Quoi donc ?

— La description qu'on donne de vous. Terroriste. Assassin.

— Qui étais-je à votre avis, Claude ?

Penché au-dessus de l'évier, il haussa les épaules :

— Je ne sais pas. Personne ne me l'a jamais dit. Pas avec exactitude. C'était évident que vous étiez *différente*, mais...

— C'est vrai, Claude. Du moins, ça l'était.

Il se retourna.

— Alors Jacob et Miriam...

— Ils n'avaient rien à voir là-dedans. Ils étaient innocents. Mais ils sont morts à cause de moi. Parce qu'ils me connaissaient.

Impassible, il hocha la tête, puis regarda le journal.

— Alors... ce sont de bonnes nouvelles ?

— En un sens.

— Ce doit être libérateur d'être mort.

— Pas encore. Mais cela pourrait le devenir.

Cinq heures et quart. Adler travaillait en bas dans la boulangerie, Sylvie était dans la salle de bains où le son de la radio était étouffé par le bruit de la douche. Newman se tenait bras croisés près de la fenêtre de la cuisine. Ils répétèrent leur plan une troisième fois.

— Et si Wiley refuse un accord ? s'enquit Newman.

— Il faut qu'il l'accepte.

— Mais s'il ne veut pas.

— Dis-lui que je le tuerai. Ni aujourd'hui, ni demain. Mais bientôt. Grotius est mort. Peltor est mort. Il sait que rien ne le protège plus de moi. Il passera cet accord. Il n'y a pas de raisons qu'il ne le fasse pas. Amsterdam a ce qu'il veut : un cadavre. Petra Reuter, morte. Peu m'importe si elle est discréditée, je ne tiens pas à la récupérer. Tant qu'ils me ficheront la paix, je me ferai un plaisir de garder le silence. Tout le monde est gagnant.

— Donc je fais mon truc, toi le tien, et nous nous retrouvons.

— C'est ça.

— Et ensuite ?

— Ensuite, c'est à nous de décider.

Elle se rendit boulevard de Sébastopol à pied. Froid mordant, flaques gelées, pare-brise givrés. Sylvie Adler lui avait donné un gros manteau épais et une écharpe, mais elle frissonnait encore.

Elle se rappelait que l'Easy-Internet-Café restait ouvert vingt-quatre heures sur vingt-quatre. Elle s'assit devant un terminal, envoya un message et attendit.

Newman et elle s'étaient séparés dans un silence étrange. Ni l'un ni l'autre ne sachant trop quoi dire ou quoi faire. Ils s'étaient étreints, embrassés, étreints de nouveau. Il lui avait murmuré à l'oreille d'être prudente.

— Toi aussi, avait-elle soufflé.

Puis ils s'étaient regardés dans les yeux, attendant davantage. Mais il faudrait attendre. Qu'ils soient réunis.

L'écran s'anima.

`>Petra. Pas de repos pour les morts ? Comme c'est bizarre.`

Stern. Stephanie consulta sa montre. Vingt minutes. Elle secoua la tête, sa théorie prenait forme, elle sourit malgré sa lassitude. Elle se mit à taper.

Le temps qu'elle sorte du café, il était six heures trente-cinq. D'une cabine, elle composa le numéro de portable qu'elle avait mémorisé. Elle n'était pas sûre qu'on réponde, mais on finit par décrocher.

— Madame Zahani ?

— Merci d'avoir accepté de me recevoir.

— Vu les circonstances, comment aurais-je pu refuser ? Robert vous a donné mon numéro privé.

— Sans le savoir.

— Alors il faudra que j'en change.

Pieds nus, sans maquillage, Zahani portait un confortable

410

peignoir blanc. Stephanie fut d'abord surprise, avant de devenir soupçonneuse. Mais cela paraissait cohérent ; le choix calculé d'une joueuse d'échecs. Elles étaient dans la cuisine, vaste et étincelante : acier inoxydable, céramique, verre. Zahani avait renvoyé le cuisinier contrit dès qu'il était apparu, et elle leur préparait du thé. De nouveau, un choix délibéré.

— Vous avez pris des risques en m'appelant, puis en venant ici.

— Robert vous décrit comme une femme aux options infinies. Je pensais que vous voudriez éviter d'en rater une. Jusqu'à ce que vous sachiez de quoi il retourne.

— On verra. Qu'est-ce que vous voulez ?

— Que vous me parliez de Butterfly. Notamment, de ce que cela représenterait pour vous si l'accord devait capoter.

— Il ne capotera pas. Il sera signé à deux heures cet après-midi.

— C'est une hypothèse.

Zahani réfléchit brièvement à cette éventualité puis haussa les épaules.

— J'ai des tas d'autres intérêts.

— Cela ne changerait rien pour vous ?

— Je perdrais de l'argent. Mais cela n'aurait aucune importance.

— Pourquoi ?

— On ne sous-estime jamais assez à quel point l'Amérique est incapable de comprendre le monde au-delà de ses frontières. Partant de là, on peut s'arranger pour tirer un avantage durable d'un échec momentané.

— Vous avez une position de repli ?

— Plusieurs. J'en ai toujours plusieurs. Ce serait pure folie d'agir autrement. Les issues possibles pour l'Irak et ses voisins ne manquent pas. La situation dans cette région est ce qu'elle a toujours été : *liquide*. Mais je ne pense pas que ce soit vraiment la raison de votre présence ici.

— Non. C'est Robert.

Zahani eut un petit sourire.

— C'est bien ce que j'imaginais.

Elles discutèrent pendant une demi-heure. D'abord de Robert, avant d'aborder d'autres sujets. Zahani donna à Stephanie l'assurance qu'elle était venue lui demander, et à son tour, Stephanie lui fournit les réponses dont elle avait besoin. Surtout la confirmation d'une coïncidence ; la rencontre fortuite de Stephanie et de Newman dans le parking et toutes ses conséquences. Elle parut rassurée par l'élément manquant d'une équation complexe, qui lui permettait d'arriver à une conclusion qu'elle savait être vraie.

— Lors de ma dernière visite, vous avez soupçonné qui j'étais, n'est-ce pas ? demanda Stephanie en s'apprêtant à partir.

— Ce serait exagéré. Disons que j'ai eu une intuition.

— Mais cela ne vous a pas empêchée de m'aider au risque de mettre Butterfly en danger.

Elle ne répondit pas tout de suite.

— Je garde mes options ouvertes. Mes options durables.

À quoi faisait-elle donc allusion ?

— Mon mari était yéménite. Vous le saviez ?

— Je le croyais saoudien.

— Une méprise courante. Il a émigré en Arabie saoudite pour faire fortune. Être yéménite ne lui a pas été inutile. Cela lui a permis d'échapper aux intrigues de cour de la famille royale. Mon mari a eu une enfance pauvre, mais devenu riche, il s'est accroché aux principes qui l'avaient aidé dans sa jeunesse. Des valeurs qu'il m'a transmises. Il m'a appris que la marchandise la plus précieuse était le temps. Et que la patience était un pouvoir. La raison pour laquelle le temps est si précieux, disait-il, c'est parce que c'est une ressource que les pauvres possèdent en abondance, mais que les riches ne peuvent acheter. Dans le monde des affaires, par exemple, les sociétés occidentales − dont fait partie, je le crains, le groupe Amsterdam − se font du souci à propos du prochain trimestre, voire de l'année budgétaire à venir. En Irak, au Bangladesh ou en Afghanistan, où les pauvres sont si nombreux, on ne connaît pas de préoccupations de ce genre. Si bien que, lorsqu'ils traitent avec l'Occident, ils savent la chose suivante : s'ils attendent suffisamment longtemps, ils emporteront l'affaire par forfait.

— Toujours la joueuse d'échecs, sourit Stephanie.

— Vous connaissez l'anecdote ? Un nomade musulman rencontre un Américain dans un défilé loin de tout. L'Américain lui demande son chemin. Le nomade insiste pour qu'ils commencent par partager un thé en signe d'amitié. L'Américain accepte. Le nomade rassemble des brindilles, allume un feu, fait bouillir de l'eau et infuser le thé. L'Américain ne tarde pas à s'impatienter. Il s'efforce de rester courtois, mais il a envie de partir, et finalement, son impatience a raison de lui : il consulte sa montre. Le nomade le remarque et l'Américain présente ses excuses. Réponse du nomade : « Vous avez les montres, mais nous avons le temps. »

Le Café Bleu rue Cler était minuscule. En été, ils devaient sortir des tables et ainsi tripler leur capacité d'accueil. En cette matinée de janvier, il n'y avait rien sous l'auvent. L'intérieur était très prévisible : des tables en bois, un bar en zinc, des murs que la fumée de cigarette avait fait virer au sépia.

Stephanie s'assit près de la fenêtre et regarda à travers la vitre sale. Elle consulta sa montre. Neuf heures moins cinq. Il ne tarderait plus. Elle commanda un café.

Maurice Hammond avait trois minutes de retard, si l'on en croyait l'emploi du temps que Rosie lui avait décrit dans l'avion qui les ramenait de Vienne. Chaque matin, il venait à pied de la pension Sylbert, juste derrière l'avenue Bosquet, prendre son petit déjeuner dans ce même café de la rue Cler dans lequel il pénétrait à neuf heures tapantes. Stephanie avait demandé à Rosie comment elle était au courant.

— Il me l'a raconté. Chaque fois qu'il vient à Paris, c'est le même rituel. Il descend au même endroit, prend son petit déjeuner au même endroit.

Il paraissait plus vieux que sur la photo. Plus petit aussi, avec un nez patricien dominant une grosse moustache. Il tirait la patte – le genou droit, peut-être, voire la hanche – et portait un costume trop grand pour lui. À rayures beiges, croisé et un peu râpé. Il avait dû être à sa taille avant qu'il ne se tasse avec l'âge.

Il choisit une table à l'autre extrémité du café et s'adressa au serveur dans un français élégant et excellent. Elle avait d'abord songé à le descendre dans sa chambre à la pension. Puis elle avait pris conscience qu'elle voulait le voir avant. Histoire de savoir à quoi pouvait bien ressembler un ami d'Alexander. Pendant les années atrophiées de Magenta House, aucune rumeur sur la vie de ce dernier n'avait jamais circulé. L'idée qu'il puisse avoir des amis, aimer lire, apprécier l'opéra, voire un verre de vin – tout ce qui, en fait, avait une chance de l'humaniser – avait paru complètement déplacée.

Elle s'était donc décidée pour le Café Bleu. Sa curiosité satisfaite, les autres occasions ne manqueraient pas. Peut-être dans le café. Ou dans la rue. Les témoins éventuels ne la gênaient pas. Elle maîtrisait parfaitement l'art de se fondre dans une ville. En moins d'une heure, son signalement ne correspondrait plus à rien.

Elle feuilleta les journaux qu'elle avait apportés, *Le Figaro* et *Libération*, qui évoquaient tous les deux sa mort. Un article de *Libération* racontait qu'on l'avait peut-être vue récemment : *Selon des rumeurs non confirmées, Reuter se trouvait à Paris à la fin de l'année dernière. Un témoin resté anonyme prétend l'avoir vue sortir du George V en compagnie d'une autre femme.*

Et voilà, c'était parti. La rumeur non confirmée finirait par l'être. Peu après, un film serait divulgué et la disgrâce posthume d'Anders Brand serait complète.

Je comprends lentement que je ne vais pas le tuer. Ni même l'interroger. Aux petites heures de la matinée, j'ai réfléchi à tout ce que je pourrais lui dire avant de presser la détente. Exprimer mon indignation, bien sûr. L'accuser de trahison, de mains souillées de sang, de faillite éthique. Tous les instruments du métier de Petra, en fait. Maintenant que l'instant est arrivé, je me rends compte que je ne peux me résoudre à passer à l'acte.

D'abord, tuer Maurice Hammond me ferait régresser dans la sphère Magenta House et il n'en est pas question. Qu'ils se chargent eux-mêmes de leur sale boulot. J'ai beau apprécier Rosie, elle m'a quand même jeté Hammond en pâture comme on lâche quelques pièces sur une table pour le pourboire du garçon.

Le fait qu'il mourra à Londres la semaine prochaine ne me réconforte en rien. Je ne ressens même pas d'hostilité particulière à son égard, malgré le tort qu'il m'a fait. Je me fiche bien que cet homme ait pu être l'ami d'Alexander. Je m'en fous à présent. Il me laisse indifférente. Ils me laissent indifférente.

Les journaux ont raison. Petra Reuter est bien morte. Je l'ai lu dans la presse. Maintenant je sais que c'est vrai. Je suis Stephanie Patrick. Quoi que je fasse dorénavant, ce sera en mon propre nom.

Dans son appartement de l'avenue Foch, Shéhérazade Zahani prit Newman par le bras et le conduisit au fauteuil voisin du sien, ce qui ne laissa pas d'autre choix à Gordon Wiley que de prendre place sur un canapé du XIXe siècle tapissé de soie crème et dorée. Newman se souvenait du salon. Il nota seulement des changements aux murs : les deux Jan van Eyck accrochés jadis face aux portes-fenêtres avaient été remplacés par un portrait religieux de Bernard van Orley et un panneau peint représentant la crucifixion de Gérard David.

Il y avait quatre autres hommes dans la pièce. Celui qui était debout à côté de Zahani était son avocat, Balthazar Karyo. À New York, on le surnommait la « brute en costard » ; cheveux argentés courts, une cicatrice vieille de trente ans s'étendant de son front à sa mâchoire, un nez épais manifestement cassé à trois reprises, et toujours tiré à quatre épingles. Newman et lui s'étaient toujours bien entendus, mais ils n'en laissèrent rien paraître. Il observa les trois hommes derrière Gordon Wiley. L'un d'eux – ou deux d'entre eux peut-être – était un avocat. Mais il était sûr qu'il y avait un garde du corps dans le lot. Mais c'était difficile de les distinguer les uns des autres.

— Je ne comprends toujours pas comment vous avez été impliqué dans tout cela, dit Wiley.

— C'est comme dans la chanson, répondit Newman, sans mes coups de malchance, je n'aurais pas de chance du tout.

— Je suppose que vous pensez maintenant bien la connaître.

— Je suis ici pour conclure un marché. Rien d'autre.

— Allons. Qu'est-ce qui va se passer à votre avis. Vous concluez le marché pour elle, et après ? Vous vous éloignez tous les deux main dans la main sur une route au crépuscule ? Et vous aurez beaucoup d'enfants ?

— Je suis seulement ici pour m'assurer qu'il y aura un après.

— Elle vous abandonnera.

— Peu importe.

— Elle pourrait vous descendre.

— J'en doute. Elle a déjà eu beaucoup d'occasions de le faire.

— Mais vous lui étiez utile. Une fois qu'elle tiendra son marché, que pourrez-vous lui offrir de plus ?

— Cela ne vous regarde pas vraiment, si ?

— Non. C'est vous que cela regarde. Et vous devriez y réfléchir.

— Et vous devriez songer à protéger ce que vous avez. Vous

avez joué et vous avez perdu. Elle vous offre une porte de sortie. Vous devriez lui en être reconnaissant.

— Ne soyez pas naïf.

— C'est vous qui l'êtes.

— Vous avez une idée de la personne à qui vous avez affaire, Newman ? Vous savez ce qu'elle a fait ? Je connais son dossier. Des cadavres sur les quatre continents. Terroriste, tueuse à gages, pas mal, non ?

— Vous avez ce que vous vouliez. Elle n'est pas d'humeur à aller plus loin. Elle veut une nouvelle vie. Une vie paisible. Elle n'a aucune raison de vous créer des ennuis. Tant que vous ne lui en créez pas.

— C'est quoi, ce truc ? Le syndrome de Stockholm ? Vous vous prenez pour Patti Hearst ?

— Je ne comprends pas votre réticence, monsieur Wiley.

— Alors je vais vous expliquer : elle est incontrôlable. C'est un franc-tireur et on ne peut pas la canaliser.

— Vous vous trompez. Mais il ne faut pas la pousser à bout.

— Où est-elle, à propos ?

— Quelque part. Elle attend.

— Vous ne lui devez rien, Newman. Elle vous a kidnappé. Ou l'auriez-vous déjà oublié ?

— Je ne me fais aucune illusion.

— Alors montrez-vous intelligent. Faites ce qu'il faut faire. Peu m'importe si vous vivez quelque chose ensemble, mais c'est une terroriste, nom de Dieu. Un assassin.

— Elle appartient au monde des affaires, monsieur Wiley. Tout comme vous. Donnez-lui ce qu'elle veut. Vous le regretterez dans le cas contraire.

Wiley regarda Zahani.

— Sherry, parlez-lui, voulez-vous ? Dites-lui.

Elle jeta un coup d'œil à Newman et secoua la tête.

— Non, Gordon. Robert a raison. Vous avez joué et perdu. Avec l'argent des autres. Mon argent.

— Perdu ? Mais qu'est-ce que vous racontez ?

— Vous n'avez rien compris, c'est ça, reprit Newman. Si elle le veut, elle vous détruira. Vous tous. Un par un.

— Oh ! s'il vous plaît ! Ne m'obligez pas à écouter ces conneries mélodramatiques.

— Je crains que vous n'y soyez obligé, insista Shéhérazade

Zahani. Arrêtons-nous ici, Gordon. Tout ce qu'elle veut, c'est qu'on la laisse tranquille. Elle est ravie que le monde sache que Petra Reuter est morte. Elle n'a tout simplement pas envie d'y passer aussi. C'est assez compréhensible, non ? Concluons un marché avec elle. Nous ne pouvons pas nous permettre le contraire.

Avenue Kléber, onze heures quarante-deux. Gordon Wiley entra dans l'appartement d'entreprise, situé sur la terrasse au-dessus du quartier général d'Amsterdam Europe. Il pénétra dans le bureau. Des capteurs déclenchèrent l'éclairage, baignant le tapis de soie de Bokhara de lueurs ambre.

Il s'assit à sa table et appela sa secrétaire, deux étages plus bas, pour lui annoncer qu'il serait à l'appartement jusqu'à une heure et demie, heure à laquelle il partirait pour La Défense. Après la signature de Butterfly, il avait l'intention de rentrer à Washington à bord du Gulfstream. Elle lui répondit qu'elle prendrait les dispositions nécessaires. Wiley la remercia et raccrocha. Agité, il respira profondément et se laissa aller contre le dossier de son fauteuil. Ce fut là qu'il se rendit compte qu'il n'était pas seul.

Une silhouette solitaire armée se détachait sur les voilages des portes-fenêtres que la brise gonflait. Une des fenêtres donnant sur le balcon était entrebâillée.

— Comment êtes-vous entrée ? dit-il sans élever la voix.

— De la rue à cet étage, votre système de sécurité est moyen. Mais quand on vient du toit, c'est une plaisanterie.

Wiley eut l'air incrédule.

— Vous êtes descendue en rappel ?

— J'ai fait de l'escalade toute ma vie. Je parie que cela ne figure dans aucun de mes dossiers.

— Comment saviez-vous que je reviendrais ici ?

— Il faut que vous récupériez le CD.

— Comment êtes-vous au courant ?

Stern le savait.

— Vous ne savez rien de moi, n'est-ce pas ? dit Stephanie

— Franchement, j'ai l'impression d'en savoir trop.

— Vous ne savez rien. Tout ce que vous avez entendu dire est un mensonge.

L'extrémité du silencieux attira son regard.

417

— Qu'est-ce que vous voulez ? Vous avez déjà votre marché. Vous n'êtes pas au courant ?

— Ce n'est pas la raison de ma présence ici.

— S'il m'arrive quoi que ce soit, vous pourrez dire adieu à votre marché.

— Je ne suis pas ici pour vous tuer. Mais si c'est nécessaire, je n'hésiterai pas.

Il opina du chef, en partie rassuré, en partie curieux.

— Alors pourquoi êtes-vous ici ?

— Commençons par le commencement. Je veux le film du George V.

Elle décela un léger changement dans son expression et son attitude.

— Très bien, dit-il en insistant sur le *bien* pour gagner du temps.

— Le DVD original.

— Je suis sûr que nous pouvons nous arranger et...

— Je n'en doute pas. Vous me le remettez et je ne vous tue pas.

— Il n'est pas ici.

Stephanie pointa le SIG-Sauer P226 sur lui.

— Donnez-moi le DVD.

— Je pourrais vous l'obtenir plus tard.

— Il est dans le coffre. Le coffre dont le système de sécurité biométrique requiert un scanner de l'iris. Le coffre qui se trouve derrière l'écran plasma encastré dans le mur.

Wiley en resta interdit.

— Je ne repartirai pas les mains vides. C'est à vous de voir.

— D'accord. Mais avant puis-je dire quelque chose ?

— Soyez bref.

— Nous pouvons toujours conclure un marché, un marché en or.

— Je ne veux pas de votre fric. Je veux le DVD. C'est tout.

Il ne répondit pas, mais visiblement il luttait intérieurement. Le film était la clé qui lui assurerait la confiance de ses cosignataires. Sans le DVD, Brand resterait un homme bien. Un homme dont l'héritage conserverait son influence. Rien de mieux pour consolider une réputation qu'une mort tragique.

— Vous n'avez qu'une option si vous voulez vivre : me le

remettre. Si ce DVD vaut le coup qu'on y laisse sa peau, dites-le, on gagnera du temps.

— Vous ne croyez pas vraiment que vous serez en mesure de saboter cet accord une fois que vous l'aurez, si ?

— Ça m'est égal. Il échoue ou il n'échoue pas. Ça ne change rien pour moi.

— Qu'est-ce qui pourrait changer quelque chose ?

— Donnez-moi le DVD, Wiley.

L'écran plasma était encastré dans le mur en face du bureau. Il n'avait pas bougé d'un iota quand Stephanie avait appuyé dessus et il n'y avait pas moyen de le sortir de son cadre. Elle avait vérifié avant, par pure curiosité. Stern lui avait fourni les renseignements dont elle avait besoin.

— Allez-y. Tapez le code.

Wiley s'exécuta. Stephanie vit l'écran plasma reculer de deux centimètres dans le mur avant de s'élever en silence. Un rectangle vint prendre sa place. En son centre, la porte du coffre. Au-dessus et en dessous, les panneaux noirs du système de sécurité biométrique.

— Vous savez, je m'en fiche que des gens comme vous soient tellement obsédés par le fric. Peu m'importe combien vous valez. Ce n'est pas ce que vous possédez qui compte, c'est ce que vous faites. Vous êtes déjà riches, votre organisation et vous. Vous n'avez jamais eu besoin de cet accord. Croyez-en quelqu'un qui sait ce que c'est de tuer pour de l'argent, monsieur Wiley, je vous ai reconnu.

— Vous ne croyez pas vraiment ce que vous racontez, n'est-ce pas ? Que l'Irak n'était qu'un genre d'opération commerciale ?

— Une double opération. Commerciale et politique. Les deux intérêts liés de façon si inextricable qu'il est probablement impossible de les séparer.

— Foutaises.

— Vraiment ? Qui sont vos investisseurs, monsieur Wiley ? Quelle proportion de votre capital privé vient d'Arabie saoudite ? Quelle proportion de la péninsule Arabique ou du Moyen-Orient en général ?

— Où voulez-vous en venir ?

— C'est un marché juteux pour les initiés. Des bénéfices tirés de l'augmentation des revenus du pétrole subventionnés par le contribuable américain. Ou bien des bénéfices tirés de l'augmentation des ventes d'armes, subventionnés eux aussi par le contribuable américain. À votre avis qu'est-ce qu'ils penseront – l'ouvrier automobile de Detroit, le fermier du Kansas – quand ils apprendront que des pans entiers de leurs impôts tombent directement dans les poches de princes saoudiens milliardaires ?

Wiley lâcha un gloussement peu convaincant.

— Je vous l'accorde. Vous savez raconter une histoire. Très imaginative. Très distrayante. Et tout le monde adore les bonnes théories de complot. Bien entendu, ce n'est pas vrai. Mais à quoi bon le nier ? Vous vous êtes déjà fait votre petite idée.

— Ouvrez le coffre.

Wiley se leva et traversa la pièce. Il se planta devant le coffre, à cinquante centimètres du mur. Pas d'instructions vocales, pas de lumières, pas de pavé numérique. La porte n'était pas munie d'une poignée. Mais derrière le panneau noir au-dessus de la porte, un scanner de l'iris se mettait en place. L'opération terminée, on entendit un murmure quand les dispositifs de sécurité se rétractèrent. La porte du coffre recula de cinq millimètres, puis glissa vers le bas, disparaissant dans le logement d'acier luisant. De minuscules lumières intérieures révélèrent le contenu : des documents, trois rouleaux de films non développés, des négatifs, des bons au porteur. Le DVD était dans un étui de plastique bleu marine. Derrière, une petite arme. Un P-64 polonais.

Wiley savait qu'elle ne pouvait pas voir l'arme. Il fourra la main dans le coffre, effleura l'étui, puis fermant les yeux un instant, presque comme s'il priait, toucha le P-64. *Ne sois pas stupide. Cela ne vaut pas le coup.* Respirant fort, il prit le DVD et se retourna lentement.

Stephanie le prit.

— Juste pour savoir. Combien de bénéfices doit-il y avoir en jeu avant que cela ne vaille la peine de tuer quelqu'un ? L'identité de la cible importe-t-elle ? Et sa personnalité ? C'est vrai quoi, Brand était célèbre. Respecté de tous. Combien valait-il ? Trois pauvres types ? Dix ? Cent ?

— Très malin.

— Je ne plaisante pas. Il doit bien y avoir une somme plancher. Je ne pense pas que vous fassiez tuer qui que ce soit pour dix dollars. Mais pour dix milliards ? L'histoire récente a montré que vous êtes prêt à tuer pour bien moins. Alors où est le plancher ? À partir de quel chiffre le premier corps vaut-il quelque chose ?

— Vous devriez le savoir. C'est vous l'expert.

— D'accord. Si vous voulez jouer la partie comme ça. Yusuf Aziz Khan, ancien directeur de l'ISI du Pakistan : un million deux cent cinquante mille dollars. Ils m'ont offert un million. J'ai demandé un million cinq. Nous avons coupé la poire en deux. Eddie Sullivan, fondateur de ProActive Solutions, tué ce mois-ci au Turkménistan pour le compte du gouvernement russe, trois quarts de million. À vous.

Wiley était interloqué.

— À vous, insista Stephanie.

Mais il ne parvint pas à s'y résoudre. Il chercha maladroitement une alternative.

— Combien cela me coûterait de vous racheter ce DVD ?

Malgré elle, Stephanie sourit. C'était tellement typique du bonhomme ; l'argent était le seul langage qu'un homme comme Wiley était capable de comprendre.

— À vous de me le dire. Quelle est sa valeur ? Et avant que vous ne répondiez, dites-vous bien que, si vous essayez de me prendre pour une idiote, cela va faire mal.

Wiley respira profondément, histoire de gagner du temps.

— Dix.

— Dix quoi ?

— Dix millions de dollars US. Cash. Ou sous quelque forme que vous les préfériez.

— Autant que le contrat sur ma tête ? Je vois la symétrie, mais nous n'en sommes plus vraiment là, non ? Quid des trois ou quatre milliards de bénéfices que vous allez tirer de Butterfly ? Et les contrats par répercussion ? Tous avec une marge de bénéfice intégrée ? On parle de combien maintenant ? Dix milliards ? Quinze ?

— Vous en êtes très loin.

— Vous ne ferez jamais la queue pour des tickets-repas.

— Je vous donne vingt millions.

Elle secoua la tête, méprisante.

— Vous êtes encore loin du compte.

— Très bien, fit Wiley, cherchant à la défier. Dites un chiffre.

— Cinq trois un quatre deux.

— Quoi ?

— C'est le chiffre. Cinq trois un quatre deux.

— De quoi parlez-vous ?

— Vous savez qui était Jacob Furst ?

— Non. Jamais entendu parler de lui.

— Il est mort ici à Paris il y a onze jours. Le jour de la bombe du Sentier. Peltor l'a tué. Comme sa femme, Miriam. Peltor s'est servi d'eux pour m'attirer à Paris, puis il les a assassinés. Jacob avait près de quatre-vingt-dix ans. Il avait survécu à Auschwitz ; cinq trois un quatre deux était le numéro tatoué sur son poignet. Voilà pourquoi je suis ici.

Wiley sentit les dernières lueurs d'espoir s'évaporer comme de la rosée dans le désert.

— Si vous me tuez, ils vous pourchasseront.

Cela laissa Stephanie complètement froide et il le vit.

— Je sais.

Il prit peur et fit la première chose qui lui vint à l'esprit. Il vira sur lui-même et tendit la main vers le P-64. Il ne réussit même pas à l'effleurer.

La balle entra dans son omoplate droite et le projeta contre le mur. Puis il piqua du nez et tomba, s'écrasant sur le tapis avec un grognement.

Stephanie le contempla. Tellement prévisible. Le genre d'homme qui ne se crée de surprises qu'en choisissant sa cravate. Elle leva de nouveau l'arme.

— Attendez, haleta-t-il. Vous avez dit...

— Je sais ce que j'ai dit. C'est l'apanage des femmes que de changer d'avis. Celle-là, c'était pour moi. La suivante, c'est pour Jacob.

Elle tira de nouveau.

— Et celle-là, pour Miriam.

Elle lâcha l'arme près du corps. Le SIG-Sauer P226, l'arme de prédilection de l'assassin Petra Reuter.

Une heure cinq. Stephanie attendait sous les arcades des superbes demeures XVIIe de la place des Vosges. Un vent frais agitait les feuilles des tilleuls parfaitement taillés de la place.

422

— Salut, toi.

Il portait toujours le même costume et la même chemise qu'à la banque Grumann de Vienne, mais il s'était douché et rasé chez les Adler.

— Toilette en grand aujourd'hui.

— Je me suis dit que j'allais faire l'effort.

— Pour Shéhérazade ?

— Pour Wiley.

Ils sourirent de ce mensonge, puis s'embrassèrent. Elle ne le lâcha pas.

— Tu as le DVD ?

— Oui.

— Comment a-t-il pris ça ?

— Plutôt mal. Comment ça s'est passé pour toi ?

— L'ambiance n'était pas vraiment à la sérénité. Mais il a accepté le marché. Nous sommes tirés d'affaire.

Elle avait du mal à reprendre ses esprits. Pour l'instant. Mais elle savait que dans les jours à venir sa tête et son cœur retrouveraient le même rythme. Elle le serra plus fort contre elle.

— *Tu* es tiré d'affaire.

Il se crispa.

— Que veux-tu dire ?

— Wiley est mort.

Il recula d'un pas pour mieux la voir.

— Comment ?

— Il a cherché à prendre une arme.

Newman eut l'air abasourdi.

— Wiley ? Une arme ? Tu plaisantes.

Elle secoua la tête.

— Je lui ai dit que je n'étais pas venue pour le tuer. Mais maintenant je ne suis plus si sûre que je disais vrai. Je ne sais pas.

— Merde. On est baisés.

— Pas toi.

— Qu'est-ce que tu racontes ?

— Ça ne va pas te plaire, Robert.

— Alors, sois brève.

— J'ai vu Shéhérazade ce matin. Avant toi. Nous avons conclu un autre marché.

— Lequel ?

423

— Tu es à l'abri, quoi qu'il arrive.

— Attends. Tu es allée là-bas à mon insu et...

— Ne sois pas en colère. C'était la seule issue possible.

Mais il *était* en colère. Et c'était justifié. Pourtant Stephanie savait qu'elle avait eu raison d'agir ainsi. Elle le prit par le bras.

— Viens. Je suis gelée. Marchons.

Ils longèrent une arcade, puis une autre, passant devant des boutiques coûteuses et des galeries d'art chic. En silence.

Stephanie songeait à Gordon Wiley et se demandait si elle l'aurait descendu s'il n'avait pas cherché à s'emparer de son arme. Elle n'en était pas sûre. Mais cela n'avait rien d'impossible. Ce qui aurait fait de lui la première victime de Stephanie. En fait, il avait vraiment cherché à récupérer l'arme, il devenait donc la dernière victime de Petra. De toute façon, elle n'avait aucun remords. Sans leur avoir vraiment rendu justice, c'était ce qu'elle pouvait faire de mieux pour Jacob et Miriam. Et pour ceux qui étaient comme eux.

— Elle n'en a pas parlé, reprit Newman.

— Bien entendu. C'est une femme aux options infinies. Ton expression. Butterfly n'était que l'une d'elles. Et pas la plus séduisante.

— Qu'est-ce qu'elle t'a raconté ?

— Il y a un autre projet. Ni l'Amérique, ni Israël, mais tout aussi lucratif. Un nouveau marché, politiquement et financièrement. Comme d'habitude, elle les coiffe tous au poteau. Butterfly avait une longueur de retard, celui-ci a deux longueurs d'avance.

Il réfléchit un moment.

— La Syrie ?

Stephanie secoua la tête.

— La Chine. Et l'Arabie saoudite. Un axe complètement différent. Mais pas nouveau.

— Non.

— J'ai vu les tampons sur ton passeport chez toi. Shanghai. Pékin.

Il hocha lentement la tête.

— Mais je n'ai jamais su qu'elle était proche de Pékin. Tu sais de quoi il s'agit ?

— Elle n'en a rien dit. Mais elle m'a confié que le marché

sino-saoudien serait toujours plus lucratif. Elle a toujours jugé Butterfly superflu.

— Les deux marchés ne pourraient pas coexister ?

— Apparemment, non.

Il masqua sa consternation par un sourire las.

— Je ne vois pas pourquoi je suis surpris. Depuis le temps que je la connais, j'aurais dû deviner.

— Je suis désolée d'avoir agi dans ton dos. J'ai bien pensé que tu le prendrais mal.

— Tu avais raison.

— Elle tient encore à toi, Robert.

— Je le sais. Mais c'est trop compliqué.

— Comme nous, alors.

Il acquiesça, un peu malgré lui sembla-t-il.

— Sans doute.

— Tu sais, ça tient debout.

— Bien sûr. Mais ce n'est pas l'impression que ça donne.

— La mort de Wiley facilite les choses, en fait. Elle supprime la nécessité d'opérer un choix.

— C'est plus simple pour moi. Pas pour toi.

— Non. C'est aussi plus simple pour moi, Robert. Je suis dans le noir. Je ne sais plus qui je suis. Ni qui je vais être. J'ai besoin d'une rupture franche.

— Avec moi ?

— Avec Petra. Avec le présent, avec le passé.

— Qu'est-ce que tu vas faire ?

— Ce que je fais toujours. Prendre la fuite.

Ils traversèrent la place en diagonale, passant à côté de mères et d'enfants, d'amoureux, d'un aveugle qui mendiait. Malgré le froid mordant, un artiste peignait une aquarelle ; des toits d'ardoise pentus, des façades en briques, de hautes lucarnes.

— Je me demande souvent si Rachel et moi nous nous serions entendus dans le monde réel. À certains égards, c'était facile pour nous. Les règles normales ne s'appliquaient pas.

— Vous auriez réussi. Ne nous compare pas, Robert. Je n'en vaux pas la peine. Elle sortait du lot.

— Mais tu es...

— Non. Quoi que tu aies voulu dire, je ne le suis pas.

Ils s'arrêtèrent pour se regarder.

— Tu vas bien ?

Il acquiesça.

— Je vais beaucoup mieux que lorsque je suis entré au bar du Lancaster.

— Qu'est-ce que tu vas faire ?

— Comme toi. Rompre franchement avec le passé.

Elle eut un sourire un peu triste.

— Il faut que j'y aille.

— Si un jour tu as besoin de quoi que ce soit, n'hésite pas. Pas une seconde.

— Non. Promis.

— Prends soin de toi, Stephanie.

Elle l'embrassa.

— Toi aussi.

— Dès que tu sauras qui tu es, téléphone-moi si tu passes par Paris. Cela m'intéresserait de te rencontrer.

Début février

Quand elle se réveilla, l'appareil survolait la mer d'Andaman. Elle regarda vingt minutes du *Troisième Homme*. Un membre de l'équipage lui apporta une tasse de café.

Elle relut la notice nécrologique de Maurice Hammond dans une édition récente du *Times*. Tout bon partout. La bonne école, la bonne université, le service du renseignement. Un narrateur doué, un anglican convaincu, un homme intègre. On ne précisait pas la cause de sa mort. On en avait parlé dans un numéro précédent ; chez lui, dans son sommeil, paisiblement.

Du pur Magenta House : pas une trace, la marque de fabrique de la division Ether.

Le vol BA015 de British Airways entama sa descente vers Singapour. Stephanie jeta un coup d'œil par le hublot. Le crépuscule enveloppait d'un voile doré les pétroliers bouchant le détroit de Malacca.

Elle avait détruit le DVD à Paris. Anders Brand restait l'homme qu'il avait toujours semblé être. Julia conserva son anonymat, comme elle le méritait. Quant à Petra Reuter, la plus grande confusion régnait. On avait trouvé un cadavre à Vienne et pourtant, vingt-quatre heures plus tard, à Paris, le meurtre de Gordon Wiley avait paru porter sa signature.

Elle songea à Leonid Golitsyn. *Golitsyn flotte au-dessus du monde.* C'était ce que Stern avait dit de lui. Et Stern était celui qui avait fourni à Stephanie les renseignements dont elle avait eu besoin. À Vienne, puis de nouveau à Paris, Stern avait répondu à son appel.

L'appareil atterrit juste avant six heures. Elle avait deux heures de battement avant d'attraper sa correspondance pour Sydney. Une fois de plus, elle était une femme en transit. D'un endroit à un autre. D'une identité à une autre. D'un passé encombré à un avenir vide. En ce sens, l'Australie faisait un excellent point de départ. Ensuite, comment savoir ? Peut-être la maison dans le sud de la France qu'Albert Eichner avait proposé d'acheter pour elle.

Dans le vaste terminal frais de l'aéroport de Changi, elle s'installa devant un ordinateur, vérifia si elle avait des messages – pas l'ombre d'un – puis en envoya un à Stern.

>Merci pour Paris. Merci pour tout. Je n'ai plus qu'une
question : des diamants ou du pain ?

Elle arpenta le terminal pendant une heure et demie, but du thé, fit du lèche-vitrines, étira ses jambes. Tout avait tourné autour de Golitsyn, comprenait-elle maintenant. Mais il n'était pas la réponse. Il était le chaînon manquant menant à la réponse.

Pourquoi Stern ne serait-il pas une femme ? Voire une vieille dame ? Dans le monde du renseignement, l'expérience primait. Cela avait été vrai de Golitsyn, avec son entregent légendaire. Natalya Ginzburg elle-même l'avait dit. Un messager entre Washington et Moscou dans le temps. Un homme qui avait continué à flotter au-dessus du monde, quel que soit le climat politique dominant. Comme Aleksandr Ginzburg et elle, jusqu'à son décès prématuré. Mais l'amitié de Natalya Ginzburg et de Golistsyn remontait à bien plus loin. À l'enfance.

Golitsyn était lié à tout le monde. Et elle était la confidente de Golistsyn. Celle à l'oreille de qui il avait murmuré le matin de sa mort. Celle qui savait où se trouvait le film. Qui connaissait l'emplacement du coffre dans l'appartement de l'avenue Kléber. Qui savait quels systèmes de sécurité protégeaient le coffre et l'immeuble. Stern avait suggéré une entrée par le toit. Parce que Golitsyn était au courant.

Une douce voix féminine résonna dans le terminal. Dernier appel pour le vol BA015 en direction de Sydney. Stephanie consulta sa montre. Sept heures quarante, un quart d'heure avant le décollage. Elle retourna aux ordinateurs et vérifia de nouveau ses messages.

Toujours rien.

Peut-être s'était-elle trompée. Mais au fond de son cœur, elle savait qu'il n'en était rien. Golitsyn et Brand n'avaient pas été une alliance de deux personnes ; mais deux éléments d'une alliance de trois personnes. Natalya Ginzburg avait su exactement ce qui se tramait. C'était la raison pour laquelle, elle – enfin Stern – avait envoyé Stephanie à Golitsyn. Elle avait voulu sauver son ami et avait espéré que sa cliente préférée y parviendrait.

Nouvel appel. Plus que dix minutes à peine.

Stephanie songea à la place Vendôme. La curiosité de Ginzburg prenait tout son sens maintenant. *Je n'aurais jamais cru que je vous rencontrerais.* Stephanie lui avait demandé si elle savait qui elle était. *Qui vous êtes et ce que vous êtes.*

Deux jours plus tard, quand elle était revenue place Vendôme pour revoir Ginzburg, la conversation s'était conclue dans la limousine dont Brejnev avait fait cadeau à son mari. Et c'était pendant ce trajet que Ginzburg avait révélé à Stephanie les détails de Butterfly que lui avait confiés Golitsyn. Elle avait également fait mention du contrat sur sa tête – cinq millions de dollars, qui ne tarderaient pas à se muer en dix – et avait insisté pour que Stephanie prenne la fuite. Cela tenait debout à présent. Ginzburg avait tenté de la protéger. Ou, changement de point de vue, Stern avait tenté de protéger Petra Reuter.

Trois mots apparurent sur l'écran.

>Nous seuls savons.

Stephanie hocha la tête. La blague que Natalya Ginzburg n'avait partagée qu'avec Leonid Golitsyn était la confirmation qu'elle attendait. Natalya Ginzburg était Stern.

Elle fut la dernière à monter à bord. Elle se réinstalla à la place 3K. Les portes se fermèrent. Le 747 partit en direction de la piste.

Elle se sentait vraiment libérée et elle songea aussitôt à Julia. C'était son avenir à elle, pas celui de Stephanie. Le billet aller seul, la promesse d'un avenir lavé du passé, les éventualités enivrantes à venir.

L'occasion de recommencer de zéro.

Remerciements

J'aimerais remercier pour leur aide : à Paris, Carmela Uranga ; à Bruxelles, Gérard de la Vallée Poussin ; à Londres, Dominic Armstrong.

J'aimerais également remercier mon agent, Toby Eady et ses collaborateurs, ainsi que Susan Watt, ma correctrice, et ses collaborateurs.

Enfin, je remercie ma femme Isabelle qui n'a jamais cessé de m'offrir son affection, son soutien et sa patience.

Cet ouvrage a été imprimé par

FIRMIN DIDOT

GROUPE CPI

Mesnil-sur-l'Estrée

pour le compte des Éditions Robert Laffont
24, avenue Marceau, 75008 Paris
en mai 2007

Cet ouvrage a été composé
par PCA – 44400 REZÉ

N° d'édition : 47871/01. – N° d'impression : 85455
Dépôt légal : mai 2007

Imprimé en France